Demain
tu
verras

Dépôt légal:
Bibliothèque nationale du Canada
Bibliothèque nationale du Québec

ISBN 2-922512-22-3

André Mathieu

Demain
tu
verras

ROMAN

Adresse de l'éditeur:
9-5257, Frontenac
Lac-Mégantic
G6B 1H2

Mais il reste à jamais au fond du coeur de l'homme
Deux sentiments divins, plus forts que le trépas:
L'amour et la liberté, dieux qui ne mourront pas!
Lamartine

Note de l'auteur

Demain tu verras fut publié en 1978 chez Québec-Amérique qui écrivit alors l'argument de la couverture. Ce fut le premier roman de cette maison connue pour ses dictionnaires et des succès populaires tels que *Les filles de Caleb, Le matou, À l'ombre de l'épervier.* Là n'est pas mon propos.

Ce qui étonna à cette époque fut la réaction très forte provoquée par le livre dans la région d'origine et de l'auteur, et de l'éditeur. Puisqu'il s'agissait du premier ouvrage d'un écrivain débutant on le crut fortement autobiographique comme c'est souvent le cas. Et pourtant, même si les personnages étaient facilement reconnaissables, ainsi que les événements et leur chronologie en plus des lieux, il faut le souligner, presque tout le contenu relève de la **fiction**. Car une réalité amplifiée, caricaturée, déformée, ce n'est pas une réalité mais bel et bien de la fiction. Voilà pourquoi le livre portait en grosses lettres sur toutes les éditions qui en furent faites pour près de 30,000 exemplaires à ce jour (2002) le mot ROMAN.

Un roman est un roman et ceux qui le lisent en se laissant aller à leurs penchants voyeuristes déforment eux-mêmes la *réalité de la fiction* pour employer un non-sens à leur mesure.

Que ceux qui liront ce livre aujourd'hui n'y cherchent et n'y voient aucun reflet véritable et découpé de personnes vivantes ou mortes. Je n'ai réglé de comptes avec personne dans aucun de mes 46 ouvrages. Dans chaque livre, quand la mise en place est terminée, ce n'est plus la plume de l'auteur qui pousse les personnages en avant, mais bel et bien les personnages qui dépassent l'auteur et l'entraînent où ils le veulent. C'est ça, de la fiction, même celle qui se colle à la réalité comme dans *Le trésor d'Arnold, Le bien-aimé, La tourterelle triste, Aurore* ou *Tremble-terre.*

Et surtout, ceux qui en 1978 se sont récriés et scandalisés devant la caricature soi-disant d'eux-mêmes ou de certains de leurs proches dans *Demain tu verras,* ont aussi passé à côté de la plus grande caricature du livre: celle de l'auteur lui-même, qui ne s'est pas mis à nu mais s'est habillé tout au long des chapitres d'une nudité qui n'est pas la sienne, qui lui était étrangère. Car un RO-MAN est un ROMAN. Et ça, l'éditeur et quelques critiques à l'extérieur du milieu ayant servi de creuset à l'affabulation, l'ont saisi

8

heureusement.

Dans cette nouvelle édition, le texte a été entièrement revu et corrigé. Surtout corrigé, car l'éditeur en 1978 avait laissé passer beaucoup d'erreurs de typo –c'était avant les ordinateurs–, car l'auteur que j'étais ne possédait aucune expérience et tombait dans plusieurs pièges dont les pires, ceux de la *redondance* et son corollaire le *manque de concision*. Aussi, ai-je nettoyé les dialogues de leur côté cul-de-poule. Je ne pouvais tout revoir. J'ai tout revu quand même à main levée. Sinon, il m'aurait fallu tout reprendre à zéro. Je ne cherchais pas à faire de littérature dans *Demain tu verras*, juste raconter une histoire qui intéresse. Je crois avoir atteint cet objectif puisque sans beaucoup de couverture médiatique, le livre atteint avec cette réédition de 2002, les 28,500 exemplaires, ce qui est au Québec, 9 fois plus qu'un best-seller régulier.

Qu'on se le disc: ce mot de l'auteur n'est pas une excuse, c'est une accusation... d'ignorance envers ceux qui ont jeté l'anathème sur une oeuvre (peut-être pas très habile) en donnant tête première dans la **confusion des genres**.

André Mathieu, janvier 2002

Chapitre 1

1958

Il n'avait plus de véritable foyer depuis la disparition de sa mère l'année précédente. Il prenait quelques repas chez lui à ses congés du pensionnat, y dormait aussi, mais la maison n'était plus pour lui qu'une coquille vide, une boîte déserte. L'âme en était partie, assassinée par la misère et le cancer.

Alain Martel consumait ses journées dans l'un des rares endroits du village où il était possible de musarder sans devoir perdre l'espoir que parfois, un visage connu ou inconnu vienne rompre la monotonie des heures inutiles: le restaurant en face de l'église.

En ce jour gris de la saison froide en déclin, il y avait flâné depuis le début de l'après-midi, jouant presque sans arrêt sur une machine à boules nerveuse. Quand les visiteurs se faisaient trop attendre, il écoutait les chansons américaines du juke-box. Et son esprit vagabondait...

Sa montre marquait déjà seize heures, mais l'air ambiant et la couleur du temps disaient au moins une de plus. Par milliards, de gros flocons de neige pourrie se mirent à tomber dru. Ils venaient mourir doucement, absorbés par la tiédeur du macadam noir et luisant. Mars agonisait tout aussi furtivement.

Tout le long de l'église, des amas de neige sale semblaient vouloir prendre d'assaut le temple paroissial.

–Vagues de l'enfer, se dit l'adolescent.

Son attention fut attirée par une forme humaine noire et blanche qui descendait l'allée du presbytère. Il reconnut bientôt le curé qui marchait résolument.

Alain regarda à nouveau les montagnes de neige. Elles n'étaient plus crasseuses, mais d'un blanc immaculé. Des flocons frais avaient effacé l'aspect noirâtre du moment d'avant. Il pensa au pouvoir du prêtre, à la régénération des âmes salies, à la rédemption des pécheurs, passant par la volonté de ce leader des esprits. Il se souvint de ces paroles gravées pour l'éternité en sa mémoire de quinze ans et par lesquelles le pasteur avait statué, près du lit de mort de sa mère, la minute d'après le dernier souffle de la femme, sur la nature de son au-delà.

—Cette personne a quatre-vingt-dix chances sur cent d'être au ciel à l'heure qu'il est, avait dit le confident du Seigneur.

Ce souvenir aussi frais que net lui pinça le cœur pendant quelques minutes, le temps que le prêtre, tel un géant, passe entre les montagnes blanches devenues vagues célestes par quelque force surnaturelle et mystérieuse, puisqu'il s'efface sur la rue principale, en direction du bureau de poste.

Alain s'arracha brusquement à cette souffrance inutile. Il marcha jusqu'au juke-box, y déposa une pièce et commanda "Peggy Sue".

Cette chanson était sa favorite, surtout à cause de son rythme. Cent fois, elle avait charmé son oreille, cent fois, elle avait renouvelé son plaisir. Mine inépuisable de nouveaux rêves de filles neuves. Le rythme avait accroché son âme à la première écoute et lui, en retour, accrochait son âme au rythme. Seule la musique pouvait se faire un écho fidèle de ses vibrations adolescentes.

Quand le silence eut éteint la voix de Buddy Holly, le garçon aux cheveux châtains devint nostalgique Il détestait la fin des bonnes choses et le retour au réel, s'expliquant confusément que leur répétition en usait le charme, cherchant vaguement à comprendre pourquoi leur goût frais devait d'abord se décanter dans son âme, pour que d'elles, renaisse un désir renouvelé.

Debout, légèrement incliné vers l'avant, mains appuyées sur les coins de la boîte à musique, pour la millième fois de sa vie, il observa ses oreilles, hochant doucement la tête. Cette image que lui reflétait la vitre lui apparut bel et bien comme celle de portes de grange, ainsi que le disait une expression populaire pour désigner des oreilles décollées. Au pensionnat, il avait voulu les cacher en se laissant pousser les cheveux, mais il avait dû essuyer tant de quolibets qu'il avait fini par se résigner à les faire raccourcir à une longueur dite normale...

Sa réflexion fut interrompue par l'arrivée bruyante d'une famille de trois personnes: le père, la mère et une jeune fille que le garçon évalua à seize ou dix-sept ans.

L'adolescente désigna la table la plus rapprochée de la boîte à musique:

—Asseyons-nous là. Sans attendre de réponse, elle s'y dirigea d'un pas ferme et prit place, suivie de ses parents.

Alain n'avait eu qu'à bouger un peu les yeux pour toiser les arrivants et l'avait fait discrètement. Il voulut quand même justifier sa position et déposa une pièce dans la machine. Puis pressa le bouton de l'air populaire "Love letters in the sand".

12

—Ils ont de la musique antique dans ce village antique, dit la jeune fille à voix haute aux premières vocalises de Pat Boone.

Alain eut le temps d'entendre ce jugement peu flatteur avant de refermer sur lui la porte des toilettes. Il eut honte d'avoir choisi une chanson "Old favorite", et sentit le rouge lui monter aux joues. Et pourtant, il avait voulu, par ce disque-là, faire comprendre à l'adolescente qu'il appréciait sa présence. C'était une chanson à message...

—Je vas lui montrer qu'on a les chansons à la page. Je vais attendre ici jusqu'à la fin du disque et en sortant, je vais mettre un trente-sous dans le juke-box. Pis lui montrer qu'à St-Honoré, on est moins arriérés qu'elle a l'air de le croire.

Le geste déterminé, il descendit la fermeture-éclair de son pantalon et sortit son pénis qu'il fixa des yeux tout le temps qu'il pissa, grommelant pour la nième fois:

—Pourquoi cet abruti d'ivrogne de docteur m'aurait-il pas circoncis comme tout le monde à ma naissance ? Vieux gnochon! Comment avoir des relations sexuelles avec .. avec ça ?

Il hocha la tête avec dépit comme pour se débarrasser de sa fixation, puis secoua son pénis avec violence pour l'assécher. Par la suite, il chercha dans ses poches et trouva un peigne pour bien centrer la boucle de cheveux agglutinés qui ornait son front. Il aimait cette mode qui lui faisait oublier son front bombé.

—Je vas tout de suite décider pour les disques. Comme ça, je pourrai les faire tourner sans hésiter... elle va ben voir ce qu'elle va voir.. Tiens, pourquoi pas "I beg of you" ?. .. Oui. Et. . . "Don't". Et certainement "Peggy Sue".

Il empocha son peigne, prit une pièce de vingt-cinq cents et, lorsqu'il entendit s'éteindre la voix de Pat Boone, il sortit.

Un sourire vague au visage, il se répétait·

—Elle verra ben !

Mais alors son sang ne fit qu'un tour. Il arrivait à plein nez sur la jeune fille qui elle-même était à faire tourner des disques. Il pesta de n'avoir pas prévu la chose. Mais, demi-consolation, il remarqua qu'elle arborait une poitrine agressive et attirante, lui que cette partie de l'anatomie féminine fascinait tant... Il alla s'asseoir à une table d'où il pourrait, tout à son aise, la reluquer. Pour le voir, elle devrait tourner la tête, ce qui, le cas échéant, serait un signe certain de son intérêt pour lui. De nouveau, il enveloppa la poitrine d'un rapide regard tournoyant, vite interdit par un reproche de sa propre conscience et de son éducation chrétienne.

Il eut une discussion philosophique avec sa conscience

"Encore des mauvaises pensées! Que Dieu me vienne en aide! Mais d'abord que je ne m'y complais pas, y a donc pas de péché Pourquoi pas être capable de regarder une fille sans subir cette damnée tentation?

Je dois être anormal ? Ou ben les femmes ont le diable dans la chair ?
Non! Le diable est dans la mienne, dans mes yeux, dans mon esprit!
Son regard s'assombrit et ses yeux fixèrent le macadam mouillé. Suis
peut-être une créature du diable... Ben non! Je reçois régulièrement le
corps et le sang du Christ. . sauf quand j'ai de ces périodes de masturbation... Mais c'est fini, je recommencerai plus... jamais plus! Oui, mais
j'me suis dit ça si souvent! Pourtant, faut pas que je retombe, non, non.
Ma volonté sera plus forte que la tentation du démon cette fois-ci. Suis
pas une créature du diable; autrement je pourrais pas recevoir en moi le
corps et le sang de Jésus-Christ: le mal peut absorber le bien, mais le
diable ne peut pas absorber Dieu...

—Ça, c'est une toune ! clama la jeune fille aux premières notes de "I
beg of you". La frustration monta d'un cran au cœur d'Alain.

Car c'était son premier choix pour prouver que lui et St-Honoré
étaient à la page ?

—Rien de nouveau sous le soleil, dit le père d'un air désabusé.

—Mais t'as jamais entendu cette chanson-là!

—Des ben meilleures !

—Et quand ça, hein ? Le rock'n'roll existait même pas dans ton temps!

Le ton et le regard inquisiteur de la jeune fille réclamaient réponse
L'homme demeura impassible. Elle insista avec un large sourire·

—Papa, c'est un rythme nouveau, c'est jeune, c'est excitant..

Silence. Alors, sentant le besoin d'une alliance, elle jeta un coup
d'œil du côté d'Alain qui, partageant sa foi de catéchumène dans le
rock'n'roll, la regardait justement, pour mieux boire à ses paroles Elle
ramena vite ses yeux à son père et son sourire se transforma en un long
rire surfait et sonore.

—Pauvre papa, on est plus au temps de Crosby, on est au temps de
Presley.

Ennuyé, l'homme à lunettes et cheveux poivre et sel, dit.

—J'aimerais ben entendre parler de la serveuse.

Il n'avait pas remarqué que celle-ci arrivait à la table en marchant
gauchement. Elle sourit et s'excusa.

—Aucun problème! lança-t-il d'un ton définitif en la détaillant d'un
insistant regard.

Alors qu'ils étaient à commander, Alain se questionna sur la jeune
fille. D'où venait-elle ? Et il imagina une réponse: probablement de
Québec ou de Montréal, à sa façon de parler de St-Honoré. A-t-elle un
ami 'steady' ? Probablement !... Toutes les adolescentes des villes doivent en avoir un ? Pourquoi elle est si énervée ? Veut-elle attirer l'attention ? Pas nécessairement. Bah! les jeunes des villes sont plus .. excités, plus.. exubérants !

Quand la fille se rendit à la chambre des dames, il forgea un plan

L'attaque par le sourire. *"Quand elle va sortir, je lui sourirai, je lui sourirai."*

La jeune fille rétive réapparut bientôt avec un remarquable sourire au coin des lèvres. Elle regarda intensément Alain. Mais ses yeux s'assombrirent vite, et elle reprit place, hargneuse, derrière sa soupe qu'elle attaqua sans cérémonie.

Abasourdi, assommé, Alain se demanda ce qui arrivait. Comment son sourire avait-il pu la vexer à ce point ? Lui qui avait dû se battre avec ses nerfs, user de tout son courage pour accrocher cet agrément à sa face. Déception et dépit le poussèrent à tourner le dos et, pour mieux ignorer cet être imprévisible, il alla s'asseoir à un tabouret près du comptoir de la caisse. Là, il attrapa un journal traînant sur une tablette et le lut pour la troisième fois.

Au bout de quelques minutes seulement, il entendit à côté de lui, la voix de l'adolescente:

–S'il vous plaît, mademoiselle, un paquet de cigarettes

Il paralysa de la sentir aussi près. Un mélange de lavande et d'une odeur inconnue envahit ses narines. Les contradictions envahirent son cerveau. Il avait envie de la regarder, d'essayer un autre sourire, mais, chat échaudé, craignait d'échouer. Il se décida pourtant et voulut bouger la tête: pas capable. Bloquée, barrée sur l'axis. Il finit par y parvenir. Et cet autre essai tourna aussi au vinaigre. Elle avait un sourire de coin, sorte de faible contraction sur le visage qui lui parut être un effort de communication. Il voulut y répondre. Quand leurs yeux se rencontrèrent, le rictus de l'adolescente cailla. Elle tourna vivement la tête, paya ses cigarettes et retourna à sa table où elle assaisonna le reste de son repas de grognements et de mauvaise humeur.

"Ou elle est stupide ou elle déteste mon visage. Ou peut-être .. quand elle a vu mes oreilles de proche ?... Ah, pis après ? Elle est pas si belle elle-même ! Des éruptions autour du nez. Des cheveux graisseux. Elle marche comme un gars. Stupide! Stupide et laide. Elle doit pas s'être vue dans son miroir ! En plus que ses vêtements, c'est de la guenille. Pis son rouge à lèvres va pas avec son visage... La taille épaisse. Emmenez-en d'la pitoune de sapin pis d'épinette..."

Il prit un crayon et tua le temps sur des mots croisés. Et en vint presque à oublier la présence de l'écervelée quand la vue de l'homme réglant sa facture le sortit de son occupation prenante.

Alain ne remarqua pas le regard goulu dont le personnage enveloppait le postérieur de la serveuse. Un tel homme ne saurait avoir des pensées obscènes. Il n'y songerait même pas. Marié, quarantaine avancée, accompagné de sa famille ?

La famille quitta le restaurant. Et prit la direction de l'auto dans la cour de l'église. Au milieu de la rue, brusquement, l'adolescente tourna les talons et rentra. Visiblement, elle avait fait exprès d'oublier sa bourse à l'intérieur. Elle la récupéra et, avant de repartir, s'arrêta et apostropha

15

le jeune homme:

–Mon espèce d'arriéré mental, pourquoi que tu regardes les gens avec ta face de singe ? Par petits pas vigoureux, elle progressa vers la porte et s'arrêta sur le seuil où elle se retourna une dernière fois pour sortir la langue et adresser une grimace dédaigneuse à l'adolescent ahuri qui secouait la tête pour comprendre l'incompréhensible.

Il faillit ravaler sa propre langue en même temps que son air bête et il suivit des yeux la jeune fille qui espaçait des petits pas secs vers l'auto familiale.

La serveuse éclata de rire.

–Tu lui as fait quoi ?

–Je suppose que y aura eu malentendu quelque part, répondit-il cherchant à reprendre son souffle.

–Est folle ou malade, ou les deux ! J'lui ai pas dit un traître mot !

–Elle doit pas avoir l'esprit rapide.

Alain secoua la tête et ferma les yeux. "Faut de tout pour faire un monde." Et il replongea dans ses mots croisés.

«Acte d'autorité ?... Loi. Action de communiquer ?... Communication. Mouvement de la bouche et des yeux ?... Hum. . Mot à cinq lettres ..»

Il cherchait encore quand l'arrivée d'un client détourna son attention mais pas sa tête. Fallait pas avoir l'air senteux, fallait avoir l'air indépendant, fallait avoir l'air de se mêler de ses oignons. Il devina que l'arrivant s'était assis où la jeune tête de linotte avait mangé un peu plus tôt. Il ne put rentrer dans ses mots croisés. Et pivota sur son tabouret mobile. C'était une tête connue mais à qui il avait rarement parlé.

En ce temps d'idéaux à atteindre, de modèles à imiter, ce personnage était son choix par excellence. Le type américain parfait. Même si, comme l'adolescent, il était né et avait toujours vécu dans ce petit village frontalier, canadien-français, catholique romain, typique, traditionnel, stable, folklorique.

Malgré son jeune âge, l'homme était un important brasseur d'affaires de la région. Il parlait couramment l'anglais et possédait la plus grosse maison du coin. Il roulait Cadillac et aussi une seconde voiture. celle de sa femme. Portait des bermudas en belle saison et une casquette de coton pour se rendre à son chalet sis près d'un petit lac ensemencé et embourgeoisé. Résidence d'été disait l'annuaire du téléphone.

À la réflexion, l'homme était bien plus qu'un Américain dans l'esprit d'Alain, puisqu'en plus d'en posséder le genre et l'esprit, il était d'abord canadien-français et catholique.

Pour ces mêmes raisons, les gens de tout St-Honoré avaient vu en lui leur phare, leur vérité de cette année 1958. Il les sauverait par ses options politiques d'opposition bien que traditionnelles, par ses idées à vieilles formules rajeunies, par ses vues peintes en neuf mais issues de

16

la sécurisante et poussiéreuse société canadienne-française. Le personnage était tourné vers le fabuleux et dynamique modèle américain, et c'était là son grand mérite. Sa mission tacite: conduire les gens, à travers un entier respect de la foi et des traditions, vers une société de surconsommation. Archétype de l'homme canadien français du futur.

Alain savait qu'il pourrait lui adresser la parole, car, même s'il était un élu du peuple, l'homme avait l'habitude de parler aux petites gens et de s'en dire fièrement le serviteur. L'adolescent fuma cigarette sur cigarette, le cœur battant, n'osant parler ni bouger. C'était du sérieux, cette rencontre...

"Et si je dis des âneries ? Et s'il veut pas être dérangé ? À seize ans, j'peux rien apporter à un tel homme accompli ? Il sentira que le jeu est inégal et refusera de jouer."

L'adolescent reprit sa position première face au comptoir, se disant que si l'autre n'avait pas jeté les yeux sur lui, c'est qu'il cherchait sur le menu.

—Passe-moi la carte de «punch que je tente ma chance! dit Alain à la serveuse qui voyageait de la table du politicien à la cuisine en marchant plus vite et plus serré que de coutume.

Avec la clef métallique, il suivit les rangées dorées, cherchant à deviner le repaire du gros lot.

"Pis après, qu'est-ce que je risque ? Si je gaffe, il aura qu'à fermer la porte et tout sera dit. Et puis s'il avait voulu être seul, il serait allé de l'autre côté, dans la salle à manger, pas ici, près de l'entrée."

Le jeune homme poinçonna huit fois, déposa carte et clefs, étira un à un, les petits bouts de papier ondulé.

—J'te dois deux piastres.

Il avait parlé avec désinvolture et jeta négligemment le billet sur le comptoir. Fallait bien montrer par un signe quelconque à cet homme américain-canadien-français qu'il approuvait son style.

—Et j'ai absolument rien gagné comme d'habitude! s'exclama-t-il avec la même voix indifférente.

Après avoir payé, il se dit que le meilleur moment était venu d'entamer la conversation. Il pivota sur son siège et ouvrit la bouche pour dire quelque chose. L'autre n'était plus là mentalement. Il vivait dans un autre monde: dans le monde mystérieux et fermé des affaires où peu de Canadiens français de l'époque étaient appelés et encore moins d'élus Il mangeait sa soupe en lisant une lettre. Une cuillerée d'alphabet, une ligne de mots...

"Une lettre d'affaires," pensa Alain. Quoi d'autre ? Sûrement pas une lettre à contenu sentimental. De telles choses intéressent pas les gens d'affaires. Et puis, ils en ont pas le temps."

Il tenta de se souvenir de ce qu'il avait lu d'eux dans «Le Petit prince*, mais n'y parvint pas. «Les businessmen sont... sont des businessmen, finit-il par se contenter de se dire.

Pour justifier l'ébauche de son geste, il le compléta d'une autre façon en se levant pour marcher jusqu'à la machine à boules. Il hésita un
moment avant d'insérer une pièce dans la glissière. Mais il finit par se
convaincre que l'homme ne serait pas importuné par ce bruit tout de
même typiquement américain. Une première partie lui valut un 'tilt'. La
suivante: une partie gratuite dont il ne put profiter puisqu'elle fut vite
couronnée d'un autre 'tilt'. Pour montrer un peu de dépit, il risqua un
demi-coup de poing sur le côté de la table avant de tourner les talons.

L'homme impassible restait plongé dans son univers.

"Une longue lettre," pensa Alain. "Non, il lit pas, il pense. Il pense,
il mange, il lit et il fume tout à la fois; un vrai homme d'affaires. Voilà
pourquoi on dit que ces gens-là travaillent trois ou quatre fois plus que
les autres. Y a pas plus de vingt-quatre heures pour eux comme pour
tout le monde dans une journée, mais grâce à de multiples occupations
simultanées, ils en font soixante-douze ou quatre-vingt-seize."

Il sentit le désir de retraiter, d'abandonner. N'était-il point qu'un accessoire du décor présent de la vie de l'autre ? Tout comme pour lui-
même l'était la machine à boules! Le politicien ne favoriserait pas la
communication, et c'est pourquoi il décida de s'en aller. Il se dirigea
vers la porte, mais ne sortit pas de suite. Selon une 'vieille' habitude, il
mit un pied sur un calorifère près de l'entrée et observa de rares pas-
sants à travers la grande vitrine.

L'homme sentit ce mouvement de retraite. Il mit sa lettre de côté.

—Pas jasant ! dit-il sur un ton de reproche.

Étonné de l'interpellation jusqu'à se demander si elle s'adressait bien
à lui, Alain tourna la tête et dit, à voix faible:

—Comment ?

—Pas jasant! répéta l'homme sur le même ton, en espaçant toutefois
les syllabes.

—Il me met dans mon tort dès le début, pensa Alain, mais c'est
mieux que pas de communication du tout. Au moins la glace est brisée!
Et c'est lui qui l'a fait.

—On a toujours l'impression de déranger un homme d'affaires, même
quand il mange, dit l'adolescent en s'approchant. Et, d'un geste gauche
de la main, il fit allusion à la lettre.

L'homme sourit largement et dit sur un ton paterne:

—Mon pauvre ami, le monde des affaires est pas si drôle Vois cette
lettre: c'est une réclamation de vingt mille dollars : pour blessures. Un
de mes camions... impliqué dans un accident.

—Ça doit pas t'empêcher de dormir sur tes deux oreilles, dit Alain
en tutoyant à dessein.

L'homme désirait en effet que les gens du peuple le tutoient, ce qui

18

montrait comme il était un bon démocrate.

Le businessman jeta doucement:

—Bien entendu, je transmets tout ça à mes avocats qui prennent les mesures nécessaires avec mes assureurs.

—Même sans assurances, c'est pas vingt mille dollars de plus ou de moins qui te feront rêver au diable, dit naïvement Alain.

—Ben... vingt mille dollars par ici, dix mille par là; chaque homme a ses limites.

Ces chiffres sonnaient si bas dans sa bouche, et l'homme les jetait avec un tel détachement, que le jeune homme impressionné finit par les trouver plausibles.

—Chaque année, je reçois des lettres de ce genre. Un de mes camions a toujours quelque chose sur la conscience. Un 'windshield' éclaté, une 'mudguard' égratignée, un 'bumper' enfoncé. Le mois passé, un accident grave: collision frontale avec une automobile dans le New York State. Quatre morts.

Il fit un éventail de ses quatre doigts pour appuyer ses mots.

Alain s'arrêta au fait que l'homme avait utilisé des mots anglais pour désigner pare-brise, aile et pare-chocs. Il trouva curieux de constater combien ce mélange linguistique, habituellement si horrible dans une bouche molle, avait une musique particulière chez un homme de volonté... un homme... d'affaires.

L'étudiant sentit que le sujet des accidents s'épuisait déjà, ceinturé par l'autre à l'aide de deux ou trois chiffres. Il risqua d'ouvrir une autre porte

—Tu vends tout ton bois du côté américain ?

L'autre jubilait et il dit, le regard pétillant:

—Pas un morceau au Canada. Mes camions livrent jusqu'au Wisconsin. Que veux-tu, les prix sont meilleurs, le paiement plus sûr et le marché plus constant.

—Je vois. Comme de raison, t'as aucun problème de langue. Pour toi, traiter d'un côté de la frontière ou ben de l'autre.. Il termina sa phrase avec un mouvement des bras accompagné d'un froncement de sourcils voulant dire· "Confirme ce qu'on dit à ton sujet."

—Imagine-toi que si je m'adressais en français à ces gens-là, les affaires feraient pas long feu.

Mi-naïf, mi-intéressé, l'adolescent demanda:

—Comment as-tu appris ton anglais ?

L'homme sourit, mais ne répondit pas sur-le-champ. De son couteau chargé, il beurra son pain dont il déchira un morceau qu'il porta à sa bouche. Mâchant, il dit la voix ferme en expulsant des gouttes de pain délayé:

—Tu sais, à faire des affaires à l'année longue de l'autre côté de la frontière, un homme apprend vite.

Il mordit à même sa tranche et ajouta:

—Mais j'avais une bonne base à cause de mon cours commercial.

—Quel âge as-tu maintenant, Alain ? C'est bien Alain, ton prénom ?

L'adolescent fit signe que oui.

—Dix-sept ans bientôt.

—Tu vas voter à la prochaine élection ?

Alain hocha la tête.

—J'aurai que vingt ans à ce moment-là.

—Minute, mon ami! L'âge de voter sera sans doute abaissé à dix-huit ans avant la prochaine élection. Un important ministre du cabinet Diefenbaker en parle régulièrement à la Chambre des Communes.

L'homme parlait avec l'autorité du politicien, utilisant force gestes des mains comme pièces à conviction.

—Donc, j'aurai peut-être alors une 'job' pour toi. Ça donne pas une fortune: vingt piastres pour la journée de votation. Mais c'est mieux que rien, hein ?

—J'ai des chances d'être loin d'ici dans ce temps-là.

—Qu'importe! Si t'es aux études au loin, ça te permettra de prendre un congé payant.

—J'veux dire qu'il est pas certain que je serai aux études à ce moment-là. Pas facile d'aller à l'université.

—Tu penses ?... Ben non! Si tu travailles fort, tu réussiras; c'est la seule recette, crois-moi. Pis comme on dit, tu seras pas le premier à aller à l'université. Tiens, moi par exemple, j'étais inquiet quand j'ai commencé mes études et pourtant, par la suite, j'ai toujours été premier de classe. Il adopta le ton de la confidence et fit un clin d'oeil complice

—Entre nous deux, les gars de la ville ont pas inventé l'ouvrage.

—Je risque pas de problèmes d'études, mais des problèmes d'argent.

L'homme leva la main avec autorité et secoua la tête.

—Je t'arrête, je t'arrête. Si je pouvais faire la moindre chose pour les étudiants, je le ferais avec le plus grand plaisir. Mais...

Il haussa les épaules et fit un mouvement de bouche laissant deviner qu'il se nettoyait les dents avec sa langue.

—Mais je ne suis qu'un député fédéral et les affaires provinciales, tu sais... De plus, tu dois savoir quelle sorte de gouvernement provincial on a au Québec...

—J'disais pas ça à dessein...

Le jeune homme fut interrompu.

—Suis familier avec des tas de problèmes: problèmes de pensions de vieillesse, d'emprisonnement, de chômage, de bureaux de poste .

À son tour, Alain voulut insister:

–Si l'argent manque, j'irai travailler à Montréal comme mes frères.

–Mademoiselle, s'il vous plaît, apportez-moi du beurre

Le jeune homme ajouta avec un sourire forcé:

–La fin du monde arrivera pas même si je dois finir mes études

–Et aussi un autre verre d'eau, s'il vous plaît, mademoiselle.

Il y eut un moment de silence. L'homme mangea rapidement Soudain, il leva sa fourchette en direction de l'étudiant.

–Je te parlais des problèmes du député fédéral et j'allais justement te dire que, pas plus tard que la semaine passée, j'ai eu à régler un cas d'homosexuel. Sa mère m'a téléphoné. Elle pleurait comme une fontaine et m'a demandé de tout faire pour exempter son fils de la prison. Imagine un député fédéral qui aide un homosexuel à éviter l'incarcération Devine ce qui s'est passé ? J'ai promis à la femme d'appeler le juge Trois jours plus tard, elle m'a rappelé pour me dire de n'en rien faire, qu'elle avait soumis le cas à un prêtre qui lui avait conseillé de laisser la justice suivre son cours. Elle s'était mise à espérer que la prison puisse remettre son garçon dans le droit chemin. Comme tu peux voir, c'est pas toujours amusant le rôle d'un député fédéral !

L'homme n'avait cessé de manger durant son récit. Désolé de l'avoir importuné avec ses problèmes d'argent, Alain laissa échapper des mots vides de sens qui lui vinrent à la bouche.

–Je croyais pas que t'avais à régler des choses comme ça. Ça doit gruger tout ton temps à Ottawa.

Il y eut un nouveau silence vite rompu par l'entrée d'un nouveau client. Le visage de l'homme d'affaires s'illumina

–Salut Laurent! Comment ça va ? Viens t'asseoir à ma table.

L'autre, un organisateur politique et ami du député, accepta.

–J'allais m'en aller, mais d'abord que t'es là, prenons un café ensemble.

Les deux hommes se mirent à parler à voix basse.

Alain se sentit ridicule, exclu, inutile. Il reprit place à un tabouret et se remit le nez dans ses mots croisés. Quand il eut fini de compléter la grille, il s'aperçut que le restaurant s'était vidé de sa clientèle à part lui-même.

Alors il se rendit compte qu'il avait faim, très faim

***

21

Chapitre 2

1959

En recherche de beaux yeux, de multiples jets de lumière jaune traversaient l'épaisse fumée, dansaient dans les verres remplis et frétillaient sur les boucles d'oreilles brillantes. L'orchestre attaqua un air de Presley. Et la plupart des filles et garçons de la salle se retrouvèrent sur la piste de danse.

Alain Martel ne bougea pas d'une ligne. Il regarda fixement son verre de bière, accrochant ses yeux aux bulles blondes, ruminant quelque lointaine et insondable pensée. Puis, le geste brusque, il leva son verre et avala une longue gorgée. Il sortit ensuite à moitié une cigarette de son paquet rouge et l'offrit à son ami assis en face de lui.

–Tu fumes Robert ?

–Rarement, merci !

–Fume, fume!

Son copain, un être filiforme et interminable, accepta. Mal à son aise, il mit la cigarette entre ses lèvres et, encore plus maladroitement, se pencha vers l'allumette enflammée que l'autre tenait au-dessus de la table. Avant de relever la tête, mine de rien, il dit:

–Les filles qu'on a rencontrées la semaine passée viennent d'entrer.

–Viennent dans notre coin ? demanda Alain.

–Aie! fit-il, sa main réagissant au feu qui expirait près de ses doigts.

–Bougent pas. Je suppose qu'elles vont attendre la fin de la danse pour se trouver une table libre.

–Penses-tu qu'on devrait les inviter à venir avec nous autres ?

Le grand jeune homme grimaça en voulant dire non

–Faut se montrer indépendants: elles doivent pas penser qu'on pourrait leur courir aux fesses. En plus que c'est pas le cas, hein ? dit-il en jetant des oeillades de surveillance vers les nouvelles venues.

Alain acquiesça:

–T'as raison, faut être indépendants. C'est qu'elles font asteur ?

–Je pense qu'elles nous ont vus. Elles regardent vers icitte.

–On fait comme si elles étaient pas là; laissons-les marcher.

La danse prit fin. Le leader du groupe des musiciens annonça un slow. Tous les danseurs retournèrent s'asseoir pendant que les musiciens accordaient leurs instruments.

–Pis c'est qu'elles font asteur, là ? demanda Alain.

–S'en viennent vers nous autres. J'te l'avais ben dit que c'est mieux de rester calmes et froids. Elles viennent... elles s'en viennent...

Le grand adolescent s'interrompit. Ses yeux perplexes se couvrirent d'un air circonflexe.

Elles s'en retournent ou quoi ? demanda nerveusement Alain qui n'osait toujours pas tourner la tête.

–Sont assises à trois tables avec la gang de gars de leur village.

–Quels gars ?

–Tu sais, ceux-là qui font le tour de la salle à chaque maudite danse pis qui demandent les filles une par une... tant qu'ils en ont pas trouvé une qui dit oui

–Viargini ! pas ces gars-là!

–T'en fais pas, reprit calmement Robert, elles ont dû s'asseoir là parce qu'elles voyaient aucune table libre. Ce qui est le cas: jette un coup d'œil, tu vas ben voir.

–J'espère ben!

De ses quatre doigts levés, il fit signe au serveur tel un habitué des tavernes des villes, et il dessina les mots "quatre bières" avec ses lèvres Le serveur s'approcha quand même, ce qui déplut à son jeune client qui répéta sèchement :

–Quatre bières viargini !

–Facile pour eux autres de s'accrocher des filles avec un char! déclara Robert.

–Pis nous autres, ben, on en a pas, rétorqua Alain avec résignation Les poings crispés, il ajouta:

–Entends-moé, la première, la toute première chose que je vas faire en finissant mes études, ça sera de m'acheter un char flambant neuf. Pis à notre tour, on leur passera au nez, aux baveux de St-Martin

–Quen, vont danser le slow avec ces gars-là, s'tie, dit Robert

–Barnac de tabarnac ! bougonna Alain.

Les deux adolescents ne se parlèrent plus jusqu'à l'arrivée du garçon de table qui déposa les bières commandées.

–Quatre de plus! ordonna Robert.

–Tout de suite ? fit le serveur, l'oeil incrédule.

–Tout de suite ! dirent ensemble les deux jeunes gens.

L'autre hésita un court moment puis repartit.

–Y a rien de plus stupide que la danse, jeta Alain avec amertume. Ça se pile sur les pieds sans se parler. C'est quoi qu'ils trouvent de drôle là-dedans ? Rien de spécial, rien d'original; le même sacrement de pattern pour tout le monde. De l'amusement à la chaîne.

–Dur de rencontrer des filles autrement.

–Je sais ben viargini, les femmes sont malades de ça. Si y avait au moins une différence d'une danse à l'autre...

Le silence se fit à nouveau entre eux, mais fut rompu une autre fois par le retour du serveur qui déposa la nouvelle commande sur la table. Il jeta un coup d'oeil sur les bouteilles déjà là pour rapporter les vides

–Tu laisses les morts sur la table, ordonna Alain. À soir, on veut les compter. On veut briser un record: ça prend nos témoins.

Ils payèrent et le serveur repartit en hochant la tête

–Ces gars qui dansent en masse s'en vont jamais de la salle tout seuls, dit Robert. Ils se trouvent tout le temps des filles.

–Tu penses qu'on devrait faire pareil ? Merci pour moi! Suis pas aussi affamé qu'eux autres, ah non! De toute façon, la plupart qu'ils poignent ont l'air de vrais chameaux sans bosses ou ben sont débraillées.. comme la chienne à Jacques... D'une seule lampée, il vida son verre.

Le slow prenait fin.

Les filles de St-Martin et leurs compagnons retournèrent à leur place Cette fois, elles marchèrent dans l'allée, juste à côté de la table des adolescents à qui elles sourirent au passage, histoire de leur dire qu'elles les voyaient...

–Veulent nous narguer, là, on dirait ? dit Alain, le sourcil insulté, l'esprit parano. Ah ! pis qu'elles aillent au diable !

–Qui sait si elles voudraient pas se débarrasser de leurs gars ? songea tout haut Robert. Après tout, elles avaient pas le choix de la table tout à l'heure.

Il se déplia de toute sa longueur et quitta pour les toilettes:

–Je vas lâcher quelques gouttes.

Alain continua de boire à longues gorgées. Il commença à marmotter comme un homme à moitié ivre. La perception des distorsions qui embrumaient son cerveau le portèrent à rire; mais ce rire se mua bientôt en hoquet aussi bruyant qu'incontrôlable.

–Suis certain qu'elles ont voulu se moquer... hic. de nous autres Mais elles vont voir, les viargini de vaches... hic... dans deux ou trois ans. J'aurai même pas une Cadillac vieux jeu, j'vas avoir enne hic Continental. Pis décapotable à part de ça! Je leu' passerai devant le nez... hic... dans leur propre village, le dimanche après-midi, pis j'les regarderai même pas. J'leur dirai: —Vous aimez ça danser ? Ben... hic... dansez pis regardez-moé. Je m'en vas en "white sport coat"... hic... dans mon char sport rouge. C'est ça j'vas leu' dire. Pourquoi que ces filles stup... hic... ides font rien que danser, danser, danser encore pis danser touj. ours hic... ours.

À son tour, il eut besoin d'aller aux toilettes. Il tenta de se lever et retomba lourdement sur sa chaise.

—Boy! j'pense que j'ai dû boire un peu trop. Pas trop, mais... hic.. trop vite. Personne, nulle part, boit jamais trop! Le problème vient à boire trop vite. Vive boire! Que le ciel pis l'enfer... hic... soient d'immenses beuveries... des sous à cochons pour des cochons comme moé ! Alléluia.

De retour à sa place, Robert se frotta les mains d'aise. Mais reprit vite son sang-froid.

—Une bonne nouvelle à t'apprendre, mon ami, j'ai parlé à une des filles. C'est comme j'te l'avais dit, elles veulent se débarrasser de leurs petits amis collants. Je les ai invitées à venir s'asseoir avec nous autres pis ça va marcher. Elles vont faire semblant de s'en aller de l'hôtel pour une quinzaine de minutes, pis vont revenir avec nous deux. C'est que tu dis de ça ?

—Leurs 'tits copains s'ront pas contents.

—Les filles sont libres. Pis si les gars veulent la bagarre, ils vont voir qu'on est pas des nerveux.

L'adolescent fronça les sourcils.

—Ça pas l'air d'aller, Alain ?

—Ben... j'vas me rendre aux toilettes pis essayer de me rafraîchir un peu les idées.

Il y parvint. Après avoir pissé, il trempa une serviette de papier dans l'eau froide du lavabo et s'épongea le front. Quelqu'un entra. Le visage d'Alain devint livide. Il avait reconnu un des amis des filles. Son cerveau fonctionna de travers, s'ajustant aux idées comme une machine à sous qui déraille.

"Il doit savoir au sujet du départ des filles pis il vient pour me tabasser dans un coin. S'il essaie de me battre, quoi faire ? J'ai trop bu; suis pas en état de boxer. Si Robert pouvait donc revenir aux toilettes! S'il m'attaque, celui-là, j'prends la bouteille là, sur l'urinoir, pis il va y goûter, le viargini."

L'adolescent continua de s'éponger le front, la main agitée par sa paranoïa. Du coin de l'œil, il surveillait le gars en train d'uriner. Pour ne pas lui présenter le dos, quand l'autre eut fini, il se tourna.

—Salut, dit amicalement le gars souriant. Des belles filles à soir à l'hôtel, hein ?

–Ouais, ouais, dit l'autre avec un regard hébété et embêté.

Un peu dégrisé par l'eau et les émotions, le jeune homme retourna à sa table, bien résolu à ne plus toucher à la bière que du bout des lèvres. Les jeunes gens furent bientôt rejoints par les deux adolescentes dont l'une, courte, blonde, grassette et au visage truité, prit place aux côtés d'Alain. Ils se connaissaient pour avoir un peu dansé et s'être assis une heure ensemble le samedi précédent. Il savait son prénom: Louise que d'aucuns surnommaient affectueusement Loulou.

Robert fit signe au serveur et dit aux filles:

–Vous buvez quoi ?

–Un Coke pour moi, dit l'une.

–Même chose pour moi, dit l'autre.

Il y eut un long moment de silence. Du fin bout des doigts, les filles retouchèrent leurs cheveux rigides, tandis que les garçons, timidement, rangeaient les bouteilles.

–Penses-tu qu'ils nous ont vues ? dit l'une à propos des gars.

L'autre échappa un petit rire mince et vif et ne répondit pas

Le serveur revint bientôt porter les breuvages. Il ôta de la table les bouteilles vides, hésitant d'abord, puis d'un geste sûr.

La blonde jeta un regard furtif vers la table des gars délaissés et fit un clin d'oeil à sa compagne. Elles eurent un rire à moitié étouffé.

Alain reluqua aussi de ce côté-là. Une drôle de joie l'envahit. Faute de crête, il redressa les épaules. Les musiciens lancèrent un rock'n'roll. Robert et sa compagne quittèrent la table.

–J'aimerais danser, mais j'aime pas la danse, bafouilla Alain qui était moins ivre maintenant. J'veux dire... danser sans se dire un mot, c'est cave. Parler est important, instructif, intelligent, mais danser, ça apporte jamais rien de neuf.

Il fit semblant de boire.

–C'est que tu penses de ça ?

–De quoi ? dit-elle distraitement qui lorgnait avec envie du côté de la piste de danse.

–De la valeur de la parole et de celle de la danse

–J'aime beaucoup danser. Pas toi ?

–J'dis que la danse est une perte de temps, une fatigue inutile. Ça rapproche les corps, mais ça éloigne les esprits.

Les yeux pétillants, accrochés au rythme, elle n'avait qu'une idée en tête et en une autre époque aurait pensé: "Non, mais pour qui il se prend, lui ?" Quand il fut trop tard pour danser sur cette pièce, elle se tourna vers lui pour quémander:

–On danse le prochain rock, hein ?

Il ne répondit pas, se contentant d'assécher une bouteille de bière d'une torsion dérisoire.

Louise remit ses yeux sur les danseurs et ne les quitta plus jusqu'à la fin de la toune. Là, le chef d'orchestre annonça une 'intermission'.

Alain pensa à réserver un taxi pour reconduire les filles chez elles, à St-Martin. Lui et Robert en discutèrent et s'entendirent sur l'heure du départ et sur un possible arrêt au restaurant du village.

Alain continua de tenir son gosier au ralenti, quasiment sec. Trop d'alcool et il risquait de tomber ivre-mort. Et ça, pas question: il y avait trop à faire avant d'aller dormir !

La conversation courut, échevelée, de bric à brac, sur plusieurs sujets. Vers minuit, les quatre se rendirent au restaurant, et s'y flattèrent les papilles à l'aide de hamburgers et de frites. Une heure plus tard, ils quittaient l'endroit pour St-Martin, à huit milles de là.

Durant la soirée, Alain s'était demandé à quelle sorte de fille il avait affaire en Loulou. Le chemin de St-Martin lui permettrait de le savoir.

Après le lunch, dès qu'ils furent en route, questions et réponses possibles surgirent à nouveau en son esprit en partie dégagé des vapeurs d'alcool. "C'est-il une bonne fille ? J'espère... Non... Oui ! Elle embrasse-tu le premier soir ? Probablement... Sinon... Elle donne-t-il des baisers prolongés ? J'ai ben hâte! Pis des frenchs ? Elle se laisse-t-il prendre les tétons ?... Pis entre les... jambes ? Là, j'en doute. Pis... l'acte *s e x u e l* ? Ça, ça me surprendrait en viargini... Mais on sait jamais avec les filles de nos jours "

Ils étaient assis tous quatre sur la banquette arrière, elles collées à eux. Alain sentit sa première secousse cardiaque causée par la proximité d'une fille. Contrairement à ses amis, pensait-il, jamais il n'avait eu l'occasion de caresser des cuisses, des seins... ou plus. D'autant qu'il avait perdu trois longues années à cause du pensionnat austère et de ses règlements sévères condamnant tout contact, même visuel à travers les fenêtres du collège, avec l'autre sexe On avait aussi essayé d'inculquer en lui de solides principes anti-sexualité. Mais il était arrivé souvent, lorsque la pression s'était faite trop forte dans la partie basse de son corps, que les principes explosent comme des geysers du parc Yellowstone. Sa vie d'adolescent avait donc oscillé entre la pureté d'enfant d'après le confessionnal et les sordides masturbations d'adulte perverti d'avant le confessionnal. Son cauchemar, chaque mois renouvelé, avait toujours été d'avouer au prêtre le nombre de ses masturbations depuis sa dernière confession. Il craignait chaque fois d'en oublier une ou deux. Pour être plus certain du chiffre, il en ajoutait quelques-unes .. au cas où. Après tout, cette marge de sécurité pouvait lui valoir le ciel. Au confessionnal, en plus de ses fautes, il regrettait le fait que si le prêtre posait inévitablement la question sur le nombre des attouchements et sur leur aboutissement, par contre, jamais il ne se renseignait sur leur répartition, ce qui, à son sens, aurait atténué les fautes ou du moins montré qu'il en avait le repentir, puisqu'elles se produisaient toutes dans les dix derniers jours précédant la réception du sacrement de pénitence.

Les lampadaires bridant ses désirs, Alain devint anxieux de voir l'auto quitter le village et pénétrer dans le noir. Dès que la dernière lumière s'éteignit derrière eux, il passa son bras autour des épaules de sa compagne. Robert fit de même avec la sienne. Alain frémit au chaud contact. Il sentit courir en ses veines des flots ininterrompus de sang bouillant: de la lave. Le peu de résistance qu'il rencontrait l'encouragea à resserrer son enlacement, et bientôt, la jeune fille se colla tout contre sa poitrine. À cela vint s'ajouter l'odeur discrète de la femme et des cosmétiques. Il n'en fallait pas tant pour qu'il goûte à toute l'étrangeté d'une sensation neuve: une merveilleuse, une fabuleuse contraction, juste là, au creux de l'estomac. Cette vibration étrange et magnifique fut accompagnée de convulsions tout aussi curieuses mais ô combien divines, courant le long des muscles de ses jambes. Il ferma les yeux, aspira profondément plusieurs fois pour jouir encore davantage de l'effluve magique et surtout pour nourrir le frisson prodigieux.

–Elle est pure. Suis sûr qu'elle est propre, se dit-il avec bonheur

Il la sentit bouger doucement la tête sur sa poitrine puis il perçut sur son genou le poids et la chaleur de sa main qu'elle avait négligemment laissée tomber. Devant la marée montante de plus en plus impérieuse dans son bas-ventre, il fut amené à penser qu'après tout, elle n'était peut-être pas si pure que ça. Pour savoir plus vite, il lui prit la tête entre ses mains et l'embrassa sans hésitation, avec avidité, droit sur les lèvres. Pas d'approche romantique. Du direct comme à la télé du temps. Mais, sans trop savoir pourquoi, obéissant à une force inconnue, dare-dare, il changea d'attitude et se fit plus tendre et délicat Il laissa rouler ses lèvres sur la joue ronde, vers le cou, puis remonta jusqu'à l'oreille.

–T'es merveilleuse, murmura-t-il. Je veux, je voudrais que tu me donnes . ta .. langue.

Il se rendit aux lèvres pour chercher la réponse qui fut ardente et directe. Les bouches mouillées s'ouvrirent toutes grandes et un fougueux duel s'engagea entre leurs langues. Ce premier french kiss de toute sa vie provoqua en lui un immense vertige qui, l'espace d'un éclair, jeta une certaine confusion dans ses vibrations. Mais bientôt, l'unicité se refit, l'ordre revint, et toutes ses énergies vitales, se groupant dans une sorte de champ de force, s'alignèrent dans une seule direction son entrejambes.

Il s'arrêta soudain par crainte du péché. Toutes les discussions de collège au sujet du french vinrent se résumer en sa mémoire. D'aucuns soutenaient que ce baiser était péché, d'autres que non. Et le débat, souvent enflammé, n'avait cessé que le jour où un père de retraite fermée avait tranché la question en affirmant que le péché dépendait des intentions de celui ou celle qui donnait le baiser Tous s'étaient rangés de son avis.

"Mon intention étant pure –je veux savoir si Loulou est une bonne fille –j'commets donc aucun péché en la frenchant."

Alors il se reprit à goûter aux lèvres charnues qui s'ouvrirent vite afin d'engager une seconde bataille. Devant l'imminence d'explosion entre ses jambes, il fut à nouveau tourmenté par une tornade de questions pénibles. Est-elle pure ? Le french est-il péché ? Devrais-je essayer d'aller plus loin ? Et si elle me laisse caresser ses seins, je ferai quoi ensuite ? Laisserai-je mon âme tomber dans l'affreux péché mortel? Et quoi faire de cette torture exquise qui me gagne ?... Ah, que c'est dur de vivre en 1959 !

Le jeune homme pensa comme il serait facile d'introduire sa main entre les revers du décolleté de la robe qu'il voyait à peine dans la pénombre. Cherchant à vérifier si elle portait un soutien-gorge, il suivit, de sa main gauche, l'épine dorsale, jusqu'à sentir sous ses doigts l'agrafe du vêtement. Sa langue commença à fatiguer. Il se demanda si c'était dû à la prolongation du baiser ou bien à ce filament qui retenait l'organe en arrière, attaché à la gencive inférieure Il n'en accéléra pas moins les mouvements, cherchant à augmenter les sensations chez la jeune fille pour la mieux mûrir en vue d'une caresse des seins. Quelques brèves secondes plus tard, jugeant son travail suffisant, il plongea la main derrière le revers, mais la fille saisit aussitôt le bras chercheur et tira, mettant ainsi fin à l'exploration surprenante. Elle garda cependant sa bouche ouverte et les langues continuèrent à se fouiller l'une l'autre. Un peu frustré, mais rassuré, il se dit, pendant un moment, qu'il avait sans doute affaire à une fille propre. Pourtant, il n'était pas satisfait de son test

"Elle aime peut-être mieux entre les jambes ?" Il accéléra à nouveau les mouvements tortueux de sa langue fatiguée, douloureuse Et plongea la main sous la robe, le long de l'intérieur des cuisses Mais il y rencontra plus de résistance encore que dans sa précédente attaque à la poitrine, et la jeune fille tira sur son bras avec plus de fermeté que la première fois.

C'est à ce moment qu'il mit fin au baiser. Plein de tendresse, il coucha la tête adorable sur sa poitrine. Il appuya son menton dans les cheveux doux et se laissa envahir par une douceur bienfaisante

"Elle est propre."

Et son âme vibra tant, qu'une petite larme jaillit dans ses yeux émus "Et je suis en paix avec Dieu; et j'ai point péché... Ah, que c'est beau de vivre en 1959 !"

La brûlante, l'infâme sensation avait quitté le bas de son ventre Il en remercia l'Immaculée Conception comme il le faisait depuis longtemps chaque fois qu'il réussissait à tordre le cou à une pensée mauvaise. Ses mains renouant avec la douceur, reprirent délicatement la tête de la jeune fille Il lui déposa sur les lèvres un baiser à bouche fermée qu'il prolongea pour déguster langoureusement à la façon dont il avait vu Kim Novak épouser de sa bouche sensuelle le cristal d'une coupe remplie de vin dans un grand film américain. Mais voulut injecter à son geste une grande modestie et tourna sa pensée vers la Vierge Marie.

Sur le chemin du retour, les deux copains se parlèrent de leur soirée. Alain demanda:

—Comment elle était ?

Les phares d'une voiture qui venait en sens inverse éclaboussèrent la noirceur et firent apparaître l'interrogation marquant son visage.

—Ah! .. plus que ça, fit Robert avec un filet de rire dans la voix

—Elle a marché à ton goût ? insista Alain.

Les phares d'une seconde auto firent voir ses yeux complices

—Tant qu'on veut ! Pis la tienne ?

—Tout ! dit Alain.

Une autre voiture éclaira son visage sur lequel une satisfaction sans mélange se pouvait lire.

—Tout ?

—En haut pis en bas; t'as pas vu ça ?

Le conducteur eut besoin, pour un moment, d'allumer la lumière du toit. Il put voir dans les yeux d'Alain une totale confiance en soi.

—J'avais trop d'ouvrage de mon côté... En plus que dans le noir, on voit pas grand-chose, hein ?

—Même chose pour moi.

Les jeunes gens ne creusèrent pas plus et le reste du voyage fut silencieux. Chaque fois que les lueurs d'une voiture frappaient le visage d'Alain, elles couronnaient d'un halo irisé son sourire bienheureux.

Un peu plus tard, dans sa chambre, il enleva rapidement ses vêtements et plongea sous le drap. Il prit la position du foetus, mains autour des épaules, jambes repliées, et se laissa bercer par le charme d'une musique divine. Un chœur angélique se fit entendre dans le lointain, très loin et pourtant tout près, tandis qu'un rayon de lune, à travers la fenêtre, illuminait son sourire stationnaire

Alain Martel dormait. Du sommeil du juste.

*

Les cloches de l'église toute proche le réveillèrent. Il se prépara et se rendit à la grand-messe.

De son banc, il pouvait embrasser du regard presque toute l'assemblée et, en même temps, surveiller ce qui se passait à l'autel Juste en face, dans l'autre balcon, il vit une fille dont la mauvaise réputation avait crû de façon proportionnelle à ses longs cheveux platine. Elle passait pour ne jamais refuser une offre de gars. "Elle va attendre longtemps des avances de ma part. J'oserais même pas lui parler en public, les gens diraient que je... me... vautre dans le ruisseau."

Le chœur entonna:

–Asperges me, Domine, hyssopo, et mundabor; lavabis me et super nivem dealbabor.

Alain lut la traduction française: "*Vous m'aspergerez avec de l'hysope, Seigneur, et je serai purifié; vous me laverez et je deviendrai plus blanc que la neige.*"

Derrière la fille se tenait bien droit un des copains d'Alain, n'ayant lui non plus, pas très bonne réputation, sauf qu'il se la créait de toutes pièces en affirmant à tout vent qu'il avait pénétré la moitié des filles rencontrées, du pénis soi-disant énorme dont la nature l'avait gratifié. "L'animal sans pudeur, il respecte pas la beauté. Il veut tout pour lui, rien pour les autres. Toutes ces filles vont se marier un jour et c'est lui qui aura eu... leur fleur... Celle que j'épouserai aura pas passé par ses mains. Elle sera propre comme un sou neuf."

–Ad Deum qui laetificat juventutem meam, dit le servant de messe Alain lut la traduction dans son livre: "*Jusqu'au Dieu qui réjouit ma jeunesse.*"

Il tourna lentement la tête vers la gauche, s'arrêta à un jeune homme timide, vêtu d'un complet démodé.

–Ah! ces pauvres gars des rangs, ces fils de fermiers, comme ils ont l'air d'arriérés ! Bon, sont plus forts, mieux musclés que nous autres, du village, mais c'est normal: ils travaillent à l'année comme des bêtes. Malheureusement pour eux, ils inventeront jamais grand-chose. En plus, ils sentent mauvais· à croire qu'ils connaissent pas le savon!

Son attention revint aux paroles du prêtre·

–Judica me, Deus, et discerne causam meam de gente non sancta. ab homine iniquo et doloso érue me.

Et il lut la traduction: "*Juge-moi, Seigneur, et distingue mes actions de celles des nations non saintes; délivre-moi de l'homme inique et fourbe.*"

Plus tard, il nota l'entrée d'un homme seul qui resta planté debout, derrière. Il décida de prier pour lui. "Mon Dieu, prends pitié de lui. Il fait mal sa religion: toujours en retard à la messe quand il daigne y assister. Le plus souvent ivre, il bat sa femme et ses enfants et perd son argent aux cartes. Mais le pire, c'est qu'il blasphème à tout venant Pardonne-lui, Seigneur, il sait pas ce qu'il fait."

–Dominus justus concidit cervices peccatorum, dit le prêtre.

Alain lut la traduction: "*Le Seigneur est juste; Il écrasera la tête des pécheurs.*"

Il se demanda si Robert était là aussi. Il ne voulait pas que son ami l'aperçoive à la table de communion. Ça le trahirait en révélant certaines caresses faites à Louise et hautement exagérées par ses dires d'après la veillée. Par contre, il voulait montrer fièrement son nouveau veston sport tout blanc –*a white sport coat* comme dans la chanson de Marty Robbins– qu'il portait à l'église pour la première fois.

31

Selon un vieux célibataire maraudant le soir au centre du village une femme qu'il n'avait pas voulu identifier, avait dit qu'Alain était le plus beau gars de St-Honoré à cause de son teint foncé et de sa façon de s'habiller. Le jeune homme avait pensé que ce devait être la grande Jeanne Maheux, car il passait devant chez elle le soir pour aller au restaurant. Elle lui adressait des beaux grands sourires sous les yeux condescendants de son mari.

—Si je pouvais voir le banc de la famille à Robert ! Ouais. . je pense que je vas prendre une chance d'aller communier: Robert va rarement à la grand-messe.

—*Sanguis Domini nostri Jesu Christi custodiat animam meam invitam aeternam. Amen*, récita le prêtre.

"*Que le sang de notre Seigneur Jésus-Christ garde mon âme pour la vie éternelle. Ainsi soit-il.*" lut Alain.

Ciboire en mains, de son habituel pas déterminé, le prêtre se rendit à la sainte table.

L'adolescent surveilla les gens s'avancer. Il reconnut trois membres de la famille de Robert et en conclut que celui-ci ne devait pas être là puisque leur banc, comme tous les autres de l'église, en était un à trois places. Alors il se leva, bomba le torse et prit résolument la direction de la sainte table, claquant de ses talons ferrés sur le plancher de bois du balcon.

—*Corpus Domini nostri Jesu Christi custodiat animam meam in vitam aeternam*, dit le prêtre.

—Amen, répondit Alain.

Il ouvrit la bouche pour recevoir l'hostie que le prêtre lui déposa sur la langue, non sans s'être mouillé le pouce, le jeune homme n'ayant pu, comme d'habitude, sortir son organe à cause du malencontreux et détestable filament.

—*Corpus Domini nostri Jesu Christi* répéta sèchement l'abbé.

Alain prit garde de ne pas toucher à l'hostie consacrée avec ses dents. Ce geste rituel lui avait été enseigné dès avant sa première communion, commandé par le respect du corps du Christ. Cela lui avait cependant créé des interrogations quand il s'était fait poser un dentier. Il s'était demandé comment concilier ce respect du corps très saint avec son contact inévitable à du vulgaire plastique à râtelier ?

Il retourna à son banc, s'agenouilla, pencha humblement la tête et se plongea dans une pieuse méditation.

"Très sainte Mère de Jésus, merci de m'avoir aidé à préserver la blancheur de mon âme hier soir. Je sais que vous savez que j'ai été obligé de vérifier l'innocence de la jeune fille. Aurais-je péché si elle m'avait laissé la caresser davantage ? Non, car je ne serais pas allé plus loin. Je veux une jeune fille pure et virginale, comme vous, très sainte vierge Marie, et comme Loulou. Ah, Loulou si jolie! Merci à vous, merci au Seigneur, merci aux saints anges qui m'ont protégé, spéciale-ment mon ange gardien, merci à tous les saints du ciel et à Saint Jo-seph, grand gardien de votre sainte virginité. Je veux rester pur le reste de ma vie et ainsi éviter les tourments éternels de l'enfer."

Il releva la tête et, jusqu'à la fin de la messe, un sourire bienheu-reux resta figé sur son visage. Après l'Ite missa est, il suivit la foule vers l'escalier conduisant à la sortie. Devant lui, une jolie femme de trente ans, portant une robe à décolleté plongeant, descendait les mar-ches. L'adolescent suivit des yeux le canal blanc charnu, entre les seins voluptueux. Comme la descente fut longue, à cause du goulot d'étran-glement que constituait la sortie, il quitta l'église bouleversé à mort.

Il marcha lentement sur le trottoir, évitant les craques, réfléchissant:

"Quelles formes ! Viargini, j'aimerais la voir toute nue !"

Il n'avait jamais vu, même en photo, une femme dévêtue. Comment donc est fait le bout de leurs seins ? Cette femme doit. . Oh! mon Dieu! ne m'abandonnez pas! Aidez-moi à dissiper ces mauvaises pensées. Je viens de communier que déjà, le diable me tente.

Il voulut s'aider pour chasser le malin rôdeur et se mit à courir Bien que chez lui n'était pas loin, la vigueur de sa course l'essouffla assez pour que, rendu à la maison, il se sentit libéré de ses fantasmes.

Alors il se prépara à dîner.

*

L'après-midi était tiède et agréable comme aux plus beaux jours de juin. Pourtant, juillet tirait à sa fin. Les jeunes gens formaient un rang le long de la rue, devant le restaurant, dans l'attente vague de quelque événement inhabituel. Chacun avait une cigarette dans une main et un Coke dans l'autre. Lorsqu'une auto passait, toutes les têtes la suivaient du regard; et quand une autre venait, les nuques luisantes bougeaient selon la direction empruntée par le véhicule.

Puis les jeunes gens commencèrent à se disperser. La plupart d'en-tre eux partirent pour le lac Poulin à St-Benoît, à huit milles, pour y assister à un programme de lutte professionnelle mettant en vedette, ce jour-là, le plus fameux lutteur de l'heure et du monde entier: Paul Baillargeon, un Québécois, capable à lui seul, de vaincre deux ou même trois Anglais.

Il ne resta plus bientôt qu'Alain et Robert qui, sans se l'être avoué, nourrissaient la secrète intention d'aller jouer aux quilles à St-Martin, risquant ainsi d'y rencontrer les filles de la veille.

Alain fut ébahi par la venue d'une rutilante décapotable 1959 qui stoppa juste en face, de l'autre côté de la rue. La voiture, une Pontiac, était conduite par un jeune homme portant lunettes à verres fumées. Les plaques: Connecticut.

L'homme descendit, traversa nonchalamment la chaussée. Il tendit une main tandis que de l'autre, il enlevait ses lunettes.

–Salut guys, comment ça va ?

Alain hésita une seconde ou deux, puis la lumière se fit:

–Normand Champagne, dit-il, surpris, serrant la main de l'autre. Ce que tu peux avoir changé depuis l'année passée! Je t'ai pris pour un vrai Américain· l'auto, les vêtements, les 'licences du char', la convertible. à chaque mot Alain hochait la tête, regardant alternativement la voiture et son propriétaire.

–Well, tu vois, à force de vivre aux États, tu deviens un peu américain malgré toi. Tu vois ce que je veux dire ?

Et il rit avec détachement

Alain pointa l'auto du doigt·

–Tout un vélo, ça! siffla-t-il. Doit coûter une fortune ?

–Yes! Mais l'argent, aux États, on le ramasse à la pelle...

Robert, qui était entré dans le restaurant quelques minutes plus tôt, en ressortit, un cigarillo entre les dents. Champagne et lui se reconnurent et se serrèrent la main.

Alain poursuivit:

–Tu travailles dans quoi là-bas ?

–Construction toujours! Je pose du gyproc. Deux cents piastres par semaine minimum

–Autant! s'exclama Alain. C'est un peu mieux que les trente piastres par semaine à la manufacture de boîtes de St-Honoré !

Champagne sortit ses talons de chèques de paye et expliqua ses revenus ainsi que ses heures de travail.

–Quelle sorte de moteur ? demanda Robert avec un geste vers l'auto.

–Le plus puissant en Pontiac, dit Champagne. Optionnel. Cent cinquante piastres de plus.

–Automatique, ça doit ? fit Alain.

–Sure!

–Power brakes, power steering ?

–Power brakes, power steering, power toute l'affaire! Mais ça aussi c'est optionnel. Deux cents piastres de plus!

–Y a beaucoup d'optionnels sur ton char ? s'enquit Alain

–Oh yes! convertible, tires blancs, batterie spéciale, radio, peinture métallique, antenne spirale, barres nickelées, shocks heavy-duty, windshield teinté... En tout, vingt et une options.

Encouragé par l'ébahissement de son interlocuteur, il ajouta:

–Vous voulez venir essayer ça ? Venez, on va faire un tour

Sur quoi il tourna les talons, suivi des deux adolescents qui montèrent en se donnant des airs Champagne ajusta sa boucle de cheveux graisseux dans son rétroviseur, poussa sur le milieu de ses lunettes pour qu'elles s'accrochent bien au nez. Et il mit le moteur en marche.

Il tourna la tête à droite et à gauche, cherchant des spectateurs.

–Vous voulez connaître la force du moteur ? demanda-t-il. Dans ce cas-là, on va faire une toast sur l'asphalte.

En même temps qu'il appuya sur l'accélérateur, il crampa les roues pour assurer un meilleur crissement des pneus. Et dans un bruit à réveiller tout le cimetière, l'auto prit la direction du presbytère.

Dans le restaurant, les gens tournèrent la tête pour voir aller le véhicule. Les religieuses firent de même dans leur véranda du vieux couvent. Chez la vieille fille aux chats, derrière une fenêtre, les épais rideaux bougèrent. Le bijoutier du village, sur son balcon, leva les yeux de son Reader's Digest. L'auto s'arrêta à côté du presbytère.

–Pas ici, les prêtres vont limoner, dit Alain.

–Les prêtres ? C'est quoi ça ? dit Champagne à voix forte. J'veux rien savoir des prêtres. J'ai payé pour le chemin, pour le presbytère, pour l'église. Mon grand-père a payé pis mon père aussi. Les prêtres ? Ils ont rien à redire C'est mon char, c'est mon chemin!

De nouveau, il accéléra en trombe, forçant les pneus aux gémissements de l'enfer.

Une étrange et inquiétante sensation s'empara alors de l'esprit d'Alain. "En cas d'accident, il serait bien heureux d'avoir un prêtre pour l'aider à mourir." Par contre, il partageait l'émotion de Champagne, son émancipation, sa liberté, son sens de la possession; il jouissait lui aussi autant que le Franco-américain, de l'attention des gens du centre du village qu'attirait la fabuleuse voiture. Quel emballement que de se promener, libre dans un prestigieux véhicule! Que de conquêtes doit-on faire avec une pareille Pontiac!

–Comment elles sont, les filles du Connecticut ? demanda Robert.

Champagne stoppa à nouveau devant le restaurant. Il leva les deux mains et dispersa les doigts pour exprimer la quantité.

–Like that!

Puis il regroupa ses doigts et se pointa la bouche afin d'exprimer la qualité.

–And like that!

–Elles marchent ? demanda Alain.

Champagne siffla et secoua la tête paternellement.

–Like that! Tout! Tout, le premier soir! Tu peux être certain que les Américaines sont en avance sur vos petites Québécoises.

–Pas si vite! contesta Alain. On a trouvé un nid plein de pas mal beaux petits oiseaux à St-Martin

–Elles marchent ?

–À volonté ! répondit Alain

–Et plus que ça! fit Robert en riant.

Visiblement intéressé, Champagne demanda:

–On y va ?

Les deux autres ne se firent pas prier. On se mit en route.

Chemin faisant, Alain s'enquit·

–Comment est ton anglais ? Tu dois commencer à le comprendre ?

–Mon ami, je parle mieux l'anglais que le français ! Je dis ce que je veux, à qui je veux pis tout le monde me comprend pis je comprends tout le monde.

Il avait parlé avec autorité. Puis son visage s'assombrit un peu et il demanda avec un filet d'appréhension dans la voix:

–Tu vas aux études, Alain, tu dois apprendre l'anglais, toi ?

–Pas vraiment! Ah ! on apprend à demander un verre d'eau, ou les temps des verbes, ou des règles de grammaire, mais pas à parler couramment comme toi ou le député fédéral. Pas une conversation courante comme vous autres.

–J'ai aucun problème avec mon anglais, reprit Champagne plein d'assurance. Je travaille avec un immigrant pis on parle tout le temps rien qu'en anglais.

–Un immigrant ?

–Ouais... Autrichien ou Mexicain, I don't know. En tout cas, de quelque part par là..

Jetant un coup d'œil au tableau de bord, il s'exclama·

–Ça parle au maudit, on va manquer de gaz. Oublié d'en prendre avant de partir.

–Y a une station-service juste à l'entrée de St-Martin, dit Robert

–Si on se rend ?

–Pas de danger de rester en chemin, ça descend tout le long pour les deux milles qu'il nous reste à faire.

Ils purent se rendre à la pompe

–Sept dollars, dit le pompiste quand il eut terminé.

Champagne ouvrit son portefeuille. Ahuri, il se cogna le front·

–Ça parle au tabarnak, j'ai pas emporté le bon portefeuille !

Robert tendit au pompiste un billet de dix dollars.

–Tiens. Il fournit l'auto; on fournit le carburant.

Les jeunes gens se tinrent raides tout le temps qu'à vitesse réduite, l'auto traversa la partie ouest du village. Des filles dirent à leur passage: "Maudit beau char! Pis les gars sont pas pires non plus!"

Ces remarques provoquèrent des picotements tout le long de sa colonne vertébrale, mais Alain garda la tête droite.

–On retourne ? dit Champagne.

–Pas celles-là, dit Alain. Regarde de l'autre côté de la rivière, sur la rue principale, y a un autre groupe de filles. Je les reconnais. Traversons le pont pis allons donc voir de plus proche.

–Trois filles pis on est trois, dit Champagne, rieur, quand l'auto était à se rapprocher du groupe d'adolescentes dont deux étaient en fait les compagnes de la veille d'Alain et Robert.

–Passons notre chemin pis faisons semblant de pas les voir, suggéra Alain.

–Right, dit Champagne.

Et il accéléra. Mais quand ils revinrent, les filles avaient disparu.

–Viargini! fit Alain. Ont dû entrer quelque part. La troisième fille doit rester dans une de ces maisons-là.

–Faisons une tournée du village; vont réapparaître, dit Robert avec son calme coutumier.

–La mienne, c'est la blonde, précisa Alain. Et Robert rencontre la petite brune. C'est que tu penses de l'autre ?

Champagne répondit blasé:

–Ça va! Elle est pas cute comme les Américaines, mais ça marche

Ils se promenèrent une dizaine de minutes, cherchant, surveillant, s'inquiétant. Finalement, ils retrouvèrent le groupe d'adolescentes et, cette fois ne risquèrent pas de passer tout droit.

Arborant un large sourire, Alain leur adressa la parole:

–Les plus belles filles de St-Martin dans le plus beau char du bout: c'est que vous dites de ça ?

Elles ne se firent pas tordre les bras et montèrent.

Champagne suggéra une promenade jusqu'à St-Gilles. Il emprunta la route longeant la rivière et roula à vitesse réduite. Sa compagne se tourna pour dire à ses amies:

–Le char ressemble à celui des gars de Galtown.

–Ça me surprendrait, dit Champagne, ce modèle-là se vend pas au Canada.

–Pourtant!... fit-elle, incrédule. Même couleur, même forme, hein les filles ? Mais ben plus rapide !

Il n'en fallait pas davantage à un jeune coq des années 50. Piqué au vif, le conducteur appuya sur l'accélérateur et la vitesse augmenta rapidement. Soixante-quinze, quatre-vingts, quatre-vingt-cinq. Alain regardait les courbes venir avec une rapidité étourdissante. L'auto dévorait si vite les traits de la ligne blanche que celle-ci finit par lui paraître ininterrompue. Champagne, chaque fois qu'il apercevait un chauffeur du dimanche, soit pour le dépasser ou pour le rencontrer, s'amusait à klaxonner pendant plusieurs secondes, ajoutant une note discordante à un suspense qu'Alain commençait à trouver insupportable.

Pour se rassurer, le jeune homme prit la main de sa compagne et la serra. Quatre-vingt-dix, quatre-vingt-quinze. Ses muscles raidissaient à mesure que croissait la vitesse et que la circulation d'air se faisait plus violente. Il entendit à peine le rire gauche d'une des filles. Et il essuya les larmes que le vent provoquait. "Heureusement que j'ai communié ce matin." Pensée de réconfort vite dissipée. Une tempête d'images horribles envahit son cerveau. Il vit sa tête éclatée en morceaux, sa poitrine broyée; il imagina les derniers battements de son cœur expulsé de son thorax et sautillant son dernier spasme dans l'herbe verte. Il se vit dans une tombe. Une cérémonie funéraire. Le Kyrie eleison. Un monument au cimetière... La voiture atteignit cent milles à l'heure.

Puis la vitesse décrut rapidement et se stabilisa dans les soixante.

–Tu nous as fait peur, dit la compagne de Robert.

–Bah! y avait aucun danger, dit tranquillement Robert. On est en plein jour, le chemin est sec pis c'est un char pesant du bas.

–Pis le conducteur a pas pris de boisson, ajouta Champagne.

Alain demeura nerveux pendant toute la randonnée et ne put relaxer qu'au retour à St-Martin. Cette relâche de la tension lui donna le goût d'enlacer sa compagne. Il chercha à l'embrasser; la petite bête le repoussa.

Mais elle avait une bonne raison qu'elle lui glissa à l'oreille:

–Les petites vieilles vont jaser.

Il regretta son geste. Une fille propre ne pouvait évidemment pas se permettre ça en public.

Le groupe passa le reste de l'après-midi à circuler d'un bout à l'autre du petit village, après quoi, séparés de leurs compagnes, les jeunes gens retournèrent à St-Honoré, au restaurant.

En quittant l'auto, Alain demanda:

–C'est combien pour la promenade ?

–Bah!... J'devrais pas accepter d'argent pour ça! Mais si vous insistez... Disons six piastres chaque: c'est-il trop ?

Alain et Robert se jetèrent un bref regard, mais n'osèrent répondre et payèrent. Quand l'autre fut parti, ils se regardèrent hébétés.

–En tout cas, il aura pas perdu son temps, dit Alain. Ça lui fait dix-neuf piastres pour son après-midi

–À ce prix-là, il aura pas de misère à payer sa convertible. Quelqu'un quelque part doit ben payer pour les options du char.

–Je me demande si je devrais pas laisser tomber mes études pis m'en aller aux États comme Champagne. Gagner deux fois le revenu d'un prof d'ici... Et j'aurai mon diplôme que dans deux ans .. à tout prendre, à mon premier dollar à enseigner, lui aura gagné des gros salaires durant cinq ans. Je croupis aux études à dépenser l'argent de mon père, tandis que ces gars-là ont le portefeuille ça d'épais, des filles tant qu'ils veulent, la grosse décapotable pis la belle vie.

–Suis pas trop sûr de ça, dit Robert. As-tu remarqué, sur sa feuille de salaire, le nombre d'heures d'overtime qu'il doit faire pour gagner autant d'argent ? Le gars travaille après souper jusque tard le soir et le samedi. Sais-tu quelle sorte de travail il fait ? Ce que y a de plus dur en construction. Les Américains eux-mêmes en veulent pas, de ces travaux-là: ruineux pour la santé. Six sept jours par semaine, tard le soir. Les plus solides tiennent le coup dix ans...

–Après dix ans, ils ont assez d'argent pour pas quêter. Ils ont qu'à investir dans leur propre affaire.

Son ami fronça les sourcils et répondit sur un ton sceptique:

–Ils dépensent leur argent à mesure qu'ils le gagnent. Apprend pas à gérer un commerce qui veut, pis avec une feuille de gyproc comme professeur. La tenue de livres, la publicité, l'anglais, les lois, la conduite d'employés et tout le reste, ça s'apprend pas rien qu'à travailler dur. Le capital, c'est pas seulement l'argent.

–L'argent achète n'importe quoi, n'importe qui. T'engages quelqu'un pour faire ce que tu sais pas faire toi-même. Souvent c'est mieux. Aux États, avec de l'argent en poche pis de l'anglais en bouche, tu peux faire n'importe quoi.

*

Alain Martel ne remarqua pas que l'été vieillissait vite, ni ne perçut le goût d'automne de ce mois d'août 1959. Il ne vit pas les brouillards drapant les rivières, ni n'entendit les claquements des grands érables grêles. Il enveloppa son cœur d'amour et son esprit de rêve. Aussi prépara-t-il mécaniquement son entrée à l'école Normale de l'université.

Il avait opté pour la carrière d'enseignant. C'était là le cours terminal le moins onéreux, question temps et argent. Si tu échoues quelque part, enseigne, voulait le dicton. Si t'as pas assez d'argent pour être ingénieur, enseigne sous-entendait le même dicton.

À dix ans, il avait rêvé d'être médecin jusqu'à ce qu'il se découvre peu d'aptitudes à patauger dans la souffrance, le sang. Plus tard, la prêtrise l'avait tenté, mais quand il aurait fallu commencer les études classiques, son père avait dit manquer d'argent pour assurer une aussi longue scolarité. Un jour, la psychiatrie lui avait fait signe, pensant travailler un jour sur les gens 'normaux' comme aux États, mais sachant qu'au Québec, ces psy-là oeuvrent dans les asiles, il n'avait pas répondu à l'appel. Au collège, on l'avait souvent sollicité pour devenir frère enseignant, mais il y avait cette réputation douteuse des frères... Ingénieur en fin de compte ? Manque de sous...

L'enseignement n'était pas le plus court chemin vers la fortune, la gloire, le pouvoir, mais on le disait mener à tout, pourvu qu'on en sorte.

À l'école normale, la plupart des ratés des autres facultés allaient finir leurs études aux sciences de l'éducation: faculté de la dernière chance. Une véritable mosaïque d'ex-futurs prêtres, d'ex-futurs avocats, d'ex-futurs médecins, d'ex-futurs ingénieurs...

Mais il ne se préoccupait guère de tout ça. Il ne savait rien d'autre que la date de son départ et l'adresse de son école.

Quelques jours avant son départ, il demanda à Louise pour la fréquenter régulièrement, ce qui, tacitement, signifiait qu'il serait son seul ami de cœur. "Je serai à toi et tu seras à moi." lui avait-il dit entre deux chastes baisers. Elle avait accepté. "Je t'aime, et toi, est-ce que tu m'aimes?" lui avait-il demandé par la même occasion. Elle avait souri timidement.

Un dimanche après-midi, dans la balançoire, derrière chez elle, sous les bouleaux blancs, le cœur chargé d'émoi, il lui avait posé sa plus importante question: "Je t'écrirai deux fois par semaine et je viendrai te voir une fois par mois, est-ce que tu m'attendras ?"

Elle avait baissé les yeux et fait un signe de tête affirmatif.

Au début de septembre, le cœur serré et heureux, il quitta son village pour aller suivre ses cours. Dans les jours qui suivirent, il se familiarisa avec la ville, sa pension, l'école, l'environnement.

Un soir, quelques jours plus tard, il écrivit sa première lettre d'amour

Sherbrooke, 9/9/59

Ma chérie,

Je t'aime! Oui, je t'aime! Voilà les premiers mots que je veux te dire dans cette lettre, car ce sont là les mots les plus importants au monde dans la vie de chaque être humain et dans la mienne.

Chaque jour, je pense à toi, je rêve à toi. Je prépare mon cœur pour ce moment merveilleux où nous nous jetterons dans les bras l'un de l'autre, quand nous nous reverrons.

Que fais-tu ? Comment vas-tu ?

Je voulais toujours te le dire, mais je crois que ça restera plus longtemps si je l'écris: t'es la fille la plus féminine que je connaisse à St-Martin, à St-Honoré ou ailleurs. Tes cheveux sont si beaux, tes yeux si profonds, tes lèvres si douces, tes bras si chauds.

Je t'aime parce que chaque fois que je pense à toi, mon cœur vibre Je t'aime parce que t'es pure et propre. Je t'aime parce que c'est merveilleux de t'aimer.

Je serai à la maison le 25. Ça veut dire qu'il y a encore treize jours à espérer. Mais, comme le disait quelqu'un: "Espérer, c'est le bonheur, attendre, c'est la vie!"

Au revoir, ma chérie! Je t'embrasse mille fois. Je t'aime! Je t'aime! Je t'aime!

Alain.

Deux jours plus tard, il commença à surveiller l'arrivée du courrier. Le douze, il se dit qu'elle n'avait sans doute reçu sa lettre que la veille. Le treize, il pensa que sa réponse devait être en route. Le quatorze, il se dit qu'il ne recevrait pas de réponse avant le dix-sept ou le dix-huit à cause de la fin de semaine. Le dix-huit, il souffrit de ne rien recevoir Le dix-neuf, il se demanda sérieusement s'il avait bel et bien donné son adresse, mais finit par se rappeler que oui. Le vingt, il se fâcha et se dit à lui-même que si elle avait dit la vérité concernant son amour pour lui, il aurait dû recevoir une lettre. Le vingt et un, il décida de lui téléphoner, mais, à la dernière minute, se ravisa, se contentant de se ronger les ongles nerveusement et rageusement.

Le vingt-deux, il reçut une lettre Avant de la relire pour la dixième fois, il en huma le doux parfum. "Voilà la plus belle lettre d'amour qu'un homme puisse recevoir."

St-Martin, le 20 septembre, 1959.

Cher Alain,

J'ai reçu ta lettre avec plaisir. Nous sommes aujourd'hui dimanche. Il pleut. Je m'ennuie beaucoup.

Je voulais te dire, Alain, je sais que cela va te contrarier, mais tu vas sûrement comprendre. Je dois quitter St-Martin avec mes parents, de vendredi à dimanche, en fin de semaine. Nous devons aller au Maine chez ma sœur qui vient d'avoir un bébé Dimanche après-midi, tu pourras venir me voir; je serai de retour. J'aurais bien aimé être avec toi samedi, mais, malheureusement, je ne le pourrai pas.

J'espère que tout va bien dans tes études. Sûrement puisque t'es si renseigné sur tant de choses!

Je dois te quitter C'est déjà l'heure du souper. Comme le temps passe vite!

Au revoir! Je te verrai dimanche. Je t'embrasse

Ta Loulou.

"Chaque mot, chaque ligne, chaque phrase respire l'amour, pensa-t-il. Elle dit qu'elle s'ennuie· c'est bien certain puisqu'on est séparés Quelle délicate attention de m'avertir de son voyage au Maine!

Qu'il est exemplaire pour une jeune fille d'aujourd'hui d'accompagner ses parents un samedi soir! Et quel sens de la famille que d'aller voir sa sœur qui a eu un bébé!.. Ensemble, dimanche après-midi, dit-elle. *Ensemble*: quel mot merveilleux! Elle s'ennuyait avant de m'écrire et pourtant, elle finit en disant que le temps passe vite: hein tout à fait normal quand, par la pensée, on est avec quelqu'un que l'on aime ? Et cette merveilleuse signature: ta Loulou... Oui, ma Loulou, mon amour, et qui sait, peut-être un jour, ma femme. Ça me fait rire· j'ai que dix-sept ans, mais que de rêves! Ma convertible, ma maison, ma femme pis

41

un jour, mes enfants. Ah! la vie est belle!

Je suis heureux, si heureux! Mon amour, je t'aime tant!"

Et il embrassa tendrement l'enveloppe.

*

Trois jours plus tard commença sa première fin de semaine de congé depuis le début de son année scolaire. Tôt dans la soirée du samedi, il retrouva ses amis dans un hôtel situé près de chez lui où les adolescents avaient l'habitude de se réunir, histoire de se faire, selon leur expression, un fond alcoolisé avant de partir vers les dancings à la recherche de divertissement donc de filles.

Mais pas pour Alain qui avait l'intention d'y passer toute sa soirée, par fidélité à Louise. Il s'amuserait à téter une bière devant le hockey télévisé. Il entra, marcha directement au bar, s'y commanda une bière, saluant tous ses amis de la main et du sourire. Puis il les rejoignit à leur table.

La conversation en fut une autre de chars et de filles.

—Martel, t'aurais dû être avec nous autres samedi soir passé, dit un des adolescents. On a eu un loisir terrible, tout le groupe avec Normand Champagne. On a rencontré les filles de St-Martin: l'enfer.

—Waiter, quatre bières, coupa Robert.

Le rire détaché, Alain demanda·

—Quelles filles ?

—J'étais avec Lyne Martin, Robert avec Marie Cliche et Cham...

À nouveau Robert l'interrompit:

—On devrait changer de pièce pour écouter le hockey.

—Il est que sept heures et demie.

—Champagne était avec Louise Poulin, la Loulou là. En tout cas, t'a connais. Tu l'as poignée une ou deux fois l'été dernier. Maudit chanceux, t'as dû avoir du plaisir avec ça. Pas besoin d'une clef pour l'ouvrir, celle-là... Elle est open d'un bout à l'autre.

Alain dégringola des millions de marches, sa tête heurtant chacune d'elles. Et il entendait des 'flic à flac'. La moindre goutte de sang de son visage disparut, fut aspirée en un point central, quelque part dans la poitrine. Il se sentit congelé, surgelé. Leva le bras pour prendre une gorgée; un léger tremblement agita son verre; les glaçons heurtèrent la paroi, tintèrent comme le glas qui annonce un mort dans la paroisse. La voix flageolante, il demanda:

—Elle a... elle a... elle a-tu marché ?

—Elle ? Pas marché, couru. Flambant nue sur le siège d'en avant, elle fourrait comme une truie. Champagne vient de partir pour aller la voir; il dit qu'il va l'emmener au motel pour finir ce qu'il a commencé la semaine dernière. Avec le char qu'il a, il pince toutes les filles qu'il veut. La petite Poulin va se faire ruer dans la pantoufle au motel de St-

42

Gilles, conclut l'adolescent en pouffant de rire.

Alain n'écoutait plus, même s'il continuait d'entendre. Après les quelques terribles minutes où il s'était senti de glace, le cœur lui projeta en périphérie du corps des centaines de jets brûlants. L'insupportable implosion faisait place à une explosion pire. Il se leva et tituba comme un homme ivre jusqu'aux toilettes où il vomit.

Il en ressortit bientôt l'esprit aussi vide que l'estomac. Robert l'attendait à la porte.

Alain lui lança:

–Y a rien à dire!

–J'ai mis nos bières dans la petite salle; viens écouter le hockey.

Alain le suivit et se laissa tomber lourdement sur une chaise, devant le téléviseur. Il riva ses yeux hagards sur ce lointain lumignon que l'écran lui semblait devenu. Il ne sortit de sa torpeur qu'à la fin du match, quand Robert proposa:

–Allons faire un tour du côté de St-Louis.

–Pour ma part, je vais à St-Gilles, dit Alain.

–Je te le suggère pas, dit son ami avec bienveillance

–Si tu viens pas, j'irai seul, dit froidement Alain.

Ils se retrouvèrent bientôt à l'hôtel-motel où Champagne, selon ses dires, devait coucher avec Louise. La salle de danse grouillait. Alain s'accouda au comptoir et avala plusieurs verres de bière, regardant ici et là, un peu partout, cherchant à voir Loulou quelque part. Pendant le match de hockey, il avait eu tout le temps de réfléchir sur les prétendues prouesses de Champagne avec Louise, les rapprochant de ses propres vantardises concernant la même fille à la fin de juillet. Il l'a peut-être simplement reconduite chez elle après la soirée pour ensuite inventer toutes ces histoires. Mais de sa part à elle, ce serait quand même de la trahison... L'espoir et l'amertume accompagnaient ses pensées successives qui se bousculaient les unes les autres.

Il n'aperçut la jeune fille nulle part. Il se rendit aux toilettes et se parla tout en pissant:

–Impossible qu'elle soit dans un motel avec Champagne, puisqu'elle est une bonne fille... je pouvais même pas la toucher. Jacques m'a sûrement fait marcher... Et j'ose plus faire parler Robert: j'ai trop honte J'aurais dû appeler chez elle en arrivant. Malgré que je me doutais pas que... Tiens, je vais téléphoner chez elle et si quelqu'un répond, je saurai qu'elle m'a menti avec son histoire d'aller au Maine avec ses parents

Il se rendit jusqu'au téléphone public. Le courage lui manqua D'ailleurs une force diabolique le poussait déjà à autre chose. Il sortit de l'hôtel.

–Je vas marcher et prendre l'air. Marcher et réfléchir Marcher et oublier. Marcher et me détendre.

À chaque pas, il se créait une raison valable de faire le suivant. Mais au fond de lui-même, il savait que chaque pas aussi l'amenait à vérifier les voitures du stationnement tout autour de la bâtisse.

Il repéra la décapotable cherchée. Et ne réagit pas. Sauf qu'il eut chaud plus que de raison, transpirant en abondance en dépit de l'air plutôt frais de cette soirée de septembre. Il revint à la bâtisse qu'il longea jusqu'à une encoignure où il s'appuya sur le mur de briques dans le noir. Des larmes lui vinrent aux yeux et roulèrent jusqu'à sa bouche. Quand il ne les essuyait pas, il les avalait. Et il gémit des mots tournés vers son nombril:

—Pourquoi me faire ça à moi ? Pourquoi me poignarder dans le dos? Me frapper au cœur ? J'voulais lui plaire, prendre soin d'elle, la respecter. La vie vaut pas la peine d'être vécue! Pourquoi m'avoir dit qu'elle m'aimait ? Pourquoi m'avoir écrit pour me faire croire des choses qu'elle ressentait même pas ? Pourquoi m'avoir dit que... Pourquoi dire que. Pourquoi m'a... Pourquoi... L'interminable litanie des pourquoi de tous ceux qui souffrent d'amour y passa...

Surchargé, survolté, son cerveau ne parvenait pas à ordonner ses pensées qui se bousculaient, se brisaient, se heurtaient comme une mer furibonde s'entêtant rageusement contre un brisant inexorable. La même tornade mentale subie un an auparavant quand il avait eu la grippe asiatique lui balaya l'esprit. Mais ici, dans ce coin étroit, la tempête ne lui laissait pas d'espérance.

Il fut bientôt distrait de sa souffrance par le bruit d'une porte que l'on ferme. Quelqu'un sortait d'une chambre de motel. Il ne bougea pas et continua à tendre l'oreille. Une voix masculine lui parvint, mais il ne put comprendre ni savoir qui parlait. Un rire féminin à moitié étouffé, puis le bruit sourd de deux portières d'auto et, enfin, le départ agressif d'une voiture le poussèrent à risquer un œil sur la cour· la décapotable n'était plus là. Partie. Envolée avec les tourtereaux!

Il se rencogna à nouveau pour mieux se sentir tout seul Quelques interminables secondes plus tard, il sentit une main sur son épaule, une voix familière

—Ils ont le plaisir, mais toi, t'as l'espoir Possible qu'un jour tu te paies les deux tandis qu'eux autres les auront perdus. Dans la vie, c'est souvent chacun son tour. Viens prendre un coup, ça va te faire du bien.

Alain suivit docilement Robert qui poursuivit en marchant:

—Laisse-moi te dire une bonne chose· un homme peut se fatiguer vite de l'amour, mais jamais de l'espoir. Rappelle-toi de ça.

Le blessé demeura muet le reste de la soirée. Il se contenta d'écouter. D'absorber! D'éponger toute la bière qu'il put. Et c'est ivre-mort qu'il retourna chez lui.

Il se jeta sur son lit sans ôter ses vêtements et se mit à marmonner

44

–Voilà la récompense de ceux qui sont purs et respectent les filles! Vierge Marie, protectrice puissante et glorieuse de toutes les vierges de la terre, comment peux-tu laisser de telles choses arriver ? Hein ? Il cherchait à faire glisser vers le bas la fermeture-éclair de son pantalon Laisse-moi te dire, Vierge Marie, que dans ma petitesse et ma méchanceté, je ne permettrais pas que des choses comme ça arrivent à qui que ce soit, où que ce soit dans le monde...

Il réussit à ouvrir la braguette lâche et poursuivit:

–Je vais te montrer ce que je pense de ta religion, de ton respect des filles, de ta pureté, ma viargini de sainte viarge...

Il sortit son pénis et entreprit de se masturber, mais le membre resta totalement flasque et aucun attouchement ne lui provoqua la moindre sensation. De guerre lasse, il prit la position du foetus et s'abandonna au sommeil.

*

Le lendemain de Noël était un samedi. Le jeune homme et ses amis se retrouvèrent dans la salle de danse de l'hôtel du Domaine, au bout du village de St-Honoré, draguant les filles. Au milieu de la soirée arriva un groupe de St-Martin. Alain sursauta. Il reconnut Louise qu'il n'avait pas revue depuis le grand chagrin d'amour de l'automne

Penché vers Robert, il lui dit le ton sinistre et le regard dur.

–La petite pute, elle va y goûter si j'ai la chance de la poigner à soir. Elle va se souvenir de moi, je t'en passe un viargini de papier.

Au premier slow, il la demanda à danser Elle accepta

Après quelques pas, elle dit:

–Pourquoi que tu m'as donné aucun signe de vie après ma lettre ?

–Ben .. heu... pour plusieurs raisons. Mais c'est pas le bon endroit pour en parler. Si tu veux venir avec moi, on va en discuter.

–Où ça ?

–Ben... chez moi, dit-il avec un sourire composé

–Ton père ? Ton frère ?

–Mon père: parti Mon frère sera pas là avant deux heures du matin Maison vide. Vide pis chaude. Un gars pis une fille Toi pis moi Moi pis toi Et.. une profonde.. discussion sur la vie O K.? T'as pas peur ?

–Pourquoi ?

–Allons-y tout de suite!

Elle prit ses affaires à la table et se dirigea vers la sortie, suivie de l'adolescent au petit oeil fort malicieux Il trouva un taxi.

C'est dans une maison sans style, aux airs frustes des années 30 qu'ils entrèrent. Au passage de la grille de la fournaise dont il se dégageait un souffle chaud, la jeune fille s'arrêta et se laissa envelopper sensuellement "Elle se prend pour Marilyn."

Un goût sadique lui vint en bouche qui le fit saliver:

–Laisse-toi la chauffer, la pantoufle, pis tantôt, je vas te la tisonner comme il faut.

–C'est bon !

–Ça le sera encore plus tantôt.

–Ah ! ah !

–Mon frère aura mis une grosse bûche avant d'aller voir sa blonde.

Il prit l'adolescente par la main et la conduisit dans le living-room. Une lampe fut allumée.

–Donne-moi ton manteau. Assis-toi.

–Fait froid ici!

Et elle se jeta tout habillée sur un étroit divan à coussins bruns.

–La pièce est petite. Fera chaud dans quelques minutes. Pourquoi que t'ôtes pas ton manteau ?

–Fait trop froid! Pas froid, frette...

Il s'assit près d'elle et dit avec une ironie mordante:

–J'peux essayer de te réchauffer comme à la belle époque Tu te rappelles de notre 'grand amour' ?

Il la prit dans ses bras et serra violemment.

–Hein, que c'était la belle époque ?

–D'abord que tu le dis, répondit-elle, à moitié étouffée.

Il desserra un peu son étreinte.

–Eh oui, pour moi, c'était le bon temps! Le temps de l'amour avec un grand A, le temps des promesses, le temps des grandes illusions. Pis pour toi... pour toi... on en parle pas, c'est mieux.

Lentement, scientifiquement, il déboutonna le manteau de la jeune fille.

–Viens dans mes bras qu'on fête un peu nos retrouvailles.

Elle se cala dans le divan, appuya sa tête sur le dossier. Quand le manteau fut ouvert, il se pencha sur elle et l'écrasa de son poids. Puis l'embrassa longuement et avec rudesse. Bouche fermée, bouche ouverte. Dents contre dents. Elle ne participa pas beaucoup.

–La belle époque, c'était aussi le temps de la tricherie, du mensonge, de la tromperie, des poignards dans le dos...

Il reprit son baiser coléreux.

Quand il eut relâché son étreinte, elle put dire, ayant compris·

–J'avais pas passé de contrat avec toi.

–Pis le samedi que tu devais être au Maine à zézayer avec le bébé de ta sœur, tu roucoulais où, hein ?

–Voyage cancellé... On m'avait appelée pour sortir...

—Ça serait pas une convertible qui t'a appelée toujours?

—Normand. Pis après?

—T'es sortie avec lui ou ben avec son char ?

Elle haussa les épaules.

—T'aimes les décapotables ?

—Beaucoup!

—Intelligente.

—Les goûts se discutent pas !

—Il est où, à soir avec sa grosse minoune ?

—Aucune idée. Pis je m'en crisse.

Il y eut un moment de silence, puis elle ajouta sur le même ton tranquille:

—Si tu voulais me voir, t'avais qu'à me téléphoner le dimanche comme je te l'avais demandé sur ma lettre, mais tu l'as pas fait. Ben pas pires amis! Ça te regardait. Mais ça me concernait la veille de rencontrer qui c'est que j'voulais.

—Pis ce samedi-là, t'es allée à la messe avec Champagne ?

—Ça te regarde pas du tout non plus.

—Dans le temps, ça me regardait! Quand on dit aimer un gars pis qu'on va coucher avec le premier venu ou plutôt avec la première décapotable venue...

—Je t'appartenais pas. J'étais pas ton bien. J'étais pas mariée avec toi...

—À quoi ça sert de discuter de tout ça? Le passé est mort et enterré. Il a coulé ben de l'eau dans la Chaudière depuis ce temps-la. Asteur, c'est le temps d'agir. Comme je te connais, si t'as accepté de venir icitte, à soir, c'est sûrement pas pour dire des *Je vous salue Marie*. Ôte ton manteau qu'on se fasse du fun.

—Si tu veux! Pis il fait déjà plus chaud icitte.

Elle lui donna son vêtement qu'il jeta sur un fauteuil.

Sans raffinement, animal dans ses gestes, il la reprit dans ses bras et lui plaqua une bouche gloutonne et grande ouverte sur les lèvres. Elle se laissa manipuler sans offrir de résistance.

Quand il reprit son souffle, elle dit:

—T'as l'air affamé. T'as-tu soupé ?

—J'ai toujours faim quand le lunch est gratis pis à portée de la main. Pis à soir, je veux un repas complet avec mets principal et dessert.

Il reprit son baiser, tenant la tête de Louise d'une main, lui pétrissant les seins de l'autre. À travers la blouse, il sentit le soutien-gorge et se demanda de quelle façon le détacher pour laisser voir son expertise en la matière. Plongeant la main à l'intérieur du premier vêtement, il

47

caressa la poitrine remplissant les bonnets. Il s'arrêta deux ou trois secondes, pressé qu'il était d'atteindre l'agrafe.

–Si ça te dérange pas, voudrais-tu baisser la lumière ?

–O.K! madame. À ton entier service! Comme à la belle époque !

Il éteignit la grosse lampe et alluma une veilleuse. Et revint prendre place sur le rebord du divan. Avec des airs de tout connaître, il parvint à l'attache du soutien-gorge et fit alors une pression de doigts. Rien ne se produisit.

–Tu dois pas avoir peur, d'abord que tu connais si ben le tabac.

–Pourquoi avoir peur? Tu vas pas me tuer.

Il pressa encore, mais dans le sens vertical: rien.

–C'est sûrement pas la première ni la dernière fois qu'un homme te déshabille.

–Non, mais je pense que toi, c'est la première fois que tu fais ça.

Elle glissa son bras derrière son dos et d'un geste rapide détacha le vêtement.

Il rit bêtement.

–Pauvre enfant, si tu penses que j'ai jamais vu une brassière. On est en 1959.

Il plongea une main tremblante sous un bonnet. La chair le surprit. Il avait toujours imaginé une poitrine de femme ferme et agressive et jamais ne s'était posé la question de savoir pourquoi les soutiens-gorge avaient été inventés.

Après cette prise de conscience, il réalisa que, pour la première fois de sa vie, il tenait dans sa main un sein de femme. Oh boy! quoi faire avec? Une chaleur aussi soudaine que violente lui embrasa le bas-ventre. L'instant d'après, la plus superbe de toutes les érections de sa jeune vie enorgueillit son pantalon. Des tréfonds de son âme, du plus profond de son corps, de toutes parts, émergea une impression de puissance. l'esprit du conquérant l'enveloppa de son formidable halo. Dès lors, il accéléra son exploration, quittant la poitrine pour une région plus mystérieuse et plus sérieuse aussi: l'intérieur des cuisses. Il frotta un peu, mais n'obtint aucune réaction, aucune réponse. Ça ne l'inquiéta aucunement. Son intérêt du moment était de savoir si elle portait une gaine ou seulement une culotte. Sa main trop énervée, son index heurta quelque chose, ce qui provoqua chez la fille un mouvement de recul. Il prit ce geste pour un sursaut de plaisir, s'en félicita. Puis poussa la main jusqu'à sentir la chaude toison à travers le mince tissu. Il frotta quelques secondes. Frustré par le vêtement, il passa la main par l'ouverture de la jambe à la recherche du duvet douillet. La jeune fille ferma les yeux, croisa les bras, écarta les jambes. Fébrile, l'adolescent retira sa main et chercha à enlever la culotte en tirant sur la bande élastique du haut

–Minute, déchire rien !

Pour aider, elle souleva les fesses. Comme il ne tirait que dans un sens et avec une seule main, l'autre côté restait accroché à la hanche. Elle décroisa les bras et descendit elle-même son dessous bleu en soupirant, agacée.

Il prit un ton câlin:

—Bonne fille, elle sait quoi faire!

Et, sans attendre, il replongea la main. Elle avait retrouvé sa position: bras croisés, jambes écartées, offerte. De l'index, il entreprit un mouvement rotatif dans les poils du pubis. Une boucle naquit et grossit, grossit. Si bien qu'à la fin, elle sentit qu'on lui arrachait les poils.

—Ouch ! tu me fais mal !

Il changea de tactique. Se souvenant des plaisanteries sur le sujet, il voulut la pénétrer de son plus gros doigt. Il tâta un moment, finit par trouver la fissure et y enfonça son majeur, râpant les parois au passage.

—Huhau, défonce-moé pas, là...

Il se dit que rien ne pourrait plus tuer son désir ni son érection Bientôt la fille se mit à mouiller, ce qu'il ne comprit pas. Il retira son bras et passa sa main derrière sa tête pour sentir l'odeur de son doigt tandis qu'il embrassait la jeune fille dans le cou. Senteur aphrodisiaque qui fit de sa tige de chair une lance d'acier. Un obus en fait. Et les risques d'explosion prirent des proportions sérieuses.

En des gestes mal contrôlés, il défit sa ceinture et enleva son pantalon puis son caleçon. Mais garda sa chemise pour cacher à la vue son pénis non circoncis. Il la fit s'étendre sur le divan et se coucha près d'elle, se colla, approcha son pénis qui toucha le pubis. Le contact ne provoqua qu'un léger pincement au gland. Nouvelle approche. Rien d'intéressant. Encore et encore. Douleurs sur la peau du bout du monde.

—Mets donc ta jambe sur le haut du dossier, là.

Il l'aida.

"Ma première pénétration, faut que je sois calme "

En précaution, il toucha la vulve, centra son pénis et poussa. L'organe glissa dans les poils. Nouvel essai: échec. Un autre: douleur. Encore, encore et encore. Il devint nerveux. Encore et encore. Une soudaine chaleur envahit sa poitrine. Encore et encore. Douleurs. Encore... agressivement. Encore... furieusement. Encore... désespérément C'est là qu'il perdit son érection.

De crainte de perdre aussi la face, il s'excusa pour aller aux toilettes, mit ses vêtements et sortit de la pièce.

Habitué dans le noir, il ne rata pas l'eau du bol. Il le sut au son Le temps que sa vessie s'aplatisse, il pensa aux seins pulpeux, à la toison laineuse. Il porta son doigt à ses narines et huma encore une fois l'odeur divine d'un cul de femme. Quand il eut fini d'uriner, son érection revint en force. Il garnit sa main d'un morceau de papier et secoua violemment son appareil qui livra vite la marchandise laiteuse.

De retour auprès de Louise, il s'étendit à côté d'elle qui paraissait endormie et avait toujours la jambe accrochée au-dessus du dossier.

Et il relaxa, pensant qu'elle relaxait aussi.

Il perdit la notion du temps. Et ne revint à lui qu'au bruit d'une automobile dans la cour. Il ferma la porte et dit à Louise de s'habiller

Son frère entra et s'engagea dans l'escalier menant au deuxième Il s'arrêta pour s'enquérir:

—C'est toi, Alain ?

—Qui d'autre veux-tu? Attends une seconde, j'ai à te parler.

Il sortit et demanda à voix basse:

—J'ai une fille que je veux reconduire chez elle à St-Martin. Veux-tu me prêter ton char ?

—T'as-tu bu ?

—Deux bières pis digérées ça fait longtemps.

—O.K! Tiens mes clefs. Sois prudent; tu sais que t'as pas de permis.

—Merci beaucoup! La route est-elle glissante ? Il a neigé ?

Son frère fit signe que non et glissa un clin d'œil complice.

—Bon voyage.

En route, Alain et sa compagne parlèrent peu. Quand sur les hauteurs, il aperçut les lumières du village, le besoin de se défouler lui revint en force.

—T'es le genre qu'on rencontre une fois dans sa vie Un homme marie pas une fille comme toi, tu sais ça, hein?

—Pourquoi que t'es si bête tout d'un coup ?

—L'été dernier me remonte au nez. Malgré que ça m'a ben aidé à connaître les femmes... en tout cas celles comme toi.

—T'as appris ça à l'université, là, toi ?

—Quoi ça ?

—Que les hommes marient pas de filles comme moi pis tout le reste.

—Pas besoin d'aller à l'université pour savoir ça.

Il appuya fort sur l'accélérateur, mais la Ford se fit prier. Et il reprit la parole:

—Tu veux savoir ce qu'on apprend à l'université, je vas te le dire mathématiques, civilisations, philosophies pis un paquet de choses dont le nom lui-même te dirait pas grand-chose.

Il avait parlé d'un ton détaché pour cacher sa prétention. Aucun commentaire ne vint. Ce silence, le temps qui passait, la route qui se dépensait, augmentèrent en lui le désir de la faire payer pour les vieilles blessures. Elle détectait les pièges et les évitait avec adresse Il dit·

—T'iras à la messe demain matin ?

—Pis toi ?

–Sûrement et pourquoi pas ?

–Après ce qu'on a fait à soir...

–Donc, toi, t'iras pas ?

–J'irai.

–Après ce qu'on a fait à soir ?

–Oui.

–Comment ça ?

–Ben... pour les mêmes raison que toi.

–Pis selon toi, c'est quoi, ces raisons-là ?

–Faire comme tout le monde, faire comme d'habitude, faire plaisir à mes parents.

–Ma pauvre fille, si tu penses que je prends mes décisions en fonction des autres, tu te trompes en viargini. De toute façon, ma mère est morte pis mon père est rarement à la maison.

–Dans ce cas, t'as aucune raison d'aller à la messe demain; pis si tu le fais, c'est stupide.

Elle lui tomba sur les nerfs encore davantage:

–Écoute-moi ben, la petite vache, je vas à la messe parce que je crois en Dieu pis en ma religion, pas pour faire comme les autres.

–Mais t'as péché à soir: quel besoin d'aller à la messe demain ? À moins que t'ailles à confesse avant ? Tu vas laver ton âme, prendre ta douche spirituelle du dimanche matin...

–T'es trop bornée pour comprendre la foi d'un autre. Tu pratiques ta religion en hypocrite comme tu joues dans le dos du monde. Toi, c'est le cul, rien que ça qui compte. C'est ça, ta religion. Ils devraient fermer la porte des églises aux personnes comme toi.

La jeune fille éclata de rire et se fit narquoise:

–Marie-Madeleine la pécheresse a séché les pieds de Jésus avec ses cheveux...

–Elle regrettait ses fautes, elle, tu sauras.

–Pis moi pas, tu penses ? Pis toi, tu regrettes ?

–Si t'avais été une fille propre, ce qui s'est passé à soir serait pas arrivé. J'ai agi comme un homme doit le faire avec une...

–Une putain, une pécheresse, une fille perdue, une fille de Satan, qui perd son âme à cause de son sexe.... Par chance que je t'ai rencontré, toi, l'homme pur, le messie qui a pour mission de m'ouvrir les yeux avant qu'il ne soit trop tard !

–Petite viargini de vache, t'es la dernière qui peut se moquer de moi! T'es une menteuse pis une tricheuse... une fille à tout le monde.

–Pis toi, un savant sauveur qui a toujours raison

L'auto venait de s'engager sur le pont; Alain freina brusquement jusqu'à stopper. Il dit sèchement:

–J'vas pas plus loin avec toi. J'arrête icitte.

–Me reste encore un demi-mille avant la maison, pis tu sais comme il fait pas chaud.

–Tu marches avec tout le monde, tu dois ben être capable de marcher toute seule, non ?

–Alain, fais pas le fou! Traite-moi de tous les noms, mais reconduis-moi à la maison.

–Descends pis marche. Une fille comme toi sait pas faire autre chose.

–Si tu veux, Alain Martel ! Mais avant, je te dis une chose: j'espère qu'à ta chère université de mes fesses, ils vont t'apprendre quelque chose en sexualité parce que dans ce domaine-là, t'es un maudit bon à rien...

Il serra les poings.

–Sors, ça presse.

Elle poussa la poignée, hésita une seconde, puis descendit en riant fort. Il la regarda déambuler jusqu'à ce qu'il la perde de vue.

–Elle comprendra jamais rien à la vie.

Derrière, une auto klaxonna pour que la Ford s'enlève du chemin. Alain relâcha la pédale d'embrayage, mais ne pressa pas assez sur l'accélérateur et le moteur cala. Il tenta vainement à plusieurs reprises de remettre le moteur en marche. Deux hommes descendirent de l'autre voiture et s'approchèrent. L'un d'eux cria:

–Mets au neutre, on va te pousser.

Ce qu'ils firent. L'auto s'engagea, près de la garde du pont étroit, dans un amas de neige durcie laissé par la déneigeuse. Quand il ouvrit sa portière, les hommes avaient regagné leur véhicule qui doubla vivement la Ford et disparut.

Il décida de pousser la voiture jusqu'à la sortie du pont où une descente lui permettrait de remettre le moteur en marche grâce à la compression. Le tas de neige l'empêcha de bouger. Il chercha une pelle dans le coffre arrière. Pas de pelle.

Il retourna dans l'auto, voulut démarrer, encore et encore. Rien.

"Il passera bien quelqu'un." Et il attendit quelques minutes. "Je peux aussi bien attendre ici toute la nuit."

À un demi-mille, deux jambes chaudement bottées avançaient prestement. Louise entendait au loin le faible son du démarreur de la Ford. Elle rentra à la maison.

Alain Martel se mit à marcher sur le pont au métal givré. Il se dirigeait vers un garage et frissonnait, car il était fort mal vêtu pour affronter le froid bleu qui mordait toute la Beauce cette nuit-là

***

52

Chapitre 3

1960

–Allô !

–C'est Alain... Alain Martel ? demanda la voix.

–Lui-même !

–Ici, le docteur Roland Gilbert; comment ça va ?

–Pas mal.

–Toujours aux études, mon Alain ?

–Toujours.

–Ça va bien ?

–Ah oui! fit Alain qui répondait avec hésitation, intrigué par cet appel inusité.

–T'es pas sans savoir, mon cher ami, que je serai candidat à la convention du parti libéral ?

–Suis au courant, ouais.

–C'est pour ça que je te téléphone. J'aimerais que tu fasses partie de mon organisation...

Sidéré de contentement, le jeune homme balbutia

–Ben... j'connais pas grand-chose là-dedans... une convention... En plus, suis aux études en dehors.

–Je t'appelle pas pour la convention, mais pour l'élection. Et je m'explique. Je sais que je serai élu à la convention: suis le seul candidat sérieux. Les autres se présenteront pour les apparences. Faut ben faire une convention. Ça servira à officialiser ma candidature à l'élection. Ça veut dire que déjà, suis en train de jeter les bases de mon organisation électorale. Et puis j'ai pensé que t'aimerais peut-être nous aider un peu à ta façon.

–Mon expérience en politique...

–C'est justement l'occasion d'en prendre. Chaque chose doit avoir un commencement, hein ?

–Je dis pas non, hésita Alain. Tout dépendra du travail à faire

–Je t'explique. Dans le parti, y aura à cette élection de nouvelles structures. Entre autres, les organisateurs de paroisse auront, pour les aider, un adjoint qui s'appellera écuyer: un jeune homme comme toi, débrouillard et travailleur. Pour être franc, c'est pas une tâche de décision mais d'exécution, et je pense que c'est normal quand on commence, hein ? Donc tu seras pairé à mon grand organisateur de St-Honoré et sous ses ordres. Tu seras un peu son homme à tout faire. Que l'expression te fasse pas peur, car tu dois savoir que c'est une excellente chose de tâter un peu tous les aspects d'une organisation: c'est la base qui permet plus tard de se voir confier des responsabilités plus importantes.

–L'élection est prévue pour le vingt-cinq et je terminerai pas mes études avant le début de juin, fin mai au plus tôt...

L'autre l'interrompit:

–C'est parfait car la campagne débutera pour de vrai que dans la deuxième semaine de juin.

–Et j'ai pas l'âge de vote.

–Vraiment ? Tu me surprends. Mais ça n'a pas d'importance! Ce qui compte, c'est le travail que tu feras.

–Disons que j'aimerais ben y penser un peu...

–Entre nous deux, Alain, sache qu'advenant une victoire du parti libéral, un programme d'emplois d'été pour étudiants sera mis sur pied. Même s'il ne sera plus question de patronage, puisque le parti l'abolira, il sera normal, après l'élection, qu'à compétence égale, nous choisissions d'abord ceux qui auront travaillé dans notre organisation pour occuper des emplois d'été. Tu comprends ? Alors voilà, Alain, je te demande pas une réponse immédiate; prends le temps d'y penser et rappelle-moi. Disons... dans une demi-heure ? Est-ce que ça irait ?

–Quelle que soit ma décision, je rappellerai dans une demi-heure, promit l'étudiant avant de raccrocher.

D'une douceur incomparable, la voix du médecin s'était faite persuasive tout au long de la conversation. Un baume sur un ego abîmé par une jeune fille trop délurée.

Il n'en aurait pas fallu tant pour convaincre son homme. Alain se frotta les mains d'aise, sourit entre ses dents, se mit à arpenter la maison, de la cuisine au salon, en passant par le living-room, claquant de ses talons de fer sur le grillage métallique de la fournaise. Jamais il ne s'était senti aussi heureux Le médecin-candidat lui-même avait daigné l'appeler pour lui confier une tâche dans son organisation électorale Il avait hâte de rappeler pour dire son accord, mais surtout pour pouvoir se rendre au restaurant annoncer la nouvelle à ses amis

Le temps n'en finissait pas de passer. Aux trois minutes, il consultait sa montre comme s'il avait eu des contractions. Et, au moment même où prit fin la demi-heure, il s'approcha du téléphone. Mais se ravisa. "Mieux vaut attendre encore cinq minutes. Ça fera plus réfléchi, plus adulte, plus indépendant." Quatre minutes plus tard, il sonna la téléphoniste et demanda le numéro du médecin-candidat.

Quand il eut donné sa réponse, il reçut l'ordre de communiquer, dès son retour des études, avec Bertrand Lacroix, l'organisateur de St-Honoré dont il serait l'adjoint et qui lui détaillerait la tâche d'écuyer. Alain dit qu'il espérait être utile à l'organisation. L'autre répondit:

—Aucun doute là-dessus, autrement je t'aurais pas appelé. Je te remercie pas trop fort, car l'expérience que tu prendras avec nous autres te sera très utile, mais je te remercie quand même.

—Je sais que ça m'apportera beaucoup. C'est même moi qui devrais faire les remerciements.

—De la manière dont tu parles, on va s'entendre parfaitement. Au plaisir mon jeune ami et à bientôt !

—Au revoir, docteur!

Dans un paisible village du Québec, le choix du médecin de l'endroit comme candidat à la convention d'un parti politique faisait figure d'événement majeur, historique, et faisait couler beaucoup plus de salive que tous les décès et naissances de l'année réunis. Alain savait qu'au restaurant, la conversation portait souvent sur la politique. En s'y rendant, il se dit qu'il pourrait facilement, sans avoir l'air de se vanter, glisser la nouvelle concernant son futur rôle électoral.

Il entra, s'acheta un Coke et s'approcha de la table où ses amis faisaient leur habituelle partie de poker du samedi après-midi. Son ami Robert l'invita à se joindre à eux:

—Il nous manque justement un joueur. Tire-toi une bûche !

Le jeune homme fier se rendit chercher une caisse de bois derrière le comptoir et la rapporta à la table pour s'asseoir.

—King and low, annonça le donneur de cartes. Pendant qu'il distribuait, les joueurs misaient.

Alain reçut un as et une paire de deux. Il jeta les deux autres cartes et reçut en remplacement un roi et un as. "Cinq as. Ça commence bien la partie."

Il avait toujours cru en ces journées où un homme se lève gagnant, de ces journées de chance sans mélange. Il avait eu cette intuition ce matin-là et elle s'avérait de plus en plus fondée à mesure que l'heure avançait. C'est pourquoi, après avoir joué et gagné, il sentit le besoin de rassurer les gars.

—Remporter le premier pot, c'est jamais chanceux.

À son tour de donner, il proposa un bluff. Releva un quatre, un cinq, un sept, un huit et un valet. Il réfléchit. Tout jeter et recommencer à neuf ou essayer d'attraper un six ? Il ne tentait jamais pareil jeu, sachant les chances infimes. Mais l'intuition de la chance augmenta son goût du risque et il ne réclama qu'une seule carte qu'il laissa dormir pendant que les autres misaient. Puis il reprit son jeu dont il écarta, une à une, les cartes: quatre, cinq, sept, huit... D'un petit coup sec du pouce, il dégagea la dernière: un six. Il l'aurait juré!

C'est ainsi qu'il ramassa le deuxième pot.

—As-tu décidé de nous plumer aujourd'hui ?

—La chance durera pas.

Puis quelqu'un parla des élections à venir:

—S'il faut que les libéraux gagnent, ça va nous coûter cher, quand on pense à tout ce qu'ils promettent.

—Ça va être mieux qu'asteur Il se passe rien dans la province de Québec depuis trente ans, dit Robert.

—Pouah! vont prendre dans ta poche droite pour mettre dans ta poche gauche pis en passant, accrocher leur petite commission.

—Peut-être prendre plus dans les poches des vieilles crapules bleues pour établir des programmes équitables dont tout le monde profitera, dit Alain avec un sourire plein d'assurance.

—C'est pas toujours aux mêmes à avoir l'assiette au beurre.

—Paraît qu'ils vont abolir le patronage.

—Abolir le patronage et mettre sur pied des programmes pour ceux qui sont dans le besoin comme nous, les étudiants, dit Alain. Y aura un programme de prêts-bourses et un autre d'emplois d'été. Je serais pas surpris qu'un bon matin, ils rendent l'instruction gratuite.

Le jeune homme espérait toujours qu'un des joueurs ajoute à ses propos pour qu'à la fin, une porte s'ouvre à sa nouvelle.

—Jack pot, low ball, dit Robert en donnant les cartes.

—Ouvert de dix cents, dit un autre.

Tous suivirent. Alain garda sa paire de sept et une dame. Pourquoi la dame ? Il ne jouait jamais de cette façon non plus. Il ouvrit ses deux cartes de remplacement. Ses mains se crispèrent. Un joueur professionnel l'aurait noté. Mais il se relaxa vite pour éviter que son visage ne devienne le miroir du jeu. Cet ordre se traduisit par un léger battement des cils ainsi qu'une inhalation balancée

Coudes sur la table, mains en forme de panier, pouce agile, il découvrit son jeu devant ses yeux imperturbables: trois dames, deux sept Il réprima même son sourire intérieur, de peur d'être trahi.

—Dix de mieux, dit-il négligemment.

Il espérait une relance, mais les autres suivirent simplement.

Alain gagna et cette victoire décupla son désir d'annoncer sa nouvelle

–Le docteur Roland Gilbert m'a justement parlé des programmes d'aide aux étudiants qui seront proposés par le parti libéral, dit-il avec un léger tremblement dans la voix.

–Il t'a demandé à toi itou de faire partie de son organisation ? dit Robert Il m'a parlé d'être écuyer, mais je lui ai pas laissé le temps de s'expliquer. Finalement, je lui ai dit de s'adresser à André Veilleux. Mais peut-être que Veilleux a refusé lui aussi ? Ça m'intéresse pas de faire les commissions des organisateurs du docteur; d'autant plus qu'il s'est jamais aperçu que j'existais avant aujourd'hui. Le lendemain de l'élection, il me reconnaîtra même pas.

Ces paroles jetèrent une sérieuse douche froide sur les secrètes pensées d'Alain qui tenta de sauver sa dignité:

–Pour ma part, je trouve que c'est une belle expérience à vivre pis j'ai décidé d'essayer. .

Il parlait défensivement, se sentant un pis-aller du docteur-candidat.

–Tant mieux si tu le prends de même, mais t'as des maudites bonnes chances de faire rire de toi.

Alain vibrait à tous les aspects attirants, presque magnétiques du poker

–Un bluff, annonça le donneur.

Alain releva ses cartes: dame, six, dame, dame, huit. Il demanda deux cartes. Reçut un trois qu'il plaça à gauche de ses dames. Mais laissa l'autre dormir pour faire durer le plaisir. Le moment venu, il donna un vif coup de poignet en même temps qu'il leva les yeux: c'était un trois qu'il plaça à la droite des dames. Il étendit son jeu en éventail et il en tâta des yeux la parfaite symétrie· trois, dame, dame, dame, trois

Au bluff, c'était une main gagnante. Cette idée le berça un moment. Puis il pensa aux mains plus fortes, mais il chassa vite ces images pessimistes de son esprit.

Au moment de la mise, il choisit de relancer Sans excès, pour mieux tromper D'une tromperie acceptée et qui a ses règles.

"S'ils savaient, les pauvres, ce que j'ai en mains."

Il gagna encore. Il hésita deux ou trois secondes, montra son indifférence. En véritable pro, il passa sa main en forme de grattoir au centre de la table, ramenant vers lui la poignée de monnaie qu'il empila en rangées, soigneusement, glorieusement.

Des centaines de fois. il avait posé ce geste. Une seule, il avait triché. Alors il avait ramassé l'argent, mais sans conviction. L'expérience de la tricherie lui avait appris à apprécier les règles du jeu Posséder en trompant avait tué en lui l'espoir de la chance et le merveilleux goût du risque, et ne lui avait laissé que le goût amer d'une domination facile. Le plaisir avait sonné faux à son cœur. En trompant les autres, il s'était trompé lui-même.

—Tiens, le curé qui s'amène au restaurant, dit un des joueurs. On ferait peut-être mieux de serrer nos cartes le temps qu'il sera icitte ?

—Si tu penses! lança Robert, un peu plus ému que d'habitude. On n'est pas des enfants, sacrement.

—C'est pas le curé, c'est le vicaire, dit Alain.

—Les gens aiment pas beaucoup le jeu de cartes à l'argent, dit un joueur.

—À moi la donne, dit Alain. Suis catholique, mais il appartient pas au clergé de décider si je dois jouer ou non.

Il distribua les cartes. Le prêtre entra, salua vaguement et acheta un paquet de cigarettes. Alain laissait tomber la monnaie d'un peu plus haut que d'habitude afin que le prêtre comprenne que sa présence ne les empêchait aucunement de jouer.

Robert s'apprêtait à ramener le pot quand l'abbé s'approcha·

—Grosse partie !

—Venez jouer une brasse ou deux avec nous autres, dit un joueur.

—Suis pas assez riche, dit le vicaire dans un rire bruyant qui lui donna du mal à allumer sa cigarette.

—C'est justement un bon moyen d'en faire.

—Le peu d'argent que je gagne, je le place.

Il expulsa une longue bouffée de fumée et poursuivit son rire qui dégénéra en toux grasse.

—Regardez le pot: cinq piastres, dit le joueur.

Par une toux provoquée, le prêtre attaqua les humeurs de ses bronches bouchées.

—J'ai rien contre une petite partie, même si vous le faites en public, mais je préfère dépenser mon argent autrement.

Il roula dans sa bouche les humeurs décollées qu'il ravala. Puis, sur le ton de la complicité, il dit·

—Voyez-vous ça, le vicaire de la paroisse jouer aux cartes à l'argent en public ? Je serais excommunié par les paroissiens et le curé. Bonne chance à chacun, là.

Il se dirigea rapidement vers la sortie et quitta.

—Il nous a fait voir qu'on devrait pas jouer en public, dit l'un des joueurs.

—Y a pas à s'en faire, tant qu'il y aura pas d'hommes mariés à la table, dit Robert. Les femmes sont jalouses des cartes pis s'en plaignent au confessionnal.

—T'as l'air de t'y connaître, dit Alain en souriant.

—Les femmes mariées ont peur de trois choses. des autres femmes, de l'alcool, des cartes. Le plus drôle, c'est que chaque homme est amoureux au moins d'une de ces trois affaires-là.

–Moi, j'ai ben l'intention de tomber amoureux des trois pis ma future a qu'à ben se tenir, dit Alain.

Les joueurs s'esclaffèrent tous ensemble, le plus fort le plus drôle.

*

À son retour chez lui, à la fin de son année d'études, le deux juin, le jeune homme, tel qu'entendu avec le médecin-candidat, téléphona à Bertrand Lacroix pour entreprendre sa fonction d'écuyer libéral.

Il reçut pour mission de tenir ouvert le comité central paroissial à partir de midi jusqu'à la fermeture, tous les jours. Il devrait y mettre de l'ordre, nettoyer les planchers, vider les cendriers, ranger les chaises, contrôler les articles publicitaires. On lui confierait un budget de dix dollars par semaine pour amuse-gueule, liqueurs douces, cigarettes et cigares mis à la disposition des organisateurs quand ils viendraient au local. Sauf Lacroix, Alain serait le seul à disposer d'une clef du lieu, ce qui, à leur première rencontre occasionna une discussion. Lacroix insista sur les dangers d'infiltration.

–Quel intérêt auraient les bleus à venir sentir ici ?

Bertrand, un personnage souriant, sûr de lui, enthousiaste de la trentaine avancée déclara, les bras levés:

–Absolument rien pis c'est ça qui est drôle! Ces gars-là sont pas des lumières, mais ils pourraient quand même avoir l'idée de venir voir, on sait jamais.

–S'ils ont rien à gagner, pourquoi ?

–Quand je dis rien, c'est une manière de dire. Rien de ce que nous autres, les rouges, on peut penser. Mais tu connais les bleus: y a rien qu'ils peuvent pas inventer. Ils pourraient, mettons, entrer icitte, la nuitte, pis le lendemain, tu trouverais les murs placardés de posters de leur candidat. Ça s'est déjà vu ça !

–Bertrand, on s'en tabarnake-tu? Tu sais ben que ça convaincrait personne de voter pour eux autres !

–Quant à ça... Lacroix pencha la tête et réfléchit.

–On sait jamais, un papier qui traîne, une lettre dans une armoire . C'est maudit, une élection. Un détail peut te la faire perdre

Alain sourit, incrédule et l'autre poursuivit avec force gestes:

–J'me rappelle en 52, toutes les organisations rouges avaient été infiltrées. Ça grouillait de bleus dans nos comités. Même chose en 56 Nos maudites élections, on les a toujours ben perdues. Pis à plate couture en plus. Quand y a des espions partout, t'es perdu d'avance. Ils savent tout. Ils savent qui c'est qui travaille pour toi. Connaissent tes plans, tes armes. Comment veux-tu gagner quand l'adversaire te connaît sous toutes tes coutures ?

–Si l'autre te sait fort, ça brise sa confiance en lui, non ?

–Es-tu fou ? Faut pas que tu te mettes tout nu devant l'adversaire! Si tu veux gagner, garde des armes secrètes... Le secret, c'est ça, le secret d'une campagne électorale !

–De toute façon, il traînera rien pis la porte restera fermée à clef quand je serai pas là.

–Parfait ! C'est pour ça qu'on t'a choisi. Nous autres, des hautes instances du parti, on fait confiance aux jeunes. Pis avec l'expérience, dans quelques années, ça sera peut-être toi le candidat

*

Sans émotions, le jeune homme vit s'écouler la première partie du chaud juin de 1960. Il marchait au pas du crescendo électoral.

À chaque début d'après-midi, il faisait de l'ordre au local du comité tout en écoutant les discours à la radio. Vers trois heures, Lacroix arrivait. Une nouvelle discussion survenait. Quand la radio diffusait des discours bleus, l'organisateur coupait le son.

–Pourquoi pas écouter ce qu'ils ont à dire ?

–C'est un bleu qui parle.

–Je sais.

–Ben c'est ça!

–Ça quoi ?

Lacroix s'approcha de la table derrière laquelle Martel était assis, et s'y appuya les mains, penchant la tête comme pour réfléchir. Il grimaça, l'air incrédule:

–Y a malentendu. C'est le Premier ministre, le chef bleu qui parle, tu comprends ?

–Je dis qu'on devrait l'écouter.

–Mais pourquoi ?

–Pour savoir ce que les autres pensent et proposent, pis peut-être pour nous convaincre davantage de nos propres idées

Mi-amusé, mi-curieux, Lacroix secoua la tête:

–Maudit Alain, toujours une farce en tête!

–C'est pas une farce. Il doit arriver aux bleus de dire vrai..

–Ben tu m'inquiètes. C'est grand temps que je te parle.

Lacroix se laissa tomber sur une chaise en face de son écuyer.

–Tu sais ben que les bleus disent des menteries! Vingt ans qu'ils exploitent le pauvre monde! Vingt ans qu'ils achètent les élections! Pour les petits, la misère, pour eux autres, la crèche !

–Aussi mauvais que tu dis, ils gagneraient pas depuis vingt ans C'est des élections libres !

Bertrand gratta son énorme tête ovale surmontée d'une mince cou-

60

che de cheveux aplatis.

–Ce que je veux te faire comprendre, c'est que les gens s'aperçoivent pas qu'ils sont mauvais. Du monde, c'est aveugle. Les bleus cultivent la peur: peur du communisme, peur de perdre une pension... Mon ami, quand tu connaîtras les bleus comme je les connais, tu sauras que ces gens-là, ça ment, ça vole, ça fraude... Patronage. Pense aux graines de semence pis à tous les autres scandales. Avec les bleus au pouvoir, c'est scandale par-dessus scandale...

–Comme ?

–Comme ?

–Oui, les scandales ?

–Depuis le début de la campagne qu'il s'en dit partout... Tiens, celui des graines de semence et... tous les autres à la grandeur du Québec.

–Des scandales, y en a toujours sous tous les gouvernements, dit Alain comme s'il se parlait à lui-même.

–Quoi ? Toujours des scandales ? Non, mon ami. Si le parti libéral prend le pouvoir, ça voudra dire la fin du patronage, la fin des graissages de pattes. Un gouvernement libéral fera le grand nettoyage, le grand épurage, le grand écurage...

–Le programme rouge: pas mal plus honnête que le bleu .

–J'te crois! C'est le meilleur programme électoral jamais présenté

–Comment tu peux savoir si t'écoutes pas ce que les bleus ont à dire ?

–Ça donnerait quoi ? Des menteurs. D'ailleurs, ils ont même pas de programme.

Alain tenta de faire dévier la conversation.

Comment ça que t'es icitte tous les jours depuis le début de la campagne ? Tu travailles pas ?

–J'étais dans les chantiers américains au déclenchement de l'élection. J'ai planté ma hache en me disant: "Ti-gars, tu retournes au Canada." J'ai décidé de venir leur montrer aux bleus que c'est le temps qu'ça change. Pis j'suis revenu pour un mois, le temps de la campagne électorale. Un mois, c'est une manière de dire, parce que je m'attends pas trop de retourner aux États.

Il baissa le ton, fit un clin d'œil complice:

–Entre nous deux, si les rouges gagnent, j'ai une job. Le docteur lui-même qui me l'a dit. Chef cantonnier du comté.

–Mais le chef cantonnier actuel ?

–Un bleu. Va se faire dégommer!

–Si les libéraux abolissent le patronage ?

–Ouais... Mais tu fais le ménage d'abord, t'ôtes les crapules de la crèche, ensuite t'abolis le patronage.

—À ce compte-là, dans quelques années, les bleus diront des rouges ce qu'aujourd'hui les rouges disent des bleus.

—À t'entendre parler, on te croirait un bleu.

Lacroix laissa échapper un grand rire et se leva.

—Je disais ça pour t'agacer.

Il consulta sa montre et marcha jusqu'au téléphone.

—Je vas appeler ma femme...

*

Quelques jours plus tard, les deux hommes établirent l'échéancier de la dernière semaine de campagne. En réalité, Lacroix dictait, l'écuyer notait.

Alain sut que cette semaine-là ne serait pas comme les précédentes, ce qui le poussa à poser plusieurs questions.

—C'est quoi, la claque ?

—Tout le monde connaît ça! C'est les applaudissements au bon moment. Tu places un gars par coin de salle pis quand l'orateur dit tel ou tel mot, ils se mettent à claquer. Ils partent la claque. C'est ben connu!

—Je pensais que les gens applaudissaient librement.

—Jamais de la vie! Comment veux-tu qu'un politicien se fasse élire sans les claqueux ? Malgré que le chef en veut pas, lui! Il dit que le slogan de cette année "C'est l'temps qu'ça change !" est assez fort pour produire la claque à tout coup... Peut-être assez fort pour lui, mais les petits candidats de comtés ont pas son panache pis sa voix de... de tonnerre.

Le jeune homme jeta un autre coup d'œil sur l'échéancier et demanda:

—L'opération photo, ça veut dire quoi ?

—L'élection est dimanche. Dans la nuit de jeudi à vendredi, on va déchirer toutes les photos pis les affiches publicitaires des bleus.

—C'est pas... malhonnête pis risqué?

—Malhonnête ? Bah! ça se fait dans toutes les campagnes.

—J'croyais que les photos, c'était les gamins.

—Des gamins payés par nous autres !

—Pis si l'adversaire en fait autant la nuit d'avant ?

Lacroix pouffa:

—Ce serait parfait! Tu vois ça, nos photos déchirées sur les poteaux et celles de l'adversaire intactes ? Les gens diraient: un autre coup de cochon des bleus.

—Mais si c'est nous autres qu'on le fait, ils vont dire· encore un coup de cochon des rouges ?

—Ah non! Le monde, ils vont dire que les bleus sont haïs à mort...

–Pis l'opération électricité ?

–J'peux pas te répondre là-dessus. Disons que c'est un tour de dernière minute. C'est le docteur qui a pensé à ça. Une maudite bonne idée. Je t'en parlerai peut-être la semaine prochaine...

–J'ai pas envie de manigancer.

–Jamais de la vie! Des petits coups de fin de campagne, c'est rien de malhonnête. C'est pas exploiter le peuple durant quatre ans.

–Les deux sont proches parents.

–Je vas appeler ma femme.

–Allô Jeannine ?... Oui, je t'appelle en retard, mais, le docteur Gilbert vient de partir d'icitte... Je vas rester plus longtemps pour préparer l'ouvrage de demain... Oui... Oui... je vas apporter la viande hachée... Pis le blé d'Inde itou... C'est ça, à tantôt!

Il raccrocha, adressa un clin d'œil à l'autre, esquissa des pas de danse en claquant les doigts.

–Faut pas toujours dire la vérité aux femmes. Ça les rendrait pas plus heureuses. Bon l'ordre du jour de l'assemblée de demain soir étant prêt, on arrête là pour aujourd'hui. Une partie de billard ?

*

Ce vendredi seize juin, Alain placarda les murs du local de photos et posters. Il étala sur des tables toute la paperasse disponible: collants, pamphlets, dépliants, programmes, photos de divers formats, macarons, journaux, circulaires, posters, crayons... Sur d'autres tables, il mit cigarettes, cigares, tablettes de chocolat, chips et petits gâteaux.

Dès son arrivée au comité, Lacroix téléphona à sa femme. Son appel terminé, il fit deux pas et s'arrêta net.

–Je sais ben que t'as fait ton possible, mais je vas t'expliquer une chose. Vois-tu, nos gars ont beau être rouges, faut que tu leur en fasses voir comme ça.

Il montra ses dix doigts.

–Nos organisateurs doivent sentir qu'on a de la galette pour faire l'élection, qu'on fait pas ça en quêteux. Autrement, ils auront pas confiance. Des bebelles publicitaires, mets-en, c'est pas de l'onguent! Tu vois, sur le mur du fond, il reste de la place. Sur les côtés, on pourrait ajouter des dépliants et des collants. De la couleur!

Il prit une chaise et entreprit de tapisser littéralement les murs, servi en cela par son écuyer.

–Autre chose importante: faut disperser les articles publicitaires partout pour que nos organisateurs se servent à volonté. Par contre, cigares, cigarettes, chocolat, tu concentres tout ça en avant, pour que ça les gêne d'en prendre un peu trop.

Le jeune homme tendit un bout de papier.

–Je t'ai préparé une prière d'ouverture originale comme tu me l'avais demandé.

–Parfait. Tu vas me la lire toi-même: j'vas voir ce que ça donne.

–Au nom du Père, du Fils, du Saint-Esprit. Seigneur, éclaire-nous dans nos entreprises, apporte-nous la lumière qui nous permettra de mieux aimer notre prochain en le servant utilement. Que cette réunion nous rende plus fraternels dans la dignité et la charité. Ainsi soit-il !

–Parfait, parfait! Mets ça sur la table, à ma place, devant moi.

Les organisateurs paroissiaux commencèrent d'arriver et bientôt, une vingtaine de personnes se trouvèrent là.

–Demande leur attention, on va commencer, dit Lacroix à Martel

–Messieurs, messieurs, s'il vous plaît, je demande votre attention, je demande votre attention.

Le ton élevé imposa le silence à la plupart des assistants.

Debout, pouces accrochés dans sa ceinture, Lacroix fronça les sourcils pour dire, solennel:

–Si vous voulez, on va ouvrir dignement par une prière.

Tous se levèrent et se tournèrent vers le crucifix perdu dans les posters. Le meneur de jeu marmonna:

–Au nom du Père, du Fils, du Saint-Esprit... Je vous salue Marie pleine de grâces, le Seigneur est avec vous qui êtes bénie entre toutes les femmes...

Quand il eut terminé, tous s'assirent, sauf lui. Il toisa l'assistance, fronça davantage les sourcils, comme s'il cherchait quelque chose de très important, puis hocha la tête et centra un papier sur la table.

–Mes chers amis, il me fait grand plaisir...

Il fit part de ses directives pour le reste de la campagne, insistant sur la nécessité de réunir une forte délégation de St-Honoré pour assister au discours du chef à Beauceville dans l'après-midi du dimanche. Il parla ensuite de la soirée de fermeture de la campagne du docteur Gilbert qui aurait lieu à St-Honoré le vendredi vingt-trois. Il termina par une recommandation quant à l'usage d'alcool le jour de l'élection avant la fermeture des bureaux de votation. Suivit une période de questions à propos des paris, du transport d'électeurs et du dîner du personnel des bureaux de scrutin.

Finalement, il conclut:

–Les amis, on se fie sur vous autres. Vous êtes des gens intelligents et capables de penser par vous-mêmes et on est certains que vous le démontrerez en répondant à ce qu'on attend de vous. La victoire dépend de l'unité et de la solidarité au sein du parti. Le temps de Duplessis est révolu. Dans le parti libéral, chacun a son mot à dire et voilà pourquoi, au soir du vingt-cinq, on va goûter à la victoire ainsi qu'à autre chose d'aussi agréable, et vous savez de quoi je veux parler.

Il fit un clin d'œil complice.

–S'il y a des directives particulières, je contacterai personnellement les intéressés. Là-dessus, je vous laisse le "bon ce soir".

Tous bougèrent. Certains pour quitter les lieux, d'autres pour former de petits groupes, d'autres pour déguster un cigare. Lacroix se rendit au téléphone.

–Allô Jeannine ?... J'en ai encore pour une heure, à peu près . Couche-toi. Dès que c'est fini, je rentre... à tantôt!

Alain prit le papier de la prière et le chiffonna avant de le jeter dans un cendrier. Il se choisit ensuite un gros cigare, le huma et l'alluma.

*

Le jeune homme voyagea avec Bertrand pour se rendre à Beauceville au discours du chef libéral. Chemin faisant, il parla peu, laissant ses yeux boire à l'été naissant, à ce dimanche beau, chaud, léger. Il se livra à une sorte d'expérience photographique mentale, s'amusant à fermer les yeux, puis à les rouvrir pour une fraction de seconde, le temps de capter une image, comme l'aurait fait une caméra. Puis il refermait les yeux pour emmagasiner une série de photos fixes.

–Le soleil est fort pour les yeux, dit Lacroix.

–Non... oui... non... un peu.

Alors Alain observa les images en action. Et regarda les rochers marcher dans la rivière paresseuse

Mais une fois encore, ce qu'il aima le plus dans ce trajet familier le long de la Chaudière, c'est la personnalité des maisons racontée par leurs yeux, tantôt charmeurs, tantôt froids, ou monstrueux, cyclopéens, ou bien pochés, ou ternes, ou pétillants. Ils disaient tous quelque chose, des habitants de la maison, ces yeux-là.

Le jeune homme se demanda ce qu'avait pu penser son ancêtre lorsqu'il avait suivi cette même route pour aller s'établir sur les terres hautes. Et, plus loin encore, deux cents ans auparavant, qu'est-ce qui avait trotté dans la têtc dc cc jcunc Indien poursuivant l'ours noir ?

Et c'est ainsi qu'un silence inhabituel de Lacroix lui avait permis de réfléchir tout au long du trajet, aux triomphes de la civilisation sur la misère humaine.

Les deux compagnons entrèrent dans la salle de cinéma où les discours seraient prononcés. Ils se séparèrent. L'un désirait s'asseoir en première rangée, tandis que l'autre dit préférer circuler parmi la foule, à l'arrière et à l'extérieur.

Le jeune homme ne porta aucune attention aux premiers orateurs, mais quand le président de l'assemblée eut présenté le chef, il s'arrêta

La foule toisa l'homme à travers les applaudissements. En vain! Il sut répondre à l'hommage inquisiteur en toisant lui-même l'assistance de son œil poché et autoritaire. Il gagna vite ce duel, car la foule avait hâte d'être battue, subjuguée. Il projeta d'abord son centre de gravité sur une jambe, puis sur l'autre. Il jeta un bref coup d'œil par terre en signe d'humilité, puis au ciel en signe soit de supériorité soit de connivence, peut-être les deux. Et là, il se tourna à moitié pour bien montrer aux élites assises derrière lui qu'il s'adressait d'abord à elles.

—Monsieur le président de l'assemblée, monsieur le candidat et futur député de Beauce, madame Gilbert, messieurs les maires, messieurs les invités d'honneur, mesdames, mesdemoiselles, messieurs En voyageant à matin depuis la vieille capitale jusqu'à Beauceville, j'ai été à même de réfléchir à la place qu'occupe votre magnifique comté sur l'échiquier provincial. Je... comparais votre région à d'autres de la province, des plus grandes et des plus petites, des plus éloignées mais des plus centrales, des plus populeuses et des plus désertes. Et, comme résultat de cette réflexion, je me suis surpris à dire tout haut, de façon spontanée: la Beauce, mais c'est tout le Québec! Car, en vérité, il s'agit de définir ce beau pays de la Chaudière pour ainsi, automatiquement, donner une définition à toute la province.

Et ceci m'amène, mes chers amis, à vous faire quelques confidences sur l'image qui m'est apparue à matin de votre magnifique région, l'une des plus agréables et des plus accueillantes de tout le Québec. .

Quelques acclamations hésitantes, puis plus nourries permirent au chef d'avaler une gorgée d'eau.

—Ce qui m'a tout d'abord frappé, chez vous, c'est l'immense quantité de travail qu'il a fallu pour créer, tel qu'il est aujourd'hui, ce merveilleux coin de terre. Combien d'années de labeur pour ériger ces villages, ces églises, ces écoles, ces bâtiments de ferme, ces maisons ? Combien de sueur vos aïeux ont-ils dû répandre pour défricher ces terres, et combien n'en faut-il pas à vous, leurs descendants pour en tirer le fruit ? Combien d'efforts ne furent-ils pas requis pour tracer ces routes, bâtir ces ponts, ériger ces clôtures ? Combien de risques n'ont-ils pas courus, ces courageux riverains, en butte chaque printemps aux sautes d'humeur intempestives de votre rivière, soit dit en passant quand même fort charmante, si impitoyable le printemps, mais si généreuse l'été. Mais s'il en a fallu du labeur, de la sueur, du travail acharné aux gens d'ici pour créer ce patrimoine extraordinaire qu'est le vôtre, ces efforts... immenses ont-ils toujours trouvé leur juste récompense ? Je pose la question en d'autres mots. les moyens dont vous disposez pour développer votre région sont-ils ce qu'ils devraient être ? En ce dix-huit juin 1960, je réponds que non. Et je ne suis pas le seul, car toute la province dit non aussi. Vos bras, votre peine ne suffisent plus dans la vie moderne. Il vous faut également des outils de travail. Pour l'agriculteur, ces outils seront du roulant modernisé, du bétail amélioré et bien d'autres choses encore. Pour les jeunes, ces outils seront l'éducation et l'instruction nécessaires à gagner convenablement leur vie. Pour nos ouvriers, il s'agira d'emplois plus rémunérateurs et de conditions de travail plus décentes. Il faut pour nos industriels de l'équipement rajeuni. Dans tous les domaines, il faut des outils.

L'orateur hocha un peu la tête pour reprendre son souffle:

—Que fait le gouvernement actuel pour que vous puissiez acquérir ces instruments nécessaires à une vie plus humaine et à une meilleure productivité dans tous les domaines, ces outils qui vous permettront de jouir davantage de la vie, de donner à vos enfants la chance de vivre dans la dignité ? La réponse à cette question, c'est tout le Québec qui la donnera par son vote le vingt-cinq juin... Car le Québec va rejeter ce gouvernement de la stagnation, qui a perdu le sens véritable des valeurs en ne permettant ni à l'ouvrier, ni à l'agriculteur, ni à la jeunesse, ni aux mères de familles de vivre décemment, comme tous devraient pouvoir le faire dans notre vie moderne, de nos jours, en 1960. Chers amis, le vingt-cinq juin, le gouvernement actuel mordra la poussière parce que tout le Québec est maintenant convaincu que c'est l'temps qu'ça change

La foule applaudit avec chaleur. L'orateur but.

—Je disais tout à l'heure que j'ai vu de belles choses le long de votre rivière Chaudière· c'est vrai! Mais j'ai vu aussi des tracteurs de ferme qui ont fait leur temps. J'ai vu des écoles .. Ou plutôt je ne les ai pas vues, car elles sont à être construites. J'ai vu des usines qu'il faudrait agrandir pour permettre la création de nouveaux emplois Chers amis, j'ai vu de la beauté, de la grandeur d'âme chez-vous, j'ai vu des efforts immenses et, pour cela, vous êtes à louer, à admirer, à féliciter chaleureusement. Mais j'ai vu également des choses tristes, des carences flagrantes dans tous les domaines. Cette situation n'est pas typique à la Chaudière, elle est générale dans tout le Québec. Et ces faits révoltants sont les fruits d'un arbre pourri: l'actuel gouvernement. Où est-il ce gouvernement ? On le cherche. Existe-t-il ? Il n'est nulle part. On ne le reconnaît qu'à un seul signe: le patronage...

La foule applaudit. Le chef garda son attitude mosaïque.

—En 1960, chers amis, c'est plus le temps, comme dans le passé, de se demander ce qu'on peut faire pour le gouvernement, mais c'est le temps de dire au gouvernement: qu'est-ce que vous pouvez faire pour nous, les payeurs de taxes ?

La foule acclama.

—Nous vivons dans l'un des pays les plus riches du monde Nous disposons de tous les minerais possibles, nous avons du bois en quantité, des sols fertiles, une population travailleuse comme pas une au monde, des richesses inépuisables. Nous avons tout.. et pourtant nous n'avons rien. La vie est chère sans bon sens. Les salaires sont bas. Les mamans ont besoin d'argent pour habiller les enfants. Les jeunes ont besoin d'argent pour s'instruire. Les ouvriers ont besoin de plus d'argent pour vivre une vieillesse plus décente. Nos industries ont besoin d'aide pour la création d'emplois. Il faut de l'argent dans tous les domaines et, pour ça, il nous faut un gouvernement qui bouge, capable de répondre aux aspirations profondes du peuple du Québec, ce grand et fier peuple.

La foule applaudit frénétiquement.

–Chers amis, le programme libéral est le plus consistant, le plus étoffé jamais présenté par un parti politique, qu'il s'agisse du domaine de l'éducation où nous entendons donner à tous l'accès à l'instruction, qu'il s'agisse du domaine de l'agriculture où des mesures énergiques assureront de meilleurs revenus aux travailleurs de la terre, qu'il s'agisse de l'aide aux personnes âgées que nous allons soutenir par le biais de subventions aux foyers d'hébergement qu'il s'agisse du domaine routier où nous entendons doter la province d'un réseau moderne, à la mesure d'un Québec moderne. Dans tous les domaines, notre gouvernement jouera un rôle actif, et notre action ne négligera aucun secteur de la vie économique. Certains disent de notre programme électoral qu'il est révolutionnaire. Eh bien soit! Le vingt-six juin commencera au Québec une révolution, mais une révolution tranquille sous la direction d'un gouvernement honnête, qui assurera à tous et à chacun la prospérité et l'abondance, par conséquent la joie de vivre et la paix du cœur et de l'âme...

Les applaudissements nourris de la foule permirent à l'orateur d'avaler un plein verre d'eau et de s'éponger le front.

–Mes chers amis, pensons à une famille ordinaire du Québec, de la région de la Beauce ou d'ailleurs. Est-il normal, aujourd'hui, en 1960, que le père doive s'exiler aux États-Unis pour s'assurer un salaire décent ou encore qu'il doive travailler à l'extérieur de chez lui parce que ses revenus agricoles ne suffisent pas à subvenir aux besoins de sa famille ? Est-ce normal que le grand fils abandonne ses études faute d'argent ? Est-ce normal de voir la maman éternellement aux prises avec des casse-tête budgétaires ? Quand le besoin est là, qu'il faut échanger l'auto, qu'il faut faire réparer le téléviseur ou bien rajeunir les meubles, quoi faire si le portefeuille est vide ? En 1960, est-ce trop demander qu'un peu de douceur dans le garde-manger, ou une petite robe neuve de temps à autre pour la maman ou un équipement sportif dont la grande fille rêve depuis longtemps ? Est-ce trop demander une cigarette manufacturée au lieu d'une rouleuse ? Une auto qui avance ? Un toit décent? Un petit rafraîchissement après le travail ? Une petite distraction de temps à autre ? Un peu de confort dans la maison ? Une certaine sécurité pour les vieux jours ? Ne serait-ce pas là une juste récompense à ces efforts immenses dont je parlais tout à l'heure ? Pourquoi faut-il qu'une famille ordinaire attende si longtemps pour obtenir toutes ces choses, et pourquoi doit-elle faire tant de sacrifices pour finir par les avoir ? Chers amis, c'est pour toutes ces raisons que, dans la province de Québec, c'est l'temps qu'ça change !

Alain Martel ne se retint pas d'applaudir au même tempo que la foule. Devant lui, un petit homme replet cria d'une voix retenue:

–Pis quand tu meurs, un p'tit enterrement dans une p'tite tombe en satin avec quelques basses messes pour avoir une p'tite place au paradis.

"Un baveux bleu, songea Alain. Lacroix me l'avait ben dit qu'il y aurait de ces renifleux-là en arrière."

Le chef exposa ensuite les principaux points du programme électoral de son parti. Puis il souleva l'ire populaire en étalant les scandales éclaboussant le gouvernement sortant. Finalement, ce fut l'apothéose.

–Mes chers amis, mettez votre gouvernement au service de votre prospérité, car le Québec doit enfin prendre ses affaires en mains. Il doit à tout prix trouver son identité pour assurer le bonheur à tous et à chacun. Mais surtout, rappelez-vous bien de ceci: *ça n'a plus de bon sens; c'est l'temps qu'ça change*. Ensemble, vers les sommets, mais maîtres chez nous, élisons un vrai gouvernement au service du peuple. Essayez le parti libéral, vous n'avez rien à perdre. Et à tous, je dis: à la victoire de l'équipe libérale, l'équipe du tonnerre...

Alain crut entendre l'écho des derniers mots se répercuter de manière intemporelle. La voix était devenue trop grande pour avoir dit du faux. L'écuyer ajouta ses vivats aux hurlements incessants de la foule en délire.

*

En ouverture d'assemblée des organisateurs paroissiaux, Lacroix dit:

–Il parle ou il parle pas, le chef!

Il se frotta les mains d'aise et promena ses yeux sur l'assistance. Son enthousiasme se communiqua à plusieurs visages. Quelques assistants glissèrent un bref commentaire à l'oreille de leur voisin.

–Les amis, on est à la première journée de la dernière semaine. La semaine des coups de mort. À soir, on va mettre au point l'opération téléphone pis celle du porte à porte qui nous ont été demandées en dernière minute, par le docteur Gilbert. Paraît que cette cabale sera le chapeau qui coiffera la victoire...

Une fois les plans exposés, Lacroix passa à la vérification des listes électorales. Chacun avait reçu une feuille contenant les noms des indécis de son secteur, et devait l'étudier avant d'en discuter avec Lacroix et son jeune écuyer.

–Assis-toi, mon Pierre, dit Lacroix à un premier organisateur qui s'était avancé.

–Écoute Bertrand, mon chum pis moi, on a discuté de ta liste mais...

Il mentionna qu'il ne pouvait pas parler à la plupart de ces gens-la à cause d'une chicane survenue l'hiver précédent concernant des travaux publics. Lacroix prit note et reçut un deuxième organisateur qui se plaignit d'un problème semblable. Alors il demanda aux deux hommes de s'échanger les listes pour que chacun puisse, de la sorte, travailler dans le secteur de l'autre. Un troisième se dit convaincu de la conversion de tout son monde. Le suivant accusa tous ses indécis d'hypocrisie, les traitant de bleus mal peinturés. Son problème fut vite réglé quand Lacroix lui parla des deux cent cinquante caisses de bière à être distribuées au triomphe du dimanche soir, si triomphe il y avait.

Après cette période de confessionnal, Lacroix procéda aux recommandations de groupe.

–Pas besoin de vous expliquer comment contacter un indécis, vous connaissez votre monde. Téléphonez à votre gars pis saluez-le au nom du candidat. Vous lui tâtez le pouls pour savoir de quel côté il penche Ensuite, annoncez-lui que vous allez le visiter. Le soir venu, allez passer une heure avec lui et prenez soin d'apporter avec vous une couple de bières: rappelez-vous qu'on va vous le rendre en triple dimanche soir. Essayez pas de convertir votre homme en parlant de politique. Trop tard. Une visite d'amitié au nom du docteur, rien de plus!...

*

Dès vingt heures, tous les sièges de la salle paroissiale étaient occupés. Deux orateurs avaient été inscrits au programme: un maire millionnaire du bas du comté et le docteur Gilbert. Une demi-heure plus tard, le maître de cérémonie ouvrit l'assemblée et présenta le premier orateur. Celui-ci n'avait pas parlé dix minutes que l'électricité manqua Lacroix sortit en trombe pour revenir aussi vite quelques minutes plus tard. Il monta sur la tribune et parla au maître de cérémonie qui s'approcha du microphone (branché sur une génératrice de secours) pour récupérer l'événement:

–Chers amis, je viens d'obtenir des renseignements sur la panne de courant. Le bris serait à St-Benoît, au transformateur qui contrôle toute l'électricité de notre secteur La réparation pourrait prendre une demi-heure. Restez à vos places. On allume les lanternes d'urgence. Je sais qu'on va pouvoir compter sur vous; je suis convaincu que, même dans les circonstances difficiles, vous soutenez le docteur Gilbert.

–Oui i i i i, hurla un claqueur. La salle éclata en applaudissements Pendant un quart d'heure, Lacroix fit la navette entre la tribune et un endroit inconnu d'Alain. Alors le courant fut rétabli.

L'orateur termina son discours. Le docteur Gilbert fut présenté Il entama le sien avec l'emphase protocolaire habituelle. À peine cinq minutes s'étaient-elles écoulées que Lacroix se dirigea vers lui et déposa un bout de papier sur son lutrin. Le candidat s'arrêta net et lut, hochant la tête et affichant un sourire incrédule.

Il reprit la parole:

–Nos adversaires, ont, semble-t-il, mis le comble à leurs manigances. La panne d'électricité de tout à l'heure... il s'agirait d'un câble d'acier délibérément jeté sur les fils d'alimentation du transformateur principal au pouvoir de St-Benoît. On est actuellement alimentés via un transformateur secondaire .. Eh bien! Quel monde! Est-il possible, chers amis, qu'en 1960, dans une société civilisée, un pays libre, des gens

70

désespérés, sentant fondre sur eux l'humiliation de la défaite, en viennent à utiliser des moyens électoraux rappelant les plus beaux temps de la Gestapo allemande ?...

–Hou ou ou les bleus! cria un claqueur, entraînant la foule dans de copieuses huées.

–Je comprends votre réaction, chers amis. Évidemment, si nos adversaires avaient pu nous empêcher de tenir cette assemblée, vous imaginez bien quel tort ils auraient pu nous causer; d'autant que les discours de ce soir sont diffusés dans tout le comté par notre station de radio de St-Georges. Mais je vous fais une promesse solennelle Et que nos adversaires l'entendent! Une enquête aura lieu sur cet incident criminel et les coupables seront démasqués. Entre-temps, dimanche, par notre vote, nous démasquerons cet adversaire déloyal pour les multiples raisons qui nous disent, qui nous crient, en 1960· c'est l'temps qu'ça change !

Les claqueurs déclenchèrent les acclamations et la foule hurla pendant plusieurs secondes.

L'orateur alterna les effets de son discours, habilement, scientifiquement. Avenir brillant grâce au programme libéral. Échec du gouvernement bleu. Il échauffa la foule, accéléra le rythme, multiplia les caresses de la passion populaire. Quand il sentit l'assistance prête à exploser, ce fut l'apothéose: la promesse de la victoire éclatante sur un adversaire sans foi ni loi suivie du triomphe le plus grandiose jamais vu dans toute l'histoire du comté. De toutes parts, en saccades ininterrompues, jaillirent les applaudissements brûlants d'une foule hors d'elle-même.

Alain Martel frappa modérément. Quelque chose le retenait, l'empêchait d'embarquer...

*

–Quel que soit le parti élu ce soir, on espère que le gouvernement nous posera de l'asphalte sur la partie est du stationnement de l'église, dit le curé en fin d'un bref sermon au cours duquel il avait exhorté les fidèles à se rendre aux urnes quelle que soit leur allégeance politique.

Alain passa ce nuageux vingt-cinq juin au comité libéral qui servait de centre névralgique, de point de liaison entre Lacroix et les différents bureaux de scrutin. L'organisateur téléphona à tous ses hommes et leur fit savoir que le docteur Gilbert avait promis de l'asphalte pour la cour de l'église advenant une victoire de son parti.

À dix-neuf heures, Alain relaxa, soulagé d'une semaine à intenses préoccupations. Il se mit à l'écoute simultanée des résultats provinciaux et locaux à la télévision et à la radio.

La victoire libérale au niveau provincial se dessina rapidement; mais au niveau de la Beauce, c'est qu'après vingt heures que le député sortant concéda la victoire au docteur Gilbert.

Au grand calme du jour succéda une fièvre montante se traduisant par l'afflux de véhicules vers la salle de St-Honoré déjà remplie à cra-

71

quer lorsqu'Alain y arriva. Assis, debout, partout, tassés comme des sardines, les gens hurlaient victoire.

Un peu plus tard, en pleine frénésie populaire, le nouveau député fit son apparition dans l'embrasure d'une porte d'urgence. Ses commettants le hissèrent sur leurs épaules et le conduisirent jusque sur la tribune aux cris de 'hip hip hourra'. L'homme s'approcha du microphone et salua la foule tandis que des gens entonnèrent *Il a gagné ses épaulettes..*

Pendant que la foule, debout, lui adressait sa longue ovation, le docteur leva plusieurs fois les bras au ciel en signe de victoire. Quand les acclamations ralentissaient, des électeurs, en qui Alain reconnaissait les claqueurs du vendredi soir, forçaient les bras du vainqueur vers le ciel, provoquant ainsi de nouveaux vivats. À force d'humbles grimaces et de gestes des bras, le nouveau député finit par obtenir l'attention

—Chers amis, j'ai que deux phrases à vous dire et elles vont tout dire La première, c'est que jamais, autant que ce soir, j'ai été aussi fier d'être Beauceron ..

La foule hurla

—La seconde, c'est pour vous dire à quel point je suis heureux qu'enfin le Québec soit libre...

La foule reprit son ovation délirante.

—Le Québec vient de prendre ses affaires en mains, il vient de vivre un moment historique et l'avenir s'ouvre à nous. Merci à tous ceux qui ont travaillé si fort depuis le début de cette campagne, merci aux hommes et aux femmes de la Beauce, merci au Québec tout entier!

L'excitation frisa l'hystérie. Et, quand le docteur descendit de tribune pour sortir de la salle, un remous, une sorte de mouvement collectif amena une concentration de l'assistance sur un côté. Retenu par quelque chose qu'il ne pouvait s'expliquer, Alain resta en retrait. Appuyé à une colonne de soutien d'un balcon, il observait la foule quand, soudain, à travers le tumulte, il crut entendre un bruit curieux mais sérieux Craquement suivi d'un frémissement, comme si tout le lieu avait légèrement frissonné. Il jeta un regard circulaire, aperçut Lacroix à une vingtaine de pas, se faufila entre les coudes serrés et parvint jusqu'à lui.

—On dirait que la salle branle ?

—Ça fait pas rien que branler, ça saute!

—Je veux dire la bâtisse... à cause du poids.

—Tu veux rire ? On pourrait faire grimper vingt bulldozers sur le pignon que ça bougerait pas d'un pouce. J'ai vu quand on a bâti ça Les meilleurs ouvriers Dans cent ans, elle sera encore debout

Il coupa court à l'échange et tenta, à son tour, d'approcher le nouveau député qui, pouce à pouce, se dirigeait vers l'escalier de sortie.

Alain se fraya un passage vers une porte d'urgence et quitta la salle dont il fit le tour en tâtant les murs. Puis il chercha une voiture dont le nez était tourné vers la bâtisse et il en alluma les phares. Il ne vit rien d'inquiétant. Alors il eut envie d'embarquer dans l'euphorie générale, ce qui le poussa à retrouver son chef à l'intérieur.

–L'opération bière, ça s'en vient ?

L'autre tendit ses clefs de voiture:

–Va chez moi, Jeannine va te recevoir. Rapporte une bonne vingtaine de caisses pis rapproche-toi le plus possible de la salle.

–Où il est, ton char ?

–Dans l'entrée du vieux couvent.

Alain entama à peine la montagne des deux cent cinquante caisses empilées dans le sous-sol. Au retour, son chef lui demanda de distribuer la bière, mais une bouteille à la fois, par personne. Et il devrait enlever lui-même les capsules. Fallait déjouer les trop safres.

–Ta femme veut que tu l'appelles, dit Alain avant de retourner vers son bar improvisé.

Le jeune homme se cacha une caisse personnelle à côté de la grille d'entrée du cimetière, puis il entreprit sa distribution

Au début, il eut du plaisir à offrir ses bouteilles, mais il se lassa vite. Les gens acceptaient comme un dû la bière offerte. Pressé de toujours servir un nouvel électeur se prenant pour un pilier de la victoire, bousculé, écœuré des airs supérieurs de ces gagnants d'un soir, il ferma son bar.

*

Une bouteille à la main, une autre dans la poche, il se dirigea vers une estrade où des musiciens peu doués tentaient de faire danser les gens.

À la recherche de filles seules, il jeta un regard sur la foule et les danseurs. Ses yeux embués d'alcool et de désir disaient sa fierté de son travail électoral. À retardement, il se sentait l'âme du conquérant à qui les honneurs sont dus. Les honneurs et les femmes...

–C'est toi, Alain ? Ça fait longtemps, dit une voix chaude juste derrière lui qui fit vivement demi-tour.

Ses yeux s'agrandirent, commencèrent à voyager de bas en haut et de haut en bas

–C'est toi Micheline ? T'as fondu en viargini ! .. Je voulais dire..

Elle l'interrompit:

–C'est ben moi... avec quarante livres en moins.

Il sourit et la regarda encore. C'était une brunette aux grands yeux noirs et aux lèvres sensuelles. Et du poids idéal pour offrir au regard des formes excitantes.

Elle dit à voix suave·

–J'ai su que t'avais beaucoup travaillé pendant la campagne, tu dois être heureux à soir ?

Alain sourit davantage.

–Mais j'en reviens pas de te voir! Comme t'as changé...

Micheline arbora à son tour un sourire de satisfaction. Elle sentait bien qu'il la trouvait jolie. L'automne d'avant, à une soirée qui les avait mis en présence, ils avaient dansé et parlé. Elle avait, par la suite, souvent tenté de le rejoindre, mais il s'était toujours défilé, la trouvant trop enveloppée à son goût.

–T'es seule ?

–Avec mon père. Il est là-bas quelque part avec ses amis libéraux.

–Tu veux danser ou ben tu veux qu'on s'éloigne pour jaser du bon vieux temps ?

–J'connais pas les danses canadiennes.

–Ben viens !

Il la fit attendre et se rendit uriner dans un coin noir entre la salle et le cimetière. Et s'adressa à son pénis:

–Si y a un petit moyen, tu vas y goûter tantôt. Après tout, t'es comme le Québec, ça fait vingt ans que tu stagnes. Finie la stagnation! C'est à soir que tu vas trouver ton identité pis commencer à voler de tes propres ailes. L'avenir est devant nous.

Il s'égoutta, remonta sa fermeture-éclair. En retournant, il rencontra Lacroix et lui remit ses clefs de voiture. Puis retrouva la jeune fille

–On devrait aller dans un coin plus tranquille.

Elle le suivit en hésitant, puis s'arrêta net.

–Pas là, pas dans le cimetière.

–Quoi, t'as peur des morts ? Personne va venir nous déranger là! De toute façon, si t'as peur, suis là.

Il l'entraîna. Se prit une bière en passant et lui en offrit une qu'elle refusa.

Ils marchèrent loin dans l'allée centrale, puis obliquèrent derrière une rangée de monuments. Alain regardait le clair de lune et l'inquiétude allier leur éclat sur le visage frais de la jeune fille. Il n'avait jamais admiré auparavant cette forme d'attrait. Un irrésistible désir de posséder un moment cette beauté neuve le baigna tout entier. Il s'arrêta, déposa sa bouteille sur une pierre tombale, se retourna vers elle, lui enveloppa la taille.

–La lune est belle, mais quand je la vois dans tes yeux, elle est divine.

Elle sourit légèrement, un brin nerveuse

–J'ai envie de t'embrasser en v... en viar... en maudit...

–Aussi vite ?

–Ben pourquoi pas ?

–On n'est que des amis de passage.

74

–T'as beau être moins belle !

Elle jeta un drôle de regard peu rassuré:

–Tu trouves pas que ça manque un peu d'atmosphère ici ?

–Ben...

Il approcha sa bouche des lèvres désirées.

–Personne va cancaner...

Les lèvres se touchèrent, mais à peine. Il recula la tête pour plonger ses yeux dans les siens.

–T'es donc rendue belle !

Il l'embrassa de nouveau. À son tour elle recula la tête.

–Pas de 'french', ordonna-t-elle taquine.

Tout ce qu'il prenait était velouté. Il la caressa encore. Longuement. Joue. Tempe. Front. Il buvait les sensations. Cheveux à l'odeur exquise. Cheveux noirs. Yeux. Yeux noirs. Lèvres. Enfin. Pour de vrai. Lèvres divines. Charnues. Fraîches. Brûlantes.

Alors il chercha à coller son genou à l'intérieur de la cuisse, mais elle recula la jambe.

Qu'importe, il y avait tant à faire et il reprit son baiser. Doux Fébrile Chaud Maraudeur. Assoiffé

Ç'en était trop. Il eut le besoin de s'arrêter un moment pour reprendre son souffle. Il prit sa bouteille, la porta à ses lèvres. Et le romantisme du moment d'avant s'envola. Un puissant choc aux dents l'assomma à moitié. La jeune fille poussa un hurlement. Une terreur incontrôlable s'était emparée d'elle et dans son élan de fuite, elle avait heurté le bras de son ami qui s'était alors donné un coup de bouteille à la bouche.

Estomaqué, il chancelait encore quand il entendit des pas feutrés derrière lui. Et se retourna vivement.

Un homme sombre aux allures d'un zombi, tête renfrognée dans les épaules, marchant comme un automate, canne d'une main et pelle de l'autre, arrivait sur lui

Alain frissonna. Puis il reconnut l'aveugle du village Cet homme creusait des fosses pour arrondir ses revenus de pension. Sa femme le conduisait, généralement après le souper, à l'endroit à creuser qu'elle délimitait à l'aide d'une corde et de pieux Lui travaillait tard le soir et parfois la nuit

–Bonsoir monsieur Lambert. Fini votre journée ? cria Alain d'une voix inutilement forte, enclin lui aussi à cette curieuse propension qu'ont certaines personnes à prendre les aveugles pour des sourds.

L'aveugle qui connaissait toutes les voix de la paroisse sursauta.

–Mais dis-moi donc, c'est le p'tit Martel ? Quoi c'est que tu fais icitte par une noirceur pareille ?

La question fit sourire le jeune homme qui dit:

–Fait beau clair de lune.

–J'ai dû creuser une fosse aujourd'hui. Tu comprends, y a trois personnes sur les planches...

–Je faisais un tour avec ma blonde pis j'pense que vous lui avez fait peur un peu. C'est une fille de St-Évariste pis elle vous connaît pas.

–J'ai ben cru entendre quelque chose, dit l'aveugle en pouffant de rire. Cours après elle, j'voudrais pas passer pour le diable en personne.

–C'est ça je vais faire. Faites attention sur le terrain de l'église, c'est plein d'autos. Vous devriez passer par le raccourci à Freddy.

–En plein ce que je voulais faire. Bonne chance avec ta blonde.

Alain rejoignit Micheline qui gémissait encore à l'entrée du cimetière.

–C'est quoi, le monstre ?

Il prit un ton rassurant:

–C'est l'aveugle qui vient de finir de creuser une fosse. Regarde-le aller dans le petit chemin là-bas.

Elle ne voulut pas lever les yeux et dit d'un ton capricieux·

–Pourquoi m'avoir amenée dans un endroit pareil ?

–T'as eu plus peur de mes baisers que de l'aveugle.

–Éloignons-nous d'ici.

–Fâche-toi pas! J'aurais pas dû mais c'est fait. Allons ailleurs

Il l'entraîna dans l'allée bordée d'arbres du presbytère où elle retrouva son calme. Ils marchèrent longtemps sans parler.

–Curieux comme les aveugles font peur aux gens qui voient clair!

De but en blanc, sans lever la tête, elle dit:

–Pourquoi on sortirait pas ensemble ?

–Ben... j'sais pas J'avais pas pensé... J'ai encore une année d'études à faire. Cet été, peut-être! Tiens, on s'appelle cette semaine, O.K ?

–O.K! fit-elle avec un sourire intentionné.

Elle était issue d'un milieu bourgeois et ça l'inquiétait, lui. Il se disait qu'il manquerait d'argent pour sortir avec elle. Qu'elle a le genre qui coûte cher... Qu'il devait ramasser son argent pour ses études, son père étant maintenant invalide.

Elle devint bavarde et parla de dix choses. Il glanait un mot ici et là, en faisait des phrases pour boucher des silences.

–Je te téléphonerai cette semaine, promit-il quand ils se quittèrent.

–Non... On va être à notre chalet. Vaudrait mieux que je le fasse moi-même.

–Comme tu veux !

*

76

Alain se rendit au local du comité libéral pour y donner un dernier coup de balai. Au moment d'entrer, il aperçut, près de la salle paroissiale, Lacroix et trois hommes en train de discuter avec force gestes et éclats de voix, visiblement intéressés par les murs de la bâtisse

Quand il arriva au comité, Lacroix, secouant la tête et, sautillant, il dit:

—Tu sais pas la meilleure ? La salle aurait failli s'effoirer dimanche soir. Le mur est bombé comme une tonne de mélasse. C'est le curé qui s'est aperçu de ça hier. Imagine ce qui aurait pu se passer! Ça va prendre des tuyaux métalliques par dedans, bander tout ça pis ramener les murs à leur place..

Il fut interrompu par la sonnerie du téléphone.

—Comité libéral, Bertrand Lacroix... oui Jeannine... Oui.. Oui, oui... Ah ! ben oui... Dans une heure... Ça sera pas plus long... O.K ..

Il raccrocha, esquissa quelques pas de danse, battit des mains et proposa une partie de billard.

*

Alain obtint un emploi d'assistant-comptable dans une petite entreprise du village, ce qui lui permit de voir régulièrement Micheline une partie de l'été.

Les parents de la jeune fille possédaient plusieurs commerces dont une salle de cinéma. Les jeunes gens passaient leurs soirées du samedi et du dimanche à regarder les films depuis un petit balcon privé attenant à la chambre de projection.

Le premier soir, au cours de l'intermission, Alain se rendit chercher du Coke dans le lobby public.

—Ma mère veut pas que tu payes quoi que ce soit pour moi, lui murmura t elle quand il eut repris son siège.

—Trop tard ! Le Coke est tiré, faut le boire !

—Maman me défend de toucher à du Coke

—Que veux-tu que je fasse avec ? J'peux tout de même pas le jeter à terre

—Je vas le tenir, et tu les boiras tous les deux.

Il la regarda, incrédule, et commença à boire par petites gorgées Dans une robe fortement échancrée, Lana Turner parut à l'écran

Micheline dodelina de la tête et glissa à l'oreille de son compagnon

—Samedi prochain, on va veiller au salon. Maman veut pas qu'on regarde le film.

—Comment ça ?

—C'est un film avec Marilyn Monroe.

—Pis après ?

—Tu connais Marilyn Monroe ?

–Évidemment !

–Paraît qu'il y a aussi des travestis là-dedans.

–Si des gens comme nous deux peuvent pas le voir, pourquoi que vous le présentez au public, le film ?

–Ben. il passe partout Faut ben qu'on le fasse itou.

Après la projection du second film, Micheline regarda sa montre et avertit·

–Nous reste une heure. À minuit, je dois me coucher.

–Encore une idée de ta mère ?

–Elle trouve que c'est raisonnable pour deux jeunes.

–Sacrifice, Micheline, à dix-huit ans, on peut prendre nos propres décisions ..

–Alain, j'ai que dix-sept. Si ta mère était là ? ..

–Elle passait pas tout son temps à me dire fais ci ou fais ça.

–T'es un gars; moi, suis une fille

–Quelle différence ?

–À ton âge, tu devrais le savoir!

Ils pouffèrent de rire et l'heure s'écoula à parler de psychologie.

*

Trois semaines plus tard, assis aux mêmes sièges, ils regardaient un film français.

–Ennuyants à mourir, les films français, dit-il J'sais pas. . C'est leur langage, leurs fausses bagarres. Ça traîne en longueur, ça rit pour rien. Le scénario est mauvais et la fin toujours pessimiste. Je préfère les films américains. L'action, les belles images, les jolies femmes

–On sait ben, les hommes, vous autres...

–C'est pas rien que ça. Les films américains sont plus optimistes, plus roses. Pas rien que des histoires de fond de cour.

Il approcha ses lèvres de son oreille et murmura

–Plutôt d'écouter ça, on devrait s'occuper à des affaires un peu plus gaies.

–Comme quoi ?

–Comme ça, là.

Il lui caressa le bras et l'épaule, se dirigea lentement, tournoyant des doigts, vers la poitrine. Quand il fut trop près de la zone interdite, elle lui repoussa fermement la main.

–Je pourrais ben te toucher un peu... juste par-dessus tes vêtements T'es pas en chocolat, tu fondras pas.

–Suis pas une fille de même! Pas de french, pas de mauvais touchers.

–Pourquoi pas ? Ça nous ferait pas mourir viargini.

–Suis pure pis je vas le rester jusqu'à mon mariage.

Il quémanda·

–Un petit peu, par-dessus tes vêtements. .

–C'est péché... mortel.

Il éclata d'un rire forcé.

–Pourquoi Dieu a-t-il mis le désir en nous ? C'est de sa maudite faute si on fait des péchés. Il avait qu'à nous bâtir autrement, tout-puissant qu'il est. Pourquoi qu'une chose naturelle est péché ?

–Ben. . parce que c'est comme ça! Tout le monde sait ça. Les touchers honteux, les baisers avec la langue, c'est défendu. C'est réservé aux gens mariés. On fait sa religion, ou ben on la fait pas! À propos, maman veut savoir si tu pratiques ta religion pis si tu vas à la messe.

–Suis pas allé à la messe depuis plusieurs mois J'en ai discuté avec un prêtre; il m'a dit que j'avais la crise de la foi, que c'était normal, que ça passerait.

Ahurie, Micheline chuchota plus confidentiellement encore:

–Mon Dieu j'dirai pas ça à maman, elle voudra plus qu'on sorte ensemble.

Il commençait à baisser les bras en même temps que son organe central baissait aussi. Et jeta d'un ton détaché:

–Je te demande pas de lui mentir.

–Écoute, mon oncle est prêtre. Il est en mission, mais il vient nous visiter dans quinze jours. Il fera une tournée dans la région pour recueillir des fonds. Aimerais-tu le rencontrer, discuter avec lui, seul à seul ?

–J'en vois pas le besoin.

–J'te garantis qu'il sait ce qu'il dit Il trouve réponse à toutes les questions. C'est pas un prêtre ordinaire Il a étudié jusqu'à trente ans. Aucune question l'embête. Une heure avec lui pis tu seras .. transformé.

–On verra, on verra! dit Alain.

–T'as demandé à ta mère pour venir au mariage de mon frère samedi prochain ?

Elle hésita un moment, sérieuse. Puis elle fit un signe de tête et sourit doucement.

–Elle a dit oui. Tu vois qu'elle est pas une tigresse. Quand les choses ont du bon sens, elle dit oui.

Le reflet d'une image claire sur l'écran devint brillance dans les prunelles et sur les lèvres de la jeune fille. Alain s'y baigna les yeux Puis il sentit que jamais il ne pourrait vraiment y étancher sa soif, car Micheline était déjà trop sous l'emprise de sa mère pour cesser de l'être un jour. Il se tourna vers l'écran et murmura entre ses dents:

–Vieille crapule !

*

Avant que les mariés ne partent en voyage, le jeune homme emprunta l'auto de son frère pour conduire Micheline chez elle.

–D'après mes calculs, on a une heure à nous, sans personne au monde pour savoir où on est, dit-il, chemin faisant. On peut aller jaser dans le bois du petit St-Jean-Baptiste (rang de l'autre paroisse)

–Je rentre directement à la maison.

Il fit un signe de tête négatif.

Elle fit un signe de tête affirmatif.

–Faut ben que tu viennes, c'est moi qui mènes.

–S'il faut que je marche deux milles, je le ferai, mais je resterai pas au petit bois.

–Donne-moi une seule bonne raison pour refuser pis j'irai pas.

–Le petit St-Jean-Baptiste, c'est... pour les filles de rien Maman le dit.

–Je te tuerai pas. On va jaser pis s'amuser un peu.

–Si ma mère le sait, elle me tuera

–Qui c'est qui va lui dire ?

–Non. N O N.

–On fera ce que tu voudras, rien de plus.

–Non, non et non.

–T'as peur de toi-même ou quoi ?

–D'abord que tu veux savoir, écoute ben, Alain Martel. Suis une enfant adoptée pis je veux pas que, par ma faute, la même chose arrive à quelqu'un d'autre. Je veux dire que je voudrais pas envoyer un enfant à la crèche... Tu comprends là pourquoi je veux pas y aller.

Aucunement troublé par cette confidence, il insista:

–Tu resteras dans ton coin pis moi dans le mien; comme ça, tu pourras pas tomber enceinte.

–Dans ce cas-là, pourquoi aller au petit bois ? Pourquoi que tu veux absolument m'emmener là ?

Il soupira lourdement.

–Pour qu'on se sente libres de parler sans le grand nez de ta mère qui nous surveille sans arrêt. C'est beau de parler de psychologie à longueur de soirée pis se donner un bec sur le front à minuit, je commence à en revenir de ta mère éternelle. On a dix-huit ans. De nos jours, en 1960, à notre âge, on se laisse pas mener par le bout du nez...

–Demain soir, on en discute. Pour le moment, tu me reconduis à la maison.

80

—On manque une belle chance...

Elle fit un signe de tête négatif.

—Comme tu voudras !

Quelques minutes plus tard, le cœur un peu gros, l'œil un peu triste, l'orgueil un peu blessé, il croisa la route du petit bois. Et continua jusque chez Micheline.

Et n'alla jamais plus la revoir.

***

Chapitre 4

1961

Accoudé au bar près des portes des toilettes, Alain sirotait une bière, l'œil blasé et indifférent. Il n'avait encore vu aucune fille intéressante dans l'hôtel et pourtant, la soirée avançait. Il se sentait plus fier de montrer son indépendance qu'à se faire voir au bras d'une fille. Surtout, se disait-il, d'une de ces machines à danser emportée par la vague.

Depuis Micheline, il n'avait sorti régulier avec personne, préférant voltiger de fleur en fleur. Et quand il parlait de la valeur des filles, c'était toujours en rapport direct avec le volume de leurs seins ou selon leur réponse aux avances sexuelles des gars et de lui-même.

Chaque fois que la porte de l'hôtel s'ouvrait, s'il s'agissait d'adolescentes, il 'vérifiait la qualité du produit'. Et, le nez en l'air, invariablement, tournait la tête et commandait une autre bière; ou bien, s'il en restait dans son verre, il avalait une longue gorgée

Quand un serveur inconnu, lui demanda de se déplacer pour mieux prendre livraison de sa commande, trois filles entrèrent, qu'il ne vit qu'une à la fois et détailla rapidement.

La première: petite, brune, visage d'ange.

"Trop courte.".

La seconde: plus grande, brune, bien faite.

"Les yeux croches ! Elle doit s'emmêler dans ses seins !"

La troisième: visage connu, taille moyenne, grassette, blonde.

"C'est toi que je pince à soir.

Elles prirent place à la seule table libre, près de lui Leur présence rétrécit l'allée, entre leur table et le bar où il musardait, une allée plutôt fréquentée car elle menait aux toilettes.

82

Ce n'est que dix minutes après leur arrivée qu'il daigna tourner la tête pour jeter un regard à la salle enfumée Il feignit la surprise quand ses yeux croisèrent ceux de la fille blonde qu'il salua d'un léger sourire avant de revenir, tout yeux et toute bouche, à sa bière.

—Alain, crut-il entendre derrière lui.

Mais il ne broncha pas.

—Alain, dit-on à nouveau.

Il fit doucement un quart de tour. C'était la blonde qui l'interpellait. Bandant les muscles de son abdomen, il s'approcha.

—Pourquoi te laisser bousculer? Y a une place libre à notre table ?

Il sourit.

—Viens t'asseoir avec nous autres.

—Ben pourquoi pas ?

Il prit sa bouteille et son verre et s'assit entre la blonde et la plus grande des brunes, face à la troisième.

—Je te présente mes soeurs.

—Martine qui étudie en couture à Québec et Claudine qui est infirmière à St-Georges.

Et, à l'adresse de ses soeurs:

—Alain Martel de St-Honoré.

—Tes soeurs ! fit-il, surpris. Sont jolies, mais ne te ressemblent pas.

Claudine éclata d'un long rire sonore

—C'est pas un compliment pour toi, Nicole.

—Je veux dire· une autre forme de .. de beauté.

Il était content d'avoir pu glisser ce compliment subtil. Sa joie lui venait plus de l'habileté de ses mots que du plaisir offert à Nicole.

—La couleur des yeux, des cheveux, la forme du visage... Vous êtes vraiment les trois soeurs ?

—Tu vérifieras auprès de nos parents, dit Nicole.

—Pis toi, t'es complice des médecins, dit-il à Claudine.

—Eh oui! répondit-elle.

—Faut ben faire de la place pour ceux qui viennent au monde

—Tu travailles dans quel rayon ?

—Maternité.

—Beaucoup de travail ?

—Énormément de ce temps-ci. Pleine lune, les femmes accouchent.

—Y a un rapport ?

—Tu sais pas ?

—Le seul livre traitant de choses médicales que j'ai lu parlait de ventres incisés, de cerveaux ouverts, pis de sang qui coule. Je préfère autre chose.

Le garçon de table déposa une consommation devant chaque jeune fille et n'attendit pas qu'on le paye.

—C'est réglé, dit Nicole à Alain qui remettait son portefeuille dans sa poche sans comprendre.

—T'aimes lire quoi ? demanda Claudine.

—De ce temps-ci, du Edgar Poe.

—Rien de très rassurant !

—Tu connais ?

—J'ai lu un ou deux contes: *La Chute de la maison Usher*, *Le Fantôme de la rue Morgue*.

Nicole ne possédait pas la scolarité pour connaître la littérature américaine. Elle avait dû abandonner ses études. Il prenait un malin plaisir à parler de choses qu'elle ignorait, misant sur la complicité d'Claudine.

—J'ai lu *La Chute de la maison Usher*, c'était quoi?

Elle commença à parler, mais il n'écouta pas. Il se gaussait à l'idée de la jalousie de ses copains qui le verraient, seul avec trois filles.

Puis se dit que Nicole lui courait après. Il l'avait rencontrée deux fois pendant l'hiver, mais s'était montré indifférent. Originaire de St-Martin, elle s'appelait Nicole Vallée. Ses amis la disaient ennuyeuse, ce qui, en clair voulait dire qu'elle ne marchait pas avec les gars. Le genre à se marier. Pourtant, la façon dont elle l'avait abordé en disait long. Ceux qui s'étaient plaints de sa froideur étaient pas des champions de la séduction... Le seul problème maintenant, c'était de se débarrasser des deux sœurs...

—Nicole nous disait que t'as fini tes études ? fit Claudine

S'étant aperçue qu'il n'écoutait plus, elle cherchait à regagner son attention.

—Comment ?

—T'as fini tes études ?

—Depuis trois semaines. Pis pas fâché !

—Tu vas enseigner ici, à St-Honoré ?

—Non, j'crois pas. Probablement dans la région de l'amiante ou de Québec.

—T'as pas signé de contrat ?

—Les places manquent pas! Y a des demandes partout dans la province. Je viens juste d'envoyer mon CV.

Les musiciens jouèrent un slow. Alain conduisit Nicole à la piste de danse. Mais il continua de ne pas lui parler. Il jouit de la sentir chaude dans ses bras et frémit au contact de leurs poitrines. Il la suivit pour retourner à leur table, dévorant ses formes des yeux. Mine de rien, il rapprocha leurs chaises. Par contre, il reprit sa conversation cul-de-poule avec Claudine qui ne se faisait pas prier. En même temps, il pensait à autre chose, aux façons de s'y prendre pour semer les deux autres et être seul avec Nicole...

Quand il crut savoir ce qui se passerait, il se frotta les mains. Comme la soirée tirait à sa fin, il pensa faire boire rapidement Nicole, histoire de la préparer... Il voulut héler le serveur, mais ne le vit ni près du bar ni dans la salle qui s'était vidée vite après la dernière danse.

Claudine parlait encore quand le serveur réapparut en tenue de ville et s'approcha de la table.

–T'es prête ? demanda-t-il à Nicole.

Elle acquiesça et se leva.

–Et vous autres les filles ? demanda-t-elle.

Sans attendre leur réponse, elle dit:

–Bonsoir, Alain. À un de ces jours.

Et elle s'éloigna au bras du serveur.

–...soir, répondit Alain piteusement.

–Bonsoir, dit Martine.

–Qui c'est, ce gars-là ? demanda-t-il à Claudine avant qu'elle parte à son tour.

–L'ami à Nicole. Sortent ensemble, ça fait deux mois... Bonsoir là, et au plaisir de se parler de livres une autre fois...

–Bye!

Le visage froid, il vida son verre. Ensuite, il se rendit au restaurant du village où il s'assit en un point central de la salle à manger et commanda quatre hamburgers avec une montagne de frites.

Un célibataire d'âge moyen, réputé pour ses beuveries mensuelles, mangeait à une table voisine.

–Mon p'tit Martel, j'te connais, bredouilla l'homme en clignotant des yeux. Déjà rencontré ta p'tite soeur .. j'veux dire ta grande soeur Une famille de bon monde, les Martel... Du ben bon monde, du vrai bon monde.

–Imbécile! grogna Alain. Regarde-toi l'air: toujours saoul, la bave qui coule... Pis ceux qui clignotent des yeux me coupent l'appétit ..

–Fâche-toi pas, mon p'tit Martel! J'ai pris un coup de trop mais ça arrive à tout le monde.

–Mais toi, t'es un viargini d'ivrogne !

L'homme se leva et se rendit aux toilettes en titubant.

–Du bon monde, du bon monde, ne cessait-il de répéter

Il y resta plusieurs minutes au cours desquelles l'adolescent reçut ses hamburgers. Pendant qu'il mangeait, l'homme revint et lui adressa à nouveau la parole.

–J'ai sorti avec ta sœur que t'étais pas encore au monde.

–Là, je le suis. Pis j'aime pas les ombres qui clignotent.

L'ivrogne tourna les talons et s'engagea dans le couloir menant à l'autre partie du restaurant. Il rasait les murs en chantonnant: du bon monde, du ben bon monde.

Quelques minutes plus tard, Alain fit signe à la serveuse

–Ma facture !

Elle sourit et regarda les deux hamburgers restés dans l'assiette.

–La faim est partie ?

Il cracha:

–Tes maudits hamburgers ? Sont pas mangeables !

*

Le gouvernement avait entrepris un programme d'embellissement des routes publiques. Par tout le Québec, des groupes de travailleurs formés d'étudiants, de chômeurs, d'enseignants, de petits organisateurs du parti libéral s'affairaient à repeindre les poteaux des garde-fous, à rapiécer le pavage des chaussées, à couper le foin des fossés.

Alain obtint un emploi. Il apprit à se servir d'une faux à bras, à l'aiguiser, à lui passer la pierre pour l'ébarber Quand il sut qu'il savait faire ces choses, il se sentit l'âme d'un moissonneur, comme l'avaient été son grand-père dans ses champs d'avoine dorée et parfois son père lorsqu'une malencontreuse bourrasque avait écrasé une partie de sa récolte, empêchant l'utilisation d'un moulin à faucher.

Il ne compara pas le plaisir du geste de ses paternels au sien.

Peu importe qu'il se soit mouillé les pieds dans l'eau croupissante du fossé la première journée; le lendemain, il avait porté de meilleures chaussures. La pente du fossé finissait bien par lui donner des sérieuses crampes aux jambes; il se disait que l'exercice physique n'en était que meilleur. Chaque quart d'heure, la faux s'empêtrait dans la broche d'une ancienne clôture écrasée, mais ça lui donnait l'occasion de passer la pierre pour radouber le métal.

Le foin était un mélange de moutarde, chardons, plantes douteuses et poussiéreuses. Quoi de mieux que d'abattre d'aussi mauvaises herbes. Chaque pas lui permettait de réfléchir aux bienfaits de la civilisation jetés dans le fossé: verre cassé, bouteilles vides, contenants aérosol, bottes pourries, cannettes d'huile, semelles de pneus, kleenex pleins, tuyaux d'échappement, papiers d'emballage de toutes sortes, capotes anglaises, cadavres de porc-épics, caisses de bois défaites, carcasses de moufettes, chaudières cabossées. Un dépotoir en longueur.

Les abords des dalots étaient truffés de couleuvres. Il figea quand il vit la première s'écouler à côté de son pied. Pas dangereuses ces petites choses rampantes, mais elles le traumatisaient.

Il continua son travail les mains un peu plus crispées

En même temps que l'amorce d'un coup de faux, quelque chose remua dans l'herbe. La couleuvre, ou en était-ce une autre, leva la tête au-dessus de la verdure. Le faucheur ne vit cette image qu'une seconde; le métal trancha la tête. Le coup projeta l'animal en haut du fossé. Agitée de convulsions, la couleuvre n'en finit plus d'agoniser sur l'accotement, la tête ne tenant qu'à un morceau de peau.

—Dix jours de pluie, déclara un collègue qui passait pour aller plus loin.

Il s'arrêta sec et regarda Alain en souriant.

—Mettons-la sur la moto au fin finaud à Drouin. Il voudra nous tuer.

L'excentricité de Drouin tapait sur les nerfs de ses collègues.

—Il voudra pas nous tuer, il voudra mourir

—On va affiler nos faux, cria Alain au contremaître.

Il grimpa sur l'accotement. Accrocha le cadavre de la couleuvre avec la faux et marcha avec l'autre jusqu'à l'entrée du champ où était la moto. À l'aide de petits bâtons, Alain tenta vainement, à plusieurs reprises, de faire tenir le cadavre sur le siège de cuirette noire.

—J'ai une meilleure idée, dit l'autre On l'enroule autour de la poignée. Elle tiendra mieux. Il la verra pas et pis va mettre la main en plein dessus. Crise cardiaque garantie.

—Prends-la, dit Alain.

—T'es malade ? Je toucherai pas à ça !

—Peur ?

—C'est pas ça. C'est plein de sang. Si t'as pas peur, prends-la toi-même.

—Jamais eu peur d'une couleuvre, surtout morte.

Il se pencha, saisit le cadavre par la queue et le déposa sur la poignée. Puis attacha la chose avec une corde à moissonneuse.

Les jeunes gens retournèrent à la meule, près de l'auto du contremaître Pendant que l'un tournait, l'autre appliquait sur la pierre le métal mouillé.

Après l'aiguisage, ils retournèrent à leur portion du fossé. À la fin de la journée de travail, ils suivirent Drouin de près. Alain resta derrière l'auto pour mieux observer. Il appuya au sol son manche de faux, mit son avant-bras sur la jonction de la lame et du bois, sortit sa pierre dont il frotta le métal dans un mouvement de va-et-vient professionnel, sifflotant au rythme, tout en suivant discrètement les gestes de la victime

Drouin vit la couleuvre. Il ne broncha pas. Défit le nœud de la corde, empoigna la bête par le milieu du corps, la regarda une seconde, puis la jeta un peu plus loin. Il nettoya avec un kleenex la poignée chromée. Puis calmement, il prit ses gants noirs, les enfila, mit son casque protecteur, enfourcha son véhicule et démarra sans excès. Il quitta les lieux la tête haute sans regarder personne.

Alain regarda, débiné, le cadavre de la couleuvre à moitié enterré par la roue de la moto.

*

Quelques jours plus tard, il fut transféré au rapiéçage de la chaussée sur le chemin de St-Martin. Il avait pour tâche de vider à la petite pelle l'asphalte d'un camion, de mettre les pelletées aux endroits choisis par les râteleurs. Quand ceux-ci avaient égalisé une pièce, le rouleau conduit par Bertrand Lacroix, la tassait.

Ce dernier avait perdu sa verve de la période électorale de l'année précédente. Il montrait une mauvaise humeur permanente. Songeait-il à la place de chef cantonnier qu'un organisateur plus important avait obtenue ? Ou bien au fait qu'à deux reprises déjà, il avait renversé le rouleau: un record dans les annales de la voirie au Québec ?

Une fin d'après-midi, l'orage menaçait. L'équipe se mit au travail plus sérieusement que d'habitude. Encore un plein camion à étendre. Mais la pluie vint trop vite et il fallut s'abriter. En de tels cas, le contremaître faisait appel à la gratte motorisée qui étendait tout le chargement en dix minutes. Mais, ce soir-là, on l'avertit que le 'grader' ne serait pas là avant tard. Râteleurs et pelleteurs eurent le choix de partir. Leur travail serait fait mécaniquement. Alain préféra rester puisque les heures d'attente seraient payées en supplément par le gouvernement.

Seul à pouvoir opérer le rouleau, Lacroix dut rester à contrecoeur. Il maugréa sans arrêt jusqu'à l'arrivée de la gratte. Quelques minutes plus tard, le chef cantonnier, dans sa camionnette neuve aux couleurs vives de la voirie provinciale, fit son apparition.

Cette arrivée inopinée décida le contremaître à changer ses prévisions et, histoire de faire preuve de souci professionnel devant le grand patron, il ordonna qu'on fasse deux pièces. La première fut bâclée; le reste du chargement fut vidé un peu plus loin.

Lacroix eut à déplacer le rouleau pour laisser passer le 'scraper'. Il engagea sa machine dans une entrée de champ. Mais il crampa trop à droite, et le rouleau se mit à pencher dangereusement sur le bord du fossé. Plutôt de reculer, il sauta. La machine se coucha sur le côté

Le contremaître renvoya tous les hommes, sauf les deux pelleteurs qui durent jeter dans le fossé le tas d'asphalte non étendu.

Le chef cantonnier discuta dans sa camionnette avec Lacroix Alain prêta oreille. Le patron dit à l'autre qu'on envisageait le déplacer. Lacroix ne le prit pas et il fit une crise de colère pour finalement claquer la porte. De plus, il menaça l'autre de le dénoncer pour patronage.

—Je me passe de tes menaces... Le député s'en passe aussi. Si tu veux rien savoir, tu sais ce qu'il te reste à faire, mon homme.

Lacroix s'en fut à son auto qui passa bientôt... dangereusement...

Alain finissait le nettoyage de la chaussée quand le contremaître, à son tour, se rendit à la camionnette.

–C'est l'argent de mes gars de camions, confia-t-il au cantonnier

L'adolescent n'écouta plus. Il marcha jusqu'au rouleau renversé, contre lequel il s'appuya. Il sortit de sa poche un crayon et un petit carnet noir qu'il ouvrit. À la lueur des phares d'une auto qui passait, il inscrivit ses heures de la journée à la suite de celles des jours précédents, toutes minutieusement compilées.

*

Le jour suivant, le jeune homme repensa aux événements de la veille et n'en tira ni jugement, ni leçon, ni aucune idée d'aucune sorte Puis il se mit à rêver, en regardant, entre chaque pelletée d'asphalte les montagnes américaines, là-bas, de l'autre côté de la frontière, si proches mais si lointaines.

"Si j'étais donc venu au monde deux cents milles plus au sud.".

À chaque coup d'œil aux doux contours montagneux, il voyait derrière, une image colorée. Pêche à la truite arc-en-ciel dans un grand lac du Maine. Ravissantes Américaines sur une plage d'Old Orchard. Immense New York et ses enluminures. Jolies noires en dentelles blanches. Clubs de nuit de Miami.

"Quant au soleil de Floride, je m'en passerais," se dit-il en s'épongeant le front.

Il déposa sa pelle et marcha deux minutes jusqu'à un restaurant-chalet près d'un ruisseau damé où des baigneurs se doraient la peau avec les grenouilles et les couleuvres. Il s'acheta un Coke glacé, le septième depuis le matin, et l'avala d'un trait. Puis retourna à sa pelle et à son rêve américain.

Bateaux à aube du Mississippi. Grandes plaines. Grand Canyon.

–Martel, entendit-il.

Sortant de ses mirages, il aperçut le chef cantonnier dans son véhicule orange.

–Martel, mets ta chemise.

Sûr d'avoir mal compris, Alain s'approcha. L'homme garda son ton ferme pour que tous les travailleurs entendent.

–Les gars, on vous donne des jobs pis vous nous écœurez. Du monde, ça doit pas se promener tout nus comme des animaux. Encore moins des employés de la voirie! Le député m'en a parlé deux fois; il aime pas ça pis les gens qui passent non plus Mettez vos chemises pis gardez-les. Vous aurez pas plus chaud pis vous aurez pas l'air bête.

Honteux, les travailleurs au torse nu enfilèrent leur chemise...

"Paysages de l'Ouest. John Wayne à cheval. John Wayne en chemise sous le soleil des grandes plaines. Vegas, la fabuleuse. Hollywood, la merveilleuse. Hawaï. Les fleurs, la mer...

Son rêve se perdit dans le Pacifique qu'il connaissait· celui des films de guerre. Guadalcanal. Okinawa. Midway.

—C'est l'heure du lunch, cria le contremaître. Faudra le prendre un peu moins long si on veut finir pour six heures L'histoire du rouleau nous a retardés.

Il avait fallu remettre le rouleau sur ses "pattes" et initier un peu le nouveau chauffeur.

Alain se prit un Coke et marcha jusqu'à un arbre nain, le long d'une clôture, près de la route, où il s'affala dans l'herbe entretenue, la tête à l'ombre Quand il eut fini d'avaler ses sandwichs, il se trouva une petite pierre effilée et s'en servit pour décrotter ses bottes.

Absorbé dans sa manoeuvre, il ne vit pas s'approcher un cycliste. Le bruit des pneus roulant dans le gravier de la cour et des pieds se plaquant au sol en claquant le sortirent de son occupation. Appuyé sur un coude, il souleva le haut de son corps et leva les yeux. Les rayons métalliques des roues lui jetèrent mille éclats vifs. Puis, d'un seul coup d'œil, il aperçut une sandale molle, une cuisse rosée, un short en ratine blanche. Prolongeant son regard, il découvrit, à travers les feux du soleil, deux tresses éblouissantes sous un chapeau de paille blonde. Il baissa les yeux une seconde, mit sa main en parasol sur son front. Cette fois, c'est un sourire familier et chaud, rouillé et neuf qui éclaira son visage.

—Bonjour Alain

—Nicole... Nicole Vallée! Un peu plus pis je te reconnaissais pas.

—J'ai changé depuis une semaine

—Non... Oui.. Non. En fait, je t'ai toujours vue en robe du soir, dans le noir, la fumée pis... j'avais chaque fois un peu de bière derrière la cravate. Mais t'es en plein soleil, en sport avec tes tresses.

—Déçu ?

—Non, non! C'est moi qui devrais te le demander; regarde-moi

Il montra ses bottes encrassées.

—C'est que tu fais par icitte ?

Elle fit un signe de la main vers l'horizon

—En vacances chez moi pour une semaine.

—Tes parents restent pas loin d'icitte ?

—Tu le savais pas ? Regarde là-bas, la maison blanche à... un mille

—Ton père est cultivateur ?

—T'as pas vu mon chapeau ?

Elle battit des cils, toucha un brin de paille ballottant et, d'un geste sec des genoux vers l'avant se donna des airs d'une gamine faussement timide.

—Il te va bien.. Je veux dire que sur ta tête, il est charmant

—Merci!... J'ignorais que tu travaillais dans le coin. Tu m'as dit l'autre soir que tu fauchais dans les fossés

—On m'a transféré. Sais-tu, parlant de l'autre soir, que t'as quitté la table plutôt vite. Je savais pas que t'avais un ami régulier.

—J'avais, fit-elle avec un regard insistant..

—Tu n'as plus ?

Elle fit signe que non et dit sur un ton détaché:

—Pas plus que trois mois avec le même.

Alain pensa que cette fois, c'était vraiment sa chance. Mais il ne voulut pas trop entreprendre, de peur de se faire encore taper sur les doigts.

—Paraît qu'il y a un gros spectacle à l'hôtel du Domaine samedi soir

—Paraît! Mais je pense pas pouvoir y aller. Je finirai de travailler à neuf heures. Le temps de me préparer. . il sera trop tard pour que les filles m'attendent jusque-là.

—Je croyais que t'étais en vacances pour une semaine ?

Elle hésita:

—Oui... mais c'est que samedi, je vais devoir remplacer ma compagne de travail. Pis comme la pharmacie ne ferme qu'à neuf heures, alors...

—Si quelqu'un allait te chercher ?

—J'sais pas, peut-être ! Ça dépendrait de qui !

—Quelqu'un dans mon genre: Martel de St-Honoré.

—Oui, dit-elle simplement en haussant les épaules.

—Bon, j'irai te chercher à la pharmacie à neuf heures et demie.

—Non... viens chez moi à la place.. au cas où je travaillerais pas Pis même si je travaillais, je me ferais reconduire chez mes parents tout de suite après pour me changer.

—Je l'écris en grosses lettres dans ma tête, dit-il en mimant l'écriture des mots du bout du doigt.

—Neuf heures trente, samedi soir, chez monsieur Vallée.

Et il désigna l'horizon du doigt, en direction de chez Nicole.

—Tu vas te baigner ? demanda-t-il ensuite.

—Jamais! Cette eau-là est pleine de bibittes. Je viens seulement prendre un bain de soleil. Je voudrais ben avoir un teint comme le tien

—Je noircis autant par la chaleur de l'asphalte que par le soleil. J'suis pas bronzé, suis cuit.

—Chanceux! Regarde moi: toute pleine de taches de rousseur. Je grille pas, je brûle, je rouille comme une truite.

—Selon une enquête américaine, il paraît que le cancer de la peau est beaucoup plus répandu chez les cultivateurs du Texas que chez les religieuses du Québec. Ce qui voudrait dire qu'on ferait peut-être mieux de garder nos visages pâles.

Elle prit un air sérieux:

—Mon Dieu, je vais m'en aller chez les sœurs! En plus que j'y pense depuis longtemps.

—T'en as pas l'air pourtant.

—Comment ça ?

—T'aimes trop de choses dont les soeurs se privent.

—Comme ?

—Ben la danse, les vêtements sport, les bains de soleil, les enfants

—Qui t'a dit que j'aime les enfants ?

—Toutes les femmes les aiment, pas toi ?

—Je les adore. Justement, si j'étais une soeur, je pourrais enseigner à des dizaines d'enfants. Et pour ce qui est de la danse, on dit que les sœurs dansent ensemble, parfois.

—Pas les slows, j'espère ?

—Non, je ferai jamais une sœur; ma mère aimerait trop ça.

—Ah ?

—Je pense bien! Elle aurait voulu faire des sœurs avec ses six filles et des prêtres avec ses quatre garçons. Malheureusement, je crois pas qu'il y en ait plusieurs pour relever l'honneur de la famille.

—Je pensais qu'une jeune fille de ton âge écoutait sa mère.

—Je l'écoute, mais je fais pas tout ce qu'elle voudrait.

—Ah non ?

—Jamais de la vie !

Il prit un air angélique pour dire:

—Les bonnes jeunes filles doivent toujours écouter leur maman.

—Si j'écoutais ma mère, je fumerais pas, j'irais pas danser, je mettrais pas de shorts, je prendrais pas de bains de soleil, je ferais pas d'auto-stop et quoi encore... Autant m'en aller vivre avec les sœurs !

—Je te croyais une fille obéissante. Tu fais tout le contraire de ce que veut ta mère ?

—Non, pas tout! Je fais ma religion; je me conduis bien.   Pas comme certaines petites garces que je connais, fit-elle en regardant au loin.

—Comme ?

—Ben... Louise Poulin.

—Je l'ai déjà rencontrée...

—Je le savais. Garce quand même!

—Dans ce cas, je dois pas valoir plus qu'elle.

—Quant à ça, elle a sorti avec tous les gars de la région.

—Un gars qui se respecte pis qui se rend compte de ce qu'elle est traîne pas longtemps avec elle.

—Si on changeait de sujet. As-tu entendu le dernier Elvis ?

–Non, c'est quoi ?

–Me souviens pas... Little Sister ou quelque chose comme ça

*

Dans les semaines qui suivirent, le jeune homme rencontra réguliè-rement la jeune fille. Il ne tenta aucune avance sexuelle. Le plus loin qu'il se permettait d'aller: l'écraser sur sa poitrine en l'embrassant

Il trouva ses parents sympathiques et apprécia leurs fréquentes invi-tations à souper, le dimanche soir. À jouer au badminton sur la pelouse près des arbres à lilas, à poursuivre Nicole autour de la maison, à cueillir des légumes frais dans le grand jardin, il retrouva un goût d'enfance de cette époque magique où tout n'avait été que merveilles et explorations poétiques.

Quand il lui montra sa copie de contrat pour enseigner dans une petite ville à une trentaine de milles, elle s'exclama·

–Quel salaire!

Il sourit fièrement.

–Quatre mille dollars par année, c'est gros, jeta-t-il sobrement

Elle siffla admirative·

–J'gagne pas la moitié !

Le dimanche suivant, le dernier avant l'ouverture des classes, ils jouèrent au badminton une partie de l'après-midi. Alors qu'ils s'arrêtè-rent pour prendre un Coke, il s'approcha par derrière elle, assise dans l'herbe fraîche. Lui enveloppa les épaules et lui déposa un baiser à la base du cou. Et ainsi, sans l'avoir voulu, plongea les yeux dans la blouse ample et entrevit la naissance des rondeurs prometteuses. Oh boy!

Il ne s'attarda pas et s'accroupit à son tour.

–Le soir de la vérité approche, dit-il mystérieux.

–Comment ça ?

–Tu verras à soir!

À la fin du souper, chacun prit sa place devant la télé et ce furent *Police des plaines* et *Les Incorruptibles*, après quoi la mère annonça·

–C'est l'heure du chapelet.

Et elle tourna le bouton du téléviseur sans autre attente.

Alain se mit à genoux et compta chacun des cinquante Avé répon-dus par tous sur une seule note usée. Quand il se releva de la chaise sur laquelle il s'était appuyé, il s'amusa à discuter un peu malicieusement avec celle qu'il appelait déjà sa belle-mère.

–Paraît que la récitation du chapelet va disparaître?

–Jamais de la vie! s'exclama sévèrement la femme qui parlait sans jamais cesser de faire quelque chose, comme si de s'arrêter cinq minu-tes avait été un péché mortel de paresse.

Ou bien elle cherchait un médicament perdu dans une multitude de fioles et flacons, ou encore, elle dirigeait ses innombrables petits pas pressés jusqu'au congélateur pour en extraire un poulet à faire dégeler pour le lendemain matin.

–Le chapelet est la plus grande force qu'on a comme catholiques

–La prière peut-être, mais pas le chapelet

–Le chapelet, c'est pas une prière ?

–Une forme de prière...

–Évidemment! Mais le chapelet, c'est la plus grande de toutes. Tous les prêtres sont d'accord là-dessus.

–On m'avait dit que c'était la messe...

–Certain que la messe vient avant! Tout de suite après: le chapelet.

–Vous êtes pas d'avis qu'une pensée envers son Créateur vaut plus qu'une formule marmonnée sans réflexion ?

–Une pensée, c'est pas une prière.

–Je le croyais pourtant. En ce cas, un seul Avé réfléchi, ça vaudrait mieux que cinquante récités ?

–Moi, je pense à tout ce que je récite; mais, en plus, un Avé donne rien que trente jours d'indulgence, tandis qu'un chapelet entier donne dix ans. Pis une famille qui récite un chapelet entier pendant vingt jours d'affilée peut gagner une indulgence... plénière, mon jeune homme.

–Madame Vallée, pourquoi précisément cinquante Avé pour une indulgence de dix ans, pourquoi pas quarante-cinq ?

La femme serra les mâchoires. Ses paroles se firent dures comme le métal et tranchantes comme des lames.

–Tu peux tromper Nicole, tu peux me tromper, tu peux tromper tout le monde, mais il en est un que tu tromperas jamais et c'est celui qui est en haut

L'index levé, elle poursuivit·

–Il voit tout, entend tout, compte tout. Au jugement particulier, il mettra le moindre de tes gestes dans la balance et le pèsera. Ta mère a dû te montrer ces choses-là quand elle vivait ? Je l'ai ben connue et je pense qu'elle serait pas trop fière de t'entendre parler aujourd'hui.

Il l'interrompit, le ton joyeux:

–Prenez pas ça au sérieux, madame Vallée, c'était que pour agacer un peu. Suis catholique comme vous. . En moins bon, mais catholique quand même.

–Ça, je l'espère ben, dit-elle, intransigeante, le doigt montrant le crucifix au-dessus de la porte d'entrée, parce que ceux qui le respectent pas Lui, sont pas les bienvenus dans cette maison

Le père souriait doucement depuis le début de cette conversation, mais quand il sentit le vinaigre, il coupa d'un cœur léger:

–Ah! j'sais que tu dis tout ça juste pour rire. J'ai ben connu tes parents. Du monde catholique comme on en voit pas souvent Mais j'pense que la mère. il faut pas y'en dire trop là-dessus, ça la fait étriver.

Alain n'aimait pas le chapelet comme prière, mais comme geste familial, traditionnel. Chaque récitation était l'occasion d'une rêverie il imaginait son futur foyer. La prière du soir y serait originale différente chaque fois, riche, pleine, authentique, humaine Pas une formule sèche et sans âme. Mais sa divergence d'opinion sur le chapelet ne diminuait pas son respect pour la mère de Nicole qui lui rappelait tant sa mère, toutes les mères. "La crise de la foi doit m'aveugler, se dit-il à lui-même après la discussion. Sans doute y a-t-il dans ces formules des valeurs qui me restent cachées et que les autres perçoivent "

Tous allèrent au lit tandis que Nicole et Alain se rendaient au salon pour y terminer leur soirée. La jeune fille mit un disque à volume réduit et pria son compagnon de s'asseoir à ses côtés sur un divan de velours rouge face à un faux foyer. Il leur alluma à chacun une cigarette qu'ils déposèrent sur le rebord d'un cendrier pour ne pas être dérangés dans leurs baisers. Quand les silences se prolongeaient, un raclement de gorge provenant de la chambre des parents les ramenait à l'ordre et au bruit.

Alain avait le coeur qui battait plus vite à chaque baiser, chaque inhalation de fumée de tabac, mais sa véritable nervosité venait des paroles longuement réfléchies qu'il se proposait de dire à son amie

Il écrasa leur cinquième cigarette et passa son bras par-dessus le dossier. De sa main libre, il lui coucha délicatement la tête sur son bras et l'embrassa pour la vingtième fois et plus plus plus..

Il prit une longue aspiration et lança:

—J'aimerais que ça continue entre nous, t'es d'accord ?

—Hum hum! dit-elle d'un ton et d'un signe de tête affirmatif

Encouragé, il la regarda dans les yeux.

—Je serai ton ami, ton seul ami ?

—Hum, hum !

Ces deux hum hum filèrent droit à son cœur d'adolescent et le re-muèrent d'une intensité neuve. Emballé comme jamais auparavant, la chair de poule à la nuque, il sentit des larmes monter Simplement, avec tendresse, il chuchota:

—Je t'aime.

Elle sourit.

—Je t'aime, répéta-t-il en espérant une réponse qui ne venait pas.

Il fut sur le point d'ajouter: et toi, mais le silence de Nicole l'arrêta Et il réfléchit pour formuler autrement sa question.

—Je m'excuse pour les larmes, mais c'est la première fois que je connais une émotion aussi intense Il baissa les yeux.

—Est-ce que je peux savoir si t'as des sentiments pour moi ?

—S'il n'y en avait pas, je serais pas ici...

—Je veux dire, est-ce que tu ressens davantage pour moi que pour quelqu'un d'autre ? Si je te quittais, comment tu réagirais ?

—Si je te comprends bien, Alain, tu voudrais savoir si je t'aime ?

Il fit un signe de tête sans lever les yeux.

—D'abord, c'est quoi aimer ? s'enquit-elle.

Il devint songeur et triste.

—Quand on aime, on sait ce que c'est Si tu le sais pas, c'est que tu n'aimes pas.

Elle parla en hésitant:

—Non... c'est pas ce que j'ai voulu dire... Y a quelque chose en moi, mais je sais pas trop ce que c'est. T'es si instruit, tu dois sûrement savoir ce que c'est l'amour.

Ces paroles firent tinter d'un son clair et merveilleux en son esprit, les cloches de l'espoir et de la joie. Il releva la tête et expliqua·

—Aimer, c'est vibrer à l'autre, c'est lui être fidèle, c'est penser souvent à l'autre, c'est rechercher l'autre dans tout ce qu'on fait

—Tu vas trop vite pis je te suis pas. Recommence.

—C'est vibrer à l'autre, reprit-il.

La jeune femme leva haut les yeux, réfléchit et sourit.

—Ensuite ?

—Être fidèle à l'autre.

—Je sors rien qu'avec toi, dit-elle.

Il sourit à cet aveu de fidélité.

—C'est penser à l'autre, rechercher l'autre dans tout ce qu'on fait.

Nicole réfléchit encore, compta sur ses doigts et sourit à nouveau

—J'ai pensé à toi chaque jour de cette semaine, dit-elle doucement

Il s'attrista·

—Moi, vingt fois par jour.

—C'est ce que je voulais dire: tous les jours, plusieurs fois par jour.

Les yeux du jeune homme étincelèrent.

—Si tu vibres en pensant à moi, que tu sors qu'avec moi et que tu penses souvent à moi, c'est donc que tu m'aimes. Y as-tu songé, tu m'aimes, tu m'aimes .

Il la prit par les épaules.

—Tu m'aimes pis je t'aime Que je t'aime!

Il se mouilla les lèvres et les approcha de la bouche adorée.

—Donne-moi tes lèvres si belles.

Ils s'embrassèrent longuement

—Dis-moi que tu m'aimes. Je veux entendre ça pour la première fois de ma vie.

Elle hésita, l'espace d'une seconde, puis avoua, soulagée:

–Ben... je t'aime.

–Merveilleux à entendre! Je t'aime, je t'aime, je t'aime. Et toi .. c'est la première fois que... t'aimes quelqu'un ?

–Oui... et toi ?

–Moi aussi ben sûr!

–Mais Louise, Micheline ?

–Des petites amourettes sans conséquence ni vibrations. Tocades. Petites brises dans ma vie, mais toi, t'es un ouragan...

Il l'embrassa et l'écrasa contre son cœur. Et sentit un besoin fou de se fondre en elle. Et sentit qu'elle serrait un peu plus fort que d'habitude, ce qui fit redoubler son ardeur.

Un raclement de gorge se fit entendre et lui rafraîchit les idées, d'autant que la mère y avait ajouté deux toussotements.

–Mon enfant, ma soeur, songe à la douceur d'aller là-bas vivre ensemble, aimer à loisir, aimer et mourir au pays qui te ressemble .. C'est un poème de Baudelaire: son plus beau, je crois. Ensemble, on est ensemble tous les deux pis ça va continuer jusqu'à... Tant qu'on va s'aimer pis je sais que c'est pour longtemps... Tu veux une cigarette ?

–Ça m'a fait quelque chose de te voir pleurer, dit-elle après un long silence.

–C'est la première fois que je pleure depuis mon enfance Mais ce 'je t'aime', je le sentais si fort qu'il a poussé devant lui mes larmes. Et je voudrais ben asteur te dire pourquoi je t'aime, pourquoi je vibre à toi, pourquoi je pense constamment à toi. . Tu veux ?

–Hum hum.

–Parce que t'es la plus belle, parce que t'es pure, parce que tous les deux, on se comprend si bien, parce que toi pis moi, ensemble, ça marche à merveille.

–Vas-tu venir les fins de semaine, le samedi et le dimanche ?

–Je me suis trouvé quelqu'un pour voyager en attendant de pouvoir m'acheter une auto, pis je pourrai venir toutes les fins de semaine. Es-tu contente ?

–Tu pourras pas venir sur semaine ?

–Je le voudrais ben de temps en temps, mais je pourrai pas.

Il devint songeur.

–Pourquoi ça ?

–Rien. . j'ai cru que tu voyagerais tous les soirs chez toi

–Jamais de la vie, c'est trop loin !

–Ah bon!

Du bout de son nez, il frotta celui de la jeune fille et dit:

—Je t'adore.

Elle pencha la tête et fit tournoyer sa bague d'étudiant qu'il portait encore.

—C'est quoi adorer ?

*

Alain se reprocha de n'avoir pas mieux préparé son premier contact avec ses élèves quand il se retrouva devant eux, bouche bée. Pourtant, pendant des heures et des heures, entre les pelletées d'asphalte et les rêves de Nicole, il avait réfléchi à cette première rencontre Mais il avait toujours fini par se promettre:

"Je leur dirai que je les aime pis que je veux les aider. Le reste viendra bien tout seul."

Mais, devant ces trente têtes à l'affût, devant tous ces yeux le dévorant, et ces soixante oreilles qui lui tendaient la main, il ne savait plus Ne sachant plus, il trouva ce qu'il put et des exemples de ses anciens maîtres lui vinrent en mémoire. Alors il déclina son curriculum vitae et fit lecture des règlements de l'école signés par le principal. Enfin, il exposa ses vues sur la discipline et leur dit ce qu'il attendait d'eux. Et son laïus fut moralisateur comme il se devait d'être·

—On vous demande l'obéissance, dit-il. Obéissez, suivez nos directives, celles du principal et les miennes, et vous développerez une belle personnalité. Car ne savent commander que ceux qui ont su obéir. Obéir, ça veut dire: bien travailler, bien étudier, bien écouter en classe. Si vous faites bien ces choses, vous obtiendrez de bonnes notes. En d'autres mots, si vos notes sont mauvaises, c'est que vous n'aurez pas bien fait ces trois choses et, par conséquent, que vous n'aurez pas obéi Or, les désobéissants sont punis. Par contre, si vous travaillez, écoutez, étudiez bien, vous obtiendrez de bonnes notes et serez récompensés.

Vous avez l'air de garçons intelligents, vous savez donc que dans la vie, c'est la même chose. Celui qui travaille bien et se conduit bien devient quelqu'un de bien dans la société. Au contraire, une personne qui travaille mal et se conduit mal reste derrière dans l'échelle sociale. C'est pourquoi je vous demande à tous de prendre un crayon et d'écrire cette phrase que vous transcrirez demain en première page de votre cahier de français·

—Le travail, c'est la clef du succès.

—Voilà... c'est écrit ? Vous demanderez à vos professeurs, à vos parents et à tous ceux qui ont du succès dans la vie si cette parole est vraie ou non. Évidemment, ceux qui réussissent pas trouveront trente-six raisons pour expliquer leurs échecs, mais soyez certains que presque toujours, ces raisons ne seront pas sérieuses

—Qui oserait dire que le manque de talent est une excuse ? Un élève qui apprend moins vite doit simplement travailler davantage. Vous noterez la phrase suivante à la première page de votre cahier d'arithmétique·

–Qui veut peut!

–C'est écrit ? Bon, prenez tous votre livre d'arithmétique à la page sept. Avant de commencer, je dirai à ces deux étourdis là-bas, qui ont rien écouté depuis le début, que je ne tolérerai pas

*

À sa troisième paye, il acheta la voiture d'un ami qui retournait aux études. Une Pontiac 1957, toit rigide. Il s'était demandé un moment comment il s'y prendrait pour faire face aux mensualités, mais avait réglé la question par un budget. Un cahier servit à répartir son salaire hebdomadaire net de $83.50. Il détailla les choses, additionna et obtint un grand total de $82 75.

Il se félicita de voir que ça arrivait...

Sa première randonnée fut pour faire essayer l'auto à Nicole Il roula jusque sur les hauteurs où il s'arrêta pour admirer de nouveau ses chères montagnes américaines. Mais il eut une étrange sensation, comme si elles s'étaient aplanies; ou bien les hauteurs de la Beauce paraissaient plus fortes. Il fit un rêve: la Pontiac se transformait en avion, s'envolait, et il pouvait voir très loin là-bas.

–Finis les problèmes de courir les taxis. On pourra se voir quand on voudra. Si le cheval est la plus noble conquête de l'homme, l'automobile est son plus grand instrument de liberté.

–Contente pour toi

–Savais-tu que ces chars-là sont puissants en viargini ? Je vais te faire voir.

Il embraya, passa vite en deuxième, accéléra, passa en troisième et poussa au maximum.

–Pas si vite!

Il n'écouta pas et roula jusqu'à plus de cent milles à l'heure

Nicole plaqua ses pieds au plancher incliné et poussait.

–On va se faire arrêter.

–Y a jamais de polices sur cette route-là.

–La loi est de soixante milles à l'heure

–Les lois au Québec. . pouah !

–Lois ou pas, polices ou pas, ça nous empêchera pas de nous casser la gueule si tu continues.

–Ah ! les femmes, ça craint leur ombrage !

–C'est que j'ai des choses à faire avant le cimetière.

Il eut un rire forcé, un peu coupable et apeuré, qui n'indiquait toutefois pas qu'il retraitait.

–On recommence ? demanda-t-il en accélérant à nouveau.

Elle cria avec colère:

–Si tu veux faire le fou, reconduis-moi à la maison pis je remettrai jamais les pieds dans ton char.

Il réduisit à nouveau la vitesse.

–Fâche-toi pas, c'était juste pour le 'thrill'

–Je préfère autre chose comme 'thrill'

–Comme ?

–À toi de le découvrir.

–J'essaierai en fin de semaine. Avec le char, on va pouvoir aller dans les endroits les plus tranquilles...

Elle dit sévèrement:

–Y a deux sortes de 'thrills' dont je me passe: ceux qui mettent en danger la vie du corps pis ceux qui mettent en péril la vie de l'âme. Rappelle-toi de ça si tu veux que ça marche ben entre nous deux

–Ah, suis d'accord avec toi. Pis ben content que tu le dises. Mais on n'a rien fait de dangereux. La route est droite et sèche. J'ai pas bu C'est une voiture solide et ben chaussée..

–De toute façon, recommence pas ça...

Il y eut un long moment de silence qu'Alain finit par rompre:

–Tu t'es levée du mauvais pied à matin

–C'est pas mon pied qui me rend de mauvaise humeur, mais le tien sur l'accélérateur, dit-elle, capricieuse et bourrue.

Coupable, il rit fort et jaune.

Elle sourit un brin.

*

Le jeune professeur marcha jusqu'à sa maison de pension Il prit une douche froide et enfila son habit du dimanche.

Devrait-il téléphoner à Nicole pour lui dire qu'il allait fêter l'halloween avec elle? Non, il lui ferait la surprise Et puis quelque chose le retenait: une petite inquiétude perverse.

Il décida néanmoins de l'appeler vers huit heures, depuis St-Honoré, pour lui donner la chance de se préparer. On lui dit qu'elle était partie fêter. Il raccrocha en se mordant les pouces.

Espérant la voir au cours de la soirée, il se rendit avec un ami à l'hôtel du Domaine. Il s'embusqua, le regard drôle... Pour se justifier tout à fait, il se dit que si elle sortait avec un autre ce soir-là, elle ne viendrait sûrement pas se balader au nez de ses amis à lui, qui se feraient un devoir de le lui rapporter

Elle n'était pas là. Il l'aurait su par la grandeur, la démarche, le nombre de personnes à table. Chaque fois qu'un groupe entrait, il enquêtait du regard

Vers dix heures, quatre clients costumés arrivèrent. Clairement deux filles et deux gars. Alain eut un serrement de poitrine quand il reconnut ce chapeau de paille si bien en sa mémoire depuis cette rencontre devant le restaurant-chalet. Déguisée, elle pouvait passer la soirée là sans être reconnue et donc sans qu'il l'apprenne. Il devint amer:

"Tu peux ben t'accoutrer en guenillou."

Son ami lui dit:

—T'as vu la fille qui vient d'entrer, celle avec le chapeau de paille ? C'est ma sœur.

—Hein ?

—Je l'ai vue s'habiller à la maison.

Alain se mordit les lèvres et regretta d'avoir fait de la paranoïa.

Les jeunes gens continuèrent de bavarder. Plus tard, l'autre lui dit:

—Sais-tu que la fille au chapeau de paille, c'est pas ma soeur finalement. Je l'ai cru, mais...

Alain blêmit. Il entra dans un délire de jalousie. Quand il vit la fille déguisée en épouvantail se diriger vers les toilettes, il se leva et en passant quelques fois devant les toilettes des dames aperçut enfin son amie de coeur.

Il n'osa toutefois lui parler ce soir-là. Et puis il avait la mort dans l'âme.

*

Avant d'entrer chez Nicole, le samedi suivant, il se composa un visage de glace. Il lui dit vouloir rester à la maison plutôt que d'aller danser, comme d'habitude ce soir-là

—Tu veux une pilule ?

—Ma pilule, je l'ai eue cette semaine. J'ai même pris tout un flacon dit-il avec une ironie mordante. Les femmes sont des épouvantails à moineaux...

—Pourquoi ton humeur de chien ?

Il la regarda droit dans les yeux, cherchant à lire profondément:

—T'as passé une belle soirée d'halloween mardi ? Tu t'es amusée à ton goût ou ben... à ton soûl ?

—J'ai pas de comptes à te rendre.

—Non. mais faut-il être mariés pour jouer franc jeu avec l'autre ?

—Je joue franc jeu avec toi Alain. Pourquoi me reprocher d'avoir fêté l'halloween ? J'avais pas de permission à te demander.

—On sort ensemble ou non ? Ben si on sort ensemble, faut jouer loyalement. Pis être honnête un peu dans cette sacrée vie !

—Sortir avec toi, oui! Mais vivre cloîtrée quand t'es pas là, non! Où est le mal de fêter l'halloween ?

–Je prends la peine de faire trente-cinq milles en pleine semaine pour te faire une surprise pis on me dit que mademoiselle est allée fêter l'halloween.

–J'pouvais pas deviner. Je l'ai pas fait pour mal faire.

–Y a des maudites limites pour agir en hypocrite. Tu me danses sous le nez avec un autre, tu me passes devant la face avec un autre Me faire jouer dans le dos, me faire rire au nez ? Non, c'est fini ça

–Je t'ai même pas vu..

–Chaque fois que tu me voyais la face, tu tournais la tête. Comme si ton masque suffisait pas. Tu me prends pour un aveugle ?

–Alain Martel, pour qui me prends-tu ? Tu sais ben que si je t'avais vu, je t'aurais parlé.

–Je te prends pour une femme. Toutes pareilles. .

Il regarda sa montre et ajouta:

–Si tu veux, on va parler d'autre chose; faudrait tout de même pas gaspiller ce qu'il nous reste de notre dernière soirée.

–À quelle table j'étais dans la salle pis à quelle heure que tu m'as vue ?

–Ce que tu peux faire dur. Dans la salle de toilette, tu t'es dépêchée de tourner la tête, pis en sortant, tu t'es sauvée, comme si l'épouvantail c'était moi. Tu te rappelais pas que ton petit maudit chapeau de paille, je le connaissais ? T'aurais pourtant dû y penser un tricheur pense à tout Malgré que tu dois pas toujours te souvenir de ce que tu portes quand tu rencontres quelqu'un d'autre...

–Alain, tu vas m'excuser, je vas revenir dans quelques minutes, dit-elle en se levant.

Elle quitta la pièce et revint un peu plus tard, déguisée en policier.

Il prit une longue inspiration et jeta·

–C'est quoi la farce ?

–La farce, c'est que voilà mon costume de mardi soir.

–T'étais sûrement pas habillée comme ça.

–C'était ça, mon costume d'halloween

–Tu veux me faire marcher ou quoi ? J'ai vu personne dans tout le Domaine, à aucun moment de la soirée, avec un tel costume.

–Parce que c'est au Domaine que tu m'as vue, évidemment! Le problème, c'est que Ginette pis moi, on est allées à St-Gilles, pas au Domaine. Pis si tu me crois pas, prends le téléphone et appelle Ginette.

Plus Alain se frottait le menton, plus son visage devenait oblong À travers ses soupirs et hochements de tête, il finit par balbutier, piteux:

–Quoi te dire ?

–Une seule chose: que t'es jaloux

–Moi, jaloux ?... Tout ce que tu voudras mais pas jaloux! La jalousie, c'est le dernier défaut que je voudrais avoir. Ce qui m'a insulté, c'est que tu... ben celle que je prenais pour toi, qu'elle me regarde pas J'avais l'impression de faire rire de moi. C'est peut-être de l'orgueil, mais pas de la jalousie !

–Tu t'es monté la tête pour rien pis c'est ça, la jalousie.

–Je m'en veux. On n'en parle plus. Asteur que je sais que c'était pas toi, tout s'arrange.

–C'est pas très agréable de se sentir contrôlée, jalousée ..

–Shhhhhhh! murmura-t-il doucement à son oreille. Viens dans mes bras que j'embrasse le plus séduisant policier de la terre.

–Bah! je te comprends un peu. J'ai dit à Ginette avant de partir que ça m'inquiétait un peu d'aller danser avec les petits gars de St-Gilles J'avais peur que t'aimes pas ça; mais, asteur que je sais que t'es pas jaloux, ça me rassure...

–T'as fêté l'halloween avec un autre ?

–Tu connais le petit Maheux de St-Gilles, celui qui danse drôlement. J'ai passé la soirée avec lui pis on a ri... Il est fou raide . Laid comme le yable mais fou comme un foin. Par chance que c'était l'halloween...

Visage ciré, poings roulés, Alain se leva et se dirigea vers la porte

–Apporte-moi mon imperméable.

–C'est quoi qui te prend?

–Va me chercher mon imperméable pis vite

–Si tu veux.

Elle apporta le manteau qu'elle retint cependant.

–Tu vas me dire ce qui se passe ?

–Donne.

–Non! Tu vas m'expliquer. T'es pas content que je sois sortie avec le petit Maheux ? Ça fait pas une minute, tu jurais que t'étais pas jaloux pantoute.

–N'importe qui mais pas lui! Pis c'est pas une question de jalousie, mais de fierté. T'as pris ce qu'il y a de plus bas à St-Gilles pis moi, je le prends pas.

Il sortit en claquant la porte, sans prendre son manteau.

Elle lui cria·

–Fais pas le fou en auto. Pis reviens demain chercher ton imper.

Il ne répondit pas et la Pontiac partit en trombe

Et revint le lendemain. Ils se parlèrent longuement   Pleurèrent tous les deux. Se promirent mille choses .

*

Le jeune homme voulait perdre son samedi. Et seul. Vivre une journée vide, blanche.

Il emprunta une carabine de petit calibre à son ami Robert et marcha jusqu'au grand bois derrière le village. La défeuillaison était complète et les feuilles trahissaient ses pas.

Tout à coup, un bruit d'ailes battant l'air le fit s'arrêter. Une perdrix se posa en vue, à vingt pas. Il épaula, visa et tira. Quelques feuilles frissonnèrent près de l'oiseau qui leva à nouveau pour aller se poser plus loin. Il tira une autre fois inutilement. Autre vol, autre tir, autre échec. Essoufflé, il abandonna, se laissa choir dans le tapis sec

—Quel sport merveilleux!

Alors il eut envie de se masturber. Mais se retint. De toute façon, il ne le faisait que dans son lit, sous les draps ou dans une pièce à l'abri parfait de la honte.

—Quel silence!

Et il souhaita s'étendre pour dormir. Mais s'accouda et alluma une cigarette.

—Ah! bon tabac dans l'air frais!

Alors il écouta son souffle: jeune et libre. Puis le souffle léger du vent dans les têtes des grands érables. Puis le cri d'un oiseau dans l'invisible, là, tout près.

Un bruissement sur la gauche vint chercher ses yeux. Au pied d'un merisier, un écureuil roux pelotonné défiait le chasseur. Alain se fit précaution; sa main devint douceur; ses yeux, des juges.

L'arme bougea, légère, et se posa, solide, au creux de l'épaule Il ferma un œil et visa. L'index reçut l'ordre, mais la fumée de cigarette piqua les yeux et les efforts de la minute d'avant s'évanouirent. L'animal bondit et s'enfuit, queue à mi-hauteur jusqu'à un érable jeune au pied duquel il s'arrêta tout net. Alain enfouit la tête de sa cigarette dans une mousse et tira un deuxième coup, mais rata de nouveau sa cible. La bête grimpa à l'arbre, cherchant une illusoire protection là-haut.

Le chasseur déjà triomphant s'approche. Il épaule au ciel et vise le petit provocateur. L'écureuil a rebroussé chemin à vingt-cinq pieds du sol, il a hésité, s'est arrêté. Il n'y a plus d'issue: l'arbre est trop isolé, le ciel trop éloigné et l'homme trop proche. Quoi faire ? Ne pas bouger, demander grâce, supplier, attendre. C'est cela: attendre le verdict. Seules les bajoues battent en cadence folle. Et le cœur aussi! Mais le cœur est caché. Mais il y a un autre cœur en bas, qui bat, et qui attend. Le cœur de l'homme est prêt; le geste est presqu'à point Il l'est. Le doigt bouge... si peu...

L'animal eut un geste sec, comme s'il avait été surpris ou comme s'il avait changé d'idée très vite après l'esquisse d'un geste Un léger picotement fit bruire les feuilles au pied de l'arbre. des gouttelettes de

104

sang tombaient fines et drues. L'écureuil lâcha l'écorce, bascula, chuta en tournoyant et s'abattit au sol sans fracas, presque silencieusement.

Médusé, le triomphateur s'approcha. Il jeta un coup d'œil à la bête morte. Puis leva les yeux et regarda l'endroit où, l'instant d'avant, elle était agrippée dans l'arbre et il ne comprit pas qu'elle n'y soit plus Ses yeux, à leur tour, chancelèrent et s'abattirent à côté du cadavre.

"Pourquoi a-t-il saigné de cette manière ? Pourquoi s'est-il cramponné à la vie ?"

Ses yeux remuèrent en hésitant. Mais, poussés par l'horreur vers l'horreur, ils finirent par avancer, en freinant, sur la queue morte, n'y trouvant plus ni courbe, ni grâce, ni espièglerie, ni gloire. Les yeux de l'homme pataugèrent ensuite dans le corps éventré, la fourrure déchirée, les tripes noires, le sang déjà terne; ils gelèrent, dans l'œil hébété, couleur de vitre sale de la bête défaite.

Sans comprendre, l'homme tourna la tête, rageant contre l'animal d'être mort dans la laideur. L'écureuil l'avait trahi... Ou bien était-ce la mort ? Il s'assit sur une souche, tout près et laissa tomber son arme, et laissa tomber son bras sur son genou, et laissa tomber sa tête sur son bras.

—Pourquoi j'ai volé sa vie ? Je voulais le tuer, mais je voulais pas voir sa mort. Pour quel plaisir ? Une cible mobile aurait pu s'inventer en trente secondes! Pour quelle joie ? Vaincre ? Mais vaincre la beauté, la vie, l'équilibre ?.. Non! Que sont ces yeux pétillants devenus, cette fourrure dorée, cette queue glorieuse ? Qu'est-ce que ce cadavre ?

Du coin d'un œil, le jeune homme regarda l'écureuil sans vie sur les feuilles mortes.

—Et tout ce sang! On dirait que toute l'humanité a saigné.

Puis il releva la tête et crâna·

—Après tout, qui sait si je t'ai pas délivré de ta vie ? Si je t'ai pas libéré de tes propres rages, de tes mauvais instincts, de ce mauvais tour que t'avaient joué tes parents en te mettant au monde ? Dans ce cas, pourquoi t'es-tu agrippé à ta vie ? Aimais-tu vraiment vibrer à la peur, à la faim, au sommeil, au froid ? Pourquoi ? Pourquoi donc ?

Le ton chuta:

—Pourquoi je t'ai pas fait peur seulement... pour te rendre plus prudent avec des barbares comme moi ?

Il jeta les balles, ramassa l'arme et reprit la direction du village. Après quelques pas, il se retourna pour jeter un dernier coup d'œil à la bête immobile et lui faire des reproches·

—Qui es-tu donc pour bouleverser autant mon âme ? Hein ? T'es qu'une bête parmi des millions d'autres. Une autre te remplacera. Des millions d'êtres meurent chaque jour sans raison. Bien peu de raisons sont valables pour tuer, mais des tas le sont pour mourir. T'es mort et je vis. T'as aucun droit de me troubler la conscience comme ça! Après tout, je n'ai fait que te tuer. Suis un chasseur, moi. Je fais du sport. J'ai rien volé et j'ai violé personne...

Il repartit, mais fit un nouvel arrêt au bout de quelques pas

—Curieux, j'ai jamais eu de réflexions bizarres comme ça! Allons Alain, reviens sur terre. C'est rien qu'un écureuil de moins !

*

Faits divers, politique, coût de la vie, température, histoires de cul, hockey, alimentaient quotidiennement la conversation à l'épicerie du coin où, plusieurs fois par mois, Alain allait jaser avec son ami mais aussi écouter les exploits des gars de la quarantaine. Car si le bureau de poste était le point de rencontre des vieux et le restaurant celui des jeunes, par contre les hommes entre deux âges avaient tendance à s'écouter parler chez l'épicier, un frère de Robert

Ce soir-là, il fila droit au frigo et se prit un Coke. Puis il s'adossa à une colonne pour prêter l'oreille à une conversation déjà amorcée

Un homme à visage cramoisi, connu pour ses accès de colère se vantait de ses chasses:

—Celui-là, c'était mon troisième.

—T'as tué combien de chevreuils cette année-là ? dit l'épicier.

—Cinq en tout. Trois beaux bucks. Et tous en territoire américain.

—C'est pour ça qu'on t'a pas vendu beaucoup de viande cet hiver-là

L'homme s'esclaffa. Ses yeux pétillèrent.

—On a mangé les beaux morceaux et j'en ai donné pas mal à la parenté. Mon chien s'est jamais si bien nourri que cet hiver-là. Il a fallu en laisser deux dans le bois.

L'homme à fine moustache platine parlait d'une voix forte, gesticulait en marchant sans arrêt, s'approchant de chacun pour ne perdre l'attention de personne

—Le plus beau, le quatrième. Un vieux de la vieille. Quasiment un panache de renne. Je le voyais venir sur le bord du lac: ça courait pas, ça flottait, ça. Ce que j'entends en même temps: le bruit d'un moteur d'avion. Les gardes-chasse américains. L'avion passe si bas que le chevreuil fonce en plein sur nous autres. À rebours du vent, pas de danger qu'il nous sente.

Le conteur éclata d'un grand rire:

—Je te garantis que les gardes-chasse avec tout leur équipement sont pas prêts de me mettre la patte sur le corps. En tout cas, pour en revenir à mon chevreuil, il s'avance la tête au ciel, nerveux Je fais un clin d'œil à mon chum en pointant du doigt l'avion qui s'en va Il me fait signe que oui. Le buck s'arrête, le nez dans le vent. On aurait dit qu'il sentait quelque chose On attend que le bruit de l'avion meure au loin Mon chum me fait signe et je comprends qu'il veut que je tire le premier. Je vise en plein coffre. Avec mon télescope, c'est rare que je manque mon coup. Au moment où je tire, le buck bouge d'une manière que je pense une seconde l'avoir manqué. Mais ce qui s'est passé, c'est qu'il a bêché par en avant. T'aurais dû voir ça. Comme si j'lui avais passé une faux dans les pattes. On l'a perdu un peu de vue en s'approchant, mais on l'entendait te mener un de ces vacarmes! C'était ben ce que j'avais pensé: la balle lui avait cassé les deux pattes: une coupée un peu en bas du genou pis l'autre cassée un peu plus haut Comme il peut ni courir ni marcher, il s'accote sur la croupe et se donne des swings en se faisant porter un peu sur le genou d'en avant. . qu'il lui reste. À chaque coup, il avance d'un bon douze pieds.

–Il veut avancer, qu'il avance! que je dis à mon chum. On n'aura pas à le traîner jusqu'au lac. On lui picosse la croupe pour le faire bouger plus vite. Tu peux être sûr qu'il était tough le buck. J'ai pas vérifié, mais a fallu plusieurs minutes pour qu'il se rende à l'eau. Il nous regardait comme s'il nous connaissait depuis toujours. Même pas effarouché! Rendu au lac, il devait réaliser que le fun était fini. En tout cas, il bougeait moins. Mon chum lui adresse le canon de sa carabine dans l'oreille, mais il décide de pas tirer, vu qu'on entend le bruit de l'avion au loin. On sait jamais, ils peuvent être équipés pour entendre les coups de carabine même à longue distance, qu'il me dit On va le finir au couteau pis en même temps, on va se trouver à le saigner, que je lui dis. J'prends mon poignard à deux mains, comme ça. Je m'accote comme il faut les deux talons comme ça, pis je lui adresse le couteau en plein coffre, juste icitte. Je le poigne droit au cœur Il donne deux ou trois coups de pattes, frémit un peu pis c'est fini. Ensuite, on le découpe Finalement, on a rapporté juste le derrière pis la tête.. pour le panache. Autrement, ça aurait fait trop pesant dans la chaloupe. On a traversé le lac pis on est revenu du côté canadien

Alain porta en tremblant la bouteille de Coke à ses lèvres. Il brûlait de traiter l'homme de barbare, mais se retint, sans trop savoir pourquoi

L'homme poursuivit:

–Deux semaines après, je descendais mon cinquième à l'autre bout du même lac. Avec une bonne grosse lumière, celui-là. J'ai vu que je l'avais eu à cause du sang tout partout là où je l'avais tiré. Mais pas de chevreuil. Le temps de suivre la trace, de le saigner, de le débiter... On a laissé faire. Mais je l'avais touché, ça c'est certain...

Le chasseur finissait son récit lorsqu'un petit garçon blond entra. Il se tenait timidement dans le coin de la porte, tête basse, mains croisées derrière son dos courbé.

–Relève la tête, personne va te manger ici, dit rudement son père, le braconnier Qu'est-ce qui va pas encore à maison ?

–C'est le chien.

–C'est qu'il a, le chien ?

–Il a sali partout dans la maison pis maman veut l'envoyer dehors. Elle veut que tu viennes.

–En v'là une bonne! Ce chien-là est malade pis elle veut le mettre dehors par un temps pareil. Avec la neige mouilleuse qu'il tombe, il va mourir.

Il boutonna son paletot et regarda tout le monde en hochant la tête

–Sors, dit-il rudement à son fils, on va aller chez le vétérinaire avec le chien.

–Mais ce gars-là est malade! s'écria Alain quand l'homme eut refermé la porte.

L'épicier s'alluma une cigarette et laissa tomber:

–Y a des gens qui traitent leurs enfants comme des chiens pis leur chien comme un enfant. C'est le monde à l'envers.

–Oui, mais c'est surtout son histoire de chasse.. C'est méchant, ce qu'il disait; il est dévoré par... le goût du sang.

–La chasse c'est la chasse, pis c'est de même !

Alain protesta:

–Tu trouves pas correct ce qu'il a raconté ? Il gagne un bon salaire, il a aucun besoin de tuer des chevreuils pour vivre. Il est malade ou quoi ?

–Icitte itou, on tue des bêtes pour vendre de la viande.

–Des bêtes d'élevage qui meurent sans souffrir..

Alain fut interrompu par l'autre qui se grattait le front, l'air sceptique et le regard malin:

–Je pense à ça, Alain, c'est pas toi, l'autre jour, qui a emprunté la carabine de Robert ? Tu voulais faire quoi avec ? As-tu tué quelque chose dans ta journée ?

–Un écureuil.

–Ben t'es pas mieux que lui! C'est pas que je veux le défendre, mais une petite bête ou ben une grosse...

–J'en ai tué qu'un pis j'ai compris. Mais lui massacre à l'année longue.

–Pour le sport.

–Maudit beau sport !

La sœur de l'épicier qui écoutait sans en avoir l'air, tout en balayant tête basse, sans sourciller, s'arrêta, comme il lui arrivait parfois de le faire quand elle sentait trop fort le besoin de mettre un peu d'ordre féminin dans la conversation des hommes.

–C'est plein de bon sens ce que tu nous dis là, Alain, mais c'est pas à nous autres que tu devrais le dire, c'est au braconnier.

–Le voilà justement qui revient par la porte d'en arrière, dit malicieusement l'épicier.

Il regardait l'autre entrée que ne pouvait voir Alain, mais dont le bruit de la porte indiquait qu'effectivement il arrivait quelqu'un.

–Je vas lui dire pour toi, dit la balayeuse dans un rire malin et plein de défi.

–Maudit que j'ai faim! s'exclama Alain en se palpant l'estomac. T'aurais pas des gâteaux feuilletés ?

–Au même endroit que d'habitude, sur l'étagère du fond, répondit l'épicier.

Alain s'y rendit et prêta l'oreille. Il reconnut la voix de l'arrivant qui n'était pas le braconnier. On l'avait fait marcher. Il revint, frondeur

–Où c'est qu'il est, le braconnier, que je lui parle dans la face ?

–La faim t'a pris vite ! dit la femme.

Le jeune homme arpenta le plancher de ciment entre les caisses de légumes et hâbla:

–J'ai qu'une chose à dire: jamais j'hésiterai à dire ce que je pense à un homme comme lui. Il jouit à tuer; il détruit gratuitement.

–Mais pourquoi pas lui avoir parlé tout à l'heure ? insista la femme.

–As-tu eu la chance de placer un mot ? Il parle tout le temps: un moulin à battre la 'marde'...

–T'avais qu'à faire comme lui. Crier plus fort que lui ..

Alain leva à bout de bras son Coke et son petit gâteau. Il conclut:

–Viargini, tu me prends pour lui ou quoi ? Me vois-tu faire des discours au beau milieu de la place, les baguettes en l'air ?

****

Chapitre 5

1962

Nicole enleva un peu de poussière du tableau de bord. Le métal vert brilla sur toute sa trace.

–Faut que je fasse un bon ménage dans mon auto cette semaine, dit Alain qui s'était vite lassé d'astiquer la Pontiac.

–J'avais sorti une couverture et je commençais à préparer le lunch quand elle s'est mise à me questionner. Je lui ai répondu qu'on allait en pique-nique après-midi. C'est là que la tempête a pris, dit Nicole.

–C'est quoi qu'elle a dit ?

–Ben des choses. Que c'était un jeu pour me retrouver enceinte Que le meilleur moyen de la conduire vite à sa tombe était qu'une de ses filles revienne enceinte à la maison...

Alain coupa:

–Mais on se croirait en 1950 ou quoi ? On est en 1962. J'ai vingt ans. T'en as dix-neuf. Tout de même !... On sait comment ça se fait des bébés. Tu lui as dit au moins à ta mère que je te respecte ?

–Je lui ai dit tout ça, mais elle répond que pique-niquer ensemble, c'est jouer avec le feu.

–C'est toute la confiance que ta mère me fait !?

–C'est pareil pour mes sœurs pis leurs amis. Pas question pour ses filles d'aller à la plage, en pique-nique, aux fruitages avec leur ami. Elle dit que son devoir est de nous éviter les occasions dangereuses

–Occasions dangereuses, mon oeil!... Elle devrait parler pour elle-même. Toi pis moi, on a prouvé depuis un an, qu'on était capables de bien se conduire. C'est pas parce qu'elle ferait peut-être certaines choses à notre place...

–Alain, respecte-la. Elle sait peut-être des choses qu'on sait pas.

—Voyons donc! Elle a rencontré ton père trois fois avant de le marier. Pis dans des veillées de rang par-dessus le marché, dans des maisons pleines de monde...

—Tu sais comme ma sœur Claudine est directe ? Elle lui a dit tout ça. Ma mère a répondu que son opinion était meilleure parce que pas basée sur son exemple.

—Où qu'elle pêche ses idées sur les fréquentations ?

—À écouter d'autres femmes, à écouter les sermons des prêtres. Selon eux, le démon de la chair serait le plus dangereux

—Bon, bon, bon, qu'ils aillent donc tous au diable avec leur démon de la chair! C'est des histoires à ma grand-mère...

Nicole croisa les bras et fit la moue.

—T'envoies ma mère au diable asteur.

—Pas ta mère, les prêtres !

—Elle dit que les plages pis les pique-niques, c'est pour les couples mariés, pour les familles.

—Dans ce cas-là, ça marche! Aujourd'hui dimanche, le curé doit ben être à son presbytère; on va se marier pis on part en pique-nique

—Que voulais-tu que je fasse ?

—La laisser faire. Il commence à être temps de montrer à ta mère qu'on n'est plus des enfants.

—Elle aurait pleuré.

—Chantage.

—Ma mère, c'est ma mère.

—Tu sais ben que je tiens pas à lui faire de mal. Mais qu'elle nous fasse confiance !

—Ça sert à rien d'en parler. Fait beau soleil, prenons une marche Ou allons jouer au tennis à St-Georges...

—Bonne idée! Cours chercher ton équipement.

Pendant l'absence de Nicole, Alain discuta avec lui-même. Il haussa les épaules, hocha la tête, gesticula et finit par sourire malicieusement.

—Ta mère a dit quelque chose ?

—Je lui ai dit qu'on va jouer au tennis. Elle a répondu que ce serait plus sain comme ça.

Alain conduisit jusqu'au restaurant-chalet et stationna l'auto dans la cour. Il croisa les doigts, s'appuya les bras sur le volant, y coucha presque la tête pour mieux dévisager sa compagne. Calmement, il échafauda les matériaux de sa réflexion:

—Aujourd'hui, Nicole, tu vas montrer que tu peux te conduire en adulte. On va faire ce qui nous convient et jamais ta mère le saura. Je vais faire préparer des sandwiches ici au restaurant. J'emprunterai chez mon frère une couverture et on ira faire notre pique-nique prévu.

–T'es fou ! Et si maman l'apprenait ?

–Écoute ben, Nicole, ce que j'ai à te dire. Sais-tu pourquoi j'ai laissé tomber Micheline, la Micheline que t'aimes pas trop ? C'est parce que sa mère avait toujours le nez dans nos affaires... Que ta mère te donne des conseils, peut-être; mais qu'elle force ta volonté, ça, c'est une autre histoire. Y a une façon de satisfaire tout le monde et c'est de lui mentir. On sera pas coupables puisque c'est elle qui nous y force. Et ce sera pour son bien. Ce qu'on sait pas fait pas mal.

Elle grimaça.

–Suis incapable de lui mentir...

–C'est elle qui t'oblige à le faire... Et puis, elle te posera même pas de questions.

–Suis pas d'accord !

–Dans ce cas, je vais décider à ta place !

Il descendit et revint quelques minutes plus tard avec un sac de provisions qu'il déposa sur la banquette arrière. Puis il fila droit vers la grande concession forestière limitant les terres.

Il stationna la Pontiac dans l'entrée d'une piste de bulldozer.

–On va marcher un quart de mille dans ce chemin et atteindre un magnifique petit lac. J'y suis déjà allé à la pêche et c'est un coin fameux. Avec le temps sec de ces quinze derniers jours, on risque pas de se mouiller les pieds.

Il confia la couverture à Nicole et prit avec lui une hachette et le sac de lunch. Ils marchèrent jusqu'au lac. Là, la déception augmenta en même temps que la progression de son regard circulaire. Le charme qu'avait admiré le pêcheur ne dit rien qui vaille à l'amoureux L'eau était-elle donc si grise ?

Pourtant, il l'aurait aimée bleue. D'où sortaient ces abords marécageux ? Il ne se rappelait pas d'alentours aussi inextricables et inquiétants.

Au premier endroit sec qu'elle trouva, Nicole étendit la couverture pendant qu'il donnait quelques coups de hachette, histoire de montrer qu'il ne l'avait pas apportée inutilement

Il se retrouva assis auprès d'elle:

–Je t'embrasse ou ben on allume une cigarette ?

–On fait d'habitude les deux à la fois. Mais ici, ce sera dur.

Il la regarda intensément dans les yeux, plissa les siens.

–J'ai ben envie de t'embrasser.

Il approcha lentement son visage, s'arrêta

–Mais je pense qu'on va d'abord s'allumer une bonne cigarette. Et il porta la main à sa poche de chemise.

Elle s'administra une vive claque au bras et s'exclama:

–Va falloir fumer, autrement la compagnie manquera pas.

–Depuis qu'on sort ensemble, as-tu déjà senti le danger de perdre le contrôle ? demanda-t-il. À en croire les gens, y aurait entre deux amoureux des moments où ils perdent la tête. Suis peut-être pas normal, mais ça m'est jamais arrivé.

–Ces moments-là sont peut-être au-delà des limites qu'on a décidé de pas franchir, dit-elle, songeuse.

–Tu crois qu'on risquerait d'en arriver à ne pas pouvoir s'arrêter si on reportait ces limites-là un peu plus loin ?

–Je sais pas... Mais on le fera pas.

–Alors, comment savoir ?

Elle ne répondit pas et jeta sa cigarette au loin, vers le lac.

–Veux-tu m'en allumer une autre ? demanda-t-elle. Les moustiques me mangent.

–On ferait mieux de pas rester icitte. Allons dans le champ de la dernière ferme, près du bois. L'endroit sera plus sec et les mouches plus rares. On s'étendra au soleil...

Quand ils y furent installés, Alain, surpris de constater après quinze minutes que Nicole était restée assise et ne semblait pas vouloir se coucher, lui demanda:

–Pourquoi que tu t'étends pas à côté de moi ?

–Voilà une des limites qu'on doit pas franchir.

–Je la trouve exagérée.

–Ah! s'étonna-t-elle.

–On est tout de même pas de la dynamite. Et même si c'était le cas, de la dynamite habillée et non amorcée, c'est pas dangereux d'exploser, fit-il, souriant.

–Je préfère rester assise.

Chaque réticence augmentait en lui le désir de la voir s'étendre et surtout de la sentir couchée près de lui, dans ses bras.

Il insista:

–Couché, c'est beaucoup plus relaxant. Tous les muscles se relâchent. Ce soleil qui enveloppe de sa douce chaleur!.. Est-ce péché de se laisser caresser par le soleil ? Paraît-il que, sans le soleil et l'eau, ben des gens sentiraient jamais aucune caresse de toute leur vie..

–Suis heureuse que tu te sentes bien, dit-elle, impatiente.

–T'as peur de la détente ? De la chaleur du soleil ?

–Insiste pas Alain, je m'étendrai pas.

–O.K., je t'en parle plus un mot. Devine ce que j'ai apporté comme sandwiches.

–Aux tomates.

–Non.

–Au jambon.

–Oui.

–C'était pas dur.

–Avec du cola et des petits feuilletés.

–Tu me donnes soif

–J'ai quatre bouteilles de cola, t'en veux une tout de suite ?

–O. K .

Il sortit les bouteilles du sac.

–Merde, j'ai pas d'ouvre-bouteilles. Je cours à l'auto. Cinq minutes aller-retour. T'auras pas peur toute seule ?

Elle haussa les épaules, fit la moue.

Au retour, il la trouva étendue sur la couverture, les yeux clos, couchée devant lui pour la première fois. Son sang ne fit qu'un tour. Ébloui, par la splendeur de chaque courbe du corps alangui, il sentit, du plus profond de son être, une grande envie d'elle. Ce n'était pas un désir physique, mais un besoin irrésistible d'abattre les obstacles le séparant de la possession de cette jeune femme si fraîche.

–Pourquoi pas nous marier ? se demanda-t-il. Enfin libres de nos actes. Finies les craintes du péché, de la société, de nous-mêmes. On pourrait s'aimer totalement, magnifiquement, éternellement et en toute liberté. Elle serait à moi, uniquement à moi, pour toujours. Et je lui appartiendrais à jamais.

Elle ouvrit d'une ligne mince ses yeux amoureux et le contempla pendant quelques secondes. Il sourit, heureux de voir qu'elle avait fini par s'étendre. Cependant, au moment même où il se jeta sur les genoux à côté d'elle, Nicole se rassit gauchement. Ils avalèrent chacun une gorgée de cola puis s'allumèrent une cigarette.

–Tu sais à quoi je pensais en revenant ?

Elle fit une moue espiègle en signe d'ignorance

–Qu'on devrait marier!

–Quoi ? Mais on est ben trop jeunes! Et puis faudrait de l'argent.

–Des moins de vingt ans qui se marient, ça se voit souvent! Pis on aura plus de vingt ans au moment du mariage: moi, vingt et un et toi tout près...

Il y eut un court silence pendant lequel il chercha une réaction qui ne venait pas.

–On pourrait se fiancer à Noël pis se marier l'été prochain.

Après un autre bref silence, elle dit:

–Alain, sans compter les meubles, faut au moins deux mille dollars pour se marier. Ma sœur a dû dépenser un peu plus que ça.

–Nos deux salaires combinés, on pourra mettre un bon deux mille dollars de côté cette année. Quant à l'ameublement, on le fera financer. Si on veut, si on le désire, si on fait attention, on pourra être mariés dans un an d'ici. Tu y penses, Nicole ? Mariés, toi pis moi, pour toujours...

–On en reparlera, fit-elle, anxieuse.

–Ma chérie, c'est tout de suite qu'il faut en parler! À quoi ça nous mène, la vie qu'on fait ? Peur de tout, du péché, de ta mère, de ce que peuvent dire les gens. Si on se marie, on sera enfin libres, libres de s'aimer, de vivre comme on veut, unis à jamais. On est faits l'un pour l'autre. Tu resteras dans notre nid d'amour à me préparer des bons petits plats. On se fera un beau petit gars qui va nous ressembler, qui te ressemblera. Je vais faire des calculs ces jours-ci, et on en discute en fin de semaine, O.K ?

–O.K!

Il but une longue gorgée de cola, les yeux remplis de soleil et le cœur d'espérance.

–Quelque chose bouge dans ta bouteille, dit Nicole.

Il cessa de boire et mit son œil sur le goulot.

–Je vois rien.

–Fais tourner le liquide.

Il donna un vif coup de poignet

–C'est quoi, ça ?

Il agita à nouveau la bouteille.

–C'est blanc... Mais c'est pas un mégot... Attends... Eurk!

Il eut un haut-le-cœur et vida le contenu dans l'herbe.

–Regarde, dit-il, portant la bouteille à hauteur des yeux.

La jeune fille grimaça.

–Un "plasteur" viargini. Pis on voit ben qu'il a déjà servi: les deux bouts sont collés ensemble.

Il courut à l'écart pour vomir, mais ce geste remit son estomac un peu d'aplomb. Il se ressaisit et revint auprès de son amie:

–Si ta mère nous avait vus cet après-midi, elle aurait moins peur que tu tombes enceinte à cause du pique-nique. J'espère que ce maudit cola-là me rendra pas malade.

–Les bouteilles sont stérilisées à l'usine, tu prendras aucun microbe.

Et elle ajouta gaiement:

–Et puis, les petites bêtes mangent pas les grosses.

–Rien n'empêche que de la merde, même stérilisée, ça reste toujours de la merde!

Il jeta son paquet de cigarettes sur la couverture.

–Tu veux m'en allumer une ?

*

Au cours des semaines qui suivirent, ils discutèrent de leur avenir et prirent la décision officielle de se marier. Ils fixèrent la date de leur mariage au vingt juillet Les fiançailles auraient lieu à Noël

*

La lumière blanche tombait en abondance sur la table garnie Alain regarda toutes ces choses brillantes, complices de par leur éclat, des fluorescents ronds. Chaque chose avait son lieu, par les bons offices de la mère de Nicole. Les ustensiles d'acier inoxydable formaient des rangs stricts de rutilantes balises aux assiettes absentes. En plein centre· le gâteau de fiançailles, d'un blanc chatoyant. Aux fruits confits, lui avait dit Nicole. Il évalua d'un coup le nombre de plombs décoratifs enchâssés dans la mousse immaculée, mais ne voulut pas les compter; il lui suffisait qu'ils dessinent, avec une symétrie parfaite, une cloche à fins contours. En trois sauts d'yeux, il compta cependant les couvercles chromés des sucriers pleins. À l'autre bout de la table, sur un gâteau-cheminée à dessus mousseux, un Père Noël rouge, blanc et noir foulait de ses bottes luisantes, une montagne de neige en sucre. Alain lui fit un clin d'œil.

Un genou frappa une patte de la table et le vin roux frissonna dans les coupes de cristal fleuri. Le jeune homme heurta des yeux les vases de verre aux reflets vifs et un crescendo de notes légères lui caressa le cœur Il vit un doigt bagué frôler un clavier glacé, puis le vin clignotant accrocher sa magie lumineuse au verre ciselé

Dans un coup d'œil global à la tablée, l'ordre parfait et prévu des choses lui apparut; aussi ne s'arrêta-t-il point aux plats à hors d'œuvre débordants, aux tasses personnalisées, aux petits mokas bouche-trous, ni aux groupements pain-lait-beurre-sel-poivre, non plus qu'aux récipients à canneberges

Pour la dixième fois, ses yeux se portèrent sur l'étui sophistiqué, argent, à côté de sa serviette de table. Il avait frotté deux fois avec amour et ardeur son riche porte-bague en forme de cloche, et la petite boîte métallique scintillait de mille feux. Mais le vrai trésor, le grand, dormait au-dedans, dans sa nuit bleue. Il avait coûté deux cent quarante-cinq dollars, ce diamant. C'était le moins cher de la maison où il se l'était procuré, mais de la plus prestigieuse maison de joaillerie de Montréal. À ce prix, on lui avait offert gracieusement la monture, le jonc et l'étui.

Le jeune homme regarda avec tendresse la main aimée, le doigt chéri où bientôt brillerait la pierre de fidélité.

Des éclats de rire tintant à ses oreilles le ramenèrent à la réalité Il compta machinalement les douze personnes de sa future parenté et se sentit mal à l'aise d'être, avec Nicole, le centre du moment de cette famille Ces gens-là lui donnaient leur acceptation, leurs sourires, leur

116

intérêt, leur joie; qu'aurait-il à leur proposer en retour ?

Un toast fut porté à la santé du jeune couple et Alain, puisque c'était la tradition, sourit. Mais il trouva l'hommage excessif; après-tout il ne faisait rien d'autre que d'être le fiancé.

La dinde et le jambon furent divisés et servis. Alain se mit à l'écoute de la riche musique qui émanait de la tablée couteaux déposés sur la faïence, murmures d'appréciation, grincements de fourchettes entre les dents, éclats de rire, éclats de voix, nez bruyants, chaises qui reculent en soubresauts, bouilloire haletante, toux grasse des fumeurs, rires cristallins. En fond, des disques de rock'n'roll.

La mère de Nicole finit son repas quelques minutes après les autres. Sa dernière bouchée dit au jeune homme que le temps était venu de fiancer Nicole. Aux applaudissements de tous, déclenchés par la mère, les futurs se levèrent.

Le cœur en fête, Alain sortit de son étui la bague de l'engagement qu'il leva précieusement entre ses doigts à hauteur d'épaules. Alors il prit la main adorée qu'il dirigea doucement vers la bague. Sans un mot, avec tendresse et art, il glissa l'étincelante alliance au doigt léger. Des applaudissements fusèrent et leur fin signifia le moment d'un autre geste rituel: Alain passa son bras autour de la taille de Nicole et, de l'autre main, lui enveloppa la nuque. Elle appuya ses avant-bras sur sa poitrine et, dans cette position généralement si chaude, ils se donnèrent un baiser moins ardent que d'habitude, mais plus officiel

Il put enfin se rasseoir, soulagé. Il alluma deux cigarettes, en offrit une à sa fiancée. La table avait perdu son ordre. La lumière, plus blafarde, obnubilée par la fumée, commençait à peser sur les paupières.

Il pensa à cet immense désir qui dormait encore dans son étui d'argent. Il se sentit riche de la prestigieuse complicité qui l'unissait à la maison dont les initiales en relief frappaient le couvercle de l'écrin

Et il se sentit riche d'être fiancé!

Et il se sentit riche de Nicole!

★★★

Chapitre 6

1963

Le vendeur souleva le couvercle d'un congélateur À main ouverte, il en frappa violemment la paroi.

–C'est du solide, déclara-t-il avec autorité.

Il cherchait, par le geste et le bruit, autant à montrer sa force morale qu'à faire voir la résistance du produit.

–Qu'en dis-tu ? demanda Nicole.

–On peut pas l'acheter. D'ailleurs, faut recommencer notre choix, parce que on n'arrivera pas à faire les paiements de ce qu'on a pris, dit Alain d'une voix basse mais impatiente.

–Mais on a besoin de tous ces meubles !

–D'accord, mais il faut choisir du moins cher.

–Si tu penses au set de chambre, c'est celui qu'on a choisi que je veux.

–Ben faisons les coupures sur le reste.

Pour montrer qu'il avait entendu et désirait aller au-devant de leurs désirs, le vendeur dit:

–On a du choix pour tous les budgets. Cinquante mille dollars de meubles par plancher. On est le plus gros magasin de la région

Les fiancés recommencèrent leur tournée des deux étages Ils firent un nouveau choix. Avec plus de réserve mais moins de plaisir.

–Notre ameublement est moins beau que celui de ma soeur, dit Nicole sur le chemin du retour. Mais. . faut comprendre que notre budget est pas le même.

–Après tout, faut vivre selon nos moyens. Ta sœur avait ben plus d'économies que nous autres.

–N'empêche que le premier set de chambre était vraiment superbe.

–On passera le nôtre aux enfants et on en achètera un semblable dans cinq ou dix ans.

–Tu crois pas qu'en faisant les paiements un peu plus gros ..

–Aurait fallu trop se serrer la ceinture

–Quelques dollars de plus par mois, c'est quoi ? Moi, je serais prête à sacrifier autre chose... Après tout, c'est pour notre chambre

–Peut-être !... Mais comme il est trop tard !..

–Non, dit-elle vivement, j'ai parlé au vendeur et il m'a dit que si je revenais sur mon idée, j'avais qu'à l'appeler demain matin.

–Comme tu voudras, mais je t'avertis qu'on va passer serré.

–Ça passera ben...

–Faudrait itou discuter du voyage. J'ai de la documentation à te montrer.

–On s'entend sur les lieux à pas aller, mais ça nous dit pas quoi choisir. Chutes Niagara: pas question, c'est là que ma soeur est allée La Gaspésie: tout le monde va là. Old Orchard: pour une fin de semaine, peut-être, mais pour un voyage de noces ..

–Ma documentation dans le coffre à gants concerne le lac George, dans l'État de New York. Les gens chez qui je pensionne ont fait leur voyage là. Paraît que c'est merveilleux.

–J'avais pas pensé qu'on irait aux États

–J'ai vingt et un ans pis j'ai jamais vu les États autrement que depuis nos hauteurs. Quand j'étais enfant, chaque fois que mes parents partaient pour Lewiston pis Augusta, je pleurais pour y aller. Ils me disaient que les oncles américains aimaient pas beaucoup les enfants. Mais ils ramenaient toujours leurs valises remplies de cadeaux de la part des oncles et tantes. En fait, ils refusaient de nous emmener parce que les oncles étaient divorcés pis remariés... et que c'étaient des secrets d'adultes. Toujours est-il que j'ai envie de voir de quoi ils ont l'air ces Américains, chez eux, dans la vie de tous les jours, habillés autrement qu'en touristes.

–Dans le bout du lac George, ça doit pas beaucoup parler français

–Le peu d'anglais que j'ai fera l'affaire !

–C'est loin ?

–Moins que les chutes Niagara ou la Gaspésie! Semble que les prix sont abordables. D'après les Dodier où je reste, c'est la meilleure place pour un voyage de noces Selon ce qu'ils ont pu voir à parler avec d'autres couples qui sont allés ailleurs.

Nicole finit de regarder cartes postales et dépliants qu'elle remit à leur place.

–D'accord ! Ça fera différent des autres.

Il leva sa main libre et ouvrit les doigts en éventail. Elle comprit l'intention dans le geste. Et fit pareil: leurs mains se rencontrèrent, leurs doigts se croisèrent.

—On va faire le plus merveilleux voyage qu'aucun couple a jamais fait, dit-il sans quitter la route des yeux.

Elle répondit par une pression des doigts.

Il ramena leurs deux mains sur lui.

—Ouch ! dit-il en reculant les reins.

Elle sourit.

—Je pense qu'on a touché un endroit sensible ?

Il répondit par un léger sourire affirmatif.

—Pas encore guéri ?

—Reste encore un point à enlever. Le médecin m'a dit qu'aussi longtemps que le fil serait là, le point serait sensible.

—Tu peux l'enlever toi-même ?

—C'est ce que je vais essayer de faire ce soir. Je comprends pas: à mesure que ça guérit, on dirait que j'ai pas été circoncis du tout. J'ai appelé le chirurgien lundi. Il m'a dit qu'il est préférable de pas dégager complètement le... le... le bout et qu'il suffisait que la.. la... la p... peau puisse reculer librement. C'est pour ça qu'il a opéré de cette manière Quoi dire? C'est lui le chirurgien, pas moi...

—Je t'écoute pis je me dis que si nos parents s'étaient parlé aussi librement, y aurait moins de problèmes de sexualité dans leur vie de ménage, tu penses pas?

—Certain! Je te garantis qu'avec l'évolution des jeunes d'aujourd'hui, dans quinze ans, au plus tard en 1980, y aura dix fois moins de problèmes conjugaux qu'aujourd'hui.

—Pis encore moins en 2000.

—On sera peut-être pas là

*

La route se noyait dans les bras touffus des grands arbres verts Alain pressa sa fiancée sur sa poitrine

—Deux semaines et deux jours! Dans deux semaines et deux jours, on sera unis pour la vie.

—Suis ben contente. Tout est enfin prêt. J'ai cru un bout de temps qu'on n'y arriverait jamais.

Les détails importants, obligatoires, avaient été réglés les uns à la suite des autres depuis les fêtes: réservations d'église, d'hôtel, d'un photographe. Nicole avait acheté ou commandé ce qu'il fallait en literie, fleurs et menus détails. Ils avaient rencontré le notaire, pris des dispositions pour leur logement, pour les musiciens, le chant à l'église. Alain prenait toutes les décisions. C'est lui qui disait le oui final et ce oui, invariablement, était dans le même sens que les désirs de Nicole.

Ils avaient lu plusieurs livres sur la sexualité, en avaient longuement discuté. Alain avait compris le rôle de l'homme en ce domaine, sa responsabilité de guider la femme vers le plaisir. Tout l'enseignement de ces manuels tenait dans une loi inéluctable:

—Il n'y a pas de femmes frigides, il n'y a que des hommes maladroits! Et il s'en était d'autant plus convaincu que les cours de préparation au mariage, les sermons des prêtres, les téléromans, les films auxquels ils assistaient confirmaient tous cette loi

—Imagines-tu notre sortie de l'église? L'orgue qui fait vibrer chaque carreau. La marche nuptiale ? Deux semaines et deux jours et je te verrai dans ta robe blanche. Il fera soleil ce jour-là, hein ? Un soleil à l'image de tes yeux !

—Parlant de robe, elle sera finie dans trois jours. C'est ce que Martine m'a dit hier. Un dernier ajustement demain...

—Ce que je peux avoir hâte de te voir dedans !

—Ah ! pas avant le grand jour !

—Le grand jour, le grand jour, comme il aura été désiré! Je te vois parmi toutes ces fleurs... Tu seras la fleur des fleurs ..

—J'ai commandé des marguerites seulement. Le fleuriste était réticent à ça, mais c'est mon mariage...

—Pour moi, toutes les fleurs sont belles

Il fit se frôler leurs lèvres:

—Mais le jour de notre mariage, elles seront les plus belles au monde T'as pas trop peur de . notre première nuit ?

—Je sais que tu me brusqueras pas On en a pas mal discuté. Je me sentirai en sécurité avec toi.

—Et tu le seras, ma chérie! Je deviendrai pas soudain un méchant ogre, tu sais

Il rit.

—On laissera les choses venir en douce

—Hum, hum.

—Ce qui m'énerve, c'est de savoir qu'on sera regardés, observés toute une journée par des tas de gens. J'espère qu'on fera pas de gaffes au pied de l'autel. Je vais me faire une liste cette semaine pour être sûr de pas me tromper. Tu vas m'aider Je vas inscrire ce qu'il faut faire sur des petites cartes blanches que je vas garder toute la journée avec moi

—Pas nécessaire! On n'aura qu'à faire les choses comme ça vient, après tout, les gens savent que c'est la première fois qu'on se marie

—Ah! j'y tiens à ma liste! Elle va comprendre tout ce que j'aurai à faire, à partir du matin jusqu'au moment de la grande libération· le départ pour le voyage.

121

–Même le moment d'aller se changer dans l'après-midi ?

Il frotta le bout de son nez contre celui de la jeune fille:

–Tout.

Il bougea rapidement ses yeux de gauche à droite dans ceux de sa fiancée et ajouta:

–Ce que je peux avoir hâte, et toi ?

–Ben oui !

–Chaque geste et chaque parole cette journée-là, resteront gravés dans ma mémoire pis là, dans mon cœur. Tellement qu'on pourrait quasiment se passer de photographe !

–T'es malade, ça se fait pas !

–C'est une manière de dire. Pis ça serait ben regrettable d'avoir aucun souvenir de cette journée-là: la plus importante de notre vie, sacrement... La plus importante pis la plus belle. Viens me voir... Viens que je t'embrasse !

–Mais suis déjà là !

–C'est ben vrai ! Mon bonheur est si grand que je vois pas le bonheur qui est là, juste devant moi, dans mes bras.

Il l'écrasa contre lui.

–Toutes ces merveilleuses années qui nous attendent. Dur au début, c'est certain, mais dès qu'on verra plus clair dans nos finances pis qu'on sera sortis de nos dettes, on se bâtira une petite maison. L'ennui, on va laisser ça aux autres. Un peu plus tard, on aura un petit chalet sur les bords du lac. Et on fera le tour des États ensemble. J'aime l'avenir avec toi, tu sais! Je t'aime. Je t'aime.

Il l'embrassa longuement.

–J'y pense, dit-elle en se dégageant, as-tu pensé à réserver une auto pour nous conduire, le matin du mariage ?

–C'est fait. Mon beau-frère Leroux pis sa Chrysler 1961. Louer une Cadillac 1963 convertible, ça serait trop cher. Mais quand on est valet, on n'est pas roi !

Il prit doucement la tête de sa fiancée entre ses mains et murmura amoureusement:

–Donne-moi ta bouche... et... ta langue.

–La bouche, mais pas la langue! Faut attendre encore quinze jours.

–Jusqu'au mariage ?

–Jusqu'au mariage !

–On aurait dû se marier aujourd'hui au lieu du vingt. On aurait pris notre indépendance en même temps que les Américains et on aurait fêté ça avec eux autres.

*

122

Il se leva à six heures. Son premier geste fut d'ajuster sa montre aux deux réveille-matin dont il avait amorcé la sonnerie à une demi-heure d'intervalle, pour plus de sécurité. Il prit une douche, sa cinquième depuis deux jours, et s'habilla. La cravate étant neuve, il dut se reprendre à deux fois afin d'équilibrer la grosseur du nœud à la longueur de la partie habillante. Il centra le nœud, ajusta la pince, brossa sa blouse et l'enfila.

Après s'être regardé dans un miroir, il s'impatienta de ne pas trouver sa pince à cravate. Quand il se rendit compte qu'il la portait, il maugréa de s'être mis en rogne inutilement. Il chercha sa liste de choses à faire, mais il ne la trouva pas et se sentit nerveux à nouveau. Alors il s'arrêta et s'assit sur le bord du lit bien décidé à ne pas faire comme le voudrait la tradition et à se reprendre en mains. "C'est pas la bonne façon d'aborder la journée la plus importante de ma vie," pensat-il. Tout de suite, il se rappela où il avait mis ses mémorandums. Il prit ses cartes et les plaça dans sa poche droite... puis dans sa gauche.

Il descendit bientôt l'escalier.

–La journée sera belle et ensoleillée, dit sa belle-sœur.

Entendre parler de soleil lui fit penser d'aller vérifier dehors si le temps annonçait beau.

–La journée sera belle et ensoleillée, dit-il en rentrant. Voudrais-tu me brosser un peu le dos ?

–Un peu nerveux ? demanda la belle-sœur.

–En me levant tout à l'heure, oui! Mais je me suis ressaisi.

–Tu veux que je te fasse à déjeuner ?

–Je vais m'en faire moi-même, ça va me calmer un peu les nerfs.

Quand il eut fini de manger, il retourna à l'extérieur pour y faire une marche, histoire de tuer une heure qu'il craignait de trouver longue.

Parce que le chemin était en face de la maison, parce que les gens du centre du village avaient l'habitude d'y perdre leurs pas plutôt que sur la rue principale, Alain sans arrière-pensée, marcha vers le cimetière.

Il s'arrêta près de la salle paroissiale où il se remémora très brièvement des souvenirs d'élection qui le firent sourire. Il décida d'aller saluer sa mère au fond du cimetière. Quand il arriva à la tombe, il lut sur le petit livre de granit qui tenait lieu d'humble pierre tombale· –Ève Poulin 1900-1957 Épouse de Alphonse Martel Décédée le 31 mai 1957.

En cet instant, il ne voulut pas penser à la mort mais à la vie. Il imagina ce jour de juillet 1920 où ses parents s'étaient épousés Comme ils avaient dû être heureux, ce jour-là! Mais pourquoi tout s'était-il gâté par la suite ? Se disait-elle, ce matin-là, qu'elle vivrait trente-sept années de... Le mot bonheur resta bloqué derrière ses lèvres. Il fut noyé, dilué par ce leitmotiv de sa mère, cette phrase qu'elle avait répétée des centaines de fois: "La vie, c'est la misère. Et plus une femme se marie jeune, plus sa misère commence jeune."

La femme avait porté quinze enfants. Enceinte pendant cent trente-cinq mois: onze années. Dix avaient survécu. Elle les avait élevés seule, son mari passant neuf mois sur douze dans les chantiers américains, ne venant à la maison qu'aux moments propices aux procréations Elle n'avait terminé le gros de sa tâche familiale qu'en 1956, au moment où le dernier, Alain avait quitté la maison pour le pensionnat. Mais, déjà au rendez-vous, le cancer avait alors fini lentement de punir son ventre d'avoir porté trop d'enfants; elle avait rendu le dernier soupir le lendemain du jour de l'Ascension de 1957, vingt-quatre heures trop tard pour monter au ciel en même temps que son Sauveur qu'elle vénérait tant

"Aujourd'hui, je m'embarque pour la vie! se dit Alain. Et s'il fallait que mon amour pour Nicole vienne à mourir! Il regarda encore le petit livre de granit. Seule la mort nous séparera... Il y a bien le divorce, mais c'est pour les Américains; moi, je suis catholique Ma mère disait toujours que l'oncle Pit, qui vivait avec une divorcée à Lewiston, était un damné vivant et ma tante, la religieuse, nous a dit qu'il était mort rongé par le remords, se disant lui-même damné... S'il fallait que la mésentente s'installe dans mon ménage ? Je serais condamné à vivre dans le malheur pour toujours... Comme ma mère... Pour le meilleur et pour le pire... Malgré que l'exemple de mes parents ne soit pas à prendre. Ils étaient l'exception. Les couples en général s'aiment. Eux n'étaient pas faits l'un pour l'autre, tandis que moi et Nicole... En plus que la vie n'est plus ce qu'elle était, que j'ai pas le métier de mon père, que nous n'aurons pas plus de quatre enfants, que nous serons tous les jours ensemble, que j'ai appris beaucoup de choses à l'école, la psychologie et tout... Non, décidément, rien n'est comparable.

Pour mieux chasser le doute, il se mit à marcher résolument dans une allée familière. Pour retrouver le sourire, il s'arrêta au même endroit où il avait embrassé Micheline trois ans auparavant. Mais le doute revint l'accabler.

–Plus d'aventures comme celle-là. Je serai l'homme d'une seule femme...

Et il se rappela de l'aveugle.

"Il marchait dans la nuit, heureux, au déclin d'une vie d'aveugle, mais ne le suis-je pas bien davantage ? Je marche en plein matin, je commence ma vie et pourtant, j'ai une peur incontrôlable. Pourquoi ? J'ai même pas, comme lui, de canne pour me guider... Qu'est-ce que je dis là ? Nicole m'aidera, me guidera. C'est elle que j'aime. Je lui serai fidèle. J'ai plus besoin des autres femmes... Je t'aime Nicole, et, ensemble, on regardera vers le soleil, vers la vie, aujourd'hui même "

À la sortie du cimetière, il s'arrêta plus longuement près de la salle paroissiale, regrettant d'avoir trop vite chassé ses souvenirs d'élection quelques minutes auparavant. Mais il ne put concentrer son esprit que sur une seule image, issue d'un seul souvenir: le sinistre craquement du soir du vingt-cinq juin 1960. Il vit la salle s'écrouler, la vie s'en échapper, des corps s'en écouler de toutes parts. "Ma vie est-elle en train de s'effondrer ?" se demanda-t-il. "Pourtant, il est encore temps; j'ai qu'à disparaître. J'ai peur, incroyablement peur, mais il est trop tard.. Non, il n'est pas trop tard. Comme je serais libre si je disparaissais! Mais je lui briserais le cœur, elle qui a si hâte! Et je passerais pour fou. Non, j'ai pas peur! C'est pas de la peur, c'est de la faiblesse. J'ai qu'à me durcir comme un homme, comme un vrai homme, comme un homme fort. J'ai qu'à progresser avec courage. La vie nous attend. J'ai de l'amour au cœur, de la force dans l'âme et de la logique dans l'esprit: que me faut-il de plus ? Et le soleil n'a jamais été aussi brillant qu'aujourd'hui .."

Il reprit sa marche ferme sous les érables verts. Les rayons du soleil frais carreautaient son visage à travers les feuilles humides.

À dix heures moins cinq exactement, il s'assit dans son fauteuil au pied de l'autel de l'église de St-Martin. À deux reprises, il avait senti une pression semblable sur ses épaules: à ses derniers examens d'études et, en 1962, à une soirée électorale où il avait dû tuer le temps au microphone, alors que le candidat se faisait attendre.

Ses mains tremblaient bien un peu, mais sa gorge n'était pas sèche, comme cela aurait dû être le cas, à en croire les racontars. Au contraire, il salivait abondamment et ne cessait de ravaler.

Lorsque Nicole fut à ses côtés, il se sentit un peu moins seul. Et quand le célébrant commença, il ferma son esprit à toute pensée soutenue, comme il le faisait d'habitude chez le dentiste.

Quand il plaça ses petites cartes dans le prie-dieu, elle sourit faiblement. Chaque fois qu'il flaira ce vieil ennui familier qu'il avait toujours senti dans une église, il se retrempa au sourire de sa future éblouissante.

Tout au long de la marche nuptiale, il n'eut qu'un désir· fumer Il dut attendre, pour allumer une cigarette, que la séance de photos fût finie Sur la route, son beau-frère ne parla que du beau temps. Du moins, Alain ne remarqua-t-il rien d'autre, occupé qu'il était par la brûlure faite à ses pantalons par le feu de sa cigarette.

Les mariés avaient fait demander aux automobilistes de la noce de ne pas klaxonner au passage du village de St-Honoré, jugeant cette coutume un peu portée sur le m'as-tu-vu. Tous klaxonnèrent cependant, comme s'ils avaient été mus par un automatisme. Nicole et Alain en rirent, se disant qu'après tout, ce n'était pas si vexant.

—Un soleil comme celui-là, c'est de bon augure ! déclara la mère de Nicole à sa fille quand les nouveaux mariés entrèrent à l'hôtel.

Il s'arrêtèrent près de la porte pour recevoir les félicitations d'usage qui surprirent Alain, tant elles exprimaient de sentiments différents Elles furent tour à tour tristes, inquiètes, expéditives, joyeuses, enveloppantes, sensuelles, timides, jalouses, hésitantes, chaleureuses, désinvoltes, nécessaires, réservées, angoissées .. "Pourquoi la vraie chaleur est-elle si rare ?" se demanda-t-il. À la réflexion pourtant, il se dit que ses propres spéculations masochistes n'allaient pas au-delà des apparences, et il décida d'ouvrir son cœur aux souhaits suivants.

Le cousin Normand fit placer tout le monde aux tables. Il récita ensuite une prière où alternèrent mots pieux et paroles gauloises Rouge de colère, la mère de Nicole se pencha discrètement à l'oreille de sa fille et dit, juste assez fort pour qu'Alain puisse entendre:

—Qui a demandé à cet imbécile d'être maître de cérémonie ?

—D'où sort-il, celui-là ? fit Alain, surpris.

—Je me le demande ben ? dit sa belle-mère, la nuque raide et les regards obliques.

—Les propriétaires lui auront demandé de faire placer les gens en attendant que les musiciens n'arrivent, dit Alain.

—Probablement quelque chose du genre, dit la belle-mère d'une voix radoucie. J'ai pas pensé une seule seconde qu'avec ta belle éducation tu puisses y être pour quelque chose.

Bientôt, le bruit des cuillers contre la vaisselle commença à se faire entendre. Alain compta le nombre de fois où un couple dut s'embrasser aux applaudissements inlassables de l'assistance. "Comment une même farce, répétée douze fois, peut-elle provoquer autant de rires à la fin qu'au début ?" se demanda-t-il. Mais il se répondit en pensant que depuis toujours, ce sont les mêmes gags qui font rire les gens. Néanmoins, il fut soulagé lorsque le cousin Normand se rendit au microphone pour raconter des histoires épicées. Au moins, serait-il libéré de l'obligation de se préfabriquer un sourire à chaque concert de cuillers qui s'adressait à Nicole et à lui. Tandis qu'aux histoires cochonnes du cousin, il pourrait, comme tout le monde, ne pas rire sincèrement.

À l'ouverture de la danse, le jeune marié eut le temps de glisser un 'je t'aime' à l'oreille de son épouse. Quelqu'un les sépara, et ça lui plut, il put ainsi vibrer à la joie de savoir que, sitôt la danse terminée, c'est auprès de lui que Nicole trouverait refuge.

Il aima bien le spectacle improvisé de charleston que donna sa nouvelle belle-sœur, mais il se désola, lui aussi, aux fausses notes de la charmante petite Suzie que sa mère faisait chanter à chaque noce.

—La nôtre sera aussi jolie, mais elle chantera plus juste, chuchota-t-il discrètement à l'oreille de Nicole.

Plus tard, les nouveaux époux quittèrent l'hôtel pour aller changer de vêtements. Au sortir de l'établissement, Alain salua un vieux célibataire qu'il connaissait depuis toujours

—T'as vu son air triste, dit-il à Nicole quand ils furent sur le chemin de St-Martin. Chaque samedi que le bon Dieu amène, il va s'asseoir à cette table pour prendre un coup et regarder les nouveaux mariés Doit rêver à tout ce qu'il a perdu dans la vie! Doit chercher dans ses souvenirs des raisons de continuer sa vie ennuyeuse! Le plus drôle, c'est qu'il se prétend heureux. Si un jour ça devait aller mal dans notre ménage, j'espère que je me souviendrai des yeux de ce vieux garçon pis que je penserai qu'après tout, le mariage est pas si mauvais.

—Ça ira dans notre ménage, dit-elle, confiante.

—Sûr. On a la santé, on est faits l'un pour l'autre, on s'aime comme des fous, bon... C'est sûr, si le bon Dieu nous envoie des gros malheurs... Pis même là, on se tiendra la main pour y faire face.

Ils se sourirent.

Au même endroit, une demi-heure plus tard, ils revenaient, tendus.

—Veux-tu me dire pour quelle raison t'as pas voulu que je t'embrasse tout à l'heure, à la maison ? demanda-t-il après un interminable silence.

—T'avais promis de pas me brusquer et, à la première occasion, tu fais le contraire.

—Je voulais pas te brusquer, je voulais t'embrasser, comme on l'a fait des milliers de fois depuis qu'on s'aime.

—C'était ni le moment ni l'endroit!

—Ça commence ben ! dit-il en hochant la tête.

—Je m'excuse, dit-elle, mais je croyais que tu voulais.. que tu voulais... tu sais quoi.

—J'ai même pas pensé à ça. Je voulais juste qu'on se donne un vrai baiser, notre premier vrai. Sans témoins. Comme mari et femme.

—Mais pourquoi tant nous presser ? La journée est pas finie et on a toute la vie devant nous autres.

—Ca va, n'en parlons plus ! J'ai mal agi.

—Tu m'as pas dit comment tu trouvais mon ensemble de voyage Il a pas l'air de te plaire beaucoup.

—T'es encore plus belle là que dans ta robe de mariée.

—T'as pas aimé ma robe de mariée ?

—Les deux sont magnifiques... d'abord que c'est toi qui les portes..

—Ce serait moins beau sur quelqu'un d'autre ? Donc c'est pas très beau !

—Minute, minute, recommençons tout ça à zéro! Tes deux robes sont belles... mais parce que c'est toi qui les portes, elles le sont encore davantage, tu comprends ?

Quand ils eurent fini leur tournée des tables, après la danse de la mariée ils se dirigèrent lentement vers la porte, suivis et entourés de toute la parenté bruyante. Pour tous, le moment ultime de la journée arrivait. Chaque personne vivait sa propre frénésie que les événements du jour avaient créée en elle. La cérémonie du matin avait offert une portion de nostalgie aux gens mariés, d'espérance aux célibataires, un morceau de romance aux femmes vieillissantes et aux jeunes filles, une pointe de sensualité aux mâles frais à l'affût des poitrines gonflées. La noce avait permis à plusieurs de tâter le fruit défendu: Rose et Lucille avaient triché leur diète; Claude et Jean avaient bu malgré leurs épouses; Lucien et Normand avaient essayé de danser "cochonnement" tout l'après-midi; le petit André avait allumé sa première cigarette. Chacun avait pu raconter ses achats importants de la saison ou de l'année. Tous étaient prêts pour l'apothéose.

À leur sortie de l'hôtel et jusqu'à leur auto, chaque pas que les mariés faisaient augmentait le suspense. Quand ils quittèrent enfin, ce fut l'hilarité générale de les voir partir dans leur véhicule peinturluré de rouge à lèvres et auquel s'accrochait le tapage des traditionnelles boîtes de conserves.

–Quel mariage réussi! dit Aldéa, la cousine, à la mère de Nicole.

–Et à tous les points de vue, ma chère! Aucune fausse note, tout était parfait. Les fleurs, le chant, le repas... Le petit Martel –c'est ben son nom ?– est chanceux de frapper une petite fille comme Nicole: ça sait coudre, ça sait faire à manger. Elle lui fera une femme parfaite... J'espère qu'il la traitera bien... Si je te disais...

Nicole enleva son immense chapeau et ses chaussures qu'elle jeta sur la banquette arrière.

–J'en ai marre ! s'exclama-t-elle avec un long soupir.

–Comme journée fatigante, on fait pas mieux, hein ?

–Si c'est ça la plus belle journée de la vie d'un couple!... Le plaisir d'un jour de mariage, c'est pour tout le monde, sauf pour les mariés.

–On le dira à personne, ils nous trouveraient anormaux Malgré que le pire soit passé. Ce qui reste de la journée sera qu'à nous deux.

Alain fit un clin d'œil malicieux.

–On peut dire qu'il a fait beau temps. Comme disait ta mère· paraît que c'est bon signe.

–C'est pas le soleil qui a fait défaut aujourd'hui en tout cas.

–Parlant de soleil, suis en train de penser qu'il est sur le point de disparaître.

–Comment ça ? Ah oui! l'éclipse! J'avais oublié.

–Et moi aussi! Et j'ai pas pris de verres fumés spéciaux. Ce qui veut dire qu'on va rater le spectacle. C'est malheureux, parce qu'on est au cœur de la région où il fera le plus noir pis parce que c'est la dernière éclipse solaire totale du siècle dans l'est du Canada. J'ai une idée; dans quelques minutes, on sera en vue du grand lac St-François. On va s'arrêter pis observer les effets sur l'eau. Qui sait, peut-être qu'on va voir un phénomène de réverbération ou de réflexion de la lumière; un de ces spectacles que les autres manqueront à s'acharner à regarder le soleil lui-même !

Impassible, elle dit·

–Suis pas allée à l'école assez pour connaître ces choses-là.

–Je connais sur les éclipses que ce qu'en disent les journaux.

–Pour ma part, j'en connais rien du tout. Je sais qu'il fera noir, pas plus.

Bientôt, il stationna l'auto dans une entrée de champ.

–Viens plus près, on va goûter le spectacle en s'embrassant, dit-il

Elle s'approcha. Il leva la main vers le lac et les collines boisées

–On verra peut-être le mariage des bleus, des rouges, des verts et des jaunes sur l'eau. Qui sait si notre point de vue ne sera pas le plus original ? Et l'eau bleutée deviendra d'argent puis d'encre. Colle-toi tout contre moi. .

Leurs joues et leurs mains se mélangèrent. Mais comme l'éclipse se faisait attendre, ils se regardèrent et chacun trouva des lueurs colorées dans les yeux de l'autre.

–Comme j'aimerais avoir tes merveilleux yeux bleus !

–Et moi, j'aimerais ben mieux tes grands yeux bruns.

–Tiens, il commence à faire noir. On va vivre un des plus beaux moments de notre vie. C'est le jour de notre mariage, on est seuls mais deux, devant le futur, et on va assister à un spectacle unique... Tu sais, j'ai été un peu triste aujourd'hui, mais je sens le bonheur revenir. Je t'aime . ma chérie. Je t'aime!

Ils se donnèrent un baiser.

–Bon Dieu, la noirceur épaissit vite!... Les couleurs se font rares . Je pense qu'il va falloir se contenter d'une vue en noir et blanc Tiens, regarde comme l'eau devient d'argent Je te l'avais ben dit !

La nuit noya tout. Les étoiles pointèrent. Les yeux des amoureux ne distinguèrent plus que des formes vagues.

–Comme ce silence est étrange! s'exclama-t-il. Il y aurait un orage subit que je serais pas surpris.

Il cherchait vainement à scruter l'impénétrable lorsqu'un bourdonnement lointain se fit entendre, renforça, devint grondement, comme si quelqu'objet mystérieux venait trahir la pause. Émergea d'un détour boisé, cinq cents pieds plus loin, une violente lueur à deux points d'origine et qui fit sourciller les jeunes mariés. La lumière et le bruit s'accrurent jusqu'au moment où passa, inopinément, un camion à bois dont la vitesse en disait long sur l'intérêt de son conducteur pour les superpositions d'astres.

–En voilà un que l'éclipse dérange pas plus que moi, dit Nicole.

–Quant à ça.. fit Alain en haussant les épaules. C'est rien d'autre, pour un profane, que quinze minutes de nuit le jour. Après quoi la vie continue.

–Un profane ?

–Quelqu'un qui a pas un esprit scientifique.

–Tu veux dire un monsieur-tout-le-monde

–C'est ça !

La clarté s'accrut.

–Tu sais ce qu'on dira à nos enfants et à nos petits-enfants ? Que le jour de notre mariage fut le plus sombre de notre vie !

–Je trouve pas ça tellement drôle, dit-elle en s'éloignant

Il prit un air désolé.

–Écoute, j'ai pas dit ça pour..

Elle l'interrompit:

–Depuis à matin, tu donnes l'impression de regretter ce mariage !

–Qu'est-ce qui te fait dire ça ? Y a eu des accrocs, mais rien de grave. Rien n'est jamais parfait. J'ai eu des petits moments de tristesse, mais à tout prendre j'ai été heureux toute la journée.

–Même quand on est allés nous changer de vêtements ?

–Petite contrariété de rien du tout!

Il lui prit la main.

–Pis toi, t'avais l'air rêveuse parfois. T'as été heureuse aujourd'hui ?

–Oui.

–Beaucoup ?

–Beaucoup.

–Sûre ?

–Absolument!

–Désormais, plus de secrets entre nous ?

–Aucun.

–Quand tu sentiras que quelque chose va pas en toi, tu me le diras ?

–Oui... et toi ?

–Ben évidemment !

–Toujours ?

–Toujours !... C'est merveilleux de savoir qu'on peut avoir pleine confiance en quelqu'un. Je veux que la loi la plus sacrée entre nous soit celle de la vérité. Car la confiance ne peut naître que dans la vérité et la sincérité, hein ?

Elle hésita un moment et répondit:

–C'est sûr qu'il faut savoir à quoi s'en tenir l'un sur l'autre ..

–Je crois que ce qui détruit le plus l'amour entre deux personnes, c'est le mensonge.

–Mais je veux pas que tu parles d'aujourd'hui comme d'une journée sombre ! Ça m'effraie.

–Jamais plus   promis!

Il serra fort la main de Nicole.

–Regarde: le soleil est revenu et la route nous attend. Partons tout de suite et on arrivera à Sherbrooke vers sept heures. Le temps de souper et on ira se reposer.

*

Les valises jonchaient le lit. C'est là que Nicole avait voulu qu'elles fussent déposées. Il s'approcha de sa jeune femme. Elle se déroba, prétextant qu'il fallait défaire les bagages, ce qu'ils firent tous deux inquiets.

Elle lui demanda d'aller faire sa toilette le premier. Quand ce fut son tour, elle referma la porte sur elle et tourna le bouton sans discrétion pour bien faire savoir qu'elle tenait à l'intimité de son geste. Le jeune marié sourit, pensant qu'elle n'avait pas à tant s'en faire, désireux qu'il était d'entamer avec lenteur, délicatesse et respect les premières approches sexuelles.

Elle sortit, sublime, vêtue d'un nuage bleu poudre. L'ensemble déshabillé-jaquette à garniture de guipure blanche laissait deviner la perfection des courbes grâce à la complicité d'une lumière trop tard éteinte. Cette image angélique embrasa l'âme de l'époux.

Elle lui demanda d'allumer le téléviseur et elle prit place dans un fauteuil.

—Viens t'asseoir sur le lit, je te mangerai pas, lui dit-il d'un ton taquin.

Lui-même s'assit en Indien et se mit à frapper le matelas en cadence.

—Juste ici, tout à côté de moi...

Il sourit comme un gamin. Et il continua de faire le Bouddha sur trampoline. Elle s'approcha distraitement, feignant de s'intéresser à l'écran.

—T'as pas du tout à être nerveuse; on fera rien à soir, dit-il doucement. On est fatigués tous les deux... Et puis, on n'est pas assez familiers l'un à l'autre pour faire quoi que ce soit Alors approche-toi et n'aie pas peur!

Elle s'assit sur le bord du lit.

Il fit le reste du chemin les séparant. Il lui entoura les épaules, lui frôla le cou de ses lèvres chaudes, murmurant·

—Je voudrais qu'une seule chose, une toute petite chose, à soir. Tu verras comme c'est pas dur Tu acceptes ?

—Ça dépend ?

—J'aimerais... j'aimerais. . voir ton corps.

Elle grimaça.

—Mais rien d'autre, s'empressa-t-il d'ajouter.

—À soir ? questionna-t-elle.

—D'abord qu'on est mariés: faudra que ça vienne un jour ou l'autre

—Pas tout de suite, plus tard.

—Comme tu voudras! On a tout notre temps.

Il l'embrassa et trouva qu'elle ne participait pas de la façon qu'il connaissait. Cela l'inquiéta un moment, mais il finit par attribuer cette réticence à la fatigue.

Nicole fixait le téléviseur, ayant l'air de réfléchir profondément

—Pour ce que tu m'as demandé tout à l'heure, je voudrais que ce ne soit que la partie du haut

—D'accord, je comprends, dit-il avec un sourire de satisfaction. Mais... mais de quelle façon va-t-on s'y prendre: tu portes une jaquette...

—Va à la chambre de bain; je vais me préparer

—O.K! dit-il.

Et il se leva prestement. Quand il fut de retour, elle était sous les draps, recouverte jusqu'au cou, la jaquette déposée sur un fauteuil. Il grimpa sur le lit et se coucha à plat ventre sur les couvertures. À travers son émotion, il força un léger sourire auquel les yeux de Nicole répondirent par une interrogation peureuse.

—Maintenant! dit Alain doucement

Il prit le bord du drap et tira tranquillement. Centimètre par centimètre, la blancheur laiteuse de la poitrine gonflée lui apparut. Il se rappela la seule fois où il avait tâté cette blancheur mais qu'alors, il n'avait pas imaginée. Elle était là, à portée de ses doigts. Mais elle ne s'offrait pas. Pas encore. Et il le sentit. Il poursuivit son exploration visuelle et l'auréole foncée des mamelons se dessina. —Comme c'est beau et différent! pensa-t-il. Mais la rondeur de tout le sein, plus que tout, l'étonna. Ça n'avait rien d'un cercle, rien d'une sphère, rien non plus d'une sphère modifiée. Il avait toujours imaginé cette forme tirant plus vers le cône que vers la boule. L'extérieur du sein avait une rondeur parfaite qui s'estompait en pente légère vers le milieu de la poitrine. Le mamelon, excentrique, créait une symétrie bien plus attirante que la symétrie parfaite. Les changements d'intensité lumineuse à l'écran du téléviseur jetaient des lueurs ovales sur la chair neuve.

—T'es d'une merveilleuse beauté ! s'exclama-t-il les yeux chargés d'une tendresse sensuelle.

Elle remonta vivement la couverture.

—On ferait bien de dormir. On est tous les deux exténués, dit-elle en tenant serré le drap

—Bon ben, donnons-nous notre premier baiser d'avant dodo de couple marié, tu veux ma chérie ?

—Hum hum, dit-elle.

Il l'embrassa

—Jamais on manquera à ce baiser, hein ? dit-il Sauf, ben sûr, si les circonstances nous séparent pour une journée ou deux. Mais là, on se le donnera par téléphone.

—Hum hum !

—Dodo, mon amour! Je te retrouve après avoir fermé les lumières .

Ce qu'il fit vite.

—Bonne nuit, dit-il en bâillant.

—Bonne nuit, dit-elle faiblement.

Il s'endormit en trente secondes.

Nicole garda les yeux grands ouverts. Elle se leva et se rendit à la chambre de bain. Elle se brossa les cheveux, déclencha la chasse d'eau, se lava les mains, échappa sa brosse par terre. Malgré qu'elle ait laissé la porte ouverte, elle prenait garde de ne pas réveiller son mari. Juste avant de sortir et d'éteindre la lumière, elle lui jeta un coup d'œil. Il dormait comme un ange. Alors elle s'assit dans un fauteuil de coin, regarda le noir, et pleura abondamment pendant de longues heures

Lorsqu'elle retourna au lit, il était couché en travers. Elle dut se rapetisser du mieux qu'elle put, n'osant le toucher. Roulée en boule, elle finit par s'endormir péniblement.

—Comme tes yeux sont bouffis! T'as mal dormi ? lui demanda-t-il au réveil.

Dès qu'il avait ouvert les yeux, il avait consulté sa montre et réveillé tout de suite sa compagne, craignant qu'ils ne pussent trouver de messes après onze heures. Il ne voulait pas commencer leur vie de ménage en manquant à ses devoirs religieux, même involontairement La crise de la foi de l'adolescent, était d'un lointain passé dans son esprit

Elle bougea légèrement le bras et dit faiblement:

—J'ai bien dormi.

—C'est ta fatigue d'hier qui sort.

Elle ne répondit pas, gardant son regard dans le vague

Un peu plus tard, il lui dit sur un ton gamin mais insistant

—Nicole, dépêche-toi, sinon on sera en retard à l'église, et rien m'énerve plus que ça. Les gens nous regardent. . Pis surtout dans une église étrangère !

Ce qu'il avait craint se produisit. Quand ils entrèrent, Alain sentit des milliers d'yeux sévères se poser sur eux

—J'espère que tu me feras pas toujours arriver en retard dans la vie, lui cingla-t-il après la messe

Elle éclata en sanglots.

Plein de remords, désarçonné par ces larmes qu'il avait provoquées, il dit:

—Voyons Nicole, pleure pas J'ai pas voulu te faire de peine Oublie ce que je viens de te dire Allons dîner et payons-nous un de ces repas T'as faim ?

Mais les sanglots augmentaient et il décida de la ramener directement au motel pour lui parler et d'essayer de la calmer.

Elle s'assit dans le fauteuil de coin et sanglota de plus belle, au désespoir du jeune marié qui cherchait à quel saint se vouer

—Je te demande pardon. Je... je .. j'ai pas voulu te blesser Ça m'a échappé. Fais-en pas un drame, je t'en prie .. Si tu savais comme je me sens mal de te voir pleurer de cette façon. Voudrais-tu quelque chose ? Veux-tu un verre d'eau ? Veux-tu t'étendre un peu ? Veux-tu que je te laisse seule ? Dis-moi ce que je peux faire... Te voir pleurer comme ça... Veux-tu venir dans mes bras ? Sans doute pas!..

Plus il parlait, plus elle pleurait. Il se mit à marcher de long en large en maugréant contre lui-même.

—Je... je je m'excuse, dit elle en hoquetant

—Mais t'as pas à t'excuser! lui dit-il en la prenant par les épaules Voyez-vous ça: je lui fais de la peine, je la rends malade de larmes et elle trouve moyen de s'excuser. Voilà bien la femme merveilleuse que j'ai épousée. Mais c'est moi qui devrais mourir de t'avoir dit ce . cette chose tout à l'heure. Je te dis pardon, pardon mon amour! J'ai pas pensé à ce que j'ai dit. Tu sais comment on nous a élevés face aux questions religieuses, comme si c'était un crime d'arriver en retard à la messe ..

—Tout ça, c'est de ma faute... Si j'avais dormi la nuit passée au lieu de rester debout.

—Tu m'as dit à matin que t'avais bien dormi.

—Je me suis assise longtemps; j'avais peur

—Peur de quoi ?

—Je sais pas: de la vie, de toi, de tout.

—Mais moi aussi, j'ai peur! Tenons-nous bien la main et on va passer à travers de ces inquiétudes normales. Quand ça va pas en toi, pourquoi pas me le dire tout de suite ? Ça éviterait ben des drames.

—Je sais...

—Faut que tu le fasses, promis ?

—Hum hum!

Un bruit de fringale émana de l'estomac de la jeune femme. Ils se mirent à rire.

—Allons avaler un de ces dîners, dit-il en lui prenant la main.

*

Le dimanche achevait. Ils avaient flâné depuis le matin Ils s'étaient baigné les pieds dans les eaux d'un lac près de la route, ils avaient visité un sanctuaire et, à deux pas, un zoo. Ensuite ils avaient décidé de ne prendre un motel que de l'autre côté de la frontière pour passer leur véritable nuit de noces aux États-Unis.

—La première est blanche d'être noire, avait-il dit, content de son

134

jeu de mots. Notre vraie nuit de noces sera celle qui vient, et on va la vivre aux États. Comme ça deux de mes rêves vont se rejoindre: me sentir vraiment marié avec toi et voir les États.

–Par quel hasard t'es jamais allé aux États ? Tout le monde y va régulièrement.

–Je te l'ai déjà dit pour quand j'étais jeune... À cause de mes oncles américains. Mais plus tard, ça pas adonné. Comme tu dis, c'est un hasard.

–Tu trouveras rien de spécial. C'est comme au Canada, sauf que les conducteurs sont plus polis.

–Toi, t'es habituée d'y aller depuis ton enfance... J'imagine que c'est comme visiter une maison: on remarque des tas de choses que les habitués remarquent même pas.

–Tu verras pas beaucoup de choses différentes, sauf que les gens parlent anglais. Mêmes routes, même genre de motels, mêmes autos, même façon de s'habiller, hot-dogs... comme nous, hamburgers. Les gens sont plus riches et parlent une autre langue, c'est tout

–On verra!

Au-delà de la frontière, il trouva les routes plus larges, les maisons plus grosses, les fermes plus grandes, les enseignes lumineuses plus jolies, les arbres plus verts, les villages plus propres, l'habitat plus typique et les vêtements plus colorés.

–Tout est comme chez nous mais en plus gros, en plus beau, en mieux, dit-il après plusieurs milles d'un silence inquisiteur et admiratif. J'espérais retrouver le Canada mais en plus audacieux. Pis c'est exactement ce que je trouve !

. . .

–Regarde le troupeau, comme il est imposant et comme les bêtes sont bien en chair et vigoureuses! Et les bâtiments de ferme !.. Je te jure qu'ils sont ben entretenus.

. .

–C'est un cinéma en plein air. Je me demande ben quand nous en aurons au Québec ?

. . .

–As-tu déjà vu un aussi grand jardin potager ? Si ta mère voyait ça!

–Plus que deux milles avant la prochaine ville Si ça te tente, on va s'y arrêter pour souper et prendre une chambre.

. . .

–Regarde le beau motel! C'est que tu en penses ? . Nicole ? . Quoi, tu dors ?

Elle eut un soubresaut quand il la toucha.

–J'étais assoupie. J'ai perdu le nord après les douanes. On est rendus loin ?

–Un bon soixante milles depuis la frontière.

–Pis comment trouves-tu ça, les États ? demanda-t-elle en bâillant.

–Comme t'avais dit: rien d'extraordinaire, dit-il sèchement.

Elle enleva ses verres fumés:

–J'ai faim, on arrête ben vite ?

*

L'intérieur de la chambre était rustique· murs en pin noueux satiné, meubles agrestes.

Les mariés s'étaient apporté des fruits en cas de fringale. Déjà, Alain faisait éclater la peau de sa pomme à chaque bouchée qu'il triturait goulûment et finissait par avaler, non sans avoir isolé les pelures qu'il crachait dans une poubelle à mesure qu'il les avait dépouillées de leur chair.

Il laissa Nicole faire sa toilette et se coucher, soutenant qu'il préférait relaxer d'abord pour se débarrasser de la lassitude du voyage.

–T'as pas mis ton ensemble bleu ? lui demanda-t-il quand, à son tour, il sortit de la salle de bain.

–J'ai toujours dormi en baby doll pis je me sens mieux de même.

Ils s'allumèrent une cigarette américaine.

–Pouah ! c'est affreux ! fit-elle.

–Leurs cigarettes goûtent la vieille pipe.

–T'as pas des canadiennes ?

–C'était pour faire changement.

Elle s'épongea le front.

–Ce que la chaleur peut-être dure à supporter à soir !

–L'air va se rafraîchir bientôt

–J'espère ! ... Parce qu'autrement, je me couche pas.

Il camoufla sa contrariété dans une question·

–Es-tu heureuse de ta journée ?

–Oui. Sauf qu'on a fait trop de millage pis que je suis au bout de mon rouleau.

–Relaxons, et dans une heure, on sera reposés. D'ailleurs, ta douche a dû te décontracter un peu ?

–Je sais pas, je me sens pas très bien.

–Jetons nos cigarettes et allons s'étendre sur le lit... Juste pour relaxer... Viens.

Il lui tira le bras.

Quand ils furent côte à côte, ils ne bougèrent pas pendant plus de dix minutes Alain se remémora les seins de sa femme. Il se plut à imaginer ce qu'il n'avait pas encore vu Il n'avait qu'une vague idée du bas-ventre féminin et il lui donna des formes dans son esprit. Il imagina ensuite leurs corps nus, emboîtés l'un dans l'autre, enveloppés l'un de l'autre, abandonnés l'un à l'autre, chauds l'un pour l'autre. Alors une incontrôlable érection poussa son organe en avant. Pour cacher son pénis du mieux qu'il put, il ramena sa jambe gauche par-dessus l'autre et se tourna de côté, vers Nicole. Elle sursauta quand il lui passa le bras autour de la taille.

−J'ai moins chaud que tantôt, dit-elle. Je crois qu'on devrait aller sous les draps.

−O K!, fit-il.

Et il se leva vivement afin qu'elle ne puisse apercevoir la bosse de son caleçon. Il éteignit les lampes et revint s'enfiler sous le drap.

−Viens dans mes bras, dit-il.

Elle s'approcha un peu.

−Plus près.

Elle s'approcha encore.

−Encore plus près.

Elle n'avançait que le haut de son corps et il s'en contenta.

−Asteur, on a droit aux baisers de langue, dit-il.

Elle ouvrit la bouche et leurs langues de rencontrèrent Il obtint une érection si violente et son désir devint si vif que, n'y tenant plus, il colla le bas de son corps à celui de sa femme. Elle sentit la bosse et recula

−Crains rien, fit-il en riant, c'est que moi, ça, pis... ben on est mariés. Fini le péché, finis les qu'en-dira-t-on. On a le droit... libérés. Y penses-tu, libérés.

Elle sourit sans conviction. Il reprit:

−Reste que si on s'engage dans un acte conjugal, on est en conscience de l'achever, à moins d'une raison majeure. Tu te rappelles, on nous l'a dit à nos cours de préparation au mariage. D'ailleurs, les prêtres le disent tous.

−Je sais, fit-elle sans plus.

Par notre rapprochement et nos baisers, on s'est déjà engagés dans l'acte..

−Tu veux dire qu'il faudra aller au bout . à soir ?

−En tout cas, faudra essayer pour être en paix avec notre conscience

Elle hésita.

−Comment ?

−On va enlever nos vêtements et faire notre possible pour accomplir notre devoir conjugal l'un envers l'autre, pis, comme couple, envers notre foi catholique, sans nous inquiéter si on réussit pas Ce qui compte, c'est d'essayer pas nécessairement de réussir

–Voudrais-tu attendre quelques minutes ? Je me sens pas encore prête.

–Mais oui ! dit-il doucement. Entre-temps, je vais te toucher un peu les seins; on va se familiariser aux caresses.

Dès qu'il eut commencé de lui frotter la poitrine, il dit:

–Tes yeux doivent être brillants! Si ce n'était pas si noir icitte. .

–Alain, j'ai peur, mais je pense qu'on va essayer tout de suite.

Elle parlait en ôtant sa petite culotte. Il l'imita, se rapprocha, lui fit écarter un peu les jambes et se versa sur elle, le pénis dur et prêt. Les jambes bien collées au lit, elle agrippa le drap de ses deux mains. Il centra son organe et poussa en avant. Au même moment, Nicole banda tous ses muscles. Il sentit une douleur au bout de sa verge et recula.

–Je vais encore essayer, dit-il, ouvre plus les jambes.

–C'est que ton poids me fait mal aux cuisses.

–C'est pour ça qu'il faut que tu les écartes un peu plus.

Elle obéit faiblement. Il poussa à nouveau vers l'avant et, cette fois, sentit autre chose qu'une barrière velue, mais des chairs chaudes qui l'incitèrent à donner une nouvelle poussée.

–Plus bas, dit-elle.

Il obéit et donna un autre coup des reins.

–Ouch ! Je pense que c'est pas à la bonne place.

–T'es trop haut, dit-elle.

Il poussa plus bas.

–Tu me fais mal, dit-elle, tordant du bassin.

–Bon signe. Essayons encore.

–Ohhhh ! c'est douloureux !

–Te crispe pas! Tu contractes tes muscles...

–Mais t'es pas... à la bonne place !

–Aide... veux-tu... en me guidant... avec ta main ? C'est dur pour moi, tu comprends ? Si tu m'aidais on y arriverait peut-être.

–J'ai... j'ai peur... Tu ferais mieux de... chercher avec ta main pour trouver...

–D'accord, pis dis-moi ce qu'est chaque... affaire...

–Le mont de Vénus... Les grandes lèvres... L'entrée du vagin..

Il centra son organe et poussa poliment mais fermement.

–Ça fait mal, dit-elle en reculant. Reposons-nous un peu.

Elle lui poussa dans l'estomac, le forçant à se coucher à son côté.

–On pourrait peut-être essayer à nouveau dans quelques minutes ?

Elle réfléchit pendant quelques secondes, puis tira le bras.

–Reviens tout de suite!

Il reprit sa position sur elle. Sans hésiter, elle prit le pénis entre ses doigts et le plaça à l'entrée de son vagin.

–Vas-y dit-elle, relevant les genoux et cambrant les reins pour aller à sa rencontre.

Il sentit son gland lacéré par des lames de rasoir, mais persista à pousser, à pousser...

–Encore, dit-elle.

À chaque centimètre glorieusement franchi, il s'arrêtait et laissait la douleur s'évanouir

–Vas-y à fond, dit-elle.

Cette parole, accompagnée d'une pression qu'elle fit sur son bras, motiva le nouveau marié à exercer une profonde et violente poussée. Respirant par petites saccades, elle bougea les reins pour s'adapter au corps étranger.

–Je crois que ça y est, dit-elle laborieusement.

–T'es sûre ?

–Oui, tu peux continuer.

Il entreprit le mouvement de va-et-vient et, à mesure que la douleur s'amenuisait, accéléra. L'éjaculation vint tout de suite: nécessaire, sans plaisir, mais très heureuse.

–Mon poids t'écrase pas trop ?

–C'est curieux, mais je l'ai pas senti Faut croire qu'une femme est bâtie pour bien supporter le poids d'un homme... Tu voudrais me donner des kleenex ?

Il alluma une lampe et apporta les tissus demandés, puis se rendit à la salle de bain.

Quand il fut de retour au lit, elle dit victorieusement:

–J'ai saigné.

–Vrai ? s'écria-t-il On a donc parfaitement réussi. Tu viens de me donner ta virginité. Je suis content! T'es moi maintenant, et je suis toi.

Elle sourit.

–Laisse-moi voir, dit-il.

–Voir quoi ?

–Que t'as saigné !

Elle lui montra le kleenex légèrement rosé. Il la prit par les épaules et leurs yeux se parlèrent un moment.

–Là, je suis ton mari pis t'es ma femme, dit-il, ému, en insistant sur les adjectifs possessifs.

*

Durant les jours qui suivirent, ils explorèrent et s'explorèrent. Ils aimèrent et n'aimèrent point. Les U.S A. furent plus décevants les jours de mauvaise communication entre eux et plus intéressants le reste du temps. Leurs intensités sexuelles se mesurèrent en victoires, non en plaisir. L'humidité de l'été américain ajouta sa déplaisante insistance à celle vicieuse des moustiques. Nicole se fit voler sa bourse et cinquante dollars qu'elle avait apportés pour l'achat de souvenirs et cadeaux. Il les lui remboursa après qu'elle eut pleuré, afin qu'elle se sente libre de ses achats. Mais il dut, par compensation prendre la décision d'écourter le voyage d'une nuit.

À Ticonderoga, il lui expliqua une tranche d'histoire des deux pays. À un serpentarium, il lui apprit un peu de zoologie. Aux deux endroits, elle s'ennuya totalement.

Par contre, elle s'amusa follement plus d'une demi-journée quand elle magasina pour l'achat des cadeaux et souvenirs, tandis qu'Alain tua son impatience et ses heures en préparant de vilains tours à la parenté Il choisit et acheta de nombreuses farces et attrapes.

**

Chapitre 7

1964

C'est lui qui s'était rendu chercher le résultat du test de grossesse chez le médecin, et quand il l'avait annoncé à Nicole, tous deux avaient pleuré.

Ils s'étaient demandé pourquoi ça n'avait pas retardé. De quelques mois au moins, le temps qu'ils s'habituent l'un à l'autre, car ils en sentaient grand besoin, mais surtout pour s'adapter à cette nouvelle vie où leur liberté de célibataire leur manquait, ce qu'ils n'auraient jamais cependant osé s'avouer.

Une méthode anticonceptionnelle ? Leur religion le défendait Sauf la méthode du calendrier et encore, après le premier enfant seulement.

Chaque jour, les chaînes dorées de la vie conjugale perdaient de leur éclat. Comme un leitmotiv lourd, cette peur qu'il avait verbalisée sur la tombe de sa mère le matin de son mariage, le harcelait de plus en plus: jusqu'à la mort, jusqu'à la mort... Journellement, nostalgique, il regardait par la fenêtre de leur petit logement de St-Honoré où il enseignait maintenant, et se récitait des poèmes tristes pour se tromper lui-même sur cette sensation de cœur écrasé.

Alors il se mit à écrire dans sa tête des scénarios de rechange, aussi inutiles qu'oppressants. Ceux où Nicole était absente lui faisaient horreur, ce qui le rassurait sur son amour pour elle. Et cet autre, celui que tous avaient souhaité avant leur mariage, attendre un an ou deux ?. Non. Il aurait pu causer la fin de leur amour pour bien des raisons, allant des désirs inassouvis jusqu'au risque de voir Nicole se tourner vers quelqu'un d'autre en passant par les harcèlements de la religion et du milieu.

Sa logique ne trouvant plus d'autres avenues à explorer, les choses devaient être ce qu'elles étaient. Il lui appartenait donc de trouver la solution en tant que chef et guide du foyer. S'il devenait heureux, elle le deviendrait aussi puisqu'ils s'aimaient. "Le bonheur de l'un n'est-il pas le même que le bonheur de l'autre quand deux êtres s'aiment ?"

Il fit le bilan de tout ce qu'il possédait pour être heureux: une jeune femme en santé, jolie, habile en tout, talentueuse en cuisine, dans la préparation de petits bonheurs, amoureuse... Lui-même avait une bonne santé, un emploi prestigieux, une vie de famille, une âme en paix .. Et le plus bleu des rêves, qui couvait au chaud près du cœur de Nicole, allait éclore en juin.

Leur sexualité avait été riche depuis le début. Alain avait découvert le corps de Nicole progressivement, scientifiquement mais surtout amoureusement. Chacune de leurs intensités sexuelles avait été différente de la précédente. Au début, il lui avait demandé où étaient ses points sensibles. Elle lui avait dit les gestes à éviter: pressions trop fortes, caresses trop violentes ou pas assez, ou encore trop à sec... Il avait bien questionné sur ce qu'il fallait ne pas faire, mais, sans trop savoir pourquoi, il n'avait jamais demandé quoi faire, et cela avait donné d'excellents résultats puisque chaque fois, il inventait de nouvelles caresses, créait de nouvelles intensités, découvrait de nouveaux attouchements, conduisant Nicole sur d'autres sentiers du plaisir que ceux qu'elle connaissait déjà par elle-même.

Parallèlement, elle avait accepté de s'initier au corps d'Alain. Un soir, elle avait regardé. Plus tard, elle avait touché. Ensuite, elle avait commencé à caresser. Il lui avait dit ce qu'il fallait éviter: toute caresse violente, recul excessif du prépuce, répétition sans répit du même geste. Et le reste, il l'avait laissé à l'imagination de sa compagne qui s'avéra magnifiquement fertile.

Elle n'avait pas tardé à connaître l'orgasme. Et lui, s'était mis à goûter le plaisir des caresses et à désirer des préliminaires plus longs Lentement, gorgée par gorgée, chacun s'était mis à boire à la chair de l'autre avec respect, tendresse, désir et sans réticences, car le fait qu'elle devienne enceinte avait éliminé les deux grandes interférences: la peur du péché et, forcément, l'inquiétude d'une grossesse possible. Un soir, avec une joie sans réserve, ils s'étaient avoué qu'ils aimaient la sexualité.

Pourtant, ils se sentaient malheureux, chacun souffrant en silence, honteux de l'être. Et, mine de rien, histoire de se comprendre soi-même, l'un interrogeait l'autre sur son bonheur à lui. Invariablement, l'autre répondait qu'il était heureux. Quoi espérer de plus ? Mais ce "quoi espérer-de-plus" partagé, et que la société leur braquait au visage, leur apparaissait comme un mur. Et si le même sujet revenait inlassablement sur le tapis, c'est qu'ils cherchaient désespérément une échelle ou bien une porte secrète pour le franchir.

Des circonstances fort simples leur firent entrevoir l'échelle. Minée par le cancer de la rouille, l'auto demandait à être échangée, mais le budget ne le permettrait pas avant deux ans Une étude suivie et réfléchie de leur budget leur fit voir la source de toutes leurs difficultés d'accès au bonheur. L'ennemi du ménage, chaque jour, montrait de plus en plus son visage agressif. Il s'appelait manque d'argent.

Alain polarisait toutes ses frustrations dans de navrantes évidences

–On pourra pas changer l'auto

–L'augmentation de salaire de l'an prochain suffira à peine pour l'entretien du bébé.

–Si on arrêtait de fumer...

–On va arrêter d'aller au cinéma pis l'argent économisé nous aidera pour le trousseau de baptême.

–Pourquoi as-tu encore acheté du filet de bœuf ? Tu sais ben que c'est trop cher pour nous.

–Si on avait une petite maison ben à nous...

–Je vais commencer des cours post-scolaires pour avoir un meilleur diplôme et un meilleur salaire.

–Si j'avais été moins pauvre dans le temps, je serais médecin aujourd'hui.

–Le plus petit commerce vaut le meilleur salaire!

–Quand le bébé aura une couple d'années, tu pourras peut-être travailler et nous aider à nous en sortir.

–Encore l'agent d'assurances ? Je lui ai pourtant dit que je n'avais pas les moyens d'en prendre.

–Un jour je me paierai une machine à écrire.

–Combien ça coûte les petits pots de nourriture pour bébés ?

–Si je gagnais un million, t'en aurais des choses à te mettre sur le dos.

–Si le gouvernement m'avait aidé, j'aurais une meilleure scolarité

–Ce salaire n'a pas de bon sens!

–Tu manques encore de viande ? Combien ? Trois dollars ?

–J'ai pas eu ma paye. T'ouvriras un compte à l'épicerie.

–Si les paiements retardent, ils vont venir chercher les meubles.

–Suis écœuré de perdre ma vie à la gagner.

–C'est pas facile pour moi, Alain, de toujours devoir te demander de l'argent...

–Je comprends, mais je devine pas tes besoins.

–Nous allons emprunter.

–Un jour...

–J'ai compté ça et je pourrais me faire pas mal d'argent en dehors de mes heures d'enseignement. Si seulement je me trouvais un "side-line".

—Oui, mais eux, ils ont les moyens de se le payer.

—Si les riches nous exploitaient moins.

—J'ai acheté un livre. Le titre est: "Comment devenir riche" J'en ai vu un autre qui s'appelle: "Comment réussir". Quand j'aurai de l'argent, je l'achèterai celui-là aussi.

—Paraît qu'il se vend des billets de sweepstake à St-Georges.

—Ta mère a-t-elle accepté de l'argent pour ses légumes ?

—Par exemple, si ce gars-là avait, disons une Chevrolet ordinaire plutôt que sa Oldsmobile toute équipée, la différence nous permettrait, si le gouvernement instaurait une meilleure justice distributive, de voir clair à tous les postes de notre budget: nourriture, vêtements, logement, assurances etc...

—Je vais me cracher dans les mains.

—Je vais réussir, même si je dois travailler jour et nuit

Il planifia sa guerre contre la pauvreté. Ses armes: une meilleure scolarité et la mise à profit de ses temps libres. Rendre productif le temps improductif en cherchant des idées rentables et en les appliquant· voilà la solution. "Les mines d'or ne sont plus au Colorado ou au Klondike mais dans votre cerveau, lui avait juré son livre bien-aimé "

Il s'inscrivit à des cours du samedi et consacra ses soirées à réfléchir à des idées monnayables. Car il n'était pas question de revenus d'appoint dans son village.

"Les Américains savent s'y prendre," disait le livre. Alors il repassa ce qu'il savait d'eux et surtout ce qu'il avait appris à son voyage de noces.

"L'ordre et le sens de l'organisation sont importants," disait aussi le livre. Il se procura des boîtes à beurre en bois qu'il transforma en classeur pour y ficher ses plans.

Sa première idée lui vint en mangeant "Pourquoi pas de la sauce à spaghetti congelée ?" dit-il à Nicole. Ta recette est fameuse, cent fois meilleure que les sauces en boîte. Pas d'additifs de conservation, pas de perte de goût, pas de goût de fer blanc, et des portions individuelles Une recette plus viandée, plus québécoise!

Il calcula le coût du produit, évalua les frais de mise en marché, compara les prix à la consommation.

—Suis sûr que ça marcherait, mais faudrait vingt mille dollars de capital, finit-il par dire à Nicole.

—Les banques ? dit-elle.

—Pas question! Les banques prêtent que sur des garanties impossibles. Pour emprunter vingt mille, faudrait que j'en aie déjà soixante mille. Avant de sortir avec toi, j'ai travaillé comme assistant-comptable dans une petite entreprise. La compagnie existait depuis trente ans et pouvait difficilement obtenir une marge de crédit de vingt mille dollars

144

à la banque.

–Tu vas faire quoi avec ton plan ?

–Le classer, le laisser dormir et chercher autre chose qui nécessite moins d'investissements.

–Ce sera pas facile !

–Le livre dit: "Cherchez et vous trouverez."

"Exploitez votre milieu; cherchez d'abord autour de vous," disait aussi le livre.

Alain pensa au cèdre qu'il avait mesuré quand il travaillait pour l'entreprise de boîtes de St-Honoré, et dont personne ne voulait. Le transformer et le vendre aux citadins ou aux Américains: voilà une bonne idée. Mais faire quoi avec ?... "Pourquoi pas ce qu'on a toujours fait: des clôtures ? Mais de style moderne. Et qui sait, peut-être des meubles!" Pour transformer ce bois, il suffirait de rouvrir l'usine de boîtes qui a dû fermer ses portes, faute de s'être renouvelée... Ses calculs l'amenèrent à conclure qu'il faudrait au bas mot cinquante mille dollars pour lancer l'affaire. Il ajouta une nouvelle fiche à son classeur.

"On vit dans la plus importante paroisse agricole de tout le Québec," avait dit le député fédéral.

Alain rattacha cette idée à un film américain sur les 'State fairs'. Il planifia une exposition agricole pour sa paroisse, style foires américaines. L'investissement initial pourrait être inférieur à sept mille dollars. Mais faudrait la participation des gens et, comment ne pas se casser le nez devant cette vieille peur québécoise, collective et individuelle, connue de tous, de voir son voisin faire de l'argent grâce à soi ? Même sans exploitation abusive ? Même avec partage ?.. Sa boîte à beurre engraissa d'un autre document qui s'endormit...

Le début de regroupement des fermes et la modernisation de l'habitat laissaient pour compte, dans chaque paroisse, bien des anciennes demeures que leur propriétaire aurait eu plaisir à se débarrasser pour moins de cent dollars. Le jeune homme pensa qu'une agglomération de ces vieilles maisons sur la route Québec-Boston, l'une des plus fréquentées par les touristes américains au Québec, pourrait donner naissance à un village historique comme il savait en exister plusieurs aux États-Unis Suffirait d'équiper ces maisons de divers objets d'époque vendus en abondance et à vil prix dans les encans de ferme À tout prendre, ce village historique québécois aurait coûté environ quarante mille dollars. À nouveau, il nourrit sa boîte à beurre.

"Puisque je suis sans capital, si le consommateur fournissait lui-même le produit," se dit-il. Il associa cette idée au fait que, faute d'argent, il n'avait pu se procurer le livre "Comment réussir" et à celui qu'il n'y avait pas de bibliothèques publiques ailleurs que dans les villes importantes de la province. Pourquoi pas un club grâce auquel, moyennant une cotisation annuelle, les frais de poste et le don de trois de leurs volumes comme participation à la bibliothèque collective, les gens échan-

145

geraient leurs bouquins le nombre de fois qu'ils voudraient, de sorte qu'ils puissent lire à l'année à peu de frais. Une immense bibliothèque postale. Il ramassa plusieurs centaines de livres pour établir des listes préliminaires et fit une tentative de lancement sur une base locale. Ce fut un échec.

Le vendredi soir, il prit l'habitude d'aller jouer au poker avec des amis pour renflouer un peu son budget, ce qu'il réussissait assez bien, car il jouait prudemment, sans jamais s'engager dans une partie à moins qu'elle ne compte un ou deux joueurs imprudents et pourvoyeurs masochistes.

Aux critiques de Nicole, il répondit en allant passer ses fins d'après-midi au bureau de poste du village, à jaser avec les vieux.

Alors elle commença à lui servir ses soupers froids. Il ajouta ses samedis après-midi à son horaire de poker. Guerre des nerfs au cours de laquelle on se disputait sur le temps qu'il passait à la maison ou dehors.

Elle se tut et plongea dans le tricot pour tuer sa solitude et préparer la venue du bébé. Chaque semaine pourtant, elle lui trouvait une bonne raison de rester à la maison, mais ne lui en parlait qu'au moment de son départ, le vendredi soir Une fois, c'était une chaise à réparer, une autre, du prélart à poser. Invariablement, il remettait la tâche au lundi.

Elle lui parla de ses peurs, puisque le logement était situé dans la même bâtisse et au-dessus d'un restaurant où se rendaient parfois des hommes ivres et tapageurs.

–Ferme toujours ta porte à clef pis si jamais t'as des problèmes, téléphone-moi ! lui avait-il répondu paternellement, ajoutant: "D'ailleurs, il ne s'est passé aucun meurtre ni aucun viol dans cette paroisse ces quatre-vingt-dix dernières années."

Un autre soir, elle lui avait dit: "On a des problèmes à boucler notre budget pis toi, tu vas perdre ton temps et ton argent aux cartes."

"Je perds pas mon temps puisque je me détends. Quant à mon argent, je le perds pas non plus, puisque je vais gagner au moins cinq dollars par semaine, ce qui nous permet presque de payer notre logement. Tu pourras toujours vérifier dans mon portefeuille quand je reviendrai."

"Dans ma famille, Alain, personne passe des heures chaque semaine à jouer aux cartes."

–Je pense ben, personne sait jouer! Sont capables de tenir les cartes, mais jouent à la dame de pique pis encore...

Elle avait fini par lui dire:

"Au fond, je m'ennuie quand t'es pas là. Je t'aime et je trouve le temps long quand je suis seule."

Et elle s'était réfugiée sur sa poitrine en pleurant

"Tu dis que tu m'aimes et pourtant tu veux m'empêcher de faire les choses que j'aime."

"Pourquoi travailles-tu pas dans tes plans ? Pourquoi regardes-tu pas la télévision ?"

Il avait répondu en insistant sur chaque mot.

"C'est ce que je fais le lundi soir, le mardi soir, le mercredi soir, le jeudi soir, le samedi soir, le dimanche après-midi, le dimanche soir, les jours de congé et pendant les vacances. Comprends qu'il me faut parfois voir du monde, parler à quelqu'un, sortir de ces quatre murs..."

"Mais je m'ennuie tellement quand t'es pas là! Suis seule à longueur de journée, pis le soir, t'es pas là non plus."

"T'as qu'à sortir un peu. Va voir tes belles-sœurs, fais-toi des amies. Je peux pas être toujours avec toi."

"Ces gens-là sont pas mon mari; c'est mon mari que je veux."

"Inutile de discuter! Tu sais que je vas continuer à jouer. Je serai raisonnable, mais je continuerai. Tu sais ce qu'on va faire ? Je te donnerai la moitié de mes gains pour tes petites dépenses, tu veux ?"

"Pis quand tu perdras ?"

"Ben... là..."

Souriant à travers ses larmes, elle avait dit:

"Je partage pas les pertes."

"O.K.!"

Il avait mis la main sur le ventre de sa femme et ajouté:

"La petite fille, elle commence à se faire voir!"

"Cinq mois ces jours-ci. Mais ce sera peut-être un gars."

"Ce sera une fille. Viens, qu'on l'agace un peu... viens... sur le lit."

Il l'avait prise par la main...

Les moments de rapprochement se firent plus rares à mesure que le temps passait. Le manque d'argent causa de plus en plus de ravages et expliqua les moindres mésententes. Bouc émissaire...

—Si on avait seulement une maison à nous, lui dit-il un soir, je pourrais bricoler sans déranger les voisins, tu pourrais décorer à ta guise. On se sentirait en sécurité, ben au chaud, chez nous. Tu crois pas qu'on serait plus libres ?...

—Une maison ? dit-elle, incrédule. Mais on peut même pas changer l'auto ou se payer une petite sortie de temps à autre le samedi soir.

—Que veux-tu que je fasse de plus?! Si j'avais un métier qui nous permette d'aller vivre aux Etats-Unis! Les salaires sont ben meilleurs qu'icitte et le coût de la vie moins élevé.

—Vas-tu rester à la maison ce soir ou aller jouer aux cartes ?

—Pourquoi me le demander, tu sais que le vendredi, je vais jouer.

—Ma soeur Claudine vient nous visiter. Mais t'en fais pas, c'est que

147

ma sœur.

–C'est le bon temps pour moi d'en profiter. Je serai pas inquiet de toi. D'autant plus que vous serez plus libres pour jaser entre femmes.

–Faudrait tout de même que tu sois poli.

–Je l'accueillerai, je jaserai un moment avec vous deux et ensuite, je m'excuserai et vous laisserai ensemble: c'est pas poli, ça ?

–Comme tu voudras! De toute façon, le pape viendrait nous visiter que tu partirais quand même !

–Je l'emmènerais jouer au poker avec moi.

Une heure plus tard, à peine entrée la soeur de Nicole dit, sur un ton de complicité:

–J'ai une grande nouvelle et vous serez les premiers de la famille à la connaître.

–Une grande nouvelle ? dit Alain avec une curiosité affectée, pensant que sa belle-sœur venait tout juste, encore une fois, de tomber en amour

–Une très grande nouvelle, reprit-elle, riant à grands éclats.

–Dépêche-toi de nous la dire, s'impatienta Nicole.

–Tenez-vous bien, dit-elle, l'air espiègle.

Amusé, Alain agrippa le rebord de la table.

–J'ai obtenu mon visa américain et je pars pour la Californie à l'été

Elle regarda alternativement dans les yeux de sa soeur et de son beau-frère dans l'attente d'une explosion de quelque chose.

–Chanceuse! dit le jeune homme sans sourciller.

Ce simple mot eut pour effet de déclencher un autre immense éclat de rire chez la jeune femme. Le moindre regard aurait provoqué, de toute façon, cet orgasme mental, incontrôlable, libérateur.

–Définitivement ? demanda Nicole.

–Définitivement !

–Tu nous fais les choses en grand.

–Et en surprise! ajouta Alain.

Claudine se libéra d'une autre saccade de rires qui se termina sur une note aiguë, ses cordes vocales ne parvenant plus à rattraper les sauts de sa gorge.

–J'ai eu mon visa le premier mai. Avant-hier.

–Seras-tu infirmière là-bas ? s'enquit Alain.

Elle fit un signe de tête affirmatif

–Dans un hôpital de Santa Barbara.

–Seras-tu ici pour mon accouchement ? s'inquiéta Nicole.

–Oui. Je pars rien qu'en juillet.

–Pour une grande nouvelle, c'est une grande nouvelle pis laisse-moi te dire que je t'envie beaucoup, dit-Alain. Je t'envie même à mort, ajouta-t-il en ouvrant largement les bras.

La jeune fille devint songeuse et bougea vivement les yeux, de l'un vers l'autre.

–T'as pas à m'envier, Alain, ta vie est organisée, toi T'es marié et tu seras père dans un mois. Si j'avais tout ça, je penserais pas à partir. C'est pas que je suis malheureuse, mais je suis un peu comme un oiseau sur la branche

Il l'interrompit:

–Parlant d'oiseau, je suppose que tu vas te dénicher un bel Américain bourré d'argent ?

–L'avenir le dira ! lança-t-elle avec un long rire approbateur.

La conversation se poursuivit entre les deux femmes. Alain n'écouta plus. Il leva les yeux au plafond et jongla profondément. Il regarda Nicole, puis son ventre rond, puis les éclats d'espoir dans les yeux de sa belle-sœur. Alors il eut envie d'aller aux toilettes.

Il s'observa longuement dans le miroir, baissa les yeux. Quand il releva la tête, ce fut pour voir rouler des larmes sur ses joues. Il se mouilla les majeurs d'eau froide et se les appliqua sur les paupières, avant de s'essuyer.

–J'ai pas trop réagi tout à l'heure, mais c'est la nouvelle de l'année que tu nous annonces là, dit-il après avoir repris sa place à table. C'est formidable de voir quelqu'un de notre entourage se décider d'aller vivre là où ça bouge.

–L'action va pas te manquer à toi non plus, rétorqua la jeune fille. Un enfant, ça met de la vie dans la vie !

–C'est certain! s'exclama-t-il. Mais, être père, c'est à la portée du dernier des imbéciles, tandis que d'aller vivre en Californie. .

–T'es content au moins de devenir père ? questionna subrepticement Claudine, comme pour forcer une réponse qui rassure Nicole

–Oui, mais pas de la manière traditionnelle. J'ai pas de grandes vibrations... de rêves bleus. C'est une belle chose parmi d'autres belles choses, dit-il en insistant sur le *d'autres*

–Je te suis pas très bien, Alain. Être père, mais c'est ce qui peut arriver de plus beau à un homme! Un enfant, c'est du soleil dans une maison. Moi, quand je serai mariée, j'en aurai plusieurs

–Peut-être qu'à ce moment-là, tu vas changer d'idée. Nicole et moi, on a ben pensé en avoir quatre mais...

–C'est curieux, tu réagis quasiment comme si t'étais pas content.

–Non, Claudine. C'est que, ni pour l'un, ni pour l'autre, c'est si beau qu'on l'espérait ou que la tradition le laisse entendre.. De toute façon, pour en revenir à ta nouvelle, pourquoi as-tu opté pour la Californie précisément ?

–C'est venu comme ça, par des discussions avec ma compagne de chambre. Sa soeur est à Los Angeles depuis trois ans. À force d'en entendre parler, l'envie m'a prise moi aussi.

–C'est Josette Caron, ça ? demanda Nicole.

–Hum, hum! Elle s'est mariée l'été dernier avec un Américain. .

La jeune fille hésita un instant, puis ajouta avec un sourire ravi

–Elle s'est mariée là-bas. Je me demande ben pourquoi elle est pas venue faire la cérémonie ici. Pour ma part, si jamais un Américain me demande en mariage, je lui dirai: "Ti-gars, on va aller faire ça par chez nous."

Devenu enjoué, presque radieux, Alain ne remarquait pas l'heure qui passait. Il dit:

–Si tu te maries pis que tu viennes faire la cérémonie ici, on espère que tu la feras quand même à la mode de là-bas, histoire de nous faire vivre un petit bout de vie d'ailleurs.

–Tu vas pas jouer aux cartes à soir ? demanda Nicole.

–Sais-tu, il est un peu tard, dit-il en consultant sa montre. Je me reprendrai demain. De toute façon, avec des nouvelles comme ça, y a de quoi rester jaser.

–T'en fais pas pour moi si t'as prévu aller quelque part, dit Claudine. Nicole et moi, on a ben des choses à se dire.

–Au diable les cartes! À soir, on parle de Californie, lança-t-il, comme s'il avait le cœur en fête.

*

Il avait trouvé refuge derrière un journal qu'il ne lisait pas. Le couloir de l'hôpital était peu fréquenté à cette heure-là. Il ne trouvait le temps ni plus long ni plus court que d'habitude. Mais il évalua néanmoins que Nicole et Claudine étaient dans la salle d'accouchement depuis trois quarts d'heure. Le médecin, lui, depuis moins longtemps.

Caché derrière son journal, Alain ne craignait pas d'être observé, ni d'être forcé à donner une image de futur papa nerveux qui ne lui aurait pas convenu. La peur d'être père, il l'avait, à n'en pas douter un seul instant! Pas pour Nicole, pas pour l'enfant, mais pour lui-même! Il savait bien que les risques physiques, tant pour la mère que pour le bébé, voisinaient le point zéro; et, de toute façon, il s'était conditionné à l'idée que de s'énerver n'aurait strictement rien changé à la situation. Mais il pouvait agir sur lui-même, sur ses propres attitudes, et c'est pourquoi il se préoccupait davantage de son problème personnel.

"Mon devoir est de sourire à Nicole quand elle se réveillera; mon devoir est de sourire au bébé pour montrer aux infirmières que je ne suis pas un père dénaturé. Mais, bon Dieu, comment accrocher une joie à sa face quand on sent son âme se noyer ? Pourquoi donc faut-il dire

150

blanc quand on vit noir ? Est-ce normal ? Qu'est-ce qui est normal et qu'est-ce qui est anormal ? Anormal ? Qui est anormal ? Moi! Les seuls actes normaux que j'aie posés depuis mon enfance n'étaient que des tentatives d'imitation des autres. Quant au reste... Quel enfant normal aurait mis le feu à la grange, aurait voulu mourir parce que son chat était mort, aurait dévalisé les troncs de l'église, aurait caché la canne blanche de l'aveugle, aurait jeté un rat mort dans l'auto du professeur, aurait vendu des œufs pourris à l'épicier, aurait toujours fait les choses à l'envers... Et l'adolescent stupide que j'ai été... Comment réagir normalement comme un vrai homme devrait le faire quand on est bâti autrement des autres ? À quel homme marié arrive-t-il de se masturber ? Et pourtant Nicole est jolie et notre sexualité est bonne. À quel jeune marié arrive-t-il de désirer une autre femme ? Quel autre homme à ma place, à soir, ne serait pas heureux ? Comment donc le grand rêve d'être mari et père a-t-il pu se transformer si vite en un simple et ennuyeux devoir ? Suis-je un monstre et de quelle espèce ? Pourtant j'aime Nicole! Et l'enfant qui arrive est bien ma chair et mon sang! Pourquoi cette peur ? Pourquoi cette tristesse ? Est-ce la peur du temps qui passe trop vite, des responsabilités ? Suis-je un enfant qui s'est marié et qui a procréé trop vite ? Mais alors, l'âge serait-il une meilleure garantie de bonheur que l'amour ? Pourquoi donc cette peur du futur ? Est-ce que je manque, au fond, de confiance en moi-même ? Stupide question après toutes les questions qui me trottent dans la tête!

J'ai choisi des toujours et voilà que je me ramasse avec des jamais. Toujours ensemble, elle et moi, c'est beau, mais ça veut dire aussi jamais de liberté. Toujours lui être fidèle, ça veut dire ne jamais aimer une autre femme ne serait-ce qu'une seule nuit. Toujours, jamais, toujours, jamais, tic, tac, tic tac, L'horloge de l'enfer. Tiens, voilà que je me fais des farces maintenant: comparer le mariage à l'enfer... Y a-t-il un homme sur un million pour tenir un raisonnement aussi fourchu, alors que son enfant est en train de naître ?

Pourquoi pas penser à quelque chose de beau ? Tiens: la Californie! Ah! et puis non! Ça aussi, d'ailleurs, je peux ben l'embarquer dans mon sac de jamais..."

Une infirmière sortant d'un pas rapide de la salle d'accouchement le ramena à la réalité. Il abattit son journal.

"À quoi peut-elle bien penser ? Pourquoi les infirmières ont-elles toutes ce même pas ? Leur pas professionnel ? Celui des médecins est plus retenu . plus fataliste sans doute On juge le crapaud à le voir sauter... contrairement à ce qu'on nous a toujours dit."

La porte de la salle s'ouvrit à nouveau et un chariot, surmonté d'une cage de verre qu'il supposa être un incubateur, apparut, poussé par la sœur de Nicole qui annonça, radieuse:

–Voilà ton chef-d'œuvre: une fille comme tu le désirais.

Alain regarda longuement sans dire un mot. Des questions qu'il jugea terribles assaillirent son cerveau. "Comment puis-je être ému par cette petite boule grouillante et plissée ? À quelle beauté puis-je vibrer puisqu'elle n'en a pas ? À quelle intelligence puis-je être sensible puisqu'elle n'est pas assez développée pour se manifester ? Comment puis-je l'aimer puisque je ne la connais pas ? Où est donc cette sensation de saute-en-l'air promise aux nouveaux pères ? C'est une vie et je la respecte; mais comme des millions d'autres, pas plus. Suis-je dénaturé de ne pas aimer davantage mon propre enfant, de ne pas le trouver le plus beau de tous parce que c'est le mien et celui de Nicole, et qu'il nous ressemble ? Oui, hélas! je suis dénaturé."

—Et Nicole, ça va ?

—Oui, dit-elle, un peu hésitante. Mais l'accouchement a été un peu dur. A fallu utiliser les forceps.

Elle se pencha sur l'incubateur et dit:

—Je pense que tu vas ressembler à ton papa.

—Tes valises sont prêtes pour la Californie ?

—Je pars le trois juillet... Nicole sera contente d'avoir eu une fille.

—Tu pars seule ?

—Hum hum...et je vais conduire pendant huit jours... Paraît que tu veux la faire appeler Patricia ?

—Un prénom à la mode. Passeras-tu par l'ouest canadien ou si tu vas couper en travers des États-Unis ?

—Par Chicago et ensuite j'oblique par la 66... Elle est pas grosse, mais dans quelques semaines, tu la reconnaîtras pas.

—J'espère ! Tu vas filer droit à Los Angeles ou tu vas visiter en cours de route ?

—Je commence à travailler le quinze, donc j'aurai pas le temps de flâner en chemin... Allez-vous la faire baptiser avant que je parte ?

—Probablement dimanche prochain.

Avec un signe vers l'incubateur, il ajouta:

—Dans un an ou deux, ce sera à ton tour de nous produire un chef-d'œuvre.

—Laisse-moi me rendre là-bas! s'exclama-t-elle dans un large éclat de rire qui attira l'attention de l'infirmière de garde.

Ayant joué une corde sensible pour qu'elle tienne sur le sujet, il dit

—J'espère que tu vas t'y marier pis que tu auras tous les enfants que tu veux.

—L'avenir le dira! On devrait faire un marché: je porterai ta fille au baptême dimanche prochain et toi, en retour, tu viendras faire baptiser mon premier si jamais je me marie là-bas.

—Avec nos misères à vivre ici, la Californie, c'est pas pour demain De plus, je voudrais pas y aller et devoir en repartir tout de suite.

—C'est peut-être pas aussi drôle là-bas que tu l'imagines. Je te l'ai dit: si j'avais la moitié de ce que t'as, je partirais pas

Il secoua la tête.

–Tu auras le double dans peu de temps: le mari, la vie ben organisée, l'avenir, la maison, les enfants et... la Californie.

Consultant sa montre, elle dit:

–Je conduis le bébé à la pouponnière. Jette-lui un dernier coup d'œil; tu la reverras pas avant demain.

–Nicole sort bientôt de la salle d'accouchement ?

Elle poussa le chariot:

–Je reviens tout de suite et on va le savoir.

Le nouveau père retourna à son refuge, derrière son journal. Les idées revinrent drues, farfelues, sombres...

*

–Te voilà enfin sur ton grand départ! s'exclama-t-il quand il aperçut sa belle-sœur.

Il mit la main sur le bouton de la porte intérieure restée ouverte toute la nuit à cause de la chaleur torride de ce début de juillet, tandis que Claudine ouvrait déjà elle-même l'autre porte à passe métallique.

–Viens t'asseoir.

–J'entre qu'une minute. Le temps de prendre ma caméra. Je veux faire au moins cinq cents milles aujourd'hui. Nicole est debout ?

–Elle allaite le bébé, mais elle doit sûrement achever.

–Dans la chambre ?

–Oui.

–Tu permets que j'aille jaser avec elle un moment .. entre sœurs ?

–Mais certainement... va.

Pour aller plus loin que le désir de la jeune fille, il sortit et descendit le long escalier au pied duquel se trouvait la petite voiture blanche remplie de bagages. Il ne cessa pas une seule seconde de la regarder Il en fit un tour complet, donna un coup de pied à chaque pneu. Puis il souleva le capot et arracha la jauge à l'huile qu'il essuya tout d'abord dans l'herbe, puis avec ses doigts. Il l'inséra à sa place, la retira à nouveau, constata le niveau d'huile et la remit dans son trou. Il examina précautionneusement toutes les pièces du moteur, cherchant un détail qui n'allait pas et qu'il aurait pu signaler à sa belle-sœur, comme pour donner un dernier coup de pouce à ce voyage qu'il considérait maintenant comme le sien N'avait-il pas renseigné la jeune fille sur bien des choses concernant la Californie: climat, végétation, cultures villes, industries. N'avait-il pas minutieusement préparé une longue liste de mots anglais courants afin qu'elle ne soit bloquée nulle part ? N'avait-il pas été le seul de la famille à l'encourager sans aucune restriction à persister dans son projet, car depuis qu'elle avait goûté au plaisir de l'annoncer à tous, elle avait manifesté à quelques reprises, certaines hésitations, au gré de ses rencontres dans les salles de danse.

Il avait encore la tête au-dessus du moteur quand il entendit la voix de sa belle-sœur lui crier:

–Touche à rien, je veux pas rester en panne.

Il referma le capot et marcha au pied de l'escalier dans lequel les deux femmes descendaient en bavardant.

–Une dernière vérification, un dernier coup d'œil, ça fait jamais de tort! fit-il, s'appuyant les mains sur les hanches

–Au garage, hier, on a tout vérifié.

Sans croire qu'Alain cherchait à ramasser une miette de la joie de son départ, Claudine lui dit, un peu moqueuse:

–Tu viens pas en Californie ?

–Si je le pouvais et si Nicole le voulait, la cabane se fermerait vite et on serait pas loin derrière toi. Le bébé, nos vêtements et en avant la galère· direction sud-ouest.

Les cris lointains du bébé parvinrent jusqu'à eux.

–Peux-tu aller voir ce qui va pas encore ? lui demanda Nicole

Il se rendit donner à l'enfant sa tétine, ce qui stoppa les hurlements. Il se réengageait dans l'escalier extérieur quand les cris recommencèrent. Il retourna vivement auprès de l'enfant et lui redonna sa tétine qu'elle avait à nouveau perdue, il la changea de position et lui parla doucement. Elle se tut. De retour à la sortie, il n'eut que le temps d'apercevoir la petite auto blanche qui disparaissait derrière les maisons. Il fixa la route, mais aussitôt, le visage de Nicole apparut de l'autre côté du fin treillis.

–Claudine te fait dire au revoir... T'as réussi à calmer Patricia ?

L'enfant, comme si elle avait entendu, se remit à hurler

–Veux-tu essayer de l'apaiser ? demanda Nicole J'en peux plus de l'entendre. Elle crie depuis le jour de sa naissance.

La jeune femme marcha jusqu'à la table de la cuisine, s'assit et laissa tomber son front sur son avant-bras.

Alain retourna à l'enfant qui pleurait, tétine au coin de la bouche Il se pencha sur elle.

–Shhhhhhhhh!... On te veut pourtant pas de mal! Pourquoi, toi, nous assassines-tu jour et nuit depuis que t'es née ? Veux-tu nous faire payer de ne pas t'avoir désirée ? Donne-nous donc la chance de t'aimer.

L'enfant regardait son père, grimaçait, hurlait, se tordait les petites mains. Alain sentit une boule trop grosse pour l'étroitesse de sa gorge et parla par à-coups·

–Qu'est-ce que t'as donc ? Le médecin dit pourtant que tu n'as rien T'as mal au ventre ? Mais ça doit lâcher parfois les coliques... Est-ce que t'as faim ? Pourtant Nicole complète ton allaitement avec du lait ordinaire et toi, tu rejettes la bouteille...

*

–T'as quoi aux yeux ? demanda Nicole. T'as pleuré ou quoi ?

Il regardait la télévision depuis près d'une heure. On y présentait une rétrospective des événements de Dallas, dont c'était le premier anniversaire ce jour-là.

–Cet assassinat me bouleverse chaque fois que j'y pense. Et pourquoi donc ? Peut-être parce qu'il avait de jeunes enfants Je sais pas. Tu dois me trouver bébé ?

–Un homme peut souffrir autant qu'une femme.

–Souffrir peut-être, mais pleurer...

Elle haussa les épaules.

–Curieux, poursuivit-il, l'an dernier, ça m'avait mis en rage, je ne pensais qu'à haïr ceux qui lui ont pris sa vie, et je ressentais comme une sorte de besoin de le venger. Aujourd'hui, je pleure. Et c'est pas sur lui puisqu'il a trouvé son épanouissement total. Alors pourquoi ?

Il regarda le cercueil sur l'affût de canon.

–C'est comme si les États-Unis s'étaient éloignés de nous depuis la mort de Kennedy.

–Peut-être parce qu'il était catholique comme nous, dit Nicole

–Peut-être... mais y a plus que ça.

–Comme tu disais, à cause de ses enfants...

–Mais y a autre chose.

–Parce que lui et sa femme avaient l'air jeunes, comme nous. .

–Tout ça et autre chose aussi... d'indéfinissable. C'est bizarre, les changements qui se produisent dans l'image d'un homme après sa mort Et quand cet homme est président de son pays, alors c'est l'image du pays qui change.

Il se coucha sur le divan.

–Patricia dort ?

Elle fit signe que oui.

–Depuis deux mois, on l'entend plus. Un ange. Par chance, sinon j'aurais claqué une dépression nerveuse.

–Je la regardais tout à l'heure, elle sera jolie, notre fille.

–C'est pour ça que tu la prends dans tes bras plus souvent ?

–Depuis qu'elle sourit pis que son intelligence s'éveille, je suis plus attiré vers elle.

–Espérons que tu le seras assez pour pas la faire passer après tes parties de cartes !

–Que j'aille jouer aux cartes veut pas dire que je l'abandonne !

155

–Évidemment! Ta servante reste à la maison et s'occupe d'elle !

–Tu cherches par tous les moyens à me clouer entre les quatre murs de la maison, dit-il avec une moue dédaigneuse.

–J'y suis clouée ben plus que toi. Tu passes toutes tes journées à l'extérieur. Le moins que tu pourrais faire serait de rester un peu à la maison le soir. C'est trop demander pour une servante ?

–Le jour, je gagne ma vie à l'extérieur et le soir, il m'arrive d'avoir besoin de voir du monde...

–Si tu restais à l'année longue entre les quatre murs de la maison, tu trouverais ça invivable.

–Je t'enferme pas à clef.

–L'entretien de la maison et du bébé, on fait pas mieux comme cadenas.

–Quand tu t'ennuies, habille le bébé et va faire un tour.

–Pour aller où ? Un village fantôme.

–Va voir les femmes que tu connais: Lucette, Marie, Solange...

–Pour me faire dire en revenant que je perds mon temps à placoter ici et là ? Merci! Chaque fois que l'une d'elles vient ici, tu te fâches.

–Je me fâche pas parce qu'elles viennent ici, mais parce que vous cessez pas de dire du mal des autres. Et si ça se passe chez elles, au moins j'entendrai pas ça. C'est parce que vous êtes trop renfermées dans vos cuisines que vous êtes si agressives les unes envers les autres ? Et dis-toi ben une chose, c'est que toi aussi, tu passes au cash quand t'es pas avec elles, hein!...

–T'exagères...

–Un bon soir, je vous enregistre et vous fais écouter la bande

–J'ai pas eu la chance comme toi d'aller à l'université pour parler de choses savantes.

–Nous y revoilà! Encore une discussion qui mène nulle part! C'est une par jour asteur.

–J'ai pas les mots pour me défendre. Suis donc coupable. L'instruction, ça donne raison !

–Et voilà la guerre: attaque, défense...

–On devrait parler de monsieur pis de sa servante

Elle se leva et claqua la porte du salon après avoir lancé·

–Quand tu te conduiras comme un homme, ça ira mieux ici

Il tourna la tête vers le téléviseur et laissa les images tournoyer dans ses yeux, mais sans les regarder vraiment. Un commercial sur une nouvelle marque de cigarettes prit fin et une vue panoramique du cimetière d'Arlington apparut à l'écran. Quelques minutes plus tard, Nicole revint, plus calme, et s'assit, le regard fixe et froid, silencieuse.

Se sentant obligé de faire le pas suivant, il dit:

—Quand on aura notre maison, je pourrai bricoler, m'occuper du terrain, faire du jardinage. Y aura toujours quelque chose à faire. Mais ici, suis condamné à regarder éternellement la télévision. C'est tout à fait normal que je retrouve les amis une ou deux fois par semaine pour jouer une petite partie de poker.

—Parlons-en de notre maison! On doit faire attention jusqu'à la viande qu'on achète.

—Passe-moi une cigarette, mon paquet est vide, dit-il, se redressant.

Il alluma d'un geste rituel et mécanique, sans cesser de parler:

—Je me ferai transférer à St-Georges. L'an prochain, tu pourras travailler. Et on ramassera un petit capital pour notre maison.

—Moi, je pense qu'on s'en sortira jamais.

—La vie nous attend! On a rien que vingt-deux ans tous les deux. On va se battre et y arriver, tu verras, tu verras...

—C'est entre nous deux que ça cloche, je me demande si...

Il l'interrompit:

—Tout le problème vient de ceci: tu dois comprendre que je bâtirai jamais rien en restant assis dans la maison.

—Ni en jouant aux cartes avec tes amis non plus !

—Et ça recommence! C'était pas assez pour à soir ? On n'en parle plus, tu veux ? Depuis qu'on est mariés, on tourne éternellement en rond. Toujours les mêmes problèmes: l'argent, les cartes, l'ennui. Je ne veux plus rien entendre à soir.

Il se leva brusquement, tourna le bouton du téléviseur, se dirigea vers la chambre à coucher.

Muets, ils s'endormirent péniblement.

Pourquoi avait-il la tête si grosse ? Rêvait-il ? Pourquoi tout ce vacarme ? "Martel, Martel, criait-on à l'autre bout de l'univers." Il roula lourdement sur l'autre côté de son corps pour ne pas se réveiller. "Martel, réveille-toi!" crut-il entendre moins indistinctement. "Martel, lève-toi, y a du feu!"

Alors il reprit conscience. Il ouvrit les yeux, sentit, constata que la pièce était remplie de fumée. Il poussa Nicole:

—Le feu est dans la bâtisse, lève-toi, vite. Moi, je vais chercher la petite.

Au passage de la cuisine, il cria au sauveteur:

—On sort, on sort. Inquiet, il s'approcha du lit de l'enfant. Elle oscillait de la tête à gauche et à droite, comme elle le faisait toujours avant de s'endormir. Le père sourit.

—Viens la prendre. Moi, je vais nous chercher des vêtements, cria-t-il à Nicole, qui le suivait.

Il lui mit l'enfant dans les bras.

–Laisse faire les vêtements, cria-t-elle.

–Si on est encore vivants, il nous reste ben encore une minute pour nous quérir de quoi nous mettre sur le dos Il fait froid à ce temps-ci de l'année. T'as ta robe de chambre, va t'en tout de suite chez mon frère avec la petite pour qu'elle prenne pas froid.

Nicole sortit. Elle attendit son mari en haut de l'escalier. Quelques minutes plus tard, il la rejoignit, les bras chargés de vêtements. Ils se rendirent chez un frère d'Alain à quelques maisons de là.

Une heure plus tard, la bâtisse entière brûlait, emportant tous leurs biens dans le néant.

–Que ferez-vous ? demanda l'un.

–Se cracher dans les mains pis recommencer à neuf ! dit Alain au nom du couple.

–Ces jeunes-là ont du courage ! dit l'autre

Ils finirent la journée chez la mère de Nicole où ils discutèrent.

–On fera garder l'enfant et on travaillera tous les deux, dit Nicole.

–Je pourrais garder Patricia, dit la mère

–Le travail dans la région est rare et peu payant, objecta Alain.

–J'irai en ville, dit Nicole avec détermination

–On sera séparés tous les trois, dit-il.

–Alain, toi, tu pourrais demeurer ici avec Patricia, proposa la mère

–Pis moi, je viendrai toutes les quinzaines, dit Nicole.

Les décisions furent prises au nom d'un avenir meilleur, des nécessités de la vie, du partage des tâches, du bon sens, de l'esprit de sacrifice, de l'amour.

–Tout ça parce que j'avais pas les moyens de me payer des assurances dans cette bâtisse-là ! conclut-il tristement.

***

Chapitre 8

1965

Lorsque sa femme partit pour la ville, il pleura. Mais en même temps l'effleura un vent d'espoir qu'il ne put s'expliquer et dont il eut honte. Alain eut honte aussi, dans les semaines qui suivirent, de rire aux premiers mots de Patricia, aux espiègleries de ses élèves, aux gags de la télévision.

La honte finit par disparaître. Elle fit place à de la peur: peur de se sentir heureux. Ce n'était pas logique de pouvoir, chacun de leur côté, tous les deux, être heureux. Il devait sûrement y avoir une erreur quelque part en eux-mêmes, et cette malformation était inavouable! Et pourtant les faits étaient là: ils souffraient d'être séparés, ils s'ennuyaient l'un de l'autre, mais vibraient intensément chaque fois qu'ils se retrouvaient. La séparation d'une quinzaine multipliait leurs joies: joie d'être réunis tous les trois, joie de se parler d'avenir comme au temps des fiançailles, joie de faire l'amour, joie d'être libérés des contraintes financières. Tous deux avaient retrouvé les rêves, les espoirs et le désir. Chacun pensait, mais ne l'avouait pas à l'autre, qu'ils devraient profiter de l'occasion pour ramasser le capital nécessaire à l'achat d'une maison.

Néanmoins, dès le départ, un problème sexuel, causé par l'utilisation de la méthode du calendrier, se présenta. Cette méthode, parce qu'elle était la seule permise par leur religion, força Alain à une longue réflexion. Une fin de semaine, il en parla à Nicole.

–Le problème est le suivant, exposa-t-il méthodiquement Un· notre sexualité est une valeur positive. Deux: les circonstances ne nous permettent pas d'avoir un autre enfant tout de suite. Trois· les circonstances nous permettent pas, non plus, d'utiliser la méthode du calendrier. Conclusion: tu vas prendre la pilule anticonceptionnelle, à moins que t'aies d'autres raisons de la refuser que les exhortations de la religion

T'en parleras à un prêtre à Montréal. Semble-t-il qu'en ville, ils sont plus compréhensifs qu'ici! Ensuite t'iras voir un médecin.

–Alain, j'en ai déjà parlé à un prêtre et il a rien voulu entendre. Pas question d'absolution!

L'homme entra dans une fureur noire, comme ça lui arrivait parfois quand il sentait du non-sens expéditif s'opposer à une argumentation bâtie sur plusieurs bases irréfutables...

–Il t'a dit quoi ? demanda-t-il, les yeux ronds et durs.

–Qu'il fallait être catholiques ou pas... que l'Église défend l'usage de la pilule... des choses du genre.

–Ben je vais régler moi-même le problème, fit-il, les mâchoires serrées. Je vais te dégager de la question de religion. La prochaine fois que tu iras au confessionnal, dis-leur que ton mari t'oblige à prendre la pilule, ce qui sera la vérité. Parce que... à partir d'aujourd'hui, plus de sexualité entre nous si tu la prends pas ou que t'emploies un autre moyen contraceptif efficace. Comme ça, ton âme sera en paix. Quant à la mienne, je m'arrangerai ben avec! J'en ai marre d'une religion de favoritisme Si on avait de l'argent qui nous permettrait de vivre ensemble, on pourrait utiliser la méthode Ogino-Knaus pis on aurait l'âme en paix. On pourrait même avoir d'autres enfants puisqu'on aurait de quoi les faire vivre. Au diable une religion qui ne donne l'absolution qu'aux riches! D'ailleurs, j'ai pas mal réfléchi sur nos croyances religieuses depuis quelque temps et je pense qu'on s'est fait drôlement avoir dans le passé. Ces gens-là ont toujours entretenu en nous, volontairement ou non, des peurs malsaines et morbides, jusqu'à la peur de cette valeur sans doute la plus positive en nous: la sexualité. On nous tourmente depuis notre enfance en nous menaçant des tourments de l'enfer. Un Dieu infiniment parfait condamnerait-il une de ses propres créatures à la peine éternelle simplement parce qu'elle suit ses impulsions naturelles positives dont il est lui-même l'Auteur ? Aucun sens! Avec toute ma méchanceté d'homme, je ferais jamais une chose pareille. Le ferais-tu, toi ? Et qui le ferait ? Sommes-nous donc meilleurs que Dieu ? Non! Dans ce cas, tout est distorsionné: cette religion nie la nature humaine. Partout dans le monde, des enfants sont mis dans la misère noire parce que cette religion de merde défend la contraception Au nom de quoi ? Au nom de la vie, disent-ils. Car ils ont le front, obèses de richesses qu'ils sont, d'appeler la vie ce que vivent des millions d'enfants du Tiers-Monde et souvent même des enfants d'ici. Je te prédis que dans moins de dix ans, plus personne voudra rien savoir d'âneries pareilles. Ils diront alors bêtement, vicieusement, comme ils l'ont toujours fait: les temps changent et l'Église s'adapte. Et là ils entortilleront les crédules qu'on est d'une autre manière.

Ne faites pas ceci, ne faites pas cela, sinon vous brûlerez éternellement. C'est une religion de vengeance, de haine, de chantage, de menaces. Le mot pardon lui-même se trouve à être galvaudé puisqu'il présuppose la culpabilité chez le faible. Car c'est toujours le petit qui est cou-

160

pable! Quoi de positif dans cette religion-là ? Même les rites sont ennuyeux. À l'avenir, je passerai mon temps de messe à admirer la grande nature et à réfléchir mes rapports avec mon Créateur, sachant que Dieu peut pas se faire le complice de ces marchands d'indulgences, semeurs de menaces, seuls détenteurs de la vérité, penseurs publics au service des riches. Parce que si Dieu est derrière tout ça, alors avec toutes les ressources de mon âme, je veux me passer de Lui Pis que le diable l'emporte, ce Dieu-là !

–Alain, tu devrais te calmer un peu pis me laisser placer un mot. Je sais que t'es convaincu, mais t'as pas besoin d'en dire autant pour me convaincre. Tout d'abord, j'ai envoyé promener le prêtre, et ensuite, je me suis fait prescrire la pilule par un médecin. Deuxièmement, on ferait mieux de continuer à pratiquer notre religion comme si de rien n'était. Si maman apprenait que je prends la pilule et qu'on pratique plus, elle pourrait refuser de continuer de pensionner Patricia pis toi.

–Faudra faire les hypocrites pour éviter des problèmes ?

–Toute vérité est pas bonne à dire !

Les paroles de Nicole avaient jeté une douche froide sur l'esprit du jeune homme Il se ravisa et changea de ton.

–D'accord, je ferai semblant puisqu'il le faut! Mais dès que je le pourrai, je me débarrasserai de ce maudit carcan que je subis avec un sourire d'imbécile depuis trop longtemps. Si j'avais eu l'idée de réfléchir à tout ça avant l'âge de vingt-trois ans! Mais non! J'ouvrais la bouche et je gobais comme une grenouille les mouches. À partir de maintenant, je vais me faire une idée par moi-même sur les choses et sur la vie en essayant de détruire personne Quant aux prêcheurs, ils ne me reprendront plus.

–Parlons plus de ça. J'aime pas quand tu t'énerves comme ça. De toute façon, le problème est résolu. Retournons à la maison. Allons nous coucher. Viens...

*

Prenant exemple sur l'humanité, Alain s'était convaincu que son bonheur et celui des siens ne pouvait passer par un autre chemin que celui de la réussite matérielle. Se méfiant désormais des grands exemples, il s'était auto-analysé et cette réflexion avait raffermi sa décision de réussir. Il percevait en lui-même le goût des grandes entreprises, c'est-à-dire, pour lui, à la dimension de son petit patelin.

Ses lectures de livres américains avaient confirmé ses théories quant aux clefs de la réussite et, par conséquent, du bonheur· des amis, du capital, du travail, des idées. Ses boîtes à beurre avaient brûlé, mais il gardait ses plans bien nets en mémoire Il avait donc des idées. Quant au travail, il se répétait que le meilleur homme ne pouvait disposer que de vingt-quatre heures dans une journée Lui serait productif pendant seize heures. Il se mit donc en quête d'amis, présumant, pour ce qui était du capital, qu'une heureuse combinaison des trois autres, idéestravail-amis, y pourvoirait.

Il rayonna tout d'abord auprès de ses élèves, leur consacrant beaucoup de temps et d'énergie. Activités parascolaires, organisation de soirées d'amateurs, de fêtes, de concours, venaient régulièrement s'ajouter à ses originalités pédagogiques. Sa popularité grandit. Constamment entouré d'une meute d'étudiants qui se chargeaient de lui créer une agréable réputation auprès des gens de St-Honoré, l'on ne tarda pas à le rechercher pour des travaux bénévoles dont, le plus souvent, personne ne voulait.

Le député en profita pour se débarrasser de la tâche d'organiser une soirée folklorique pour la télévision. Il la présenta comme un cadeau et c'est ainsi qu'Alain en accepta la charge. Quadrillant la paroisse à la recherche de danseurs, gigueurs et chansonniers, il eut tout d'abord du mal à convaincre les gens de participer; mais quand la roue se mit à tourner, il y eut au moulin plus d'eau que nécessaire, plusieurs offrant leur coup d'épaule et insistant pour le donner, à un moment où l'entreprise se serait bien passée d'eux.

Comme il fallait sélectionner les amateurs les plus typiques et les plus aptes à bien balancer une émission de télévision, Alain fit appel à l'animateur lui-même et une soirée éliminatoire eut lieu. Dans la semaine qui suivit, il avisa ceux qui avaient été choisis. Alors des bruits lui vinrent aux oreilles, voulant qu'il eût fait du favoritisme et soutenant que l'animateur de la télévision n'avait pu, logiquement, faire un tel choix. Alain s'en défendit avec tant de force qu'il réussit à convaincre tout le monde qu'il était réellement coupable. Jusqu'aux élus qui lui pardonnaient volontiers son patronage en le gratifiant de paroles et de sourires complices qui le rendaient chaque fois mal à l'aise.

Diction et gesticulation eurent l'heur de faire s'estomper les ragots derrière son miroir au cours des derniers jours avant l'émission

Le grand soir du quinze mai arriva enfin. L'animateur de la télévision avait lui-même organisé son tableau du terroir en désignant sa place à chaque amateur dans le studio à décor rustique.

–En avant la musique ! cria-t-il cinq secondes avant le début de la télédiffusion.

Notes de violon et accords de piano, d'emblée, inondèrent le petit studio d'accents typiquement québécois. vifs, enjoués, centenaires, familiers.

Pour combattre le trac, Alain se laissa aller à des divagations sociologiques. Il recherchait des éléments indiquant que son peuple avait le goût des choses rapides: ce rythme folklorique si nerveux, le hockey sport de vitesse, la façon de travailler des Québécois, leur façon de conduire sur les routes, leur façon, au dire des prêtres et de bien des femmes, de faire l'amour...

Quelques secondes après que la lumière rouge se soit allumée sur la caméra, l'animateur entra dans le champ de vision, et dit

162

—Bonsoir amis du folklore, et bienvenue à cette grande soirée canadienne. Ce soir, nous allons visiter les gens de St-Honoré de Beauce et nous allons assister à leur fête au village. Ne nous quittez pas, nous vous revenons pour une première chanson tout de suite après ce message de Federal Packing, fabricant des meilleures saucisses à hot dogs au Québec.

Alain poursuivit sa réflexion sur les richesses du terroir dans lesquelles il s'était littéralement baigné ces dernières semaines. "Les Américains nous battent peut-être en bien des choses, mais en folklore, ils nous arrivent pas à la cheville." Dans son esprit, défilèrent pêle-mêle des dizaines d'images folkloriques: gigueurs aux jambes ensorcelées, chanteurs de chansons à répondre, danseurs de quadrilles, joueurs de – ruine-babines, violonneux, danseurs en petit bonhomme, accordeurs du pied, joueurs de cuillers, 'calleurs de sets canadiens'...

Là, il frissonna, fier de son peuple.

"Nous avons une langue, une culture, du talent, un peuple travailleur, un pays riche. Que nous faut-il de plus ? La touche des affaires... Comme l'éducation commence à se répandre, ça viendra bientôt. L'avenir est grand, merveilleusement grand, ici même, au Québec, chez nous.. "

—Tu veux-tu, tu veux-tu tu pas, s'écria Maxime le cœur plein d'estime; tu veux-tu, tu veux-tu tu pas...

Madame St-Pierre, une femme entre deux âges, avait, sur un signe de l'animateur, entamé sa chanson à répondre. Elle rata quelques notes aiguës, mais reçut quand même de chauds applaudissements. Et Alain pensa à cette façon qu'avaient les siens de se tendre la main quand le malheur frappait l'un d'eux. "D'autant plus qu'on n'a pas toujours les moyens de se prendre des assurances."

—Voilà, chers téléspectateurs, c'était madame St-Pierre qui nous chantait Maxime. Et on fait suite avec une petite chanson interprétée par madame Auclair. Où est-ce qu'elle est, madame Auclair ? Approchez-vous madame Auclair.

Une jeune femme timide rejoignit l'animateur devant la caméra

—Madame Auclair, qu'est-ce que vous allez nous chanter ce soir ?

—Viens dans ma grange, répondit-elle à mi-voix.

—Cré diable! tout de suite, madame Auclair.

Les amateurs rirent; la jeune femme sourit vaguement, d'un seul côté du visage.

—Les musiciens sont accordés; madame Auclair nous amène dans sa grange; en avant la musique!

—Je suis une fermière, je reste à St-Honoré, je viens vous raconter ce qui m'est arrivé. Tam di dilam, tam di dilo, dilo, dilo.

Pendant que la voix fluette, s'accompagnant de gestes gauches, poursuivait sa chanson, Alain retourna à sa réflexion folklorique. Au cours de ces dernières semaines il avait entendu plusieurs de ces vieilles chansons importées de France ou issues des débuts de la colonie. Il n'y avait trouvé que du rire: on y chantait amants, maîtresses, fêtes, noces, danses, boire, manger, amour, gauloiseries.. Aussi se demanda-t-il avec amertume comment la religion avait bien pu s'infiltrer dans cette culture et en arriver jusqu'à rendre les gens malheureux de leur propre nature. Il regarda le prêtre assis à une table au centre du studio, fumant religieusement sa pipe, et il se dit: "Pourtant, vos influences négatives diminueront un jour !"

Il redonna vite son attention aux artistes amateurs, désireux de chasser de son esprit ses pensées agressives.   .

La chanson égrillarde de madame Auclair fut suivie d'un set canadien que les danseurs avaient pratiqué tous les soirs pendant les trois dernières semaines. Puis ce fut une chanson à répondre interprétée par une enfant. Puis une chanson sans rythme ni accompagnement dite par un vieux. Puis une danse à claquettes. Puis une danse en petit bonhomme. Alain aurait voulu retenir le temps, mais le temps lui poussait dans le dos. Et, sans rémission, son tour arriva.

Il commenta un court métrage tourné sur St-Honoré, puis présenta deux couplets d'une chanson à répondre. Lorsqu'il retourna à sa place, il tenta vainement de se souvenir de ce qu'il venait de faire. L'énervement avait bloqué sa mémoire, l'empêchant d'emmagasiner des images

—Comment c'était ? demanda-t-il à voix basse à une jeune fille juste à côté de lui

—Parfait, dit-elle sans bouger la tête, car son tour arrivait

Elle obéit au signe de l'animateur, se rendit chanter et revint à sa place.

—Comment c'était ? demanda-t-elle.

—Excellent ! répondit-il.

Après les entrevues avec le curé, le maire et un couple de vieillards, l'émission tirait à sa fin. L'animateur dit·

—Nous allons maintenant inviter l'organisateur de cette magnifique soirée, monsieur Alain Martel, à s'avancer pour recevoir ce très beau trophée de marque RZ fabriqué dans notre région, soit à Notre-Dame-des-Pins. Comme vous l'avez vu tout à l'heure, l'organisateur de ce soir est un tout jeune homme, mais il sait faire les choses: comme quoi la valeur n'attend pas le nombre des années.

Alain s'approcha sous les applaudissements, et l'animateur, après lui avoir serré la main, poursuivit:

—Monsieur Martel, merci beaucoup de votre excellent travail. Au nom de nos téléspectateurs et au nom du poste de télévision, on vous décerne ce trophée souvenir. Encore une fois bravo et félicitations !

Prenant la parole, Alain dit, sur le ton de l'improvisation, un texte qu'il avait néanmoins répété des dizaines de fois:

—Je voudrais remercier tout le monde, tous nos talents de St-Honoré: chanteurs, danseurs, musiciens, mais aussi les notables qui ont bien voulu nous accompagner ainsi que le poste de télévision et vous-même, monsieur Bilodeau, de nous avoir si bien accueillis. J'accepte ce trophée au nom de tous ceux qui ont participé. Merci, merci à tous ! Il prit le trophée et retourna à sa place.

–Félicitations encore une fois à tous nos artistes de St-Honoré et bon voyage de retour... L'animateur fit son laïus de fermeture, après quoi les musiciens attaquèrent un set canadien sur un rythme endiablé.

Ce rythme se transporta sur l'autobus lors du voyage de retour à St-Honoré. Le joueur de ruine-babines, une caisse de bière entre les pieds, donna la note pendant tout le trajet et son instrument ne se taisait qu'enterré par les voix de tous, répondant aux chansons conduites par un homme particulièrement boute-en-train ou encore par le cri d'un danseur:

–Qui veut une bière ?

–Par chance que le curé et les notables ont pris leur voiture particulière, dit Alain à sa voisine de siège, sinon ce serait moins fringant dans l'autobus

–Par chance ! dit-elle.

*

Une semaine plus tard, à la porte de ce vieux couvent où il enseignait, le jeune prof fut accosté après son travail, par un homme du village, Philippe Morin, qu'il connaissait depuis toujours.

L'homme s'était souvent mêlé d'organisation politique à tous les paliers de gouvernement. Cependant, devenu fonctionnaire syndiqué en 1960, il n'avait plus, par la suite, tâté activement l'organisation électorale, mais il gardait un certain goût pour les affaires publiques dont il suivait d'une façon aussi passive que passionnée les flux et reflux. Alain l'avait entendu raconter maintes choses durant leurs communes parties de poker.

Au seuil de la quarantaine, père de douze enfants, Morin s'était formé lui-même, à la dure école de la forêt: la grande école de sa génération et des précédentes. Par complexe, il était respectueux des diplômes; par conviction, des autorités civiles; par nécessité, des autorités religieuses; par nature, du travail. Si les circonstances l'avaient fait premier ministre, sans doute eût-il été meilleur que bien d'autres, car il était un excellent manicur d'hommes, à l'écoute autant de son flair que de sa faculté de raisonner, mais aussi parce qu'il montrait beaucoup de facilité à concilier le blanc et le noir chez les humains. Il croyait aux idées nouvelles, mais pas aux idées neuves. Nouvelles, mais quand même essayées ailleurs, éprouvées quelque part au Canada ou aux États-Unis. Par contre, il se méfiait de l'originalité qu'il jugeait trop dangereuse

–Le fiston, ça va en classe ? demanda-t-il.

–Pas trop mal. Ses notes se sont améliorées ces derniers temps et il a de meilleures chances de réussir son année.

Morin mordit avec fracas le bouquin de sa pipe et dit:

—C'est pas le plus travaillant de mes enfants.

—De ce temps-ci, il n'est pas mal, dit Alain avec réserve.

—Quand faut s'occuper de douze à la fois, on fait ce qu'on peut pour chacun. En tout cas, suis pas venu pour te parler de Ghislain. . As-tu une demi-heure pour jaser un peu ?

—J'allais au restaurant. Allons prendre un café.

Ils marchèrent vers la rue.

—Je veux te parler de quelque chose qui rejoint un peu ton travail d'enseignant. Comme professeur, t'es ben aimé, ici. Les jeunes ont une bonne opinion de toi.

—Ben...je fais mon possible...

—Plusieurs dans la vie font ben moins que leur possible, reprit l'autre.

Il changea sa pipe de coin de bouche et poursuivit:

—Tu aimes t'occuper des jeunes, tu sais t'y prendre avec eux, que dirais-tu de faire partie de l'Oeuvre des Terrains de Jeux ? Tu ferais du bon travail là-dedans. L'été arrive et les jeunes de St-Honoré n'ont pas grand chose pour s'amuser. Ici, nous avons moins d'équipements sportifs qu'à St-Martin ou même qu'à St-Benoît.

—L'O.T.J. va mal ou quoi ?

—C'est de ça que j'veux t'parler.

Ils traversèrent lentement la rue, entrèrent dans le restaurant, s'assirent à une table isolée.

—Vois-tu, l'O.T.J. est formée de personnes âgées qui avancent pas trop vite. Ces gens-là essaient avec toute leur bonne volonté, mais réussissent pas. Ce qu'ils font, ça prend pas. L'an passé, ils ont tenu une fête à la tire, une tire de chevaux, des parties de cartes: échecs pardessus échecs. Mauvaise organisation ! Tu vois ce que je veux dire ? Toujours est-il que la semaine dernière, ils ont tenu une réunion et ont tous démissionné. Ils ont remis les livres au curé, disant qu'il fallait du sang nouveau dans l'organisation. Le curé m'a donné rendez-vous et il m'a demandé de reprendre tout ça en mains. Répondre non avec douze enfants à la maison ? Là, j'ai décidé de prendre une semaine de réflexion. Je me suis dit que j'accepterais la présidence si je me trouvais un bon secrétaire: quelqu'un de jeune, qui a pas peur de l'ouvrage pis qui serait dynamique. En d'autres mots, j'ai pensé à toi.

Et l'homme s'esclaffa. D'un rire plein, complice, honnête

Sérieux, Alain dit:

—Au départ, suis pas intéressé de travailler dans une organisation qui utilise des vieilles recettes comme des fêtes à la tire ou des parties de cartes. On est en 1965, pas en 1950...

—C'est ce que je dis! Faut du sang neuf, des idées neuves, des énergies nouvelles.

166

−Je vas prendre le temps d'y penser.

−C'est normal. Je te donne rendez-vous ici, à la même heure, demain. Ça marche ?

−Je vais me faire une idée d'ici là.

L'autre continua son travail de conviction jusqu'à la fin de sa pipée de tabac dont la puissante odeur tuait celle du café fumant.

Vingt-quatre heures plus tard, assis au même endroit, ils reprirent leur discussion. Je t'avoue que ton offre m'intéresse pas beaucoup et pour les mêmes raisons que je te donnais hier, dit Alain entre deux gorgées de café brûlant.

Le visage de Morin tourna au cramoisi. Il mâchonna nerveusement le bouquin de sa pipe.

−Si c'est pour être rien que secrétaire, je refuse. Perdre mon temps sur des idées poussiéreuses, ça me dit rien. Je dirais oui à condition de savoir à l'avance que l'organisation prendra de l'ampleur et vite. Un bateau, pas une chaloupe...

−Y a même pas de chaloupe.

Le jeune homme haussa les épaules.

−Comme tu voudras. Chacun est libre de ses actes, dit Morin avec fracas.

−Attention, je dis pas non et je m'explique, dit Alain. J'ai une idée en tête, un projet qui me trotte dans l'esprit depuis deux ans, et je deviendrai secrétaire que si on accepte d'avance de le réaliser cet été.

−Normalement, faut adhérer à une organisation avant de lui demander d'endosser un projet.

−J'ai pas de temps à perdre, répliqua Alain sur le même ton.

L'autre se radoucit:

−Écoute, explique-moi ton idée. Ces jours-ci, je tâterai le terrain autour dans la paroisse. Et on se reverra.

−D'accord. Voici les grandes lignes...

Il exposa à gros traits son plan de foire agricole, argumentant sur les atouts que possédait sa paroisse pour en faire une réussite.

−Mais faut de grandes structures. Rêver grand comme disent les Américains. Mobiliser une centaine de personnes, créer une douzaine de comités, viser tous les publics.

−Une exposition comme à Québec ou Sherbrooke?

−Plutôt comme les 'state fairs' américaines. On mettra l'accent sur ben des choses parmi lesquelles l'agriculture. Exposition d'animaux, spectacles, concours divers, carnaval ambulant, kiosques d'amusement, élection d'une reine, exposition industrielle, expositions artisanales.

−Ben... Québec, Sherbrooke, Saint-Hyacinthe, Victoriaville, c'est comme ça... Et du monde pour organiser tout ça!

–Un bon cent bénévoles. Que chacun nous en amène dix autres et ça fera au moins mille têtes sur le terrain le jour de l'exposition.

–Mille personnes qui viennent cet été pour assister à quelque chose et je jette mon chapeau au ruisseau, lança Morin.

–Pas mille, trois mille, dit Alain, resplendissant. Le mille dont je te parlais n'est que la base.

–Commençons par mille, dit l'autre en vidant bruyamment sa pipe dans un cendrier. Si je comprends ben, t'accepterais d'être secrétaire à condition que cette idée d'exposition soit acceptée d'avance par une organisation qui existe même pas encore ?

–C'est à peu près ça!

–Dans ce cas, rappelle-toi de tout ce que tu m'as dit aujourd'hui. Mets ton projet par écrit. Établis une liste de tes comités d'organisation. Dresse les structures sur papier. Dans quarante-huit heures, je te donne des nouvelles... probablement positives. Pis lundi prochain, on remet l'O.T.J. en marche. Article 1: exposition agricole à St-Honoré cet été.

–On l'appellera foire comme en France. Pas exposition, insista Alain.

L'autre regarda au loin. Ses yeux ne dépassèrent pas une certaine hauteur. Il le trouvait bien survolté, ce jeune homme!...

*

Alain se retrouva ainsi, quelques jours plus tard, devant son premier grand défi à relever. Il aurait enfin l'occasion de se prouver à lui-même qu'un de ses projets tenait debout. Avec toute l'énergie de sa jeunesse, il plongea à corps perdu dans le travail d'organisation.

Il fallait commencer par convaincre les gens. Il entreprit de le faire en utilisant des moyens publicitaires, tandis que Morin, répondant mieux à l'âme du milieu, travaillait dans l'ombre, mais avec beaucoup plus d'efficacité, par du bouche à oreille auprès des individus. Cependant, les deux crédibilités naturellement complémentaires abattaient de jour en jour les doutes et les hésitations. Mais il ne leur fallut pas moins se contenter d'une vingtaine de bénévoles au lieu de la centaine escomptée par Martel dans son plan de base. Par contre, les agriculteurs ne se firent pas prier, ce qui permit aux organisateurs de consacrer ailleurs leurs efforts.

Ils avaient établi leur quartier-général dans une petite bâtisse située à une extrémité du terrain de l'O.T.J. et qui, l'hiver, servait de refuge aux patineurs. Alain y passait le plus clair de son temps à planifier, rédiger, compiler, anticiper, équilibrer.

Morin puisait auprès de son secrétaire sa motivation, car l'enthousiasme du jeune homme était délirant. Quant aux idées, son expérience de la chose publique lui commandait d'en reporter la moitié à plus tard, accusant le manque de temps et de travailleurs. En réalité, il lui répugnait de déroger au plan de base et il restait méfiant face aux idées de grandeur de son secrétaire.

Auprès des gens, Alain employait le style direct, sans passe-droit envers qui que ce soit. Il s'attirait ainsi la sympathie des jeunes qui trouvaient à ses manières tranchantes et ils prirent l'habitude de faire appel à la souplesse et à la diplomatie complice de Morin qui coordonnait, arrangeait les choses, réparait les pots cassés, souriait, manipulait

C'est ainsi que Morin, donnant de multiples feux verts, dérogea à plusieurs reprises au plan de base dans la répartition des espaces aux exposants industriels et commerciaux. La plupart d'entre eux obtinrent néanmoins satisfaction, mais l'un d'eux ayant posé une exigence susceptible de déranger tout le monde et à laquelle Morin ne put répondre, menaça de se retirer lors d'un appel téléphonique à Martel.

Alain rapporta l'appel à son chef:

—Barbeau m'a appelé pour me dire qu'il va se retirer s'il a pas un corridor du côté nord.

Avec un peu de malice, le jeune homme ajouta·

—Si on avait donné moins de permissions spéciales, ça arriverait pas

—Barbeau ? s'écria Morin. Il veut se retirer ? Qu'il le fasse! Un éternel mécontent· on est mieux de pas l'avoir Donne-lui tous les corridors pour cinquante dollars et il sera pas encore satisfait. Sans les changements qu'on a permis, sept ou huit exposants se seraient sentis mal à l'aise, tandis que là, y en a qu'un et on peut aisément le remplacer.

—Deux poids, deux mesures: c'est mauvais au départ!

—Je te le dis pas comme un reproche, mais mon opinion est la suivante. Quand t'administres quelque chose, chercher à tout prix à diviser en parts égales pour chacun, même si c'est juste en principe, donne toujours des résultats désastreux. La même chose qui satisfait un déçoit l'autre! Tu peux offrir chances égales au départ comme tu l'as fait avec ton plan de base, mais ensuite, laisse les gens négocier entre eux.

Alain coupa.

—Mais souvent, deux ou trois fins finauds finissent par manger la laine sur le dos des autres.

—Les gens sont moins bêtes que tu penses. S'ils ont chance égale au départ, ils sauront négocier ce qui fait leur affaire. Quand on est jeune, on est porté à vouloir sauver le monde, mais on oublie que les gens préfèrent se sauver eux-mêmes. Un plan de base, ça s'applique avec prudence et souplesse.

—Tu y tiens pourtant au plan général de la foire !

—Évidemment! Mais c'est un plan d'organisation, pas un plan de distribution. Dans un plan organisationnel, faut que tu saches où tu vas et que tu changes pas trop souvent d'idée; autrement, t'arriveras jamais à rien. Mais dans un processus distributif, ceux qui assurent la distribution doivent rechercher la justice, mais pas essayer de l'imposer, parce que là, le mécontentement devient général, plus personne ayant son mot à dire.

—Tu parles comme un prof de philosophie.

—À chacun son école, dans la vie! Sur certaines choses, à parler avec les gens, on peut en apprendre plus que...

—Qu'à l'université, coupa Alain. Ma femme me dit ça souvent.

—En tout cas, on pourra reprendre la discussion là-dessus après la foire. Parle, parle, jase, jase, avec la journée qui nous attend ..

—Pis surtout celle de demain. La grande journée ! soupira Alain.

*

Il se leva tôt le matin du vingt août. Son premier geste fut de jeter un coup d'œil au ciel. Le temps était clair, même si la météo avait annoncé la veille des nuages et des risques d'averses.

"Les réponses à toutes les questions sont données, reste à savoir quelle sera la grande réponse: celle du public."

Il ne fut pas le premier à se rendre au lieu de l'événement du jour. Morin l'y avait précédé de deux bonnes heures.

Vers neuf heures, les camions remplis de bêtes commencèrent d'arriver. Également ceux des exposants divers. Deux heures plus tard, le préposé au comité d'exposition des animaux entra dans la cabane qui servait de bureau temporaire à l'exécutif

—Tout le monde est là! s'exclama-t-il, la mine réjouie Enfin quand je dis tout le monde, je veux dire tous les animaux

Et il s'esclaffa, les yeux presque clos, enfouis derrière la graisse rose de son visage double.

—Je vais jeter un coup d'œil, dit Alain.

Et il sortit.

Alignés comme des soldats indisciplinés, le long d'une clôture, se trouvaient toutes les bêtes de l'exposition. Les unes mâchouillaient du foin qu'on leur avait généreusement distribué, tandis que les autres se répondaient dans un concert à deux instruments: celui des hennissements et celui des beuglements. Génisses, poulains, vaches, juments, taureaux, étalons voisinaient, selon leur appartenance. Alain ne distingua pas les races. Il aurait volontiers confondu Holstein, Ayrshire ou Canadienne, et les Herefords ne lui auraient dit rien de moins que les fameux Charolais, ces prestigieux immigrants français de fraîche date. Il avait bien appris en sa jeunesse à traire les vaches et à nourrir les porcs; mais, chez lui, les animaux n'avaient pas de nom. Ni propre ni de race. Ailleurs, chez les vrais cultivateurs, chez ceux qui aimaient leurs bêtes, chacune avait son nom de baptême, sa propre litière, ses manies particulières. Chaque enfant avait son groupe de bêtes et pleurait quand il fallait envoyer l'une des siennes à l'abattoir. En ce matin de foire, Alain aurait bien échangé quelques cœurs gros d'enfance pour faire mieux que de différencier une génisse d'un poulain.

170

Il tourna la tête du côté des exposants industriels et commerciaux: tous les corridors étaient remplis. Plus loin, depuis la veille, les manèges multicolores du carnaval ambulant n'attendaient plus que les cris des enfants. Au centre, l'enclos du jugement, dessiné par de la sciure de bois, avait une forme vaguement rectangulaire qu'on avait précisée à l'aide d'un câble bien ancré. Au fond, sur la gauche. les kiosques d'amusement et à mangeaille, prêts à fonctionner. Ici et là· des bénévoles à l'œuvre.

Le jeune homme leva la tête vers l'ouest, l'œil inquiet d'y voir poindre des amoncellements nuageux. Son regard suivit la flèche de l'église, jusqu'au coq indiquant la direction du vent. Puis il rentra dans la cabane.

–Combien de personnes après-midi ? demanda-t-il à l'homme joufflu.

–Entre mille et quinze cents, répondit l'autre avec autorité. Prenons comme base les fêtes annuelles importantes des paroisses d'alentour et ça donnera au maximum dix-huit cents

–C'est ce que prévoit Phil. Pour ma part, je prédis vingt-cinq cents.

L'autre s'étouffa dans son rire:

–Vois-tu ça: vingt-cinq cents patients qui viennent regarder dix ou douze vaches pis une dizaine de chevaux ? Le scandale du siècle.

Réticent, Alain fronça les sourcils et rétorqua:

–Premièrement, y a ben plus d'animaux que tu le dis, et tu le sais. Deuxièmement, la foule cherche la foule La publicité leur donne l'impression que tout le comté va se réunir ici aujourd'hui et chacun voudra venir aussi. Troisièmement, que la moitié des gens de la place viennent, et déjà on aura douze cents personnes sur le terrain.

–Reste que le motif pour déplacer tout ce monde sera quand même qu'une cinquantaine d'animaux dans un enclos

–Moi, ça m'intéresse, le jugement des bêtes, protesta Alain.

–Ah! y a de bons éleveurs dans la région; mais des vaches, ça reste des vaches!

–Pas pire des vaches que des produits industriels Y en a pas deux identiques. De plus, faut des mois de soins intensifs pour préparer une bête, c'est pas du fait à la chaîne.

L'homme toisa Alain d'un sourire paternel, mais il ne poussa pas plus avant le sujet.

–Veux-tu me préparer deux copies propres de cette liste que les juges pourront utiliser cet après-midi ? Je passerai les prendre tout à l'heure.

Et il sortit

Alain se remit fébrilement au travail entre les visites des organisateurs et travailleurs bénévoles, et les appels téléphoniques. Au son de l'angélus, il retourna dehors pour jeter un autre coup d'œil au ciel. En rangs serrés, à l'horizon, les nuages finissaient par se disperser à mesure qu'ils s'approchaient; ils passaient, immobiles, au-dessus du terrain, très haut.

Une de ses élèves, qui lui était particulièrement dévouée et qui était déjà à son travail dans un kiosque-restaurant, prit sur elle de lui apporter un sandwich et un Coke. Bien qu'il ne sentait pas la faim, il les avala aussitôt. Après ce repas vite fait, il pensa qu'il n'avait même pas remercié l'adolescente et qu'il avait accepté son lunch comme un dû. Attirer l'attention de la jeune fille ne lui donna aucun mal car, mine de rien toutes les trois minutes, elle regardait dans sa direction, l'œil un peu triste de n'avoir pas eu droit à une récompense morale plus explicite. Alain envoya la main et sourit. L'adolescente fit un léger signe de tête et, timidement, battit des paupières, réprimant à peine un sourire rougissant. Il rentra dans sa cabane.

Les collecteurs entrèrent chercher leurs billets ainsi que les tabliers à poches qui devaient contenir l'argent ramassé. Puis les hommes de la circulation et du stationnement vinrent réclamer leurs épinglettes d'identification officielle. À leur tour, les uns après les autres, les préposés aux divers kiosques vinrent quérir leurs tabliers contenant la base de monnaie requise pour faire démarrer leurs activités respectives

Dans le tohu-bohu du va-et-vient où personne ne se faisait annoncer ni ne frappait à la porte avant de pénétrer dans le bureau, Alain ne remarqua pas l'arrivée de Jean-Paul Barbeau. L'homme s'approcha et frappa trois fois, sèchement, de son majeur maigre recourbé sur le bureau, dit d'une voix pleine de menaces:

—J'arrive avec mon truck rempli de trayeuses pis c'est que je vois ? Mon corridor loué à un d'autre. Explique ça, mon jeune homme ?

—C'est vous qui l'avez voulu, répondit Alain d'une voix incertaine Vous m'avez dit au téléphone que vous étiez pas intéressé d'exposer à moins d'être du côté nord. Je vous ai dit que si c'était possible, je vous rappellerais. On n'a pas pu vous déplacer. Donc, on a conclu que vous viendriez pas et on a loué votre espace à quelqu'un d'autre

—Mon petit gars, tu penses qu'avec ton instruction, tu vas venir tout régenter! Tu vas t'apercevoir que les affaires, ça marche pas comme ça! Mon truck est là pis tu vas me donner mon corridor.

—Vous aurez aucun corridor, ni aucune place sur le terrain. Les décisions sont prises autant par Philippe Morin que par moi-même. Remballez vos affaires pis revenez l'an prochain... J'ai même pas le temps de discuter avec vous.

—Tu te prépares un hostie d'orage sur la tête, mon petit gars

—Si vous voulez plus de détails, voyez Phil Morin. J'ai pas de temps à perdre.

Et le jeune homme fit mine de s'intéresser à autre chose.

Blême, rageur, hésitant, l'autre finit par tourner les talons Il sortit avec une infinie lenteur sans ajouter un seul mot.

Quelqu'un entra chercher une carte d'officiel; quelqu'un d'autre de la monnaie; un troisième, des billets pour une candidate au concours de la reine. Morin entra et marcha nerveusement de long en large, frappant vigoureusement des talons

—Au bas mot cinq cents personnes sont déjà sur le terrain et il n'est que midi et vingt. À ce rythme-là, on aura deux mille personnes à l'heure de pointe, vers quinze heures.

—Tant mieux, fit Alain. T'as parlé à Barbeau ?

—Non. Je l'ai vu sortir d'ici, mais il m'a évité. C'est qu'il voulait ?

—Il m'a engueulé pour son viargini de corridor

—On n'a pas le temps de s'amuser avec lui aujourd'hui S'il revient te baver, tu me l'enverras ou fais-moi venir Ses crises pour impressionner tout le monde, ça me fait pas peur...

—O.K., fit Alain. Où en étais-je ? Ah oui! Les gens de la radio sont installés ?

—Oui. J'ai parlé avec eux. Tout est prêt pis la radiodiffusion commencera comme prévu à une heure. Quant au reste, tout marche comme sur des roulettes. J'ai eu un petit problème avec le propriétaire du carnaval ambulant, mais c'est rien ! Il veut cent dollars pour mettre ses machines en marche. Tu te rappelles qu'on lui avait promis des bénévoles ?.

—J'ai complètement oublié de m'en occuper! s'exclama Alain.

—Pas grave, c'est arrangé !

—Je lui aurais dit de foutre le camp, dit Alain. Pingre comme il est, il serait pas parti.

—Plutôt de faire du grabuge

—Le petit vingt-cinq pour cent qu'il nous donne sur ses recettes moins cent piastres, il restera pas grand chose.

Un homme qui venait d'entrer dit sur le ton de la confidence.

—Les gars, faudrait un homme avec une pelle dans l'enclos du jugement. Vous comprenez, les animaux avertissent pas toujours...

—Je vois mal les juges se promener dans la bouse de vache, dit Morin avec un éclat de rire

Il s'apprêta à sortir.

—Tu peux revenir dans quinze minutes me remplacer? Faut que j'passe à la radio ? demanda Alain. Ou fais toi-même l'entrevue, ajouta-t-il, amusé, sachant que c'était la dernière chose au monde que Phil aurait accepté de faire

—Merci pour le micro!

Il ouvrit la porte d'une main et, de l'autre, changea sa pipe de coin de bouche.

Trois jeunes filles vinrent se planter devant le bureau du secrétaire. Elles se regardaient, riaient et se poussaient des coudes.

–Dis-lui, toi, fit l'une.

–Non, toi, dit l'autre.

Les deux premières se tournèrent vers la troisième.

–Dis-lui, toi.

–Ça semble grave pis important, dit Alain.

–On a une grosse faveur à vous demander, dit la troisième.

Elle regarda les deux autres et s'esclaffa.

–On voudrait travailler dans les kiosques.

–Malheureusement, le personnel est complet.

–Juste pour remplacer quand les autres iront souper.

–Des remplaçants sont prévus... Mais s'il survient quelque chose je vous fais signe.

–Je vous l'avais ben dit qu'il était trop tard ! dit l'une.

Elles se dirigèrent vers la sortie.

–Merci quand même, dit la rousse.

–Merci, dit l'autre.

–..rci, dit la troisième avec un chat dans la gorge.

Elles sortirent, jacassant et ricanant

Quelqu'un frappa contre le grillage protégeant la vitre de porte. Avec force gestes des mains, il fit savoir à Martel que, selon les collecteurs, au moins mille personnes étaient déjà sur le terrain. Alain fit signe au visage carreauté qu'il avait compris.

–Ai besoin d'un set de darts, dit un garçon à cheveux moutonneux.

–Attends une seconde, je vais derrière, dans l'entrepôt pis je reviens tout de suite.

Quand l'adolescent repartit avec ses fléchettes, Alain remarqua la musique de foire jaillissant des haut-parleurs, annonçant le début de l'émission de radio. En quelques secondes, le bureau s'emplit

–L'annonceur te demande pour l'interview, fit l'un.

–Les musiciens pour la danse de ce soir sont à l'entrée et veulent savoir où mettre leurs instruments, dit l'autre.

–L'exposant du corridor trois voudrait une toile, t'aurais pas ça dans l'entrepôt ?

–Faudrait un responsable qui empêche les enfants d'aller jouer dans les pattes des chevaux.

–Y a pas de papier dans vos toilettes.

–Je viens juste pour te féliciter. Tu me reconnais ?

–Une auto s'est presque renversée dans l'entrée numéro deux, veux-tu faire venir une remorque ?

Phil rentra:

—Va pour ton entrevue; le jugement des animaux commence dans dix minutes.

Alain sortit du bureau et grimpa sur la plate-forme où étaient les radiodiffuseurs.

—Cette ébission vous est présentée avec les habbages de l'hôtaêl du Dobaêne, propriété de bonsieur et badabe Patrice Roy, des gens sympathiques qui vous offrent un service d'hôtaêllerie par excellence.

L'annonceur avait une curieuse, cocasse, mais fort peu radiophonique propension à prendre les m pour des b et à traîner sur les e ouverts Il présenta Alain et lui posa diverses questions sur l'organisation de la foire et le programme des activités de la journée.

Quand l'interview fut terminée, le jeune homme se recula pour voir les gens affluer par les trois entrées. Il évalua la foule à plus de trois mille personnes et le flot semblait interminable. Alors il connut pendant quelques secondes la vibration qu'apporte un triomphe complet. À la fierté d'avoir affirmé sa personnalité à la radio s'ajoutait en lui la joie d'avoir réussi de façon brillante à réaliscr l'un de ses projets; à cette satisfaction vint se greffer un regain de foi et de confiance en ses autres plans et en l'avenir; à cet espoir vint s'additionner l'illusion d'être aimé des gens de la place pour leur avoir gratuitement donné deux mois de ses efforts mais surtout de ses capacités de penseur et d'organisateur. Importante affirmation de soi et de son identité..

Il retourna au bureau pour continuer de répondre aux requêtes de chacun La réalité chassa vite le goût de la victoire, d'autant plus qu'il ne la jugeait pas complète. Encore faudrait-il que le public et les participants retournent chez eux satisfaits; c'est pas à moins, que la foire deviendrait une fête annuelle, se disait-il.

Quand les hommes de la radio eurent quitté, le secrétaire retourna sur la plate-forme, au microphone, afin d'aider l'annonceur local qui ne s'y retrouvait pas toujours dans les textes publicitaires hâtivement rédigés Il avait fini la lecture de quelques messages lorsqu'une main le toucha à la jambe et qu'un homme, en bas, lui fit signe de s'approcher. Il se pencha.

—Je vous ai apporté deux poches de moulée pour donner en prix, dit l'homme avec un sourire éblouissant.

—Ça nous fait ben plaisir, monsieur Lessard.

—Seulement, j'aimerais que tu l'dises trois ou quatre fois dans l'radio.

—Malheureusement, les gars de la radio sont partis. Mais je peux le mentionner sur le terrain, si vous le désirez.

—Non, non! Je voudrais que tu l'dises dans l'radio, insista l'homme

—L'émission de radio est terminée, vous comprenez ?

L'homme le regarda, incrédule.

–J'viens de débarquer de mon char, pis j'vous entendais dans l'radio.

–Voyez-vous, une émission, ça finit par finir, dit Alain, mi-moqueur, mi-paternel.

–Ah! l'programme est fini ?

–Oui.

–Pourquoi que tu me l'disais pas ? mâchouilla l'homme en même temps qu'une allumette de bois. Dans ce cas-là, peux-tu me l'annoncer dans ton micro icitte ?

–Je vas en parler deux ou trois fois, dit Alain avec un geste complice à poing fermé.

L'homme souleva sa casquette à longue palette et se la recala à l'arrière de la tête, presque sur la nuque. Il ferma un œil et se l'enterra quasiment de son sourcil broussailleux.

–Va falloir que tu l'dises au moins cinq ou six fois. C'est deux poches de moulée que j'vous donne...

–Monsieur Lessard, je vais faire tout mon possible. Là, si vous voulez m'excuser, je retourne au micro.

–Comme ça, dans l'radio, c'est fini !

–Fini! dit Alain qui retourna à la table du microphone.

L'homme cria:

–Fais-moi une belle annonce, là.

Alain lui consacra une minute, improvisa sur son commerce de meunerie et son cadeau à l'organisation de la foire. Compte tenu de la valeur de la moulée, en faire plus aurait été du favoritisme, mais il se promit néanmoins de répéter l'annonce un peu plus tard

Quand il descendit de la plate-forme, le meunier l'attendait:

–Tu parles pas beaucoup de moé.

–Mais j'ai pas fini. Dans une vingtaine de minutes, je vais revenir faire la lecture de plusieurs autres messages et je parlerai à nouveau de vous.

–Oublie moé pas. Tu diras ben que c'est **deux** poches de moulée

–Promis! fit Alain en se dérobant.

Il rentra au bureau où l'attendaient une dizaine de personnes.

–Des gens qui veulent de la publicité sur le terrain, dit Morin.

–Je vas prendre vos commandes, si vous voulez passer à tour de rôle. .

Il commença à écrire.

–Il manque de marchandise au kiosque darts et ballons, vint dire un adolescent.

–Va voir Phil Morin. Pour le moment, j'ai pas le temps.

–Il nous reste pas de chapeaux de cow-boys, dit un autre.

–Va derrière, Phil t'en donnera.

Caméra en bandoulière, un inconnu dit:

–Suis venu pour les photos; quelqu'un peut-il me dire quoi poser ?

–Attends une minute, Phil Morin va s'occuper de toi.

–Les femmes du souper canadien sont pas trop contentes, dit un commissionnaire, aucune n'a une clef de la salle pis elles attendent dehors depuis une heure.

–Va t'arranger avec Phil derrière.

–Ont besoin de Coke au stand à rafraîchissements, dit une jeune fille.

–Les réserves sont derrière, Phil t'en donnera. Tu ferais mieux de te trouver un homme pour transporter les bonbonnes de Coke

–Suis venu te féliciter, mon p'tit Martel. Je t'ai entendu à radio tantôt. T'as ben fait ça pour un jeune. Je t'avais vu à la télévision ce printemps pis je m'étais dit...

Accompagnant ses regards de sourires et de signes de tête, Alain continua son travail jusqu'au moment où il aperçut Barbeau, son mécontent du matin, qui entrait, une bouteille de bière à la main. Le secrétaire frémit et se rendit aussitôt derrière, dire à son chef de venir, tel qu'entendu. Celui-ci s'amena, visage rouge et pipe nerveuse.

–Tiens, si c'est pas notre Jean-Paul! s'exclama-t-il. Je voulais justement te parler Viens dehors, on va discuter.

Il passa sa main dans le dos de l'homme ivre et l'entraîna à l'extérieur tout en le gratifiant généreusement d'amicales tapes à l'épaule

Le téléphone sonna. Alain décrocha.

–Pourriez vous faire venir Joseph Gagné au téléphone ? demanda la voix d'une puissance à faire sauter un tympan.

–Difficile, madame, y a quatre mille personnes sur le terrain.

–Faites-le chercher, ordonna-t-elle.

–C'est vraiment urgent, madame Gagné ?

–Je pense ben! Il devait venir il y a une demi-heure pour nous emmener à la foire agricole pis on l'a pas vu.

–D'accord, madame, on va lui faire votre message.

Il raccrocha et continua la rédaction de ses textes, mais dix minutes plus tard, la femme rappela.

–Je lui ai ben fait votre message et il vient de partir vous chercher.

Satisfaite de ces paroles, la femme raccrocha, mais pas Alain

Et ses minutes continuèrent de s'écouler ainsi: serviles, loufoques, comiques, exigeantes, mesquines Il n'en conçut pas de ressentiment, se disant que le pourcentage des braillards était quand même relativement faible par rapport au nombre de personnes satisfaites.

Vers les seize heures, des nuages, pesants ceux-là, s'amoncelèrent dangereusement. Alain qui venait de lire une série de messages au microphone, en fit la remarque à l'annonceur.

L'homme, un marchand général, s'était vu institutionnaliser speaker local, depuis quinze ans qu'à la moindre festivité paroissiale, on lui confiait la tâche du micro.

–Mes chers amis, annonça-t-il, nous avions demandé à monsieur le Curé d'insister auprès de son grand patron afin qu'il nous accorde une belle température aujourd'hui. Vous admettrez avec moi qu'il s'est bien acquitté de sa tâche, hein ? Certains s'inquiètent à cause des nuages qui nous menacent, mais encore une fois, nous allons demander à monsieur le Curé d'intercéder pour nous autres et de nous protéger de la pluie, n'est-ce pas monsieur le Curé ?

Confortablement assis sur la tribune, un peu plus loin, le prêtre occupé à surveiller de près les animaux qui défilaient devant les juges, leva bien haut sa bouffarde croche en signe d'acquiescement.

Alain souhaita que la pluie commence à tomber pour faire mentir au bon moment ce qu'il considérait comme une superstition puérile.

Quelques minutes après les expertises, vers les cinq heures, une averse, aussi abondante que brève, chassa tous ceux qui flânaient encore sur le terrain.

Réfugié sous la plate-forme, l'annonceur, d'une voix forte, avec un sourire baigné de foi, dit à Alain:

–Juste au bon moment pour faire partir les gens vers la salle, au souper canadien. Il est fort, notre curé, il est vraiment très fort!

–Vraiment très fort ! reprit Alain, songeur.

*

La reine de la foire essuyait encore ses larmes quand le curé fut invité à prendre la parole. La salle paroissiale qui, cinq ans plus tôt, avait inquiété Alain, était encore une fois bondée; mais les réparations qu'on y avait effectuées depuis, la rendaient aussi solide que le pasteur de la paroisse lui-même.

Les pouces accrochés à sa ceinture de soutane, l'homme s'approcha lentement du microphone. Geste noble, sûr, mille fois répété du père qui va livrer la vérité. Visage rond, lunettes épaisses, cheveux minces et gris, bedonnant, il donnait l'impression de n'avoir jamais été autre chose que curé.

Sa voix grave, riche, posée, paternelle, tonna. Il n'utilisa aucun truc pour capter l'attention de son auditoire, car, depuis toujours, dès ses premières paroles, il baignait la foule de sécurité et de paix. Il était comme une maison canadienne, pièce sur pièce, âgée mais solide, imposante mais chaude, réservée mais accueillante, solitaire mais protectrice, et avant tout indiscutablement institutionnalisée

–...comme je vous le disais, une réussite comme celle d'aujourd'hui restera gravée dans les annales de notre belle paroisse.

Il parlait péremptoirement.

–Au départ, en tête de tout ça, il y a eu quelqu'un qui ira loin dans la vie, un petit gars de la paroisse, décidé à mettre toutes ses énergies au service d'une bonne idée. Quand je pense qu'il y a trois mois, l'O.T.J. n'existait pour ainsi dire plus, et que ce soir, cette organisation est plus vivante que jamais grâce à l'idée d'un jeune homme, alors je me dis qu'il faut toujours, dans la vie, donner à la jeunesse la chance de montrer de quoi elle est capable. Bien sûr, seul, Alain Martel n'aurait pas pu faire grand-chose. Il fallait une énorme collaboration et une extraordinaire participation de tous. Mais il a su miser sur ces choses, sachant très bien que les gens de chez nous sont capables, plus que ceux de n'importe où ailleurs, de se donner la main. Et il a eu raison, car voici, ce soir, une réussite sensationnelle.

Est-il possible de nommer, sans en oublier plusieurs, tous ceux qui ont aidé à la préparation de cette foire agricole ? Évidemment non! Des gens de tous les métiers et des quatre coins de la paroisse ont donné leur coup de pouce, et c'est grâce à eux si aujourd'hui, ce soir, nous sommes le point de mire de toute la région. Nous sommes fiers d'avoir désormais, nous aussi, notre fête annuelle qui, à n'en pas douter, sera la plus importante du comté. Car même St-Georges, toute ville qu'elle soit, n'en a pas de semblable. Je dis annuelle, car il ne fait pas de doute, après le succès d'aujourd'hui, que la foire agricole de St-Honoré, grâce à ceux qui l'ont créée cette année, se répétera l'an prochain et les années à venir. Vous savez, l'histoire de notre paroisse est riche de...

Alain cessa d'écouter le pasteur. Assis sur la tribune d'honneur, jambes et bras croisés, les yeux rivés sur un point inexistant au fond de la salle, il n'avait pas bougé d'une ligne lorsque le prêtre avait parlé de lui. Il avait bien senti une bouffée de chaleur derrière la nuque, mais rien de plus. Cependant, son immobilité, qui l'avait protégé des lectures indiscrètes d'un public curieux, commençait à lui peser. Pour s'en décrocher, il lui eût fallu aussi se décrocher de toutes ces pensées axées sur son triomphe personnel. Car il se sentait bien plus qu'un simple enseignant de la campagne québécoise, puisqu'il avait sauté la barrière difficile qui sépare les exécutants des leaders. Désormais, il serait lui aussi un penseur public, capable de décider pour les autres, comme les prêtres, les politiciens, les chefs d'entreprise, les patrons, les chefs syndicaux.

Excédé d'avoir la tête droite et les muscles raides, sa pensée se tourna vers l'argent de la foire qu'il faudrait compter le lendemain et qui, d'ici là, dormirait au presbytère dans le coffre-fort du curé. Il se rappela de la brève discussion de l'après-midi sur le choix d'un lieu sûr où déposer l'argent pour la nuit. L'un avait proposé le coffre-fort du notaire, l'autre celui de la caisse populaire: aucune des deux idées n'avait soulevé d'objections ni d'enthousiasme non plus. Cependant, l'unanimité avait fini par éclater autour de la suggestion de Philippe Morin de faire coucher l'argent chez le curé.

Après cette réflexion, Alain put enfin décroiser la jambe. Il sentit des picotements, du genou jusqu'au talon. Quelques minutes plus tard, le prêtre terminait son allocution aux applaudissements nourris d'une assistance chaleureuse.

Une fois encore, le curé avait misé juste dans son discours, comme il le faisait toujours, mais jamais avec préméditation. Il avait tout simplement l'instinct des masses canadiennes-françaises. Dans chaque sermon, il exaltait le nationalisme paroissial en parlant abondamment du passé, en mettant le doigt sur l'injustice comme un mal présent ailleurs et venu d'ailleurs, en bénissant un certain repli sur soi et, pour cimenter la crédibilité de tout ça, en basant chaque prêche sur un consensus du moment, qu'il s'agisse d'une émotion commune face à un fait divers soit un accident mortel ou un désastre naturel, qu'il s'agisse de lever une corvée pour rebâtir la maison d'un sinistré ou bien, le plus souvent, qu'il s'agisse de travaux de fabrique. Mais, ce soir-là, le consensus avait porté sur Alain Martel dont la jeunesse, la pureté publique et les malheurs récents—perte de ses biens et mort de son père—faisaient un fils chéri de la paroisse Une fois de plus, le curé avait deviné, sans chercher à le faire, et consacré le consensus.

Alain réfléchissait à ces choses et il en conclut que le seul reproche, somme toute, qu'on puisse faire au prêtre, était son silence, complice d'une religion négative. Mais, à l'instar de tous, il admirait, au-delà de cette faiblesse sans doute forcée par l'époque, le grand leader matériel qu'il percevait en cet homme dont la force de caractère et l'esprit de justice semblaient augmenter avec l'âge.

*

Au centre de la longue table brune aux pattes stylisées noires il y avait une montagne de tabliers bleus bourrés d'argent. Philippe Morin mit la main sur le tas et dit:

—Monsieur le Curé, à combien évaluez-vous nos recettes d'hier ?

—Bien malin qui pourrait le dire! s'exclama le prêtre, hochant la tête, puis levant les yeux au ciel dans un signe évident de satisfaction

—Que penseriez-vous de cinq mille dollars ?

—J'aurais plutôt tendance à dire sept mille, si je pense au nombre de personnes qui sont venues hier, dit le curé, expert des foules.

—Faut pas oublier que les enfants payaient pas à l'entrée, souligna Alain

—Pis toi, quel est ton avis ?

—Je pense comme monsieur le Curé Je dirais quatre mille pour les entrées, mille de revenus de kiosques, mille du souper canadien et mille de revenus divers .

Morin éclata de rire et jura:

–S'il y a sept mille dollars là-dedans, je lance mon chapeau en l'air, je le laisse retomber par terre pis là, je l'écrase avec mes deux pieds joints.

Le prêtre se leva et marcha lentement vers la porte, statuant:

–Et tu mériteras ben de prendre cinq dollars sur le tas pour t'acheter un chapeau neuf.

Tous rirent et le curé ajouta en quittant la pièce·

–Je vous envoie monsieur le Vicaire qui vous aidera à faire vos comptes et vous servira de témoin, comme vous l'avez requis.

Morin, quand il avait demandé au curé d'être présent pour le calcul des recettes, avait oublié que le prêtre ne touchait jamais à de l'argent et qu'il n'avait, aux messes, dans le passé, fait la quête lui-même qu'une seule fois, en 1956, lors de la grande rénovation du presbytère

–On y va, dit Morin lorsque le vicaire freluquet eut pris place à la table.

–Vous devriez mettre tous les tabliers sous la table et vous servir du dessus pour déposer vos liasses de billets et la monnaie, suggéra le jeune prêtre.

–Bonne idée ! lança Morin.

Il éclata de rire et alluma sa pipe.

–D'autant plus qu'on ne peut pas faire autrement, dit-il avec malice entre deux énormes bouffées d'une fumée aussi épaisse que puante.

Cherchant à camoufler sa bourde, le prêtre s'exclama·

–Ça sait pas travailler!

Et il expulsa un long rire juvénile et sonore, narines battantes, comme s'il avait henni

Le travail commença, tablier par tablier, soigneusement, laborieusement. Alain enregistrait les sommes selon leur provenance dans un cahier noir. Chaque tablier avait dans l'une de ses poches un petit bout de papier indiquant son origine: entrée numéro trois, kiosque à crème molle, kiosque dards et bouffons...

Dans certaines poches, l'on trouva des rouleaux minutieusement divisés selon la valeur des coupures. Quelques tenanciers avaient même inscrit le total sur leur papier d'identification. Dans d'autres, les billets froissés en boulettes côtoyaient de la monnaie pêle-mêle, des billets d'entrée déchirés, des allumettes, des pinces à cheveux.

Les tabliers les plus légers étaient souvent les plus surprenants. Avant de faire le décompte de chacun, l'un des trois hommes s'amusait à proposer une évaluation de son contenu, invariablement trop basse, sans doute à dessein, afin d'éviter la déception. Et les heureuses surprises s'enchaînaient sans répit de minute en minute, de poche en poche, d'heure en heure.

Quand le dernier dollar fut déposé sur la table, que le dernier tas de pièces de monnaie fut mis en rouleaux et que la dernière entrée fut faite dans le cahier noir, les trois hommes se plurent à proposer une évaluation globale.

–Huit mille, dit Martel

–Sept mille, dit Morin.

–Neuf mille, dit le jeune prêtre.

–Compte-nous ça final, dit Morin à son secrétaire.

Celui-ci dédaigna à nouveau la machine à calculer que lui offrait le vicaire et s'éloigna pour se caler dans un profond fauteuil de cuir noir

–Ça y est! dit-il bientôt gravement.

Il leva les yeux et fit une moue désolée.

–Nous nous sommes trompés tous les trois, dit-il sans sourciller.

Il se leva et déposa le cahier devant le prêtre qui jeta un coup d'œil sur le chiffre global encerclé et souligné de plusieurs traits.

Le vicaire comprit la raison de l'attitude grave d'Alain et dit sans broncher:

–C'est pas mal différent de ce qu'on a pensé. . pas mal différent

En l'espace de quelques secondes, Morin changea quatre fois sa pipe de coin de bouche. C'est vers un visage cramoisi que le prêtre avança le livre noir.

–Jésus-Christ! laissa échapper Morin quand il posa les yeux sur le chiffre sans penser que son juron puisse gêner l'homme en soutane.

Mais celui-ci n'avait pas entendu puisqu'il enterrait les paroles de l'autre, et tout autre bruit d'énormes éclats d'un rire cristallin, et qu'il bougeait sans arrêt le corps d'avant en arrière pour accompagner chaque saccade de sa gorge. Il était fou de joie d'avoir compris la complicité demandée subtilement par le secrétaire et du tour ainsi joué à l'autre

–Onze mille huit cent cinquante-deux ! J'peux pas le croire, dit Morin

–J'ai compté deux fois, dit Alain.

–Je le crois mais... mais je peux pas le croire

Sans rire, bloqué par une charge émotionnelle intense, le jeune homme articula lentement:

–Les chiffres sont là!

–Ça vaut ben un café, dit le prêtre. Je vais demander à la bonne de nous en servir un.

Et il sortit.

Alain regarda longuement les liasses de billets attachées par des bandes élastiques. Il rêvassait.

"Une idée plus du travail plus de la collaboration égale du capital

182

Voilà ce que disait le livre américain, voilà ce que je pensais, voilà qui est logique. Et la preuve en est sur cette table en beaux billets de vingt, de dix, de cinq, de deux, de un dollar et en monnaie ."

Morin perçut une lueur dans les yeux du jeune homme et il dit avec malice:

–Si tout cet argent était à nous autres, hein ?

Martel leva les yeux et les bras en signe de résignation détachée. Il appuya son menton sur ses mains jointes et porta à nouveau son regard songeur sur la table garnie.

*

Deux mois plus tard, lorsque les travaux d'après foire furent achevés, –livres mis à jour, dettes payées, marchandise entreposée, comptes à recevoir perçus– à une assemblée régulière de l'organisation, Alain Martel démissionna.

–La foire est lancée, les structures sont là, l'O T J est plus vivante que jamais, mon travail est terminé

On crut qu'il voulait se faire tirer l'oreille et confirmer dans ses fonctions. Il insista alors sur le caractère définitif de son geste.

On conclut qu'il voulait rétribution. On lui offrit donc de l'argent.

–Ni pour or ni pour argent, je reviendrai sur ma décision. Le bébé est né, il est sain, il a tout pour survivre. À d'autres le soin de le faire grandir. J'ai d'autres plans en gestation

Alain avait parlé simplement et calmement et, cette fois, on comprit que sa décision était inébranlable. Le curé, qui assistait à l'assemblée, se leva et se dirigea vers la sortie.

–C'est écœurant, dit-il avant de claquer la porte derrière lui

✦✦✦

Chapitre 9

1966

L'hiver se tordait de tiédeur et s'écoulait rapidement dans les ruisseaux et rivières. Les glaces de la Chaudière s'étaient dépêchées de courir vers le nord pour y trouver du froid. Elles avaient dû se résigner à mourir, en aval de Rivière-du-Loup, noyées.

Ayant toujours vécu sur les hauteurs, Alain n'avait pas été habitué à vibrer aux événements de la débâcle du printemps. Les gens de la vallée, eux, s'étaient battus depuis toujours contre la rivière, mais sans succès. En fait, il ne s'agissait pas de batailles, mais bien de retraites, au surplus fort honorables puisqu'on cédait le terrain pouce à pouce, à quelques pieds seulement de l'eau montante.

Chaque printemps faisait rejaillir sur les riverains les gloires de la Chaudière. Au fond de son cœur, chacun espérait une attention spéciale de la part des glaces et de l'eau. Et, chaque année, la rivière consacrait ses héros. Les riverains de première ligne gagnaient des médailles.

En 1917, c'est la maison de David Roy qui avait flotté sur une distance de trois milles jusqu'au pont de Beauceville. En 1937, deux granges firent de même. En 1957, toute une rue de Beauceville avait subi des dommages. Et, une fois par quart de siècle, la rivière ménageait un orgasme collectif, emportant un pont public ou bien noyant sur son parcours, ici et là, des portions de la route.

C'était congé les jours de débâcle et les femmes laissaient leurs hommes se réunir dans les bars pour en discuter. Il fallait bien un coupable pour justifier les dommages, et on aimait trop la rivière pour l'accuser. Quant à ceux qui s'entêtaient à coucher trop près du lit de la fougueuse maîtresse, ils étaient des courageux, des fiers, des forts Restait, comme toujours, le gouvernement dont on criait l'incurie entre deux verres de caribou. Il envoyait bien parfois des dynamiteurs d'embâcles,

184

ce gouvernement, et des ingénieurs pour étudier le problème, mais il ne réglait jamais la question une bonne fois pour toutes.

La débâcle de 1966 fut la plus tragique de toute l'histoire de la Chaudière. Parce qu'elle ne causa aucun dommage et que, d'autre part, elle fut assombrie par la nouvelle de la construction imminente d'un barrage en amont de St-Georges, ce qui éliminerait dorénavant tous les risques de dégâts. Le gouvernement ne s'était pas contenté, comme toujours, de ne rien faire; cette fois, il avait carrément trahi les riverains en les privant d'une de leurs plus grandes émotions annuelles: la descente des glaces, devenue pour eux depuis longtemps une institution de la nature.

Alain venait d'apprendre cette nouvelle dans le journal local qu'il lisait toujours en retard. Et il se sentit heureux de constater l'efficacité de ce gouvernement, style américain, qui, aux grands maux, appliquait de grands remèdes. "Malgré que Mao a réussi à dompter le fleuve jaune," se dit-il aussi, en prenant place devant une table qui sentait les jours de fête.

C'était en effet jour de Pâques, et, même si son anniversaire datait déjà de quelques jours, il savait qu'on le soulignerait ce soir-là puisque toute la petite famille, Nicole, Patricia et lui, se trouvait réunie.

Marquant ainsi son enthousiasme à la fête, d'un souffle, il éteignit les vingt-quatre chandelles du gâteau que lui avait fabriqué Nicole. Puis il embrassa chaleureusement son épouse, la remerciant de ce cadeau trop bien emballé qu'elle avait acheté à Montréal dans la semaine

Il défit le paquet et trouva un briquet sophistiqué, le petit dernier cri annoncé à tour de bras, au goût des fumeurs nord-américains. Nicole n'aurait pas pu miser plus juste, car depuis qu'il avait perdu le sien, depuis les fêtes, il courait sans cesse des allumettes.

Le repas finit tard. Nicole et Alain se retirèrent dans leur chambre pour discuter. Ils se couchèrent tout habillés La tête sur la poitrine de son mari, elle recevait sa réflexion.

—Notre compte de banque nous permet de recommencer notre vie de ménage, dit-il. J'ai obtenu mon transfert pour enseigner à St-Georges. On prendra le mois d'août pour s'y installer. Dès le mois prochain, il me faudra regarder pour trouver à nous loger.

—J'espère qu'il y a des logements plus convenables à St-Georges qu'à St-Honoré.

—À St-Georges, il y a huit fois la population de St-Honoré. Le nombre de logements doit y être proportionnel.

—J'espère ben que nous trouverons quelque chose du côté est, St-Georges-Ouest me dit rien qui vaille, dit-elle avec une moue dédaigneuse.

—J'ai aucun préjugé là-dessus· côté est, côté ouest, ça me dérange pas. Ce sera comme tu voudras. L'idéal serait d'entrer dans notre propre maison, bien à nous, bâtie au lieu de notre choix

–Plus facile à dire qu'à faire, soupira Nicole.

–Une autre année de séparation et ce serait possible. De la façon dont notre épargne s'accroît, on disposerait d'un bon dix mille dollars, ce qui voudrait dire nos meubles, nos menus effets et une bonne somme à donner comptant sur la maison.

–Ça n'aurait aucun sens! s'exclama-t-elle. Les gens diraient qu'on est séparés définitivement

–Évidemment! Je parle pour parler! D'autant plus que c'est toi qu'il faut plaindre dans tout ça, parce que t'es séparée de ta petite famille.

–Pas grave! Je veux dire que si je l'ai fait quinze mois, je peux ben le faire encore douze mois pour réaliser notre rêve.

–En nous installant dès cette année, faudra gratter longtemps la dernière cenne pour épargner le montant pour notre maison qu'on pourra pas faire bâtir avant cinq ou six ans. .

–C'est peu un an pour être chez nous ! dit-elle, songeuse. Tandis que traîner nos savates pendant six ans dans les logements des autres...

–Si c'était seulement possible, soupira-t-il. Tout ce qu'on a rêvé à St-Honoré, tu te souviens ? Tout ça devant nous, tout près de nous, à un an à peine de nous...

–Je sais pas si ma mère vous pensionnerait encore, toi et Patricia ?

–Probablement! Après tout, elle aime les enfants et, de plus, nous la payons bien... Or, elle non plus fait pas partie des gens qui détestent l'argent. Pour ma part, je dérange peu puisque je ne viens que le soir Le principal problème vient d'ailleurs, du fait qu'il est anormal pour des gens mariés de vivre séparés..

–Alain, plus j'y pense, plus je crois que l'idée n'est pas si mauvaise. Une chose est sûre, c'est qu'avant de prendre un logement, nous en reparlerons.

Ils avaient commencé à se caresser tout en discutant. Bientôt, ils se déshabillèrent et se glissèrent entre les draps

*

Visiblement l'homme cramoisi n'avait pas d'instruction, mais il faisait montre d'un pouvoir de persuasion différent, original. De l'enthousiasme de ses propos se dégageait un cachet de vérité laissant peu de place aux doutes chez son auditoire.

–S'il avait de l'instruction, il deviendrait riche vite, se dit Alain en écrasant nerveusement une cigarette.

–Si vous avez des questions sur les produits, je pourrai y répondre tout à l'heure. Pour l'instant, à l'aide de mon tableau, je vais vous parler de quelque chose de fameusement intéressant, soit le système de distribution de la compagnie Nethome. Ouvrez ben grandes vos oreilles. Au départ, ça semble compliqué, mais, au fond, c'est simple comme bonjour.

–Mes amis, avec Nethome, vous faites de l'argent de deux façons. Un: en vendant les produits; deux: en recrutant d'autres vendeurs. Vous savez comme moi que dans la vente au détail ordinaire, plus il y a de vendeurs, plus la concurrence devient forte et plus le travail de chacun devient difficile. Mais avec Nethome, plus vous faites de recrutement de vendeurs, plus vous gagnez d'argent. Vous devenez le premier maillon d'une chaîne sans fin. Je m'explique davantage...

L'homme continua d'exposer la méthode de vente pyramidale de sa compagnie.

Habitué de réfléchir sur divers projets, Alain capta du premier coup ce mode de distribution qu'il trouva fort ingénieux. Lorsqu'en d'autres mots, l'homme répéta son exposé, il le grava dans sa mémoire. Puis il chercha vainement l'attrape-nigaud du système, mais il ne put, au premier abord, rien trouver qui clochât.

Il y avait sûrement anguille sous roche, s'était-il dit un moment, et il avait présumé qu'il devait s'agir du montant à investir. Alors il s'était rappelé de cette fois, du temps de son enfance, où son père avait investi cent dollars, d'un argent qui valait beaucoup plus à l'époque, dans des valeurs minières émises par une compagnie ontarienne qui avait fait faillite peu de temps après, ce qui avait augmenté chez lui la méfiance envers le fait anglais.

–Vous vous inquiétez de savoir combien il faut investir pour devenir distributeur Nethome ? Et vous avez raison, dit l'homme cramoisi. Si je vous disais cinq mille dollars, vous me poseriez de nombreuses questions avant de signer, et avec raison. Si je vous disais deux mille dollars, vous prendriez bien des précautions avant de vous décider, n'est-ce pas ? Chers amis, une compagnie qui vend un produit de qualité, selon un mode de distribution risquant d'enrichir ceux et celles qui n'ont pas peur du travail, pourrait-elle se permettre d'exiger un investissement initial de mille ou de cinq cents dollars ? Je dis que oui! Mais la qualité du produit et la valeur de la méthode de vente chez Nethome sont tellement supérieurs que la compagnie n'exige même pas cent dollars comme mise de fonds, ni cinquante, ni même vingt. Croyez-le ou non, pour devenir distributeur Nethome, il suffit de deux dollars. Eh oui, deux malheureux, ou devrais-je dire deux heureux dollars! Et si jamais un distributeur malhonnête essayait de vous dire autre chose...

Alain avait aimé les paroles de l'homme, bien que l'emphase de l'exposé l'eût fait sourire un brin. "Il fait du mieux qu'il peut avec ses mots à lui."

L'homme finit d'expliquer sa méthode de vente, puis il cita des exemples de couples et d'individus devenus d'importants distributeurs Et ces gens n'avaient pourtant commencé qu'à temps partiel. Des chiffres de revenus annuels de cinquante mille dollars et plus émaillèrent le discours, accompagnant les citations de noms et d'adresses de ces heureux nouveaux riches dont les photos furent exhibées comme pièces à conviction. Alain avait remarqué que les noms étaient anglais et les adresses américaines. Il s'en inquiéta. Ou bien, se dit-il, a beau mentir qui vient de loin comme l'avaient fait les Ontariens aux valeurs minières de son enfance, ou bien le produit est tout à fait nouveau au Québec, et même au Canada, puisque les adresses n'étaient qu'américaines Pour se faire l'avocat du diable, il demanda la parole:

—Ils viennent de loin, les gens qui font beaucoup d'argent là-dedans! Ne pourriez-vous nous citer quelqu'un de plus près ?.

—Bonne question! fit l'homme qui avait l'habitude de dire cela chaque fois qu'on lui posait une question dont il connaissait la réponse. Voyez-vous, Nethome est tout à fait nouvelle au Canada. Le premier distributeur, un homme de Sherbrooke, n'a commencé qu'il y a huit mois.

"Paroles fort intéressantes, rumina le jeune homme. Ainsi un produit américain s'implantait au Québec d'abord et venait juste de commencer à se répandre. Le champ d'action était donc immense, soit le Canada tout entier. Être un des premiers maillons d'une telle chaîne de distribution offrait toutes les garanties de rentabilité."

Il lui restait à vérifier la qualité des produits et à déterminer si les prix étaient compétitifs; aussi s'intéressa-t-il particulièrement à la suite du discours de l'homme.

Là, les femmes de l'assistance posèrent de nombreuses questions. Car si la plupart n'avaient rien saisi aux chaînes de distribution, en revanche, sur ce terrain familier du nettoyage, elles purent s'exprimer.

Après l'exposé, Martel s'avança pour jeter un coup d'œil aux produits, mais, comme les femmes prenaient toute la place autour de la table d'exposition, il préféra attendre. Il s'approcha du tableau gonflé de chiffres et se redit à lui-même la chaîne de distribution.

—Alors mon ami, t'embarques ? demanda l'homme à la peau rouille, d'un ton complice et clignant de l'œil.

—Pas à soir! Je veux réfléchir... Mais je suis grandement intéressé

—Et pourquoi pas à soir ?

—Je tiens à vérifier la qualité de vos produits et à comparer les prix avec d'autres semblables.

—Mon cher ami, Nethome est une grosse compagnie américaine, jeune, mais qui prend de l'expansion à une vitesse incroyable dans tous les États... La qualité ? Indiscutable !

—Mon idée est faite ! Je suis très intéressé, mais je dois prendre une semaine pour faire quelques vérifications.

—Parfait! J'aime les gens qui savent ce qu'ils veulent pis ce qu'ils font. C'est eux qui deviennent de gros distributeurs Bien plus que ceux qui plongent tête baissée sans comprendre trop dans quoi ils s'embarquent

—Vaut mieux réfléchir avant d'agir.

–Merveilleux, merveilleux! dit l'homme en croisant les bras.

Il recula d'un pas, scruta son tableau d'une façon qui puisse faire comprendre à l'autre qu'il se soumettait définitivement à sa volonté et ne lui ferait plus d'avances. Alain comprit son geste et se sentit plus à l'aise.

–Je voudrais ben avoir vingt ans de moins et de l'instruction, je ramasserais l'argent à pelletée. Pas que je me plaigne puisque j'embarque à plein temps d'ici trois mois! Mais je rêve et je m'imagine capable d'utiliser les mots qu'il faut pour convaincre les gens, expliquant le système de distribution. Je me vois jeune, instruit, capable de fournir une grosse journée d'ouvrage... L'homme dut s'interrompre pour répondre à une femme.

Avant de quitter, Alain compta les produits exposés. Il en dénombra quarante-deux. Il s'en procura sept au hasard, se disant qu'un tel échantillonnage suffirait à faire passer à l'ensemble le test de la qualité. Le soir même, il en fit cadeau à sa belle-mère, lui demandant d'être sévère dans son jugement à leur égard.

Dans la semaine, il compara les prix avec d'autres produits courants à même usage et ne remarqua aucune différence notable. Lorsque le jugement de sa belle-mère sortit, il signa sa formule d'adhésion et l'expédia, accompagnée de deux dollars, à son recruteur. Quelques jours plus tard, lui parvint le livre du parfait distributeur, qu'il étudia à fond.

Au cours de la fin de semaine, il en parla avec enthousiasme à Nicole et n'eut pas trop de mal à la convaincre que, loin de nuire à leur épargne-maison, son adhésion à la chaîne Nethome avait toutes les chances de la doubler ou davantage.

Mais au départ, il nous faut régler un problème qui pourrit, c'est le cas de le dire, depuis longtemps, et c'est celui de l'automobile. Elle est ruinée, cancéreuse, gangrenée jusqu'à la moelle; les ailes tombent dans le chemin et elle ingurgite plus d'huile que d'essence, dit-il sur un ton définitif.

Il lui fit comprendre par des calculs prometteurs sur d'éventuels revenus avec Nethome que l'échange de l'auto n'exigerait pas de toucher à leurs épargnes. Puis il lui montra des cahiers publicitaires illustrant les derniers modèles des diverses compagnies américaines.

–Pourquoi une auto neuve ? s'inquiéta-t-elle. Une usagée ferait l'affaire.

–Tu veux rire ? Pis recommencer dans un an ? Frapper un citron, un cancer ? Aucune garantie ? Je veux pas jeter mon argent dans le chemin, je veux m'acheter une auto.

–Celle-là serait O.K! dit Nicole en désignant la couverture d'un cahier.

–C'est pas mal! Mais y a également celle-là.

Et il lui montra une plus grosse voiture dans un autre cahier.

–T'es malade, c'est ben trop gros !

–J'ai réagi comme toi... sur le coup! Ensuite, je me suis renseigné. Connais-tu la différence de poids entre elle et l'autre que tu montrais ? Non ? Quatre cents livres. Pis la différence de prix ? Non ? Quatre cents dollars. C'est peu, réparti sur trois ans. Quinze dollars de plus par mois, pas plus.

–Il me semble qu'on pourrait se contenter de l'autre

–Quand on veut faire de la vente, convaincre les gens, faut quasiment une grosse voiture. Le gars qui te voit arriver là-dedans se dit malgré lui: cet homme fait de l'argent. Pas pour rien que les vrais hommes d'affaires, ceux qui réussissent, ont une grosse bagnole. C'est malheureux que les gens se basent sur ça pour juger, mais c'est comme ça!..

Quelques jours plus tard, il échangea son tacot contre une Chrysler flambant neuve. Quand il ne resta plus dans la négociation que vingt-cinq dollars de différence pour conclure, le vendeur lui proposa en prime d'achat de garder sa vieille minoune.

Par la suite, il se rendit chez son maître-distributeur Nethome et acheta pour plusieurs centaines de dollars de produits qu'il étala dans un petit bureau-magasin loué.

–Une vraie aubaine, ce petit bureau ! dira-t-il plus tard à Nicole

Et il partit à la conquête de son premier dix mille dollars avec la confiance du néophyte. Il organisa des soirées de démonstration des produits ainsi que des meetings de recrutement, s'intéressa tout d'abord à son entourage immédiat car, avait dit le livre américain: "On rayonne d'abord autour de soi."

Mais à chaque rencontre, le scepticisme de l'auditoire lui coupait les ailes. En fait, le professeur prenait le pas sur le vendeur. C'est ainsi que pour un manque d'attention de quelques personnes, il concluait que la démonstration avait été ratée. Alors il avait tendance à se replier sur lui-même, se disant· "Le système est bon, le produit est bon, si vous voulez gagner beaucoup d'argent, venez à moi." Faute d'exercer une certaine pression, de mettre la touche finale, il ratait le principal: l'adhésion des gens à sa chaîne. La moitié de ceux qu'il avait contactés et formés finissaient par signer avec quelqu'un d'autre.

À chaque meeting, des femmes lui tendaient des pièges quant à l'usage des produits. Il ne se sentait ni la compétence ni le goût de répondre à leurs questions. Pour lui, une seule réponse. le produit était de qualité. En ces moments-là, la présence de Nicole à ses côtés lui manquait et son absence lui faisait comprendre pourquoi les gros distributeurs américains étaient toujours des couples. "Aux hommes les affaires, aux femmes le ménage." Mais heureusement, d'autres femmes de l'auditoire le sortaient toujours de ses impasses. Ce qu'il prenait au début pour une aide généreuse lui apparut bientôt comme une guerre en sourdine, et il finit par savoir utiliser ces flèches souriantes qu'elles se lançaient mutuellement en abondance.

C'est sa personnalité que les gens auraient été disposés à acheter, mais seul son produit était à vendre. Et il montrait ses moins beaux côtés pour se mieux défendre, croyait-il

Le premier mois, il se bâtit une chaîne de dix vendeurs. Le deuxième, il en fit signer deux autres; mais de toutes ces adhésions, il évalua qu'une seule avait des chances d'être productive Le troisième mois, il organisa des meetings au loin à Québec et à Montréal. Mais il était incapable de communiquer sa conviction à des étrangers, d'autant plus que cette foi tiédissait sérieusement. Pas dans le produit ni dans le système de vente, mais en lui-même.

Un soir, il fit le bilan de son expérience. La courbe des ventes et des adhésions ayant sans cesse décliné, il décida d'abandonner. Il liquida sa marchandise, mais garda son bureau car, en assistant à la deuxième foire agricole, un autre projet plus conforme à ses aspirations et aptitudes avait germé en son esprit.

En dépensant de la menue monnaie dans les kiosques d'amusements qu'il avait conçus et montés l'année d'avant, il se dit qu'il serait possible, d'octobre à mai, de tenir dans différents endroits de la province, des kermesses de fin de semaine, en collaboration avec un organisme public de chaque endroit, moyennant un partage des recettes.

S'il lui était difficile de vendre une bouteille de nettoyeur liquide, il n'en serait pas de même d'une idée comme celle-là Une vente par semaine suffirait; de plus, il s'entendrait mieux à discuter avec des habitués comme lui d'organisations publiques.

Mais il fallait un associé. Il ne chercha pas longtemps puisqu'en un de ses amis de vieille date lui apparut le candidat idéal. jeune marié, à la recherche d'une évasion justifiée, ayant le goût de l'entreprise, à l'affût d'un revenu supplémentaire.

Ils en discutèrent longuement, rédigèrent des plans soignés, s'entendirent. Ils commenceraient à travailler sur le lancement du projet quinze jours plus tard, histoire, entre-temps, de prendre des vacances qu'ils trouvaient méritées.

Alain et Nicole partirent en voyage. Ils visitèrent la région du Lac-St-Jean dont des proches leur avaient dit beaucoup de bien. Ils furent agréablement surpris de trouver en ce pays isolé des attraits touristiques nombreux, fournis autant par la main de l'homme que par la nature.

"Et pourtant, dans notre région de la Chaudière, traversée par l'importante route touristique Québec-Boston, on n'a rien d'autre à offrir aux milliers d'Américains qui vont y déferler l'an prochain à l'occasion de l'exposition universelle, que des comptoirs à hamburgers "

Cette pensée le harcela pendant toute la durée de son voyage, mais particulièrement quand il visita, dans un village perdu, un musée de la faune canadienne constitué de six cents exhibits d'animaux sauvages empaillés. Il trouva le travail du taxidermiste si restaurateur de vie qu'il

191

fut sur le point d'oublier que, pour empailler les bêtes, il avait d'abord fallu les tuer.

Néanmoins, il décela chez le taxidermiste un grand respect de la vie animale. Cet homme, âgé et sans enfants, lui expliqua qu'il avait rarement tué plus d'une bête de la même sorte. Il raconta que, bien souvent, des enseignants venaient chez lui avec leurs étudiants pour donner des leçons de sciences de la nature, et qu'il en profitait pour glisser aux jeunes un message sur le respect de la vie sauvage.

—Votre musée est pas à vendre ? avait demandé Alain.

—Je n'y ai jamais songé.

—Je pourrais pas vous en donner sa valeur réelle, mais on pourrait beaucoup mieux par chez nous qu'ici, le faire voir à des milliers de touristes américains chaque année.

L'argument avait eu l'heur de plaire au taxidermiste.

Sur une carte, Alain avait montré à l'homme le circuit probable de nombreux touristes futurs visiteurs d'Expo 67: entrée au Canada par l'État de New York, visite de l'exposition, visite de Montréal et Québec, rentrée aux U.S.A. par la route du Maine.

—Ou le circuit inverse, naturellement. Pensez à votre prix et songez à la mise en valeur de votre travail si le musée est sur le grand circuit.

Alain retourna chez lui et plongea dans l'organisation de kermesses Lui et son associé vendirent facilement leur idée aux deux premiers organismes à qui ils s'adressèrent. Leur première fin de semaine leur rapporta quatre-vingt-huit dollars net. Elle avait requis à chacun trente-huit heures de travail. La seconde donna cent douze dollars. Alain résuma alors le bilan de l'expérience devant son partenaire.

—Compte tenu du temps de préparation, on travaille pour approximativement trente-cinq cents de l'heure. On nous a fait passer pour des voleurs aux deux endroits et chaque fois, c'est leurs bénévoles qui nous ont fourrés... J'abandonne.

—Le rodage est pas encore fait, dit son partenaire. Une affaire à ses débuts, qui enregistre aucune perte, est déjà prometteuse.

Mais le jeune homme demeura inflexible. Son esprit était déjà décroché et accroché autre part. Il voyait plus loin et plus grand, se sentait pressé, stimulé par la fabuleuse année soixante-sept qui courait en excitée vers le Québec.

Il enseignait maintenant à St-Georges Chaque soir après le travail, il parcourait la route menant à la frontière américaine, spéculant sur divers sites possibles pour le musée de la faune canadienne, rêvant à ce flot d'Américains qui, l'été suivant, surgirait des passes du Maine et envahirait le Québec à la recherche fébrile de quelque chose de différent, de neuf.

***

Chapitre 10

1967

Au plus fort du froid, il reprit contact avec le taxidermiste du Lac St-Jean par une longue lettre dans laquelle il insista sur l'argument qu'il avait senti pesant.

Il n'attendit pas longtemps la réponse qu'il reçut aussi sous forme de lettre et dans laquelle l'homme avait fait son prix. Alain calcula le coût total, y compris terrain et bâtisse et fit des prévisions quant aux frais d'opération. Après plusieurs jours de réflexion, utilisant des probabilités pessimistes, il conclut qu'il suffirait à un pour cent des touristes américains passant par là, de s'arrêter visiter le musée pour que celui-ci se paye de lui-même en dix ans. Au-delà de ce un pour cent, l'affaire ferait des profits, ce qui ne tenait pas compte des touristes québécois susceptibles d'arrondir les revenus.

Ce chiffre lui apparut un objectif non seulement réaliste, mais facile à atteindre car, se dit-il, par définition, un touriste visite n'importe quoi pourvu qu'on lui fasse savoir que la chose est touristique.

—À plus forte raison si l'attrait est valable comme ce musée, pensa-t-il et exprima-t-il à Nicole pour la convaincre qu'il faudrait reporter d'une année la construction de leur maison.

—Tu vas risquer ce qu'on a gagné de peine et de misère ? s'indigna-t-elle.

—Mais c'est ça le capitalisme ! rétorqua-t-il.

—Combien de projets as-tu tenté de réaliser ces dernières années et jamais rien n'aboutit. Tu fais des promesses, tu rêves et tout tourne toujours en queue de poisson.

—Que je sache, on n'a pas perdu un sou dans mes essais! Je n'y ai perdu que mon temps et encore. Comprends que j'avais pas le grand moyen d'avancer, le grand moyen d'aller au bout: le capital. Là, je l'ai...

On l'a.

–On a jamais ce qu'il faut pour acheter et installer ce musée-là.

–Mais j'ai la base, le vingt-cinq pour cent requis. Il y a quatre banques à St-Georges, une caisse populaire et une institution prêteuse; j'y trouverai ben les soixante-quinze pour cent qui manquent.

–Et notre projet de maison ira encore chez le diable, grimaça-t-elle.

–Vois-tu, nous avons le choix entre deux scénarios d'avenir. Le premier: nous bâtissons notre maison à l'été et nous nous embarquons dans une pénible petite vie de consommateur constamment criblé de dettes, attendant toujours la prochaine paye et incapable d'investir dans quoi que ce soit. Le deuxième: nous prenons un logement et nous investissons l'épargne-maison dans une affaire où il n'y a même pas de risques de perdre car elle conserve sa valeur de revente, mais qui pourra nous rapporter jusqu'à vingt-cinq mille dollars annuellement et qui, par surcroît n'exigera même pas que je quitte l'enseignement. Par conséquent, si nous prenons cette route, dans un an, au plus tard deux, nous aurons notre maison, plus une très belle affaire entre les mains. Si nous prenons la première voie, c'est la maison tout de suite et l'égorgement ensuite. À toi de choisir: la misère ou la sécurité. N'oublie pas que du capital, ça peut valoir bien des diplômes.

Après maintes questions et beaucoup de réticence, elle opta pour le second scénario. Lui rêva.

"Si j'ai pu convaincre Nicole de sacrifier sa maison, j'arriverai ben à persuader un gérant de banque de soutenir l'entreprise."

Nicole lui avait rappelé ses propres paroles quant aux difficultés d'emprunter, mais il avait rétorqué que les temps n'étaient plus les mêmes et que, maintenant, les banques se battaient pour prêter À preuve, leurs campagnes de publicité.

Il choisit de rencontrer un gérant au fils duquel il enseignait L'accueil fut surprenant, étourdissant. Il fut invité à s'asseoir, à fumer, à prendre un café, et surtout à prendre tout son temps pour s'expliquer La conversation alterna de la valeur du fils en classe au projet de musée dont les garanties offertes se résumaient en cinq points principaux: faible prix payé, augmentation certaine de la valeur de revente, apport touristique important, investissement de ses propres épargnes, rentabilité plus que certaine, chiffres prévisionnels à l'appui.

Le gérant parla avec enthousiasme du bon sens de l'affaire et demanda trois jours pour en faire l'étude.

Et trois jours plus tard, il convoqua Alain.

–Le bureau-chef considère les exhibits comme de l'inventaire; or, sur inventaire, on prête pas jusqu'à ce pourcéntage, loin de là, lui dit-il d'un air profondément désolé.

–Mais c'est pas un stock à écouler, objecta Alain. De plus, les permis délivrés par le gouvernement défendent une vente de musée autrement qu'en bloc...

–Mon pauvre ami, je voudrais ben pouvoir te dire autre chose, mais crois-moi, le bureau-chef a pris ta demande en de très sérieuses considérations. Quant à moi, tu comprends, la banque m'appartient pas. Si ce n'était que de moi, je ferais plus, mais...

Alain n'insista pas et se rendit voir un gérant de caisse populaire qui soutint que la charte de leurs institutions ne permettait pas des prêts à l'investissement mais seulement à la consommation.

Il porta ses papiers à une autre banque dont le gérant l'accueillit froidement et ne l'écouta qu'avec peu d'attention, d'une humeur méprisante. Avant même d'essuyer un refus qu'il anticipait, il demanda combien de temps mettrait le bureau-chef à étudier le projet. Le gérant lui répondit qu'un prêt aussi petit, pour la banque, ne valait pas d'être soumis au bureau-chef et que, de toute façon, lui-même n'avait aucune confiance en la rentabilité de l'affaire.

Le troisième gérant qu'il rencontra lui parla de bilan.

Alain grommela:

–Comment produire un bilan puisque l'affaire n'est pas encore lancée ?

–Pas de bilan, pas d'argent! se désola l'autre. C'est ainsi que font les banques !

Le quatrième fut le plus expéditif de tous. Il soutint que des restrictions au crédit ne permettaient tout simplement pas, pour le moment, d'étudier le projet.

De guerre lasse, le jeune homme se rendit exposer son plan devant les responsables d'une caisse d'épargne et de crédit. Il insista surtout sur le développement de l'industrie touristique dans la Chaudière et dont le musée pourrait être l'étincelle provocatrice.

Subtilement, à travers de multiples sourires, le gérant et son préposé au crédit lui parlèrent du peu de confiance dont jouissaient les enseignants auprès des institutions prêteuses. Il les qualifia de consommateurs à la petite semaine, plus intéressés par les congés que par le travail. Ces paroles furent enrobées d'éléments rassurants pour Alain, qu'en vertu de ses antécédents d'organisateur-fondateur de la foire agricole de Beauce, ils ne le considéraient pas comme un professeur ordinaire. Néanmoins, il se sentit institutionnalisé par les deux hommes, et au sortir, un réflexe lui fit porter la main au front pour y chercher le sceau d'enseignant qu'ils y avaient plaqué.

On lui téléphona la réponse de la commission de crédit.

–Les garanties sont trop minces, disait-on laconiquement.

Il se demanda alors où, ailleurs qu'en ces endroits, l'épargne des gens pouvait se trouver. Il ne restait que les compagnies d'assurances

–C'est des compagnies anglaises ou américaines qui réinvestissent pas au Québec, lui dit un de ses amis, vendeur pour l'une d'elles. Hormis que tu ne veuilles un prêt sur hypothèque, alors. .

Alain ferma le dossier du musée. Il retourna au taxidermiste sa promesse de vente. Il annula les démarches entreprises pour l'obtention des permis requis.

*

Les Martel visitèrent rapidement l'exposition universelle.

La présence de tous ces pays collés les uns aux autres, aux sourires officiellement fraternels, et cette excessive manie nord-américaine de toujours chercher à savoir quel est le meilleur, poussèrent le jeune homme à comparer les valeurs présentes, miroirs des pays qui les montraient.

La créativité ne semblait pas moins présente chez les pays de l'Est, ni l'esprit scientifique, ni les grandes réalisations humaines. Il le savait avant, mais c'est l'exposition qui le lui fit accepter.

Il sortit sombre du site d'Expo 67, assailli par de nombreux doutes sur les valeurs occidentales, par le seul fait, pourtant, qu'elles avaient décrié depuis toujours et sans objectivité, celles des pays de l'autre bloc.

Il retourna en Beauce, fit bâtir maison et le couple reprit vie commune après trois années de séparation.

Alain ne mit pas longtemps à trouver ses payes de plus en plus rares et petites. Il dut s'atteler à la tâche de rechercher un équilibre budgétaire. Mais au chapitre de l'épargne, il ne put trouver qu'un montant fort limité et le consacra à de l'assurance-vie. Il lui fallait trouver un revenu d'appoint pour être en mesure de capitaliser un peu et aussi pour dégager la famille des servitudes budgétaires excessives.

Il se demanda souvent pourquoi il avait trouvé si facilement un prêt maison, alors que toutes les portes du capital pour son projet de musée lui avaient cinglé au nez. Pourquoi les prêts à la consommation sont-ils si faciles à obtenir et ceux à l'investissement si difficiles ? Ça sent l'exploitation, ça sent le contrôle. Ça sent la mise en servitude sous des dehors de grands principes de liberté. Qui tire les ficelles ? Son esprit bouillonnait sans cesse, plus agité que l'impétueuse rivière, cherchant des réponses, inlassablement. Et ces réponses provoquaient de nouvelles questions. Il s'en prit au système, à l'exploitation des travailleurs.

Il songea à son père qui avait été pauvre toute sa vie et avait toujours travaillé comme forgeron de chantier à l'emploi de grosses compagnies américaines. "Si on lui avait consenti de meilleurs salaires, j'aurais pu faire des études plus longues, qui me permettraient aujourd'hui de m'en sortir bien mieux."

Il finit par se dire que toutes ses réflexions sur le système étaient issues de ses frustrations et de son dépit de n'avoir pas encore réussi Il évalua qu'il manquait un atout majeur dans son jeu· l'expérience.

"Les gens qui réussissent dans la vingtaine sont rares ! Tout est pas si mauvais après tout. Faire preuve d'imagination et surtout de patience."

*

Il touchait si rarement aux boissons alcoolisées que la bière l'émoussa vite ce soir-là. Alain et son collègue discutaient encore comme souvent depuis le début de la soirée d'un projet parascolaire. Mais l'intérêt avait tiédi, miné par un désir intense d'aller dormir. Vers deux heures du matin, le jeune homme quitta le bar et monta dans son auto. Cent pieds plus loin, une voiture-patrouille de la Sûreté du Québec lui coupa la route. Un policier s'approcha et lui braqua sa lumière de poche dans les yeux fatigués.

–Tes papiers, ordonna-t-il rudement.

Tâchant de conserver son calme et son assurance, Alain trouva et présenta son permis de conduire et le certificat d'immatriculation du véhicule.

–Il est saoul, clama le policier. Incapable de conduire.

–J'ai fait une faute au volant ?

–Sors de là, toi!

Alain obéit.

Sur un ton plus réservé, le policier dit à son collègue s'approchant

–Veux-tu stationner l'auto et faire venir une remorqueuse ?

–Je peux poser une question ? demanda Alain

Le policier fit la sourde oreille.

–Vous faites quoi pis il va arriver quoi ?

L'agent prit des notes dans un carnet, puis il ouvrit la portière arrière de l'auto-patrouille.

–Monte! commanda-t-il en froide autorité

Alain obéit. On le conduisit à l'hôpital où on lui fit une prise de sang. Puis il devina par la direction empruntée qu'on l'emmenait à la prison du comté, à trente kilomètres de là.

À son collègue qui tenait le volant, le policier, d'une voix assez basse pour attirer l'attention du passager mais assez élevée pour qu'il puisse entendre, confia·

–Le chef en voulait trois à soir; avec celui-là, ça fait le compte.

Le jeune homme s'approcha du dossier de la banquette avant et, fouillant dans ses plus profondes réserves de politesse, il demanda·

–Si on s'en va à la prison, est-ce que je pourrais, en route, téléphoner à ma femme pour qu'elle s'inquiète pas ? Y a des cabines publiques le long du chemin dans les villages.

L'agent lui mit sa main en forme de panier sur le visage et poussa.

–T'as rien à savoir pis ta femme non plus ! Couche-toi, cochon !

Le 'suspect' recula et demeura coi. Ce qui avait d'abord été de l'impatience était devenu de l'exaspération qui, à son tour, se muait en une

197

colère sourde. Il s'énuméra tous les problèmes que cette affaire pourrait lui causer, à commencer par l'inquiétude et le grand mécontentement de Nicole. "J'ai pris quelques bières, raisonna-t-il, mais j'étais tout de même pas un danger public. J'avais qu'un mille à faire en pleine nuit, à un moment où la circulation est presque nulle...

Et, mains crispées: "Des viargini de baveux de beus de sacrement... Ça aide pas, ces gens-là, ça détruit..."

La bière froide avait de violents effets sur ses intestins Il entreprit sa vengeance en faisant sentir sa présence aux policiers par des flatulences pétaradantes. Ayant fait l'effort de se retenir depuis l'hôpital, ses réserves de munitions étaient assez respectables.

—Christ d'écœurant! fit l'agent devant l'odeur nidoreuse

Alain répondit par une deuxième attaque, mais plus violente que la première, et sonore celle-là. Du véritable terrorisme à la FLQ.. Voilà qui appelait les mesures de guerre... Furieux, le policier fit signe à son collègue d'arrêter la voiture. Il descendit, ouvrit la portière arrière et dit à mi-voix:

—Descends.

Alain obéit et, dès qu'il fut debout, reçut une rude poussée à l'épaule. Il trébucha, mais sans tomber. Sans avoir le temps de se mettre sur la défensive, il reçut un coup de poing au plexus solaire.

—Ça va faire sortir le méchant, ricana l'agent tandis que sa victime cherchait à retrouver son souffle

—C'est... c'est... la premiè... fois que j'ai affai.. à un chien enragé, souffla le jeune homme.

Saisi par un bras, il fut vivement projeté contre la portière qu'il heurta du genou et du thorax.

—Pas trop fort!

Dompté, mâté, le 'suspect' s'allongea vite sur la banquette et ne bougea plus d'une ligne, pas même du sphincter anal. Après avoir refermé les deux portières, l'agent répondit à son collègue·

—Complètement ivre, il tombe partout.

À la réception, Alain dut vider toutes ses poches Il n'observa personne, absorbé qu'il était par une irrésistible envie de dormir. Un garde le conduisit à une cellule et lui dit avec un peu de bienveillance·

—Dors un peu, ça ira mieux demain.

Il s'affala sur une couchette dure qu'il trouva d'un confort inespéré. Quelques heures plus tard, le même garde le réveilla.

—C'est l'heure de passer à la cellule commune.

Il déverrouilla la porte grillagée et, par un signe de la main, fit comprendre au jeune homme de le suivre.

Tout en marchant, Alain se demandait s'il ne rêvait pas; mais il se dit que cette interrogation elle-même trahissait un refus de regarder la

198

réalité en face car le garde armé était bien vivant, le couloir de béton tout à fait palpable, et la cellule commune des plus authentiques. Quand la grille fut refermée sur lui et que le garde eut quitté, il prit conscience, pour la première fois, de la présence de deux autres prisonniers, pas plus imaginaires que lui-même. Il s'assit sur un banc de bois, adossé à une cloison de blocs de béton. Aucun des deux prisonniers ne l'avait encore regardé, chacun ne manifestant d'intérêt que pour ses propres réflexions, les yeux rivés sur le plancher de ciment. L'un: cinquante ans, grand, chauve; l'autre: trente ans, visage réservé, cheveux bruns.

–T'aurais pas une cigarette ? murmura l'un d'eux entre ses dents.

Sur le coup, Alain ne put savoir lequel avait parlé ni à qui la voix s'était adressée. L'homme brun releva lentement la tête, et, fixant deux yeux éteints sur la fenêtre grillagée, répéta la question:

–T'aurais pas une cigarette ?

–Les 'beus' m'ont tout pris.

–C'est comme moé, jeta l'homme simplement

Il pencha la tête à nouveau et n'ajouta rien.

Alain jeta un coup d'œil autour de la pièce: pièce nue. Plancher ciment. Murs: béton. Fenêtre: grille d'acier. Porte: barreaux d'acier. Derrière la porte: un couloir en arc de cercle. Impossible d'en voir l'extrémité.

Là, une sensation nouvelle, étrange, envahit son esprit tout entier. Qu'était-ce ? De la peur ? De l'abattement moral ? De la tristesse ? De la rage ? Rien de tout cela! L'impression en était une de rétrécissement mental, comme si son âme avait rapetissé comme une peau de chagrin. Il chercha à se comparer à un enfant étroitement surveillé par ses parents, victime d'injustice et d'agression, mais son parallèle n'eut rien de rassurant puisqu'il n'avait jamais été cet enfant. Il avait bien, comme tous les jeunes de cette époque, essuyé plusieurs taloches injustifiées ainsi que deux ou trois coups de pied au derrière de la part de son père, mais jamais il n'avait senti de limites lourdes à ses gestes. Il avait toujours respiré un air de liberté qui l'avait parfois conduit jusqu'à mettre en péril sa propre santé. Mais comme il n'eût pas changé de place, à cette époque, avec ceux de ses petits compagnons dont chaque geste était à l'avance décidé par les parents! Après avoir réfléchi à toutes ces choses, l'impuissance et la dépendance du prisonnier enveloppèrent son âme d'une épaisse couche de ciment armé

–Je suis pas libre, dit-il amèrement, sans voix.

Fixant des yeux l'aveuglante lumière blanche qui tombait de la fenêtre, il sentait grandir en son cœur une soif insatiable, énorme, de savoir et de faire.

–Une cigarette, ça serait bon en tabar .. ! dit l'homme aux cheveux bruns.

Alain ne répondit pas, mais profita de la porte ouverte pour se renseigner:

—On m'a arrêté parce que j'avais pris un coup; as-tu une idée. .

—C'est comme moi, coupa l'autre sans lever la tête.

—As-tu une idée de ce qu'on doit faire pour sortir d'icitte ?

—Rien à faire avant dix heures, dit l'homme laconiquement.

Alain fit le geste de consulter sa montre. Elle n'était plus à son bras.

—Pourquoi dix heures ?

—Parce que le juge de paix travaille pas avant dix heures.

—Quelle heure qu'il peut ben être ?

—Neuf heures, neuf heures et demie.

—L'atmosphère est pas trop réjouissante icitte, hein ?..

—C'est comme j'pense... Faudra que quelqu'un signe pour toi.

—Comment ça ? Ils nous laissent pas sortir à dix heures ?

—Si quelqu'un signe pour toi pis dépose un cautionnement de cinquante douilles.

—Qui qui peut signer pour moi pis comment, d'abord que pas un viargini de chat sait où je me trouve ?

—Tu téléphones.

—Tu téléphones ?

—Oui! Quand t'entends la porte s'ouvrir au fond du corridor, tu jappes. Pis le gardien va venir pis là, tu lui demandes pour téléphoner.

—T'es venu icitte plus souvent que moi ?

—J'ai de l'expérience dans le bout, dit l'homme sans broncher

Alain s'approcha de la grille d'entrée et attendit plusieurs minutes, tapotant nerveusement des doigts les barreaux froids. Quand la porte, à l'autre bout, s'ouvrit, il héla le gardien qui s'approcha.

—Faudrait sans faute que je téléphone chez moi.

L'homme ouvrit tranquillement la cage qu'il ne referma pas. Il indiqua de le suivre et le conduisit à l'autre bout du corridor où il lui désigna l'endroit du téléphone à côté du comptoir de réception.

—J'ai pas de monnaie...

Rendu là, le gardien prit une pièce dans son enveloppe de prisonnier et la tendit au jeune homme qui parla piteusement à sa femme

—Nicole?

—Quen donc, les morts qui ressuscitent!

—Écoute là, il m'arrive une petite aventure... à vrai dire, une mésaventure...

—Où est-ce que t'es ? Où c'est que t'as passé la nuit ?

—C'est là l'aventure. Tu vois... après le travail à l'école, hier soir,

Yvon pis moi, on est allés prendre une bière... pis en sortant du bar, la police m'a arrêté...

—T'as fait un accident ou quoi ?

—Non, c'est pas ça! J'avais pris quelques bières, tu comprends ?

Nerveuse, elle demanda:

—Mais t'es où, là ? Où est l'auto ?

—L'auto... c'est vrai... attends une seconde

Il mit l'écouteur sur sa poitrine, mais n'eut pas à poser la question que le gardien répondait:

—Au garage Morin par chez vous. Ta femme a qu'à se présenter là pis payer le remorquage...

—Nicole, tu vas prendre un taxi pis aller au garage Morin prendre le char pis viens me chercher. Perds pas de temps en chemin !

—Faudrait ben savoir où te prendre.

—À la prison... à la prison de St-Janvier...

—Quoi ? hurla-t-elle.

—T'inquiète donc pas, j'ai dormi en toute sécurité... derrière les barreaux. On a ben pris soin de moi...

Elle ne rit pas.

—Quand je serai là-bas...

—Entre par la porte principale; on te dira quoi faire.

—J'y vais, mais je voudrais ben savoir..

—Pose pas de questions, je t'expliquerai tout à l'heure. Salut !

Il crut qu'elle voulait encore questionner et raccrocha, jugeant préférable qu'elle digère un peu ce qu'il lui avait dit.

Il demanda pour les toilettes. Le gardien lui en indiqua la porte. Il chercha la cause de sa douleur sous le bras, se découvrit à hauteur des côtes une longue marque rouge à la peau pelée. Il sortit et se montra au gardien qui y jeta un oeil indifférent

—C'est ce qu'on appelle de la brutalité policière, monsieur

—Paraît que t'as fait une chute, dit le gardien en haussant les épaules

—Ils disent ça...

—D'un côté, y a deux policiers à jeun pis de l'autre... Qui croire ?

—Évidemment, vous vous serrez les coudes !

—J'ai appris à croire rien que ce que je vois. Viens, je dois te ramener à la cellule commune.

En marchant d'un pas nonchalant, le gardien laissa échapper d'un ton détaché:

—Faut ben avouer que les gars arrêtés par certains policiers sont plus malchanceux que d'autres; ils font davantage de chutes .

Alain réintégra la cellule, le visage souriant.

–Puis-je savoir les noms des agents qui m'ont arrêté ?

–Celui qui t'intéresse s'appelle Crête, Régis Crête

Et le garde tourna les talons.

–Mes excuses pour les paroles de tout à l'heure, cria Alain.

L'homme continua comme si de rien n'était.

*

–Espérons que ça coûtera pas trop cher, dit Nicole sur le chemin du retour.

–Je risque de perdre mon permis de conduire, mais j'aurai qu'à me rendre à l'école à pied. Pis quand on devra aller quelque part, tu conduiras. Ils ont chargé combien pour le remorquage ?

–Quinze.

–Quoi ? Mais ailleurs, c'est dix dollars. Ils en profitent.

–Comment que tu vas le savoir pour ton permis ?

–Je vas me rendre chez un avocat après-midi.

*

Une main de plomb s'abattit sur son épaule et des yeux perçants plongèrent dans les siens.

–Mon cher ami, ne te laisse pas manger la laine sur le dos par ces gens-là. Défends-toi à la mort.

–En faisant quoi ? coupa nerveusement Alain.

–Tout d'abord, assis-toi confortablement, on va discuter

Alain prit place sur une chaise de bois sans bras, d'un côté du bureau jonché d'une multitude de dossiers, tandis que l'avocat s'asseyait dans sa chaise au cuir noir L'homme de loi compensait pour son physique freluquet par une énergie débordante, servie par un regard d'acier, un nez noueux et des sourcils inextricables.

–Premièrement, veut veut pas, faudra que tu comparaisses en cour T'auras deux choix: plaider coupable ou non-coupable. Dans le premier cas, tu devras payer cent dollars d'amende et tu perdras ton permis de conduire pour trois mois. Et aussi, par la suite, tu auras l'obligation de tenir ton véhicule assuré pendant trois ans.

L'avocat cherchait la moindre réaction dans le visage de son client, mais celui-ci demeurait impassible.

–Pis si je plaide non-coupable, ça voudra dire un procès ?

–C'est ça !

–Pis si je perds mon procès, ça revient au même que si j'avais plaidé coupable!

–C'est ça!

–Donc je ferais mieux de plaider coupable ?

–C'est ta décision. Si tu penses que t'étais trop saoul !

–J'avais pris à peine quelques bières

–Dans ce cas-là, plaide non-coupable.

–Ils vont se baser sur ma prise de sang au procès ?

–C'est ça! L'analyse est faite à l'institut médico-légal à Montréal Ils vont déterminer le taux d'alcool pis le juge va se baser là-dessus

–Comment décider sans connaître le résultat du test ?

–Minute mon ami, je peux m'arranger pour connaître d'avance les résultats et s'il n'y a rien à faire, tu plaides coupable.

–Pis si je gagne mon procès, ça me coûte rien ?

–C'est ça! Sauf bien entendu tes frais d'avocat.

–Ce qui voudra dire ?

–Cent dollars, pas une cenne de plus!

–Pour résumer tout ça: on m'arrête, on remorque mon auto au garage, on me traîne en prison sans avertir ma femme, on me brutalise, on me fait perdre au moins trois jours de mon temps –arrestation, comparution, procès– et si, en fin de compte, on me trouve non coupable, je devrai payer cent dollars de frais d'avocat pour coiffer toute l'affaire !

L'homme leva les bras.

–Si tu préfères te défendre toi-même C'est ton droit et ça te coûtera rien.

–Et là, je risque de perdre parce que j'y connais strictement rien en justice. Donc je suis perdant quoi qu'il arrive !

–Cent dollars d'honoraires d'avocat, c'est moins pire que tout le reste: amende, permis, assurances

–Quant à ça, je peux me passer de mon permis sans trop d'inconvénients... Et l'auto, elle était assurée de toute façon..

–Sauf que ça te coûtera pas mal plus cher pour tes assurances, jeta négligemment l'avocat.

–Quoi ?

–Tu le savais pas ? Tu seras forcé de tenir ton véhicule assuré et tu deviendras automatiquement un mauvais risque pour les compagnies. Et augmentation substantielle des primes.

–Ce qui veut dire ?

–Sais pas .. deux, trois cents dollars supplémentaires chaque année pendant trois ans. Téléphone à ton courtier.

–Mais ça n'a aucun sens!

–Les compagnies profitent de la loi. Elles soutiennent que les mauvais assurés doivent payer pour leur faute et que les bons conducteurs etc.. Percevant que son client était bien plus sensible à l'augmentation de ses primes qu'à la perte de son permis de conduire, l'avocat devait, par la suite, revenir à plusieurs reprises sur cette question qu'il avait vaguement abordée au début.

–Pour résumer le tout, je m'occupe de connaître le résultat de l'analyse de ton sang pis si on peut, on tape dans le tas C'est que t'en dis ?

–Et pour les blessures ?

–Pour ça, on peut rien. Comme disent les vieux, faudra que ça se règle entre toi, le policier et le bon Dieu qui t'entend. Tu comprends ?

–Trop bien !

*

C'est de son habituelle poignée de main accompagnée de son regard lourd et sûr de lui que l'avocat accueillit de nouveau Alain dans son bureau, trois semaines plus tard.

–L'affaire est belle, s'exclama-t-il. T'as d'excellentes chances de t'en sortir. Le taux d'alcool est juste sur la ligne, ce qui veut dire que le juge peut te condamner mais qu'il peut aussi t'acquitter. Ben des gars ont gagné leur cause avec un taux plus élevé.

–J'ai des chances ?

–Comme je viens de te le dire: excellentes. T'es ce qu'on appelle un cas d'espèce et c'est là-dessus qu'on plaide. Tu m'as dit que t'avais fait une grosse journée d'ouvrage et que t'étais plus fatigué que saoul. Le juge est capable de comprendre ça.

–En plus que c'était en pleine nuit et que j'étais sûrement pas un danger public. .

–C'est ça! Alors, nous allons..

L'avocat exposa son plan de défense, soulignant à chaque hésitation de son client tous les inconvénients d'une condamnation et surtout l'augmentation des primes d'assurances.

Alain sortit le cœur léger, soulagé d'avoir frappé à la bonne porte, celle d'un avocat solide. Cette image d'un juge humain, tenant davantage compte de l'esprit de la loi plutôt que de la lettre, jeta un vent d'espoir en son esprit confiant.

Le procès eut lieu. La poursuite cita comme témoins à charge les deux policiers qui accablèrent le jeune homme d'indices accusateurs blancs des yeux rougis au moment de l'arrestation, pupilles dilatées, forte odeur d'alcool, véhicule zigzaguant, titubation du suspect

Sur un bout de papier, Alain releva trois éléments de contradiction dans les deux témoignages et les fit voir à son avocat qui lui glissa à l'oreille, lui serrant le bras de sa poigne de fer:

–Laisse-moi faire !

Alain fut littéralement abasourdi par la défense produite Son avocat parlait faiblement, servilement, comme s'il quémandait. Il fit comparaître le compagnon d'Alain du soir de l'arrestation, puis un médecin de

204

Québec appelé à titre d'expert aux fins de démontrer qu'en vertu de la fatigue, que les policiers avaient prise pour de l'ivresse, le cas de l'accusé devrait être traité comme un cas spécifique.

Quelque temps après, au cours d'une même journée, l'intimé reçut la copie du jugement de cour ainsi que la facture d'honoraires de son avocat. Ayant perdu son procès, il était condamné à payer cent dollars d'amende, quatre-vingts dollars de frais de cour, et son permis de conduire serait suspendu pour une période de trois mois.

Sachant qu'il devrait aussi verser cent dollars au médecin de Québec, il prit un bout de papier et calcula tout ce que l'affaire lui coûterait y compris l'augmentation de ses primes d'assurances pendant trois ans et au sujet desquelles il avait obtenu des renseignements précis. Il entoura le chiffre et le souligna: mille quatre cent cinquante-cinq dollars.

Il s'indigna contre son avocat. S'il avait été moins mou en cour, s'il avait soulevé les contradictions comme je voulais qu'il le fasse... Et il faudra en plus que je lui crache cent dollars pour toute sa merde... Alain agrippa le téléphone et composa le numéro de son défenseur.

—Mon cher ami, j'ai des choses à te dire ..

Mais l'autre l'interrompit immédiatement·

—Avant que t'ailles plus loin, mon ami, je veux te dire à quel point j'ai été déçu, démonté, débiné de ce jugement. C'est la première fois qu'une chose pareille m'arrive... Au fond, pour être honnête avec toi, je m'y attendais depuis le jour du procès. .

—Et comment ça ?

—Le juge, mon ami, le juge! J'pensais pas que tu frapperais ce juge-là. Et quand j'ai vu que c'était lui...

—Qu'est-ce que ça change ?

—Tout, absolument tout! Ce juge-là prend un coup pas mal fort, c'est ben connu. Quand il a levé le coude la veille, faut pas le lendemain que les choses traînent en longueur. J'ai vu au premier coup d'œil qu'il relevait d'une cuite et c'est pour ça que j'ai procédé le plus vite possible Pour ne pas l'indisposer. Tu comprends ? Mais ça n'est rien. Le pire c'est que depuis un an, depuis l'accident de son fils, il est très sévère pour les cas de facultés affaiblies au volant...

—Quel accident ?

—T'es pas au courant ? Son garçon s'est tué l'an dernier lorsque son auto a capoté. Il était bourré de drogue. Autant le juge était magnanime avant autant il est dur maintenant. Il ne laisse plus rien passer dans les cas de facultés affaiblies. Comme de raison, c'est un être humain .

—Très humain, je vois ça! s'exclama Alain. L'affaire va me coûter le quart de mon salaire net annuel. Quand on a une famille à faire vivre, c'est plaisant d'avoir affaire à des juges aussi humains que tu le dis.

—Ah! je te comprends! Mais en ce qui me concerne, je me suis débattu comme un diable dans l'eau bénite. J'ai fait des démarches auprès de l'institut médico-légal, auprès du médecin-expert de Québec, je t'ai reçu plusieurs fois à mon bureau et j'ai plaidé. Que veux-tu de plus ?

–Quant à ça... hésita Alain.

–Dans un cas comme le tien, un détail pouvait faire pencher la balance d'un côté comme de l'autre.

–T'admettras que le coût total de cette affaire est disproportionné par rapport à la faute commise.

–Sûrement dans ton cas! T'as mal frappé: autant du côté des policiers que du juge.

–Il me reste qu'à annoncer la bonne nouvelle à ma femme. Elle arrive justement à la maison, j'entends l'auto. Je t'enverrai ton chèque par la poste sous peu.

–C'est ça! Pis bonne chance, là!

Nicole entra. S'il lui expliqua longuement les circonstances de sa condamnation, il lui cacha l'augmentation des primes d'assurances Il lui annonça qu'il irait le jour même emprunter à une compagnie de financement le montant requis pour couvrir les frais divers, et cela pour un versement de vingt-trois dollars par mois seulement.

–Soixante-dix pour cent des hommes boivent plus que ce montant chaque mois, conclut-il.

***

206

Chapitre 11

1968

Il avait garé son auto près de la résidence des religieuses, mais en retrait, derrière un bouquet d'arbres. Il ne tenait pas à y être vu en compagnie de cette jeune sœur avec qui une amitié profonde s'était engagée depuis un an.

Joyeux, il l'était; mal à l'aise, encore plus! Joyeux d'avoir retrouvé sa voiture, instrument de libération, et d'avoir à ses côtés cette religieuse qu'il aimait 'intellectuellement' pour discuter avec elle pendant des heures, sans jamais se lasser. Tous les sujets y passaient, mais surtout celui du bonheur humain. En elle cependant, l'amour avait dépassé les frontières de la raison. Et cela causait son malaise à lui.

L'isolement du lieu, les arbres et la nuit cacheraient leur présence. Cette pensée le réjouit et pour cause. La directrice de leur école, aussi religieuse, mais à l'âge des regrets inutiles et tardifs, avait pris la fâcheuse habitude de lui adresser des reproches qu'Alain croyait injustifiés et attribuait plus à l'amitié particulière qui l'unissait à la jeune sœur qu'à ses fredaines d'enseignant devant des règlements tatillons.

Il consulta sa montre:

—On a une heure devant nous, de quoi on parle ?

—Du cœur de l'homme peut-être ? interrogea-t-elle en souriant.

—N'est-il pas aussi tendre que celui de la femme ?

—Sûrement... je le croirais... oui... selon les circonstances!

Elle pencha légèrement la tête.

—Ça dépend de quel homme il s'agit... et de quelle femme, dit Alain, songeur.

—Peut-être aussi de la communication entre les deux, dit-elle, aussi songeuse à son tour. Le bien n'invite-t-il pas le bien ? L'amour ne favorise-t-il pas l'amour ?

–Oui... oui ! Mais l'amour n'engendre pas l'amour.. . pas nécessairement je veux dire. Tu vois, Marie, y a souvent entre deux êtres un attachement réciproque, mais l'amour va dans un seul sens.

Il sentait venir cette confrontation qu'il avait toujours prudemment évitée ou éloignée. Mais cette fois, l'attaque avait été directe, presque brutale. Elle le forcerait à mettre son cœur à nu et il ne le voulait pas Mentir ? Et après ? Ne risquerait-elle pas de briser ses vœux, de quitter sa communauté, non pas pour lui, mais pour rompre une entrave la séparant de l'amour humain ? Chercherait-elle à établir une liaison dont il n'avait pas envie ? Lui dire la vérité, lui faire du mal ? Elle était pourtant bien assez malmenée avec toutes ces remises en question sur elle-même et sur la vie. Et sur sa vie. Que faire ? Il avait décidé de garder intact leur attachement moral, d'éviter la confrontation amoureuse, de laisser grandir le désir qu'elle avait de savoir, en espérant qu'un jour, leurs routes se séparent avant qu'ils n'aient eu l'occasion de se révéler l'un à l'autre.

Et il s'était dit:

"Elle a le cœur au sacrifice puisqu'elle est religieuse; elle doit donc enfouir à jamais en un recoin de son âme l'idée que j'ai sacrifié l'amour au devoir. Le mieux qui puisse arriver, c'est que je devienne pour elle un doux et douloureux souvenir."

Habilement, il avait toujours su faire dévier la conversation, ou bien il avait donné des opinions évasives quand le sujet devenait trop chaud, risquant de le compromettre. Aussi, le temps et les circonstances souvent venaient à son secours.

Ils avaient partagé les mêmes travaux, la même table mais par-dessus tout, chacun avait assisté aux combats violents que se livraient en eux d'un côté, leur sens du devoir et leur fidélité à de vieux engagements, et de l'autre, leur soif de liberté. Chacune de leurs âmes cherchait son identité propre sans pourtant réussir à concilier liberté et devoir, aspirations et engagements. Elle voulait devenir une religieuse libérée; lui voulait devenir un homme marié libre. Eux y croyaient à travers leurs doutes, mais pas la société.

Ils s'étaient merveilleusement rencontrés pour toucher du doigt la plaie, cette plaie commune, désespérante parfois. Pour elle, cette rencontre avait fait naître l'amour; pour lui, l'amitié la plus tendre. Mais si elle avait dormi chaque nuit près d'un corps chaud et affectueux, comme lui le faisait, et s'il avait vécu ses nuits dans la solitude, comme elle, pour qui cette rencontre spirituelle aurait-elle dégénéré en amour et pour qui serait-elle demeurée de l'amitié ? Il mourrait sans connaître la réponse, mais il se sentait mieux de s'être au moins posé la question.

–L'amour réciproque, l'amour à sens unique, dit-elle doucement. Le Christ a aimé à sens unique.

Elle avança la main et flatta légèrement la cuirette du tableau de bord.

—Est-ce que ça existe, le véritable amour réciproque ? demanda-t-elle, la voix nuageuse.

Il ne répondit pas sur le coup, soupirant et hochant la tête. Il fouilla dans sa poche de chemise, sortit son paquet de cigarettes qu'il déposa sur le tableau de bord. Et finit par dire comme à regret:

—Je l'ai cru, je l'ai déjà cru.

—Et... plus maintenant ?

—Dans un sens, oui; dans l'autre, non.

—Déçu de la vie ?

—Jamais ! Et tu le sais bien, Marie... Non, pas jamais, rarement.

—T'es content de ce que tu vis ? Je veux dire chez toi ?

—Content... non...

Il tapota son paquet de cigarettes.

—J'ai soif de quelque chose, mais je peux pas dire ce que c'est exactement.

Il ouvrit son paquet.

—Sûrement que c'est de liberté, mais de quelle sorte ? Comment la définir, cette liberté ? Difficile ! Des journées, je sais... où je crois savoir. Le lendemain, je ne sais plus.

Elle battit des cils en soupirant, comme fatiguée de chercher à savoir sans jamais y parvenir.

—Pas content et pourtant pas déçu; quoi comprendre d'un tel langage ?

—La vie est riche. On peut la saisir à pleines mains et en ce sens-là, je suis pas déçu; mais je m'y prends mal pour en extraire les richesses et là, je ne suis pas content.

—Il est possible que tu t'en prennes trop à toi-même, comme si tu étais responsable de l'humanité. Peut-être que tu cherches trop en toi-même ? Peut-être que ce sont les autres qui t'empêchent d'accéder aux richesses de la vie ? Ce sont peut-être les autres qui t'empêchent aussi de découvrir les plus grandes qui soient: les tiennes, tes propres richesses intérieures.

Le fond sentimental du propos féminin était tendre, mais avant-plan se trouvait la douceur avec en demi-ton l'impatience voilée et la dernière et le reproche éthéré.

—C'est possible, c'est vraiment possible. Je veux le savoir. Je cherche. La réponse à une si profonde interrogation ne se trouve pas en deux temps trois mouvements. Je cherche. Je pense et je cherche.

—Mais jamais tu ne pourras avoir de certitude... T'exiges trop de preuves, d'évidence...

—Quand j'aurai trouvé, je le sentirai et j'agirai en conséquence.

—À qui penses-tu en parlant de tout ça ? Qui t'empêche d'arriver à toi-même ?

—C'est toi, qui as dit ça, Marie.

—Tu crois pas que les autres soient des obstacles dans le chemin qui te conduit à toi-même ?

—Oui, mais c'est quand même à travers eux que j'y arriverai. que je dois y arriver.

—On tourne encore une fois en rond et autour du pot.

La remarque faillit le désarçonner.

—Ce n'est pas mieux ainsi ?

—Mais un bon jour, faut plonger dans le pot et regarder la réalité ben en face, dit-elle, impatiente.

Il alluma une cigarette et aspira plusieurs bouffées sans parler. Les rayons de lune rendaient grâce au visage angélique de la jeune femme dont les yeux lumineux buvaient aux moindres gestes de l'homme. Pourtant, il s'appliquait à obscurcir chaque attitude, chaque mot chaque geste même. Elle n'osait poser de questions directes; il ne pouvait donner de réponses nettes. Il fuma si vite que la cigarette devint brûlante. Et contemplait les lueurs de lune flottant dans l'air, charriées par les volutes de fumée.

—Peut-être qu'on devrait changer de sujet. Pas que celui-ci ne m'intéresse pas, mais parce que tout est embrouillé dans ma tête... et surtout ce soir...

—As-tu l'impression que je te pousse dans le dos ? Tu sembles impatient tout à coup! Ça me paraît bon signe quand tu dis: surtout ce soir Qu'y a-t-il derrière cette parole ?

Elle lui déchaussait le cœur, l'obligeait à prendre une direction ou bien l'autre.

Il pensa· "Il est vrai que ce "surtout ce soir" trahit mon malaise d'être coincé, mais il ne cache aucun sentiment amoureux comme elle le voudrait, comme elle l'espère. Comment ai-je pu me fourrer dans un pareil pétrin ?"

Il se remémora dans un rapide tourbillon de souvenirs l'ensemble des gestes et paroles de la jeune soeur ces dernières semaines, et déplora de s'être en fin de compte, laissé cerner comme un enfant maladroit. Pourquoi n'avait-il pas mis un frein aux avances camouflées de la jeune femme trop sentimentale ? Pourquoi ne lui avait-il pas retiré cette complicité tacite qui peut faire partie aussi bien de l'amitié que de l'amour ? Mais il ne l'avait pas fait. Par goût de la flatterie ? Par manque de courage ? Pour ne pas la briser ? Par gratitude ? Pour toutes ces raisons sans doute!

Il disait vrai quand il affirmait mal connaître ses propres contours et ne pouvoir définir ce qu'il cherchait. Et les contradictions dans les valeurs l'empêtraient encore davantage. C'est ainsi que les gens, les autres, ne le forceraient jamais à accepter l'hypocrisie; mais, d'un autre côté, Marie, tout admirable qu'elle fût, ne l'obligerait pas à la blesser.

"Je dois mentir, se dit-il. Je ne peux faire autrement. Mais alors je mentirai le moins possible."

Il alluma une cigarette avec le mégot de la précédente, mais l'écrasa aussitôt, nerveusement. Il approcha sa main du poing fermé de Marie et l'enveloppa fort, prenant une longue inspiration. Il ramassait son mensonge de façon qu'elle puisse croire qu'il ramassait son cœur. Alors, brusquement, il hocha la tête.

–Marie, regarde-moi... Oui, comme ça, droit dans les yeux. Tu me connais bien. Tu connais ma vie. T'ai-je déjà menti ? Mais pourquoi me poses-tu des questions auxquelles, tu le sais, je ne peux pas répondre... auxquelles j'ai pas le droit de répondre ? Nous avons chacun notre route à suivre. L'avenir de nos routes est tracé d'avance par leur passé et elles divergeront inexorablement; voilà notre destin, Marie...

Cette main chaude sur son poing, ce premier contact physique avec Alain, cette libation sublime au corps de l'homme injectèrent dans les veines de la jeune femme des jets incontrôlables d'une folie brûlante.

–Dieu peut-il demander à deux cœurs de se briser ? fit-elle avec détresse.

Ses yeux s'emplirent de larmes. Elle était maintenant sûre de l'amour de son ami. Il ne lui manquait plus qu'un 'je t'aime' franc et net et elle l'obtiendrait, au prix même de dire le sien d'abord.

–Ils se briseront pas si nous sommes forts! dit-il, serrant son poing plus fermement. J'ai une femme, un enfant, un foyer, une vie et c'est à cette vie-là que je me dois. Tu as ta communauté, tes engagements et c'est à cette vie-là que tu appartiens. Nous bâtirons chacun de notre côté, gardant bien au chaud, dans une cellule secrète du fond de nos cœurs, un doux souvenir, un pur souvenir. Oui, c'est ça: un souvenir qu'on aura bâti doux et pur. Il faut qu'il en soit ainsi, Marie. Ne te soumets-tu pas chaque jour à la volonté de quelqu'un d'autre chaque fois que tu dis ainsi soit-il ?

–J'ai jamais pensé au sens profond de cette parole... ni de bien d'autres d'ailleurs. Mais Alain, tu crois en Dieu; or sa volonté a fait que nous soyons ensemble, ici, en cet instant précis; n'est-ce pas là un signe que nous devons disposer de ce moment de notre vie à notre guise, sans que n'intervienne directement ou indirectement la volonté de quelqu'un d'autre ?

–Si Dieu avait voulu que les choses soient comme tu dis, il n'aurait pas seulement permis le moment présent, mais il aurait fait le passé différent. Ce moment qu'il nous donne est justement une occasion pour nous d'exercer un contrôle, comme seulement des êtres humains peuvent le faire, d'exercer un libre choix, comme des gens qui ont vécu peuvent le faire. Voilà pourquoi cette conversation sera la dernière, parce que nous ne pouvons pas aller au-delà. Oh! bien sûr, on pourrait se laisser aller, ne serait-ce qu'une heure, mais il nous faudrait trop sacrifier... À commencer par notre propre sens du devoir.

—Faut-il pousser le sacrifice si loin qu'il faille se quitter comme ça . sans rien d'autre, sans rien... de plus... ?

—Oui, hélas! Nous avons des devoirs, des destins, des futurs différents. Pour les trois mois qu'il nous reste à travailler ensemble, je te rencontrerai sans te rencontrer, je te verrai sans te voir, je te parlerai sans te parler, comme les gens le font entre eux, dans la vie de tous les jours. Et à l'automne, nos routes divergeront d'elles-mêmes: tu t'en iras aux études à Québec et je resterai ici.

—Ne te manque-t-il rien ? N'y a-t-il pas un immense vide en toi ? Nous quitterons-nous, mettrons-nous un point final sans au moins avoir cherché à combler ce vide ?

—Je ne veux pas te savoir avide de quelque chose... de cette façon triste. Je veux te voir forte, logique, comme peu de femmes peuvent l'être ou savent l'être, mais comme tu l'as toujours été depuis que je te connais

—Possible que la logique d'une femme suive le dessèchement de son cœur...

—Aucun cœur de femme ne se dessèche jamais... ni aucun cœur humain non plus. Du moins je le crois... je l'espère.

Elle risqua une phrase dictée par le chagrin:

—Le mien était devenu ben sec avant... avant toi

—Marie, t'es folle! Au contraire, il était rempli mais fermé, et je n'ai fait qu'entrouvrir sa porte.

—Pour qu'elle se barricade plus sûrement après.

—Marie... Marie... Marie, dis pas des choses pareilles! Tu devras continuer de l'ouvrir toute seule, cette porte, et l'ouvrir toute grande.

Il lui offrit un papier-mouchoir. Elle essuya ses yeux d'une seule main, gardant le chaud contact de l'autre.

—Pourquoi faut-il que les choses soient ainsi ? Je ne le veux pas et toi non plus...

—Shhhhhhh!

Il fit un lent mouvement vers elle et lui mit un doigt sous le menton pour qu'elle relève la tête. Apeurée, vulnérable, triste, elle soupira sombrement et déclencha la portière d'un cran.

—Approche, dit-il.

Elle ne bougea pas. D'un geste rapide et léger, il avança la tête et, dans une sorte de frôlement angélique, il déposa sur ses lèvres un baiser véniel.

—Va! Va et vis! ajouta-t-il avec une infinie tendresse dans la voix mais une fermeté inébranlable dans la poigne de sa main.

Et il retourna vivement à sa place, lâchant son poing et tournant les yeux vers la nuit. Marie déclencha le second cran et poussa de l'épaule dans la portière qu'elle retint pendant plusieurs secondes, ravalant sans cesse et cherchant, sans y parvenir, à dire quelque chose. Il fit tourner le moteur sans bouger la tête. Dans un élan subit, elle sortit en criant à voix étouffée, avant de claquer la portière·

–Je t'aime !

Et s'en fut en courant.

L'auto avança et roula furtivement devant la résidence des religieuses.

Alain se dit tout haut, la gorge serrée:

–Ainsi soit-il !

*

Peu après, le jeune homme prenait place près du bureau de la directrice.

Il sortit son stylo pour signer au plus vite son rapport d'appréciation. Dès la fin de sa lecture, il remit son stylo dans sa poche. Il reprit la feuille en mains, repassa les trois lignes laconiques, lourdes.

—Relations avec les étudiants· semblent bonnes.

—Relations avec les collègues· manque de solidarité.

—Relations avec les autorités: pas de collaboration.

–Je m'excuse, ma sœur, mais je ne signerai pas ce rapport, dit-il en jetant la feuille devant lui.

–Vous me direz bien pourquoi ? demanda-t-elle sèchement.

–Parce que son contenu est faux. Je ne signe pas de faux chèques et n'apposerai pas ma signature au bas de ce document qui risque par surcroît de me couper le cou.

–Vous devez être au courant, monsieur Martel, de vos propres agissements. Dans ce cas, expliquez-moi en quoi ce rapport est faux.

Il garda tout juste son calme.

–Je vous en prie, je vous en prie. C'est pas à moi de démontrer la fausseté de son contenu, mais à vous d'en prouver les... prétentions

–Et de quelle manière suggérez-vous que nous le fassions ?

–En écrivant des faits précis. Sur la foi de quoi, par exemple, affirmez-vous que mes relations avec les autorités sont mauvaises ? Pourquoi dire aucune collaboration ?

La petite sœur au sourire empesé, accroché derrière des lunettes à montures métalliques, ricana nerveusement. L'évidence à la main, elle répondit:

–Vous ne portez jamais de cravate, défiant ainsi le règlement de cette école. Un professeur digne de ce nom porte toujours sa cravate

Non seulement vous désobéissez à l'autorité, mais en plus, votre attitude jette du discrédit sur vos collègues, ce qui démontre votre manque de solidarité.

–Pourriez-vous me citer d'autres faits précis ?

–Mais très certainement, monsieur. Il n'est pas digne non plus de boire du Coke dans la bibliothèque, ce que vous faites tous les jours.

–Autre chose ?

–Vous recevez souvent les mêmes étudiants, ou devrais-je dire étudiantes à votre bureau, en privé... Est-ce que j'ai besoin de vous signaler que vous leur faites ainsi perdre un temps précieux de leurs cours réguliers ? Ai-je besoin de vous dire que les professeurs s'en plaignent ?

–Continuez, je vous prie.

Elle s'impatienta:

–Écoutez, monsieur, je n'ai pas tout noté ce que vous faites régulièrement de travers !

–Mais aurait fallu, ma sœur, parce que je ne signerai pas un rapport contenant des *généralités* alors que vous n'avez à me reprocher que des *banalités*.

–Vous niez les faits ?

–Pas nécessairement! Il est vrai que je ne porte pas la cravate comme le stipule le règlement, que je bois du Coke où vous croyez qu'il ne faut pas et que certains étudiants reviennent souvent à mon bureau...

–Mais alors ? ...

–Ces brouilles effacent-elles le reste de ma collaboration avec l'autorité ? Par exemple, est-ce que mes notes sont remises à chaque bulletin scolaire ?

–Oui.

–Mes étudiants flânent-ils en des lieux où ils ne le devraient pas ?

–Non.

–Est-ce que j'ai des retards injustifiés ?

–Non.

–Alors quoi, vous dis-je à mon tour ?

–Vous défiez l'autorité en ne respectant pas les règlements... par exemple concernant l'habillement.

–Mais c'est un règlement stupide! Et puisque nous parlons de la question vestimentaire, vous ai-je déjà dit que votre costume de religieuse me déplaît souverainement ? Non, car je respecte votre habit Par contre, je demande que vous respectiez le mien. Est-ce que je manque aux règles d'hygiène ? Est-ce que je sens mauvais ?

–Un homme qui ne porte pas de cravate a l'air débraillé.

–Question d'opinion; d'autres disent qu'il a l'allure sportive

Il se leva, se rendit derrière sa chaise, s'appuyant les mains au dossier.

—Cessons de discuter dans le vide. Quelle importance que je porte ou non une cravate ? L'important, c'est l'enseignement que je donne à mes étudiants. Est-il valable, cet enseignement ?

La soeur prit une voix pincée:

—Suis pas une étudiante, moi!

—C'est pourtant là-dessus que devrait porter un rapport d'appréciation et non sur les détails sans importance.

—Mon cher monsieur, quand on néglige les détails, on ne s'occupe pas mieux du principal.

—Les notes de mes étudiants sont mauvaises ?

—Je ne sais pas. Mon travail à la direction de cette école étant très absorbant, je n'ai pas le temps de suivre les notes des huit cents étudiants.

—Je vais donc répondre pour vous. Elles sont très convenables. D'autre part, j'ai d'excellentes relations avec eux. Est-ce qu'il m'arrive de vous envoyer des étudiants indisciplinés ou paresseux ?

—Non.

—Et vous savez pourquoi ?

—Non.

—J'en ai pas, tout simplement.

—J'ai bien écrit que vos relations avec les étudiants sont bonnes.

—Vous avez écrit *semblent* bonnes. Ce qui implique un doute... Quant à dire que je manque de solidarité envers les collègues parce que je ne porte pas la cravate, elle est bien bonne...

—Il ne s'agit pas seulement de cela, coupa-t-elle. J'ai aussi des plaintes de la part de certains de vos collègues.

—Nous y voilà: le chat sort du sac. La délation...

—Je vous préviens: inutile de me demander l'origine de ces plaintes.

—Je ne vous en demande pas tant. Mais je vous conseille bien de ne pas vous laisser berner par ces gens qui placotent car ils le font aussi sur votre dos.

—Tout ce que je peux vous dire, c'est que vos attitudes ne vous rendent pas très populaire auprès de vos collègues.

—Réglons alors une autre question, soit celle de mes amitiés particulières avec certains étudiants ou bien devrais-je dire comme vous, certaines étudiantes. Pourquoi ces soupçons à peine voilés ? Un enseignant n'est-il pas aussi professionnel et responsable qu'un psychiatre ou un médecin pour que l'on doute ainsi de sa conduite ? Je m'excuse de la violence des propos qui vont suivre, mais puisqu'il faut le dire, croyez-bien que s'il m'arrivait de coucher avec une étudiante ou même de la

215

toucher, je ne le ferais sûrement pas dans votre école... Au-delà de toutes ces questions, il y a un point que vous n'avez pas osé soulever et qui explique sans doute bien davantage le contenu de ce rapport, et c'est l'amitié que sœur Marie et moi avons l'un pour l'autre...

–Ne parlons pas de ça. Ça n'a rien à voir avec votre rapport déjà chargé.

–Mais c'est vous qui le chargez. C'est vous qui voulez appliquer à la lettre des règles tatillonnes. C'est vous qui écoutez les délateurs C'est vous qui entretenez des soupçons injustes et malveillants.

La religieuse se leva abruptement et arracha la feuille qu'il avait reprise dans ses mains. Furieuse, elle la déchira en plusieurs morceaux qu'elle jeta à la poubelle.

–Faites-le vous-même votre rapport! lança-t-elle avec colère.

–Certainement et merci, dit-il en se dirigeant vers la porte. Et je tâcherai d'être honnête, croyez-le bien.

Il se rendit à son bureau et il écrivit:

—Relations avec les étudiants: saines.

—Relations avec les collègues: satisfaisantes avec certains.

—Relations avec les autorités:

1- respecte les autorités qui le respectent.

2- se moque de certains règlements dont celui du port de la cravate.

3- boit trop de Coke.

Il signa sa feuille et retourna la déposer sur le bureau de la principale. Quand elle l'aperçut revenir, elle changea de pièce.

*

Quelques jours plus tard, il fut convoqué au bureau du préposé au personnel de la commission scolaire, un personnage coloré qui, à l'instar de plusieurs des nouveaux instruits québécois, avait jeté le froc aux orties.

Homme de panache, impressionnant, grand, droit, large d'épaules, c'est ainsi qu'il apparut encore une fois, aux yeux d'Alain, ce personnage très populaire auprès des enseignants.

Mais ce jour-là, le jeune homme le détailla un peu plus: visage sanguin, cheveux fauve, front rond, fuyant et lisse. Tout le magnétisme se logeait dans les yeux· proéminents, en forme d'amandes, malicieux, posés. Il avait tout d'un lion, mais sa voix était humaine: forte, solide, grave. Quand il parlait, il prenait allure de géant. Mais un géant bienveillant et juste, pensa Alain en s'asseyant.

–J'ai lu plusieurs fois ton rapport et je dois t'avouer que j'ai pas compris. C'est pas toi, ça, Alain Martel Veux-tu ben m'expliquer ce qui se passe ?

–C'est pourtant ben moi puisque je l'ai rédigé moi-même.

216

–J'ai su ça! Mais j'ai aussi la copie de l'autre que t'as refusé de signer et, je te le répète, j'en reviens pas.

–T'en as discuté avec la principale ?

–J'pense ben! J'aurais jamais accepté un tel rapport sans poser de questions.

–Elle t'a parlé de notre rencontre ?

–Elle m'a tout raconté.

–À sa façon ?

–À sa façon, à sa façon... à la façon dont les choses se sont passées.

–Ce qui veut dire que tu ne veux pas entendre ma version ?

–Si tu veux ! dit l'homme en haussant les épaules.

Il jeta son crayon sur le bureau, recula sur sa chaise à bascule et se croisa les bras de façon condescendante.

–Vas-y, je t'écoute !

Alain raconta son altercation avec la religieuse. Quand il eut terminé son récit, l'homme-lion reprit sa position de départ: coudes appuyés sur le bureau, poitrine frôlant le rebord, tête à la fois renfrognée et projetée vers l'avant, comme il était le seul à pouvoir le faire, sans doute à cause de ses épaules énormes.

–Tout concorde avec ce qu'elle m'a dit et ça me surprend drôlement de ta part. Je te croyais plus sérieux que ça, Alain.

–Toi aussi, Bernard, tu me surprends passablement. Est-ce que tu acceptes un jugement global à partir de faits aussi insignifiants que ceux à m'avoir été reprochés ?

–La question n'est pas là.

L'homme rougit et sa voix monta d'un ton.

–Tu dois tout de même savoir, sacrifice, qu'un règlement, c'est fait pour être appliqué pis respecté. Quand tu établis toi-même une règle en classe, acceptes-tu que les étudiants la violent aller-retour ? Acceptes-tu que chacun fasse à sa tête ? Non, je sais que t'es meilleur professeur que ça.

–Bernard, quand je fais un règlement, je tâche de le faire intelligent...

–Tiens, tiens, tiens, monsieur est tout seul à posséder l'intelligence Les autres sont des imbéciles, je présume ?

–Dans une école, tout comme dans la société, un règlement qui régit les moindres détails est imbécile parce qu'il empêche les jeunes de s'épanouir en les encadrant trop. Ils ne deviennent pas eux-mêmes et ne développent pas leur propre personnalité. Ils deviennent des numéros sans identité propre, tous formés à un même moule, à une même image. C'est encore pire quand on s'adresse à des enseignants adultes. Que l'on demande à un professeur une tenue convenable, d'accord, qu'on décide de la couleur de ses bas, non.

L'homme sourit avec morgue.

—Tu veux pas comprendre, mais va pourtant falloir que tu comprennes ..

Alain, à son tour, monta le ton d'un cran.

—Comprendre que la directrice a automatiquement raison parce qu'elle détient l'autorité ? Jamais! C'est là une raison drôlement insuffisante. Va falloir que quelqu'un se serve de sa tête un bon matin...

La phrase fut coupée par un formidable coup de poing sur le bureau, et l'homme-lion se leva d'un bond, le feu au visage, rugissant·

—Ah! sacrifice, mon gars, tu vas t'apercevoir que c'est pas de même que ça marche. Si tu plies pas, mon gars, tu vas tout simplement casser. A-t-on déjà vu ça, des employés qui se mêlent de dire· ça, ça fait mon affaire, je le prends; et ça, ça fait pas mon affaire, je le prends pas ? Ah! ah! ah! ah! mon gars, tu nous monteras pas sur la tête. Si t'es pas content, à la fin de l'année, prends tes guenilles pis va enseigner ailleurs ..

—O.K., O.K., j'ai compris! Te mets pas en colère, j'ai compris Si tu tiens absolument à ce que je lui fasse plaisir à ta chipie de directrice, je vais me procurer deux douzaines de cravates. Par contre, demande-lui donc à elle, la vieille fille enragée, d'enlever son costume suranné qui lui donne l'air d'une retardée mentale...

Reprenant un peu son calme et hochant la tête, l'homme laissa tomber:

—Ce que tu peux être baveux, Alain Martel, ce que tu peux être baveux !

—Tu permets que je fume ?

—Si tu veux!

L'homme se rassit en soupirant et alluma la cigarette que l'autre lui avait offerte.

—Tu sais ben Bern, que y a pas là de quoi fouetter un chat. J'aurais pu faire un grand sourire et dire: oui ma soeur, je ne recommencerai pas Le problème aurait-il été réglé ? Elle veut ma peau parce que je suis proche de soeur Marie. Elle me niaise depuis plusieurs mois avec des détails; tu vois tout le chiard qu'elle fait pour des questions de poignées de portes. Ah! je comprends ton attitude! Entre autorités, il faut se protéger; en tout cas pas se couler! Mais laisse-moi repartir avec l'idée que t'es plus compréhensif que tu le laisses voir pis je tâcherai de corriger la situation du mieux que je pourrai.

—Compréhensif, compréhensif... facile à dire! Nous autres, faut être compréhensifs et vous autres, vous prenez tous vos aises.

—Je cherche à détruire personne à l'école, je veux être moi-même avec les étudiants, un point c'est tout.

—Tu te vantes pas mal d'être bon professeur Tu prétends pouvoir éduquer les jeunes et t'es même pas capable de donner l'exemple· toi et ton esprit rebelle. Attitude bizarre... Et qu'est-ce que ça peut ben t'apporter, Alain Martel, ça ? C'est pas de même que tu vas te tailler une place dans le monde de l'éducation. Il va se construire des polyvalentes et t'as le potentiel pour être principal-adjoint ou même principal un jour Pourquoi que tu travailles pas dans le bon sens ? Veux-tu me dire ?

Doucereux, l'autre rétorqua:

—Entre nous deux, Bernard, suis prêt à porter une cravate pour éviter des problèmes, mais au-delà, je marcherai pas. Je ramperai jamais pour un poste de direction...

—T'as pas à ramper pour...

—Abdiquer sa personnalité ?

—T'es plus fou que je croyais. Prends moi: suis le plus jeune préposé au personnel de toutes les commissions scolaires régionales de la province. J'ai des responsabilités, une sécurité, un bon salaire et un avenir intéressant. T'as qu'à travailler sérieusement, main dans la main avec tes directeurs et, ben plus vite que tu penses, tu seras toi-même directeur.

—Merci pour le conseil, mon ami. Le prix à payer serait tout de même trop élevé. Je préfère travailler du côté des étudiants. Y a déjà assez d'enseignants à une seule ambition: se débarrasser au plus vite de leurs élèves en courant les promotions.

—Libre à toi, mon gars! Tu vas peut-être changer d'idée un jour En attendant, tu veilleras à ne plus causer de problèmes au travail. Là-dessus, je vais devoir écourter notre rencontre: je dois assister à une réunion dans quelques minutes.

—J'espère que j'aurai pas trop à subir, à souffrir les frustrations d'une principale qui a pas la force morale de diriger.

—Rentre dans le rang et t'auras aucun problème.

—L'avenir le dira! Avant de partir, je te souhaite que la vie continue d'être bonne pour toi.

—Elle est bonne pour ceux qui le veulent, mon cher. . Mais faut le vouloir.

L'homme tendit la main en souriant, heureux d'avoir réglé un autre cas problème.

*

Au cours du mois suivant, Alain Martel entra en lui-même plus que de coutume. On le crut distant et il l'était.

Une fois ses bilans complétés, une grande et universelle réponse lui vint. Le mal, c'était le système. Ses problèmes, ceux de la société, ceux de l'humanité tout entière y trouvaient leur dénominateur.

Cette réponse cliché, des années d'événements et de recherche en lui-même et autour de lui avaient contribué à sa pénible gestation. Il se sentait plus heureux, plus libre...

Cependant, il la tritura. N'était-elle pas issue de ses nombreuses frustrations ? Il répondit non. Car il n'en voulait qu'au système et pas à ses suppôts et défenseurs.

Il évalua les fondements psychologiques des systèmes. Tout était là! Le capitalisme, s'appuyant sur les mauvais penchants de l'homme, son désir de dominer, son égoïsme foncier, son narcissisme ne pouvait s'exprimer que par le mensonge, la malhonnêteté, la tricherie, l'exploitation, la répression. Par contre, le socialisme marxiste-léniniste, faisant appel aux côtés nobles de l'humain, son désir d'égalité, son goût de la fraternité, avait pour lot forcé le partage et la communication entre les hommes, le contrôle et la mise au pas des mauvais penchants de l'âme.

Mais il se méfiait de ses propres certitudes. Alors, quoi faire ? Attendre ? Ne pas bouger ? Une force incontrôlable le poussait à agir, ne serait-ce que pour empêcher son cerveau d'éclater.

La belle occasion se présentait. Des élections fédérales venaient d'être déclenchées. Il pensa entrer dans l'organisation d'un parti et chercher à attirer l'attention sur les faiblesses du système On l'enverrait promener, le jeunot. Et puis les partis politiques eux-mêmes lui paraissaient d'autres maux du système.

Après réflexion, il décida de poser sa candidature. Accrocher son nom à une campagne électorale le ferait connaître aux quatre coins du comté. Il ne serait pas cru, mais il intriguerait, interpellerait. On dirait un complot libéral ce qui nuirait au candidat qu'il jugeait durement

Mais il profiterait de l'élection, de cette chance de s'exprimer que lui laissait le système, pour l'attaquer. Dans ses déclarations, il s'afficherait pro-système pour le mieux dénoncer. Du Michel Chartrand édulcoré...

Au fond de lui-même, il se réclamait du bouillonnement international de 1968.

Pourtant, il ne désirait pas s'embarquer, sans espoir de retour, dans une galère où il n'aurait été qu'un rameur parmi d'autres, car il se sentait incapable d'une foi aveugle, qu'elle soit religieuse ou révolutionnaire C'est pourquoi il n'avait pas contacté le parti communiste canadien dont il détestait l'extrémisme borné

Il emprunta quatre cents dollars et fit sa campagne en suivant fidèlement sa ligne de pensée initiale. Jour après jour, il essuya quolibets, injures, questions malveillantes, appels anonymes d'invectives et de menaces. Toutes ces choses n'avaient pour motivation que l'électoralisme et rien jamais ne concernait son message politique de fond, comme si personne en Beauce ne voyait autre chose dans une campagne électorale, qu'un match.

Il récolta trois cents votes.

Aux ricanements de ceux qui soulignaient ce nombre plutôt mitigé, il répondait à la blague:

—Bien des révolutions ont commencé avec moins de douze personnes.

*

—Ha ha ha ha ha ha ha heheu heheu!

Cette réponse d'Alain avait fait s'étouffer de rire le propriétaire-
gérant de la station de radio locale où il s'était rendu pour adresser à la
population ses remerciements d'usage, le lendemain du scrutin.

L'homme à face de bouledogue, les yeux perdus dans d'énormes
poches graisseuses, tête renfoncée dans des épaules carrées, peau rose,
cheveux blanc neige avait été mis sur le chemin de la fortune par son
père Et il n'avait pas eu besoin que l'on continue à lui tenir la main
pour s'y diriger tout droit. Riche à craquer à quarante-cinq ans.

Homme d'excès, il s'enivrait deux jours par semaine, travaillait les
quatre journées suivantes près de vingt heures d'affiléc, et consacrait sa
septième journée à rire. Rire et rire encore.

Il possédait la plus luxueuse maison du comté, roulait Cadillac et
disposait d'un chauffeur privé ainsi que d'une gouvernante pour ses enfants. Consommateur au point de se payer des actes de charité qu'un
entourage servile se chargeait de mettre en évidence

En ses journées consacrées au rire, l'homme recherchait l'originalité
chez les gens, et c'est dans cette veine qu'il avait perçu Alain Martel.

—Tu le croiras pas, mais j'ai voté pour toi, dit-il d'une voix forte et
traînante.

Guettant une réaction qui ne venait pas, il ajouta·

—J'ai trouvé que c'était toi la plus belle voix sur les ondes pis ça
m'a fait pencher de ton bord, ha ha ha ha ha heheu heheu...

—C'est une raison comme une autre de voter, dit l'autre en haussant
les épaules.

L'homme se ressaisit de crainte d'avoir insulté Il plissa le front
comme au plus fort de ses journées sérieuses.

—Non, non, tu peux être certain que j'ai voté pour toi! Les autres
candidats, c'était de la junk. Pis c'est vrai que t'as une belle voix sur
les ondes... Même que si tu voulais venir travailler icitte comme annonceur, ça nous intéresserait peut-être. Pas tout de suite mais peut-être que
dans deux ou trois mois. . T'es professeur ? Tu pourrais travailler pour
nous autres après l'école pis les fins de semaine et pendant les vacances...

—Je dis pas non.

—T'iras voir mon frère, c'est lui qui engage. Mais dis-lui pas que
l'idée vient de moi, il aime mieux penser que c'est lui qui pense ha ha
ha ha ha heheu heheu...

—Je reviendrai peut-être vous voir au temps que vous dites.

Alain serra la main tendue et quitta les lieux.

Ainsi la campagne électorale commençait à porter des fruits. Alain risquait d'avoir bientôt un revenu supplémentaire; mais, par la même occasion, il vivrait plusieurs heures par semaine dans une petite usine d'opinion. Il pourrait faire valoir ses idées et les semer aux quatre vents.

Il se dépêcha d'arriver chez lui pour annoncer la nouvelle à Nicole. Et en profita pour lui rappeler ses nombreux reproches quand il avait décidé de se porter candidat.

Deux mois plus tard, il retourna à la station de radio et se fit embaucher.

***

Chapitre 12

1969

Il consacra son premier mois de travail à se familiariser avec les divers aspects de la radiodiffusion.

On lui avait partagé un horaire de trente heures entre de l'animation de fin d'après-midi, de samedi et de dimanche, et une simple fonction de surveillant trois soirées par semaine, la mise en ondes étant alors assurée par le réseau français de Radio-Canada

Il fureta dans les dossiers de tous les acheteurs de publicité pour connaître leurs préférences. Il renoua avec la musique commerciale qu'il avait perdue de vue pendant plusieurs années, car l'adolescent maniaque de palmarès qu'il avait été, s'était mué après son mariage en auditeur indifférent et distrait.

Il fit une écoute rapide de tout ce qu'il trouva en discothèque et cota chacune des pièces selon son appréciation personnelle. Ainsi, passa-t-il en revue, presque simultanément, les diverses sections de la discothèque et découvrit-il les richesses et les agréments de chacune. Il vibra au folklore québécois, aux orchestres français, aux instrumentistes sud-américains, aux groupes anglais, aux airs westerns américains, à la chansonnette française, au rock and roll. Cette variété ajoutait à son plaisir d'entendre chaque style et il se demanda pourquoi des gens se bornaient à ne trouver de valeur que dans un genre. Il s'inquiéta aussi à la pensée de vivre dans un État dirigiste où un ministre de la culture borné fermerait les frontières aux cultures étrangères. Il aimait bien la production québécoise honnête, mais il pensa que de ne pouvoir écouter rien d'autre l'aurait très vite blasé.

Ce côté pluriel l'amena à concevoir certaines de ses émissions en conséquence. Et, sur les ondes, en ces heures où il avait libre choix, il faisait alterner: Johnny Cash, les Beatles, Ginette Reno, Paul Mauriat,

223

James Last, Nana Mouskouri, Bob Dylan... et les interprètes d'ici, Charlebois, Christine Chartrand, Louvain, les Classels, Forestier et tous les autres en demande.

En cette époque, même les groupes qui chantaient l'esprit collectif ne subsistaient pas. Leurs membres semblaient préférer mettre en jeu leur part de gloire et de fortune de l'ensemble pour faire une carrière solo.

Question: "Le désir de s'éprouver soi-même, de rencontrer l'obstacle seul est-il plus naturel que l'esprit de groupe ?" Réponse: "Individualisme d'artistes farfelus."

Son exploration porta aussi sur son propre tempo de mise en ondes. Il adopta la courbe cloche· départ lent et rythme léger, puis accélération jusqu'à un point maximum avec chansons très rythmées et voix plus forte à l'animation, ensuite décélération et retour graduel à la détente du début.

Sa curiosité le poussa à analyser la rentabilité de la station. Le résultat le surprit, pour un si petit milieu. Il questionna pour vérifier.

—La station de radio la plus rentable au Québec en dehors des principales villes, dit l'un.

—Le meilleur commerce de la région, dit un autre.

—Investissements minces, personnel réduit, bas salaires, dépenses d'opération faibles et revenus élevés! Le jack pot! s'exclama un troisième.

Par contre, une analyse négative lui fit percevoir que les services donnés au public étaient pourris. Personnel réduit au minimum, rédaction publicitaire faite sur le pouce par la réceptionniste, pas de service de nouvelles organisé, sonorité mauvaise en ondes à cause d'un équipement d'un autre âge, choix musical limité, n'utilisant pas un pour cent des possibilités de la discothèque.

Un soir, il s'entretint de tout cela avec un collègue.

—Achète la station si tu penses que tu pourrais faire mieux que les propriétaires.

—Belle réponse !

—Dans ce cas-là, t'as rien à dire. Le privilège de l'entreprise privée, c'est de faire le plus d'argent possible.

Idéaliste et peu réaliste, le jeune homme déclara:

—Les ondes appartiennent à tous. Les exploiter comporte des devoirs

—Demande un permis de radiodiffusion.

—Les "boss" ne se refusent pas grand-chose ..

—La moitié des investissements de toute la bâtisse fut consacrée au confort de leurs bureaux et je ne les en blâme pas.

—Et t'approuves cette radiodiffusion ?

–Le public est trop imbécile pour se rendre compte de ça. Fais-leur des messages publicitaires pourris, ils les trouvent drôles et les achètent. Diffuse trente, quarante messages à l'heure: ils aiment ça, ils en mangent. Un service de nouvelles ici ? Y a toujours un imbécile de servitude pour nous communiquer les nouvelles locales, pourquoi payer pour les obtenir ? Quant aux nouvelles nationales, on leur donne ce que le téléscripteur nous envoie. Qui dit mieux? Même chose pour les nouvelles internationales... De toute manière, ces pauvres auditeurs font même pas la différence entre Mexico pis Moscou. Un choix musical meilleur ? Vois les demandes spéciales: les mêmes vieilles tounes depuis quinze ans. En radiodiffusion ou en télédiffusion, ça sert absolument à rien que de se saigner pour le public, mon cher ami. De toute façon, les gens prennent ce qu'on leur offre sans poser de questions. Connais-tu le niveau mental d'un auditeur moyen de la radio ou de la télévision en Amérique du Nord ?

–Seize ans?

–Niveau mental, niveau mental... Huit ans, mon ami, huit ans. Cette conclusion a été tirée par un groupe de chercheurs d'une université américaine.

–C'est peut-être que les diffuseurs font rien pour le hausser, ce niveau mental; d'autant plus qu'une bonne radiodiffusion diminuerait pas les revenus.

–Quand on a dans les mains une formule gagnante, pourquoi la transformer ? Coke change pas sa recette à tout moment, le colonel Sanders non plus...

–Tu trouves pas que les salaires sont plutôt bas ici?...

–Ceux qui sont pas d'accord ont qu'à s'en aller.

–Et pourquoi tu restes ?

–Tiens-toi proche d'une table bien garnie pis tu vas toujours manger à ta faim.

–Faut que t'attendes le bon plaisir du maître.

–Quand on est valet, on n'est pas roi.

*

La secrétaire-comptable de la station, vieille demoiselle aux démangeaisons chroniques était devenue le miroir des deux frères propriétaires. Leur trait d'union. Son bureau séparait chacun des leurs. Et c'est par son entremise que l'entreprise était gérée. Elle rapportait à ses patrons tout ce qu'en disaient les employés, parfois les provoquant en disant elle-même du mal des Arsenault.

Si l'un était saoul, elle prenait un coup; si l'autre prenait sa lyre, elle se faisait tatillonne. Elle riait et jurait, d'une demi-heure à l'autre, au gré des deux frères.

Elle aimait les histoires grivoises et Alain lui en servait en abondance. Pour cette raison, ou une autre, elle s'était mise à le consulter, sans en avoir l'air, sur les problèmes de régie interne. Elle soutenait son point de vue auprès des patrons et lui prenait soin de ne pas les critiquer devant elle.

Elle l'attendait à la cafétéria ce jour-là.

—J'ai une nouvelle à t'apprendre, dit-elle en se grattant la base d'un sein. La discothécaire a démissionné hier et, à midi, j'en ai engagé une nouvelle.

Elle se gratta l'intérieur du genou.

—Tu me diras ce que t'en penses. Viens que je te la présente

Ils n'eurent pas le temps de bouger que la nouvelle entra. Jeune fille rondelette, poitrine généreuse, sourire à peine esquissé, légère cicatrice au front.

"Quel air canaille !" se dit Alain.

La secrétaire se gratta l'intérieur d'une cuisse:

—Monia... Alain... J'espère que vous vous chicanerez pas parce que vous allez travailler ensemble.

—Ça me fait plaisir, dit Alain.

—Bonjour, dit faiblement et candidement la jeune fille.

—Comment tu la trouves ? Jolie, hein ?

Alain se contint pour ne pas indisposer la Yvonne.

—T'as beaucoup de goût!

La jeune fille ne broncha pas. Lui perçut dans ses yeux gris une lueur chaude. Il dissimula son intérêt, s'excusa poliment et, sous prétexte de préparer son émission, il s'en alla à la discothèque. Puis il prit le nécessaire, disques, livres et cahier de notes, et se dirigea vers le couloir menant au studio de mise en ondes. Dans l'entrée de la disco, il croisa Monia et lui barra la route. Et la pénétra du regard·

—Je tenais à te dire qu'elle a beaucoup plus de goût, dans le choix de ses discothécaires .. enfin de certaines .. que je l'ai laissé voir tout à l'heure. Et... ce sera agréable de partager le même bureau que toi

—Je l'espère...

Elle baissa les yeux. Il continua sa route.

Tout au long de son émission, le visage de Monia lui trotta dans l'esprit Au lieu de chasser l'image, il s'en laissa fasciner. À dix-huit heures, il brancha la console de mise en ondes au réseau français de Radio-Canada et retourna à la discothèque. Il fut surpris d'y trouver la jeune fille en rose, occupée à classer des disques, alors qu'elle aurait dû avoir quitté les lieux en même temps que les autres employés.

—Vaillante!

—J'avais oublié l'heure, dit-elle en consultant sa montre.

—Le temps passe moins vite le soir.

–On m'a dit que je travaillerais le mardi et le dimanche.

–Et moi, j'ai le mercredi, le vendredi et le samedi.

–Qui a les deux autres soirs ?

–Le technicien.

Il posa sur une table les disques qu'il avait et prit place près d'un petit comptoir d'audition.

–Au fait, sais-tu faire marcher la console de mise en ondes ?

–Suis venue hier soir, mais je me souviens de rien, avoua-t-elle.

–Je te comprends. Le technicien est mauvais pédagogue. Il parle non pour montrer quelque chose, mais pour montrer qu'il sait quelque chose. A fallu que j'apprenne à force de me tromper. Lui, il sait et il pense pas que c'est énervant d'apprendre comment ça marche. Viens passer une heure avec moi vendredi soir ou ben samedi pis je vais. . disons... t'initier.

Elle composa un fin sourire:

–J'allais te le demander.

–Pis j'espère que t'aimeras l'initiation, dit-il, amusé, inquisiteur et défiant.

Elle baissa les yeux sur un silence mystérieux. Puis elle dit.

–Je connais ben du monde en ville, mais toi, j'te connaissais pas. Tu viens d'où ?

Il la renseigna sur son lieu d'origine, son lieu de travail. La conversation porta sur les élèves d'Alain que Monia connaissait pour plusieurs. Ils bavardèrent plus d'une heure. Puis il la raccompagna à la sortie.

–T'as une clef ? Le patron exige qu'après cinq heures, la porte reste verrouillée.

Le sourire énigmatique, elle demanda·

–Je pourrais me faire initier tout de suite à soir ?

–Ah, sûrement!

–Je reviens dans une heure. Pis suis sûre que mon initiation sera meilleure que celle d'hier.

Sur ces mots, sans se retourner, elle insérait tout doucement sa clef dans le trou de la serrure.

–Le technicien est un vrai bon gars, mais il manque de.. technique.

Dans son volte-face pour tourner la clef dans l'autre sens, elle enveloppa le jeune homme d'un regard presque langoureux.

Une heure plus tard, elle entrait au studio de mise en ondes

–Allô! dit-elle sans lever les yeux au jeune homme qui l'attendait.

–Le professeur est prêt. L'élève aussi ?

En guise de réponse, elle se rendit s'asseoir devant un microphone annexe, servant aux personnes interviewées, sur la droite de la console, derrière un comptoir utilitaire.

—Tu veux te faire interviewer ?

—Non, voyons!

—Pas sur les ondes, seulement de toi à moi.

Elle sourit à demi et ne répondit pas.

—Quelle serait la première question ? C'est quoi ton sujet de conversation favori ? Comme tout le monde: l'argent ? Hummmm, non! Tes yeux ont rien de métallique... même s'ils sont d'un si beau gris De musique ? On aura ben le temps d'en parler plus tard. Alors de ..

Elle l'interrompit:

—T'es marié ?

Désarçonné un moment, il se ressaisit vite et passa à la contre-attaque.

—Tu seras déçue si je dis oui ?

—Dis toujours et on verra.

—Marié, dit-il sur le ton de l'aveu résigné.

Il crut un moment que l'absence de réaction chez elle signifie la fin du flirt, mais il n'en fut rien

—Suis prête pour mon initiation.

Il se leva.

—Faut que tu viennes ici prendre la place du .. maître

Elle s'approcha et s'assit devant la console sur la chaise à roulettes, devant le microphone principal. Il demeura tout près d'elle, debout, et parla sérieusement. Un peu de théorie, un peu de pratique.

—Sais-tu "cuer" un disque sur une table tournante ?

—C'est la seule chose que je me rappelle.

—Bon, "cue" des deux côtés.

L'opération achevée à droite, elle se déplaça vers la gauche et sa cuisse rencontra le genou d'Alain. Il frissonna. Pourtant une chaleur magnifique envahissait sa poitrine. Leur contact amena l'échange d'un intense regard. Elle se laissa pénétrer par les yeux masculins et esquissa son curieux demi-sourire qu'il trouvait si inquiétant et si plein de promesses.

—Je m'excuse, fit-il en s'écartant.

Elle prépara l'autre table, puis roula sa chaise jusqu'au micro. Lui restait debout derrière, détaillant son corps en savourant chaque image

"Peau rosée qui appelle les baisers! Épaules généreuses qui appellent les caresses. Poitrine qui doit sentir doux quand la femme sue et que des gouttes perlent entre les seins! Taille chaude quand je ."

Il désirait effleurer de ses lèvres mouillées les minces replis de la nuque. Imagina ses doigts explorant la naissance des cheveux fous, courant sur l'épiderme soyeux, remontant vers l'oreille dans une recherche fébrile d'un frisson magique se perpétuant, se renouvelant. Et quelle joue invitante, prélude aux lèvres d'abondance, lèvres rondes, lèvres neuves, lèvres de femme, lèvres de vie. .

Elle se retourna vivement·

—Je suis prête.

À son tour, il composa un demi-sourire et dit sur un ton à la douceur infinie:

—Moi aussi!

Il se pencha au-dessus d'elle et toucha une clef, profitant de l'occasion pour sentir l'odeur envoûtante de la chevelure.

—Mets le bouton de contrôle du volume de la table de droite au centre, et actionne le levier de commande de la table.

Ce qu'elle fit. Et maintenant regarde l'aiguille témoin de la sonorité en ondes. C'est tout comme une chaîne stéréo à la maison.

Il multiplia les explications, les gestes, les rapprochements, les légers frôlements, les effleurements à peine perceptibles, mais combien électrisants.

Après une demi-heure, il mit un terme à la leçon pour qu'il reste des choses à roder et une raison de reprendre la leçon.

—Tu viens vendredi ?

Elle acquiesça d'un signe de tête.

—Asteur, viens près de l'appareil qui contrôle la tour émettrice, on va baisser la puissance. Tu savais qu'il fallait passer à cinq mille watts le soir ?

—Le technicien m'en a parlé.

Elle se plaça devant l'appareil. Il resta derrière elle.

—Paraît que c'est pour pas empiéter sur le territoire américain avec nos ondes. Sais-tu que c'est pas drôle, de couper la puissance d'une tour émettrice juste quand il fait noir ? lui souffla-t-il en confidence.

—Tout dépend à qui est la tour, répondit-elle du tac au tac et sans broncher. Comment ça marche, ce robot ? Je sais qu'il faut signaler sur le cadran téléphonique et jouer de la clef à gauche et à droite, mais j'ai oublié les détails.

Il leva ses mains vers le cadran et la clef situés à un peu plus de six pieds du plancher. Ses bras passaient de chaque côté de la tête de la jeune femme. Il se rapprocha d'elle le plus possible, sans la toucher toutefois, estimant qu'il avait fait son bout de chemin, espérant qu'elle fasse le pas suivant. Il accompagna ses explications des gestes qu'il fallait·

—Tu signales quatre. Tu pousses la clef à gauche. Ensuite cinq et encore une fois à gauche. Puis six et cette fois la clef à droite Enfin sept et la clef encore à droite. Ensuite, tu prends la lecture de ce cadran en appuyant sur ce bouton-ci, ce qui te permet de savoir si t'es revenue en ondes. Et c'est tout!

Sans parler ni bouger, pendant quelques secondes, il garda ses mains appuyées à l'appareil. Ce qu'il attendait se produisit: elle recula de quelques pouces et tout l'arrière de son corps rencontra le devant du sien Ah! jeunesse en fleur! Cheveux d'orge caressant son cou, dos chaud touchant sa poitrine; contact valant un siècle, mais d'une durée de trois secondes, et dont la troisième lui fit comprendre que le geste n'était pas accidentel.

–Je... m'excuse.

–À moi de m'excuser!

Il tourna les talons et se rendit à la porte qu'il ouvrit pour la laisser passer puis s'engagea à sa suite dans le corridor menant à la discothèque.

Quelqu'un venait dans le couloir latéral. La vieille secrétaire parut Il oublia volontairement Monia et rebroussa chemin pour jaser avec l'arrivante au regard inquisiteur. Il l'accompagna jusqu'à son bureau où elle l'invita à s'asseoir.

–T'as l'air en forme à soir, Yvonne.

–Pouah ! suis pas trop de bonne humeur !

–C'est pour ça que t'as les yeux si brillants ?

–Non, c'est que je les ai lavés avec de la Murine.

–D'une façon ou de l'autre, ça te donne de l'éclat au visage.

–La nouvelle a l'air travaillante, s'exclama-t-elle, aussi curieuse qu'incrédule. C'est rare qu'on voit cela chez les jeunes de nos jours !

–Elle est pas mieux qu'une autre, fit-il hypocritement. Mais je pense qu'elle fera une bonne discothécaire; t'as eu raison de la choisir. C'est pas une reine de beauté, mais elle aime bien la musique et la connaît Elle a bonne volonté. Comme t'aimes ça chez les gens! C'est pour ça qu'elle est venue ce soir. Tu sais comme c'est agaçant d'aborder la console de mise en ondes ? Tu connais le technicien ? Il lui a donné un cours hier soir et elle a rien compris pis rien retenu. Elle m'a demandé plus d'explications ..

–J'ai pas de misère à te croire. Je me vois, assise devant la console, avec le technicien comme professeur: il me ferait sécher Pas mêlant, je deviendrais folle comme le balai... Comme je le suis pas mal d'avance...

–Pas mal quoi ?

–Pas mal folle, gueula-t-elle. Mon doux ! t'es pas vite sur tes patins aujourd'hui, Alain. Aurais-tu une cigarette, j'ai oublié les miennes

Il lui en offrit une.

–Comme ça, tu penses que Monia fera l'affaire ? Prends garde, mon gars, tu sais que t'es marié.

Il sourit·

230

–Même si j'étais homme à tromper ma femme, ce que je suis pas, elle est pas mon genre. En plus qu'elle a l'air d'une petite fille ben tranquille. Elle parle pas beaucoup et s'énerve pas pour de rien

–Ah, méfiez-vous des eaux dormantes ! Prends juste lui, à côté, dit-elle, désignant la porte d'un des patrons, ça paraît pas, mais, avec les femmes, il est ben plus entreprenant que l'autre Pourtant, il est marié, infirme, père de famille, il va à la messe tous les dimanches et il passe pour un des plus respectables citoyens de la ville Mais que veux-tu, il a pas autre chose à penser dans la vie.

–Entreprenant avec les femmes, ça enlève pas de respectabilité à un homme?

–À ses propres yeux, non, mais aux yeux des autres et surtout icitte dans un petit milieu comme le nôtre, oui.

–Tu dis qu'il travaille pas trop fort ?

–Pas fort ? s'écria-t-elle. Moins que ça pis pas mal. Il a jamais levé une épingle de sa vie. Pas fort de santé, mais pas fort à l'ouvrage non plus

–C'est l'administrateur principal ici ?

–Lui: administrer ? cria-t-elle d'une voix étouffée par la fumée. Il laisse les autres travailler à sa place. C'est l'autre qui administre toutes les affaires.

–Mais qu'est-ce qu'il fait donc dans son bureau à longueur de journée ?

–Il se prend le cul, s'écria-t-elle en râlant de rire. Non, mais c'est tout comme· il regarde la télévision, sirote un cognac et cherche des puces.

–Des puces ?

–Oui, des niaiseries. pour faire enrager quelqu'un

–Il est infirme de naissance ?

–Depuis qu'il est jeune! Il a dû trop se masturber

Elle émit un autre rire à demi étouffé par la fumée. En même temps, elle pencha l'épaule et, la main sous son bureau, se gratta vigoureusement à un endroit qu'Alain eut assez d'imaginer sans chercher à le connaître.

–Le vois-tu en train de se masturber ? Pas vite comme il est, ça doit ben lui prendre une demi-journée à venir.

Les rires d'Alain stimulèrent la femme, si bien que les larmes lui vinrent.

–Mon Dieu, suis en train de pisser dans mes culottes.

–Tu me fais penser que j'en ai envie moi aussi

–Je voulais justement te dire de t'en aller, j'ai du retard dans ma comptabilité et c'est pour ça que je suis venue à soir.

231

En parcourant le couloir, il se félicita d'avoir provoqué un changement d'humeur chez la vieille fille, mais surtout d'avoir endormi ses inquiétudes sur Monia. Du moins le croyait-il. Il devrait manœuvrer aussi auprès de Nicole quand il lui parlerait de la nouvelle discothécaire.

Monia était sur le point de quitter.

—Tu pars déjà ?

—Faut ben, regarde l'heure.

—Je voulais t'agacer. Contente de ton initiation ?

—Ben correct!

—À vendredi soir pour la suite et là, directement en ondes.

Elle acquiesça, sourit, ajouta:

—Bonsoir, là !

Il la suivit jusqu'à la sortie, la balayant du regard. Quand elle introduisit sa clef dans la serrure, il dit malicieusement:

—Sois pure, c'est la clef du succès.

Elle se retourna vivement, fut sur le point de dire quelque chose, mais se contint. Elle sortit à demi et, gardant un genou dans l'entrebâillement de la porte, prit un ton plein d'assurance pour dire, avec un regard appuyé:

—Suis toujours pure.

*

De retour chez lui, pas loin de minuit, au lit, il parla de Monia à Nicole.

—Timide comme ça se peut pas! Elle parle toujours à voix basse, comme si elle avait peur qu'on la batte. Polie, réservée, mais, comme le disait Yvonne, pas vite sur ses patins.

—Comment ça ?

—A fallu que je lui montre le fonctionnement des tables tournantes pis de la console. Elle en a mis du temps à comprendre !

—Ce qui veut dire ?

—Ah! sais pas! Quinze ou vingt minutes.

—Et... quel âge elle a ?

—Tiens, je lui ai pas demandé son âge! Une vingtaine d'années... Grosse· visage d'un bébé gavé, tu comprends ? Ah! fallait pas s'attendre à ce qu'Yvonne engage une reine de beauté! Est jalouse sur les bords; comme s'il fallait qu'elle demeure le centre de son univers de mâles. Paraît que c'est typique aux femmes d'un certain âge au travail; elles deviennent, au féminin, des coqs de basse-cour.. Là-dessus, je pense que je vas me laisser dormir .. une grosse journée demain.

Il se retourna·

—Bonne nuit.

Nicole ne répondit pas. Elle entoura la taille de son mari et commença à le caresser doucement.

Elle avait pris cette habitude depuis qu'il avait double emploi et se couchait épuisé. Elle grattait légèrement, du bout du doigt, pendant plusieurs minutes, les organes génitaux. À chaque tournoiement, il sentait dans tous ses membres, l'injection d'une somnolence bienfaitrice La tension s'écoulait, les muscles se relâchaient, le corps se réparait. Quand la détente l'avait pénétré de toutes parts, il se tournait sur le dos. Nicole se couchait la tête sur son épaule sans diminuer sa caresse sur le sexe endormi. Il se concentrait sur un fantasme et l'érection qu'elle espérait ne tardait pas à venir. Alors elle lui enlevait son vêtement et le masturbait à peau nue; et bientôt, il se sentait saisi d'un violent désir de lui faire l'amour.

Il lui rendait ses caresses, prenait le temps pour l'amener au bord de l'orgasme, souvent le provoquait. D'une façon ou de l'autre, il attendait toujours son signal avant de la pénétrer. Il trouvait curieux qu'en général, elle soit prête aussi rapidement et, un soir, avait osé l'interroger

—Je lis des revues qui traînent à la station de radio et on dit toujours que les hommes sont trop rapides; mais quand je te caresse, ça prend pas une éternité que t'es prête...

—C'est simple: le temps que je te touche, le désir augmente en moi et je me trouve à me préparer autant que je te prépare.

Si leur sexualité était bonne, leurs conversations sur le sujet avaient toujours été restreintes, limitées, tendues. Et c'est ainsi que pendant l'acte, ils ne se parlaient jamais

Ce soir-là, le jeune homme fit un effort pour retenir son esprit sur des banalités avant de le laisser s'ouvrir à des fantasmes provocateurs Une érection trop rapide aurait pu révéler quelque chose de sa violente attirance physique pour la nouvelle collègue de travail.

Mais c'est à Monia qu'il fit l'amour par le corps de Nicole. Non sans lutter contre les nouveaux désirs.

*

Il croisa Monia dans l'entrée de la disco.

—Déjà fini ta journée ?

—Une dernière course à faire pour le patron.

—Chanceuse. Moi, je commence la mienne. Non, je travaille que jusqu'à sept heures. Vers la fin de mon émission, je vais faire tourner un disque d'accueil pour toi. Vas-tu écouter ?

—Sûrement, fit-elle sans élan

À l'heure prévue, il présenta le disque:

—On accueille aujourd'hui une nouvelle et gentille discothécaire Monia. Et pour lui souhaiter la bienvenue au sein de notre famille radiophonique, voici ce fameux souvenir de l'année dernière, la chanson de Michel Cogoni: *Monia*.

Le choeur entama:

–Mo o nia, Mo o nia, Mo o nia, Mo o nia.

Et l'interprète d'une voix traînante et grave:

–Je t'aime, Monia, je t'aime, je t'aime, je t'aime... et je t'aimerai jusqu'à la fin du monde...

Après la dernière note, Alain ajouta:

–C'était Monia, un bon souvenir. Quoi de mieux pour accueillir notre nouvelle discothécaire dont vous aimerez certainement le choix musical puisque, comme vous, elle adore la musique ? Bienvenue, Monia au sein de l'équipe...

*

–Prête pour ta dernière leçon ?

Elle fit signe que oui.

–T'arrives un peu tard pour pratiquer directement sur les ondes.

–Je sais. Mais j'aurai pas besoin.

–Tu veux dire que t'as plus besoin de leçons ?

–Pas du même genre !

Et elle l'enveloppa de son ineffable et onctueux sourire.

–Suis venue pour jaser pis c'est pour ça que j'ai attendu que ton émission finisse.

Paroles exquises. Toute la journée, il avait réfléchi aux attitudes de la jeune fille, mais surtout à ses réactions à ses phrases tests. Chaque fois, le demi-sourire avait été absent. Cela voulait-il dire la fin du flirt ? Mais elle aussi avait fait des pas. Ce qui l'électrisait lui, n'était-il pas qu'anodin pour elle ? Ne cherchait-elle pas tout simplement à plaire à tout le monde ? Elle pouvait n'être qu'une jeune fille timide, caméléon sur les bords, comme le sont un peu toutes les femmes... Pourtant, il y avait ce sourire canaille et ces yeux...

Ses doutes disparurent quand il sut qu'elle était venue pour jaser, car une rencontre aussi récente, n'ayant pu faire naître l'amour, devait forcément être une réponse à son message sexuel. "Ou elle aime jouer avec le feu," pensa-t-il. "Et si c'est le cas, elle en aura pour son argent."

"Mais que faire si elle a compris? Ce qui est probable... Tromper Nicole? Et si elle l'apprenait un jour ? Elle le lirait dans mes yeux... Et puis, où faire l'amour avec Monia ? Dans la discothèque ? Non. Dans un motel ? Nicole connaît mon horaire et se demandera d'où je viens comme ça, de nulle part... Tiens, si j'échange un soir de travail avec le technicien et que je dise ensuite qu'il me faut le remplacer ? Pas bête! Mais si Nicole appelle le soir de l'échange ? Merde!"

Avant de bouger la clef de mise en ondes, il dit à Monia sur le ton de la confidence:

—On a des choses à se dire.

Elle répondit par un léger signe de tête.

Sur le même ton, il dit aux auditeurs:

—On finit avec Simon and Garfunkel: "Bridge over troubled water " À tous une nuit calme et reposante, et surtout de beaux rêves. Et si avant la nuit, la réalité, pour vous, se transforme en un rêve merveilleux, alors bravo! Au revoir, Sylvie! Au revoir, Lucie! Au revoir, Danielle, Lise, Carole, Marie et Monia. Au revoir à tous... À la prochaine !

Il adressa un vif clin d'œil à la jeune fille et céda l'antenne à la voix suave de Art Garfunkel. Puis il ramassa les disques en piles et rangea les cartouches. À soixante secondes de l'heure exacte, il réduisit le volume de la pièce et fit démarrer la cartouche de fermeture tout en prêtant l'oreille à la fin de l'émission de Radio-Canada sur un moniteur spécial. Il mit ensuite les doigts aux clefs qu'il fallait et attendit.

Il pencha la tête pour jeter un langoureux regard à Monia qui esquissa à peine un sourire aussitôt réprimé. À son tour, il laissa naître une joie aux coins de ses lèvres, mais avec une infinie lenteur, une fraction de seconde à la fois, à chaque millimètre de contraction des muscles du faciès, comme si ce sourire devait durer toujours.

—Ici Radio-Canada, dit-on sur le moniteur.

Il ne broncha pas. Monia non plus. Elle était restée debout derrière le microphone annexe.

Vibration par vibration, il laissa grandir la tendresse sur son visage, désirant qu'elle y réponde: rencontre de deux sourires qui l'avait parfois mis sur la piste d'un cœur. Et le sourire monta, monta. Sans bouger la tête, il coupa le son de la cartouche de fermeture et mit Radio-Canada en ondes, dans un geste mécanique, des centaines de fois répété.

La jeune femme plissa les yeux et sortit vivement la langue dans une grimace affectueuse, éclatant d'un rire aussi bref que mélodieux. Et susurra:

—Merci pour le disque d'hier.

—T'as écouté ?

—Je te l'avais dit !

—Cette chanson reste magnifique après un an. Aussi belle que celles dont elle porte le nom après disons vingt ans ?

—Vingt-deux, dit-elle. Tu veux que je t'aide à apporter tout ça ?

—D'accord !

Les bras pleins, ils se rendirent à la discothèque où ils classèrent les disques sur les rayons Ils finirent ensemble leurs piles respectives et, pour la première fois, Alain remarqua les vêtements qu'elle portait. un pantalon café crème et un chemisier flamme. Il la regarda amoureusement, lécha son corps de ses yeux en appétit et soupira:

–J'ai grande envie de quelque chose.

Et il recommença sa lente exploration, s'arrêtant aux cuisses, aux hanches rondes, à la taille forte, mais surtout à la poitrine qu'il imagina de velours sous le chemisier de feu.

–Oui, j'ai ben envie de te dire quelque chose.

Elle baissa les yeux et murmura:

–Je t'écoute

Elle prit place sur la chaise pivotante derrière le bureau, dos à son compagnon. Sur un coup d'œil oblique au fond de la pièce, elle redit·

–Je t'écoute.

–J'ai envie de te dire que t'es belle et... désirable comme... comme pas une femme peut l'être.

Il s'approcha et toucha doucement les épaules. "Tes yeux sont d'un éclat... Et ton corps, c'est le plus beau du monde."

Main tremblante, il palpa la nuque désirée. Son appétence décupla, mais il se retint d'aller trop vite. De ses doigts repliés, il flatta harmonieusement, d'un geste qui ne puisse les décoiffer, les cheveux fins. Puis ses doigts folâtrèrent derrière les oreilles, dans le cou, vers les épaules. Elle ronronna:

–Les hommes mariés doivent pas toucher aux jeunes filles

–Mais si un homme marié et une jeune fille désirent tous deux se toucher, à qui ça peut-il faire du mal ?

–Personne...

–J'aurais voulu te crier ta beauté hier !

–Tes yeux ont tout dit.

L'homme ordonna à ses paumes d'être tendres et leur laissa masser les épaules, puis descendre en tournoyant vers les coudes. Ses yeux glissaient dans l'échancrure de la blouse chargée. Il pencha la tête jusqu'à sentir la peau chaude de la nuque, et commença une douce promenade, se refusant à son désir d'être furieux dans son exploration. Il se rendit mouiller le lobe de l'oreille, puis l'arrière du pavillon et alors, son odorat eut faim. Il le nourrit aux cheveux doux, effleurant la tête d'une bouche fébrile, en arc de cercle jusqu'à l'autre oreille qu'il mordilla avec tendresse. Ému à mourir, il haleta.

–Femme merveilleuse.

Elle leva les mains et lui agrippa les avant-bras qu'elle serra fort. Il perdit contenance. Son rythme cardiaque et celui de ses poumons s'emballèrent. D'une mouillure tiède, follement, il fouilla la tempe et la joue, progressant vers les lèvres qu'il sentait venir à sa rencontre Au même instant où leurs bouches rondes, s'épousèrent dans une folie furieuse, incontrôlable, désordonnée, il remplit ses mains de la poitrine glorieuse qu'il pétrit, entoura, envahit. La main suivit le chemin des yeux dans la blouse lâche et elle atteignit les bonnets débordés pour n'y palper les montagnes fermes qu'un temps désespérément court, car le bruit de la barrière du couloir l'obligea à reculer en un sursaut.

–Le vendredi soir, la paix est fragile ici, murmura-t-il Tout un chacun a quelque chose à venir prendre, ou rapporter. Le samedi, il vient jamais un chat.

La voix de l'arrivant le fit reconnaître.

–Alain, cria-t-il, viens m'aider une minute.

Alain répondit sur le même ton:

–Où ça ?

–Dans mon bureau.

–Je reviens tout de suite, dit Alain à mi-voix à sa chaleureuse compagne.

–Fallait que je parte Pis je préfère qu'il ne me voie pas ici .

–Bon, à dimanche .. À moins que demain soir ..

–Si c'est aussi tranquille que tu le dis.

–Ah! oui, oui, oui!

Elle acquiesça du geste

*

L'émission qu'il préparait ne serait jamais diffusée, car personne d'autre que lui et Monia n'entendraient, dans cet ordre-là, ces disques-là. Il choisissait minutieusement, une à une, les pièces, toutes sentimentales, qu'ils écouteraient à travers leurs baisers et leurs caresses. Pour choisir une pièce, il en mettait dix de côté.

Sa pensée alterna de Monia à Nicole. Choisir les bras de l'une, ce soir-là, serait-il le rejet de l'autre ? Nicole et lui ne s'étaient jamais trompés, il le savait. Le croyait dur comme fer En tout cas, pas d'une vraie tromperie, avec caresses sur les parties sexuelles et pénétration Chacun, de son côté, avait bien flirté, mais ils se l'étaient avoué en minimisant la chose. Chacun savait aussi que la peur chez l'autre l'aurait inévitablement empêché d'aller plus loin.

Un flot ininterrompu de questions et décisions traversa son esprit

"À quel moment on trompe l'autre ? Quand et où ça commence ? Serai-je moins propre d'avoir eu une relation physique avec Monia ? Dieu me reprocherait-il de faire l'amour avec une femme consentante ? Le mal, n'est-il pas de briser quelque chose? Qu'est-ce que je briserais à faire l'amour avec cette jeune personne ? .. Oui, mais. . Nicole aurait bien le droit de faire de même de son côté, mais ça, c'est une autre histoire. La sexualité d'un homme et celle d'une femme sont différentes. Mais alors, Alain, Monia n'est-elle pas une femme ? Ah! oui, et Dieu sait... non seulement Dieu. Dieu et moi, on sait comme elle en est une vraie! D'un autre côté, Monia est pas mariée et sait que moi, je le suis; donc, tout est honnête. Je l'ai pas embobinée: on vient à peine de se connaître. Elle le veut. Je le veux. Et ça fera de tort à personne.

Le mal serait bien plus grand de dire non à nos désirs... On va-t-il faire l'amour dans la station de radio ? Et si par hasard quelqu'un venait ? Et puis non, je pourrais pas le faire ici: je serais bien trop nerveux... Je me dis que Monia le veut, mais le veut-elle ? Entre flirter et aller au bout, y a une marge qu'elle ne franchirait peut-être pas ? Elle a l'air si réservée...

Assis en Indien, tirant et repoussant les disques, il ne vit pas quelqu'un venir derrière lui. Le cœur lui sauta quand il sentit soudain deux mains se plaquer sur ses yeux

–Devine qui ? dit Monia sans rien faire pour changer sa voix.

–La beauté faite femme.

Elle se pencha vers lui et appuya sa poitrine dans son dos. Il dut se garantir contre les rayons pour ne pas tomber.

–Hey, hey ! fit-il en riant.

Elle colla sa joue contre la sienne:

–J'avais envie de te voir.

–Et moi, j'étais en train de préparer notre soirée. Regarde la pile de disques sur le bureau. Comment es-tu habillée ?

–En mini, mini, mini..

–Quelle couleur ?

–Bleu vif

–J'ai envie de voir

Elle se releva et recula d'un pas. Il tourna la tête et leva les yeux pouce à pouce, pour mieux goûter chaque détail de ce corps de nymphe, plus sensuel encore que la veille. À petites gorgées, ses yeux burent aux jambes rondes, aux genoux dodus, aux cuisses pleines qui montaient si haut, si haut. Et cette robe qui n'en finissait pas d'être courte.. Et tout là-haut, les seins puissants, tentateurs, invitants... Elle écarta les bras dans un geste d'offrande et de question.

–Tu es, tu es, tu es, tu es... J'ai plus de mots..

Il se releva d'un bond et la prit dans ses bras.

–Je veux un baiser, un long, un bon, un rond . de tes lèvres belles, un baiser qui restera gravé dans l'histoire de l'amour humain...

Il ne put terminer sa phrase. Elle colla sa bouche à ses lèvres. Les langues se rencontrèrent, les corps s'emboîtèrent. Évitant les endroits chauds pour ne pas gaspiller la montée du désir qu'il espérait encore plus haute que la veille, il promena ses doigts sur les bras de la femme, dans son cou, ses cheveux.

Le haut-parleur de la discothèque coupa leurs élans. Une identification de Radio-Canada commandait une identification locale. Il courut au studio de mise en ondes et revint bientôt, essoufflé. Il verrouilla la porte derrière lui.

–Personne en vue?

–Il vient jamais personne le samedi soir, sauf, parfois, un des patrons... Mais il emprunte toujours son entrée privée et reste dans son bureau insonorisé à l'autre bout. Quand il a affaire à moi, il téléphone. On a notre soirée à nous deux; et aussi la discothèque, de la bonne musique, nos cigarettes, nos désirs et tout, et tout .. Viens voir les disques que j'ai choisis.

Il lui entoura la taille et la conduisit au bureau où il prit, pour les lui montrer, un à un, les disques d'une pile.

–Si tu veux choisir.

–Celui-ci.

Il le mit sur la table tournante. C'était de la musique instrumentale, très douce, où la guitare égrenait des notes langoureuses. En guise d'invitation à la danse, il ouvrit les bras; elle le rejoignit.

Il ne connaissait la jeune femme que depuis trois jours et pourtant, avait l'impression de la connaître depuis toujours Leurs âmes étaient soudées l'une à l'autre, depuis la première seconde. Et pourtant, elle restait neuve, vierge à son désir. Qu'importe sa vie sexuelle d'avant ce jour La question avait d'ailleurs à peine frôlé son esprit Elle aimait trop l'amour pour n'avoir pas d'expérience Passé, futur et monde extérieur disparaissaient quand ils étaient ensemble. Il ne restait plus que ce désir, total, pur, prodigieux.

Et, depuis trois jours, ses vieilles frustrations s'étaient endormies Ses tendances agressives somnolaient elles aussi. Jamais, plus que maintenant, il ne s'était senti plus aimant envers Nicole, et il lui prenait souvent le goût de remercier Dieu de lui donner ces moments de joie inaltérée.

Ils dansèrent simplement, très près l'un de l'autre, sans parler, enveloppés l'un par l'autre. Conservant presque leur enlacement, ils s'approchèrent de la table et changèrent le disque qui venait de s'achever. Ils mirent un long-jeu et retournèrent à leur danse.

Nouveau désir. Frôlement lascif de leurs corps. Sur la chair offerte des épaules et du cou de la femme, il déposa cent souffles chauds qu'il façonnait amoureusement. Il fit de sa bouche un nid de mouillures dont il explora les moindres recoins du décolleté et pour tirer d'elle des soupirs d'aise qu'elle accompagnait de mouvements en avant de son bas-ventre avide. Il butina ainsi jusqu'à l'oreille où il murmura:

–C'est à soir que..

–Que .. quoi ?

–Tu sais ce que je veux dire.

–Faut me le dire

–Qu'on fait l'amour.

–Ici ?

–Non. Vers minuit, on ira quelque part.

–Pas à soir, Alain. Je le peux pas; c'est pas le bon temps. Un petit problème féminin. Attendons.

–Je comprends.

Il fut à la fois déçu parce que son désir devrait patienter, et soulagé car une retenue inexplicable le bloquait encore Une réticence connue, familière, comme quelque chose d'ajouté, de superficiel, d'artificiel. Il sentait le besoin de quelques jours pour y réfléchir.

Il s'inquiéta:

–On va se payer quand même de bonnes minutes à soir ?

–On est sur la bonne route.

À la troisième pièce, leur seul mouvement fut de frotter le sexe de l'autre, chacun avec sa cuisse. À travers cette tiédeur vague, cette pleine indolence dont certaines caresses expertes de Nicole s'étaient souvent faites le ferment, Alain, les yeux mi-clos, chercha la tête chérie qu'il toucha avec respect de ses doigts ouverts en panier, pour l'emprisonner et goûter à la bouche rosée.

Le doigt agile de la jeune femme s'introduisit entre deux boutons de la chemise et chercha sans jamais trouver, toucha sans jamais s'arrêter, se fit fleur et papillon, arc-en-ciel et folichon Sa main gauche coula le long de l'épaule mâle, le flanc, la hanche, puis batifola le long du bassin jusqu'entre les jambes. Elle trouva la dureté qu'elle décupla, toisant, pressant promettant d'une paume généreuse, la délivrance du prisonnier enchaîné.

–Éteignons la lumière, ordonna-t-elle avec bienveillance.

Gardant leur étreinte, ils s'approchèrent du commutateur qu'il abaissa avec ses dents.

–Allons à la chaise derrière le bureau, ordonna-t-elle encore Et ils bougèrent à petits pas, glissant des pieds afin que demeure la soudure de leurs corps, tâtonnant pour ne pas tomber, dans un noir absolu rempli de mille feux d'un concert sensuel

–Assieds-toi ! dit-elle.

Elle le poussa gentiment sur la chaise, puis en fit le tour pour lui masser les épaules et le cou

–C'est bon... mais toi ?

–T'inquiète pas.

Elle tâta le cuir chevelu, tapota le front, les tempes, les joues.

–La semaine prochaine, on fera l'amour comme des fous. O.K ?

–Sûrement, murmura-t-elle.

–J'ai hâte de te voir, de te boire...

Les doigts habiles dévalèrent les épaules jusqu'à la poitrine. Les paumes pressèrent, les ongles titillèrent. Les mains descendirent encore

Brève escale aux cuisses: juste le temps d'annoncer à l'organe l'arrivée imminente des mains magiques.

Une éternité plus tard, elle plongea dans le sexe de l'homme, glissant à mains étendues, étreignant à pleines mains: mains baladeuses, alertes, angéliques, diaboliques, en étroit synchronisme avec les mouvements chercheurs de la bouche goulue, céleste ventouse dans le cou mâle: succions, mordillements, mouillures, caresses des lèvres, folies du bout du nez, souffles brûlants.

—Jamais j'ai été caressé comme ça. T'es incroyable...

Encouragée, elle fit glisser la fermeture-éclair. Il sentit un raz-de-marée naître derrière sa nuque. La vague courut le long de son échine pour atteindre son sexe tressaillant au même moment que la main féminine.

—Mon Dieu, je veux te toucher moi aussi ?

—Plus tard, la semaine prochaine. Là, laisse-toi aller.

D'un geste brusque, elle fit pivoter la chaise d'un demi-tour et s'agenouilla entre ses jambes.

—C'est que tu fais ? demanda-t-il vainement car le sachant bien.

Elle répondit en débouclant la ceinture. Puis lui signala de soulever ses hanches pour qu'elle puisse faire glisser les vêtements.

Il sentit une douce fraîcheur envahir son corps brûlant, tandis que la pièce musicale s'achevait. Pendant un moment, l'on n'entendit que le souffle léger de la climatisation.

"Va-t-elle ? Se peut-il que... Jamais personne ne lui avait fait.. ça. Jamais il aurait osé demander 'ça' à Nicole!

Jamais il n'aurait cru possible qu'une femme, d'elle-même, pratique sur lui la fellation, sans avoir à le quêter! Il lui arrivait de faire l'amour oral à sa femme, mais le contraire n'était-il pas bestial .. et un affront aux mouvements de libération de la femme ? Mais alors, le sexe masculin serait-il moins respectable et moins propre que le sexe féminin ?

Des doigts fureteurs coupèrent délicieusement sa réflexion par une invasion pubienne, habile et suave

—Oui ! Oh oui ! Quelle femme tu es !

Après de longues caresses manuelles, elle sussura·

—Tu aimerais... avec... ma bouche ?

—Oh ! oui ! Envoye, envoye!!!

—Je vais peut-être le faire .. mais peut-être pas.

Elle le fit frissonner à l'aide de ses mains promenées sur les environs des points chauds, les évitant malicieusement. Ça dépendra de toi.

—Je fais quoi pour que tu le fasses ?

—Je te le dirai dans quelques minutes, tout à l'heure ..

Tout devient si intense pour lui, si présent· comme si passé et futur n'existaient plus.

Il sent son cœur, son âme, son corps osciller près des doigts qui pianotent sans arrêt autour de la tige suppliciée. Mais ils s'arrêtent et se croisent. Et les paumes de la fée se rapprochent, il le sent, et l'étau moelleux va se resserrer sur sa chair. Il l'imagine madone en prière, amoureuse, généreuse, écrasant délicatement, bougeant lentement la hampe noueuse de haut en bas, roulant latéralement . Elle touche, mais abrège la prière Elle ne fait qu'effleurer. Alors ses doigts reprennent leur travail et jouent une autre gamme céleste, frôlant sans trêve, ne frôlant plus. Deux doigts souples entourent l'organe et l'enfièvrent, distendent la peau, reculent, découvrent le gland qui heurte le creux chaud de la main légère.

–Quoi faire pour que...

–T'as qu'à me dire que tu le désires plus que tout.

–Mais je te l'ai dit...

–Tu dois le désirer davantage, à en hurler. Mais faut pas que tu cries pour de vrai ici Tu le crieras à voix basse et je saurai. je comprendrai.

–Je le veux, je le veux Prends-moi dans ta bouche, prends-moi .

–Faut que tu le désires encore plus. .

Il ouvre la bouche pour crier, mais il n'en sort qu'un souffle spasmodique. Car au même moment, il sent sur son membre une chaude emmitouflure.

–Oh ! viargini du bon Dieu !

La bouche onctueuse entame une longue tétée, langoureuse mais légère, presque aérienne. La langue mouille, presse, fignole, polit; mais quand elle fuit et que les lèvres ne font plus qu'emboucher la pointe, alors il faut qu'il retienne ses reins: ne pas céder à leur recherche, contrer la cambrure quémandeuse jusqu'au retour de la fleur fraîche et brûlante.

Elle ne répète jamais longtemps le même geste afin que le délice d'une minute ne se transforme pas en irritation de la suivante.

Elle plaque son bras gauche sur le bas-ventre, en arche autour du pubis et laisse marauder des doigts sous le scrotum, tandis que son pouce et deux doigts de l'autre main, en équipe avec les lèvres butineuses, engagent sur la hampe gonflée un va-et-vient qui va chercher aux profondeurs les gouttes de vie. La dextérité et l'aplomb des trois mouvements tirent de l'homme une suite ininterrompue d'onomatopées souffleteuses dont l'écho lui revient et lui fait prendre conscience que le disque est fini et que la seule musique dont il se régale maintenant est celle, à peine perceptible, combien discrète mais combien divine, de la bouche gourmande consacrée à son œuvre de délivrance

La mélodie prend un bref répit bien que les mains poursuivent leur harmonieux travail Alain se demande d'où peut donc venir cet ange, capable de donner pour donner, aussi gratuitement, amoureusement, sans restrictions ni frustrations, sans arrière-pensées, avec précaution, minutie, art et respect. Il se sent tout à coup délivré de cette réserve qui, une demi-heure plus tôt, jetait encore son ombre sur leur relation, car il en saisit d'un coup l'origine. Elle est d'ordre culturel. Mais assise dans la fange d'une fausse culture de laquelle la logique et la nature étaient exclues, toutes deux galvaudées, zigouillées par des normes issues tout droit de la partie malade, diabolique du cerveau humain. Y a-t-il plus humain qu'une sexualité qui fait appel à la variété et à la nouveauté? Et, au contraire, n'est-elle pas animale celle qui souffre de règles ajoutées, la rapprochant de l'acte de la bête· prédéterminée, commandée d'ailleurs ? Faire vite, dans le noir, en cachette, honteusement, toujours au même endroit, toujours de la même façon... avec toujours le même partenaire n'est-il pas faire injure à l'imagination créatrice de l'être humain ? D'où viennent donc d'aussi curieuses questions ? se demande-t-il soudain Mais il ne peut y répondre, car la bouche ardente injecte maintenant aux quatre coins de son corps et jusqu'aux tréfonds de son cerveau le désir irrésistible du suprême élan.

Il s'écrie à mi-voix:

—Je veux... Je veux éjaculer dans ta bouche... Si tu le veux... Et je voudrais que toute l'humanité le sache...

Elle dépose un brin d'humidité profondément sur la tige; le gland touche à la chair lointaine de l'arrière-palais; l'antre de velours prend un léger recul; les narines reprennent le souffle perdu. Les doigts accélèrent, accélèrent et . loin... très loin. . la source explose . au ralenti .

—Je le veux, oui, oui. Merci mon Dieu d'avoir déposé en moi d'aussi grandes sources de plaisir... Merci de la vie . .

La bouche continue d'être douce, jacinthe butineuse, touche de perfection des doigts maintenant furibonds, pourvoyeurs, dispensateurs de vibrations énormes que les lèvres raffinent patiemment, magnifiquement, totalement. Le plaisir est plus-que-parfait car la femme est femme.

Il crispe les muscles de sa région génitale afin que la montée du sperme libérateur soit plus vive, car maintenant, il veut, irrémédiablement, mourir à son désir et naître à son plaisir.

—Je viens... je viens... On fera l'amour... Je meurs. Oui... J'aime J'aime... Continue... Encore...

Il reste arc-bouté sur les coudes et le bout des pieds, contractant encore et encore le muscle pelvien pour donner à la femme jusqu'à la dernière goutte de sa vie. La langue exquise lèche jusqu'au dernier spasme, parachevant divinement le chef-d'œuvre de l'artiste.

Le présent se relâcha et laissa de nouveau entrer en lui le passé et le futur.

Pantelant, il retomba sur sa chaise, rejeta l'air de ses poumons pleins dans un bruit de ballon crevé. Il regarda la nuit, écouta la paix et laissa tout son corps sombrer dans la détente. La jeune femme ne bougea point.

–T'as rien pris pour toi-même.

–Ah oui ! beaucoup plus que tu penses !

*

–Si je t'ai fait venir à mon bureau avec Yvonne ici présente, c'est parce qu'on a confiance en toi et qu'on tient à consulter nos employés responsables sur les décisions à prendre dans cette station.

La grosse tête blanche globuleuse émergeait d'un immense bureau noir, comme si elle en avait fait partie. L'homme avait aussi deux bras et ils parlaient plus que la tête. Alain se demanda s'il avait quelque chose de plus. Un tronc ? Des jambes ? Des pieds ?

Alain respectait ce personnage, un homme qui avait dû passer presque toute sa vie en compagnie d'un corps atrophié à cause d'une maladie d'enfance. Il lui pardonnait d'être riche et, comme on le disait, de n'avoir jamais rien fait d'utile. Le temps lui permettrait d'établir un jugement plus éclairé sur ce patron à tête d'enfant et à voix de curé.

–Yvonne, sers-nous donc quelque chose, fit le vieil homme de sa voix traînante Un cognac pour moi. Qu'est-ce que tu prends, Alain ?

–À ton choix, Yvonne.

–On t'annonce pour commencer, qu'on a dû se séparer de la nouvelle discothécaire.. à notre vif déplaisir, fit l'homme sans sourciller mais toisant singulièrement son employé d'un profond regard.

Le choc fut dur, mais le jeune homme n'en laissa rien paraître Il avait été prévenu par de vagues pressentiments, suite à cette étrange sensation d'avoir été vus lorsque Monia lui avait fait l'amour oral, et aussi à cause de l'absence de la jeune fille quand il était rentré à l'ouvrage.

Le jeune homme rompit le silence installé:

–Je vous dis sincèrement que c'est malheureux pour tous. Elle aimait son travail et le faisait bien. Son choix musical était excellent. J'ai sur elle bien des témoignages favorables de la part des auditeurs. Je comprends pas.

–T'as raison sur toute la ligne, Alain. Elle avait toutes ces qualités mais aussi un petit vice caché..

Yvonne distribua les verres et retourna s'asseoir tout en parlant

–Pour une fois qu'on en avait trouvé une bonne...

Alain sentit un curieux malaise l'envahir Il pensa aux événements du samedi soir et se dit que les esprits étroits du milieu pourraient bien lui pardonner à lui, un homme, sa sexualité, mais qu'on ne tolérerait jamais celle de la jeune fille. On parlerait de prostitution Mais était-ce pour ça qu'elle avait été renvoyée ? Sinon, pourquoi le faire venir lui, pour en parler ?

–Puisque je te connais maintenant comme un homme responsable, je vais te faire une confidence. Chaque fois que nous engageons un nouvel employé, nous nous assurons par nous-mêmes de son honnêteté Nous l'avons fait à ton sujet et nous avons constaté avec plaisir que tu passais le test avec un résultat de cent pour cent puisque jamais, chaque fois que nous avons fait une vérification, nous n'avons constaté que tu avais touché à l'argent des demandes spéciales. Reprocheras-tu à un patron de faire passer un pareil test à ses nouveaux employés ? Intelligent comme je te connais, tu vas répondre non. Mais, malheureusement, la petite Landry a raté le sien. Et je vais laisser Yvonne te raconter comment ça s'est passé.

La vieille demoiselle parla:

—Tous les midis de cette semaine, lundi, mardi et aujourd'hui, monsieur Arsenault a lui-même vérifié à l'heure du dîner le contenu de la boîte des demandes spéciales. Combien y avait-il d'argent, monsieur Arsenault ?

—Je l'ai noté sur le papier qui est ici, devant moi et que tu peux vérifier par toi-même, Alain. Lundi midi: $4.75; mardi· $6.50; aujourd'hui: $8.25. À dix-sept heures, après le départ de la petite nouvelle, et juste au moment où tu commençais ton émission, on prenait la peine de bien vérifier, Yvonne et moi, le contenu de la boîte. Résultats· lundi, il marquait $1.50, mardi, $1.75 et aujourd'hui, $2.50..

—Ça pourrait être n'importe qui d'autre, même moi.

—Il ne peut donc s'agir que de la petite jeune fille ou de toi En dépit du test que t'as passé, je me dois de te poser la question. Est-ce toi, mon ami ?

—Non, monsieur!

—Force est de conclure qu'il s'agit de la petite Landry Remarque bien que j'avais pas à te poser la question pour garder ma confiance en toi. La preuve, on l'a déjà renvoyée.

—Bon! Je ne cherche pas à la protéger. Mais pour vous rendre service à vous, me permettriez-vous une ou deux suggestions ?

Le vieil homme scruta une immense peinture derrière Alain·

—C'est pour ça qu'on t'a fait venir. Mon frère Antoine, Yvonne et moi-même, on est heureux de t'avoir à notre service, car t'as un bon jugement. Je t'écoute

—Y aurait moyen de la garder en faisant trois choses Un: l'avertir serré. Deux· je me charge de la surveiller. Trois la réceptionniste pourrait contrôler l'argent des demandes spéciales.

L'homme se toucha le front des deux paumes :

—Alain, qui vole un œuf vole un boeuf! Aujourd'hui, c'est deux dollars, mais dans un mois, ce sera vingt dollars.

Le jeune homme objecta:

—Il entre même pas cinquante dollars par semaine aux demandes spéciales et plus de la moitié de cet argent arrive dans la journée du samedi et du dimanche alors que Monia travaille pas.

–Elle peut prendre aussi les disques.

–Avec notre système de classement, ça serait assez difficile. De plus, les jeunes sont intéressés rien que par les nouveautés. Si quelqu'un les chipe à mesure, on le verra tout de suite vu que...

–T'es pas un administrateur, mon jeune ami, soit dit sans t'offenser.

L'homme sourit paternellement et enchaîna de sa voix la plus grave:

–Les enseignants ont pas la réputation de trop s'y entendre dans les questions administratives. Strictement à ce plan-là, impossible de garder une employée malhonnête. On cherche des personnes comme toi, à la fois compétentes et honnêtes. À notre place tu la garderais; mais, vois-tu, nous autres, avons été formés à une autre école. Sur les vieux principes comme on dit... Il est pas facile de trouver quelqu'un. N'aurais-tu pas des suggestions à nous faire ?

L'employé coupa, impatient:

–À brûle-pourpoint: aucune idée.

–C'est normal. T'as le temps d'y penser. Disons d'ici à demain ? Tu communiqueras tes suggestions à Yvonne.

Alain cala son verre et se dirigea vers la sortie.

–Je vais y penser. Je dois vous dire encore une fois que je comprends mal pourquoi vous ne gardez pas Monia Landry

La secrétaire prit la parole·

–Écoute, une personne capable de voler peut aussi bien mentir, lancer des cancans sur monsieur Arsenault, sur moi, sur toi. On en parlait justement, avant que t'arrives. Tu sais que j'aime ben les histoires cochonnes et que je me chamaille un peu avec celui-ci ou celui-là; tout ça m'empêche pas d'être toujours à ma place avec les hommes. Pourtant, quelqu'un de la station a déjà répandu des bruits sur mon compte .

Alain l'interrompit et jeta avec un haussement d'épaules·

–Puisque vous pouviez pas faire autrement! Le patron, c'est le patron. Vous m'avez demandé mon opinion, je vous l'ai donnée.

–Là-dessus, je vais te laisser aller travailler et je te rappelle qu'Yvonne et moi comptons sur tes suggestions .

–Je ferai de mon mieux, dit Alain.

–Ah! j'oubliais. Motus et bouche cousue sur notre entretien! Je compte sur toi pour pas laisser la jeune fille revenir ici. Une employée congédiée ne remet pas les pieds dans la station de radio. Et je te remercie à l'avance pour tes suggestions de demain..

Le jeune homme quitta, songeur, et quand il rencontra Yvonne un peu plus tard, mine de rien, noyant sa question parmi d'autres, il demanda:

–Qui vérifiait le contenu de la boîte à argent à l'heure du dîner ?

–Monsieur Arsenault et la réceptionniste, dit rapidement la secrétaire dont tout l'intérêt ne tournait plus maintenant qu'autour de son ongle incarné.

Plus tard, Alain reçut un bref appel téléphonique de Monia qui lui demandait un rendez-vous. Il le fixa au lendemain soir

Le lendemain après-midi, il s'entretint avec la réceptionniste et sut, mine de rien, qu'elle n'avait pas parlé au patron depuis belle lurette.

*

En auto, Monia et lui se parlèrent peu jusqu'à l'arrêt dans une entrée de champ le long d'une route peu fréquentée

–J'ai hâte de savoir la vérité. Qu'est-ce qui s'est passé ?

–Le patron m'a fait des avances et j'ai pas marché. Me voilà en chômage... Et je craignais pour toi et je tenais à te voir.

–Je t'écoute.

–Dimanche soir, après mon émission, à huit heures, j'ai reçu un appel à la discothèque. Le père Arsenault me demandait de passer à son bureau. J'y suis allée. Il m'a offert une consommation et m'a invitée à m'asseoir. Il m'a parlé un bout de temps· si j'aimais mon travail, si je m'entendais bien avec tout le monde... Ensuite, il a fait le joli cœur, essayant de me faire le tour de la tête, m'envoyant des fleurs... Là, il a commencé à parler de sexe. Il tournait autour du pot. Je le voyais venir avec ses gros sabots. Il m'a tendu des pièges que j'évitais tout en restant polie. Il avait l'air d'avoir bu. Je me suis dit qu'il me fallait m'en sortir habilement, comme une femme doit parfois savoir le faire dans la vie. Pis bon, j'ai réussi à m'en aller après avoir étiré le temps jusqu'au quinze minutes de mise en ondes locale, en fin de soirée. Tout de suite après, je me suis éclipsée en douce...

–Je commence à comprendre.

–J'aurais voulu t'en parler lundi, mais t'étais en congé. Et mardi, tu te souviens, on a pas pu parler, Yvonne était toujours sur nos talons. Pis mardi soir, mon petit gars, j'y ai goûté. À huit heures, le téléphone de la disco sonne. Signal intérieur. Comme j'ai vu son auto stationnée en avant, je réponds pas. Une heure plus tard, je dois aller à la mise en ondes pour une identification du poste et, comme de bonne, quand je sors, sa porte est grande ouverte

"Monia, Monia."

–J'entre. Il m'offre un verre, m'invite à m'asseoir, commence à parler. Je lui signale qu'il me reste beaucoup de travail à la discothèque Il répond que le travail peut attendre et qu'il n'aura, le lendemain, qu'à donner l'ordre à un autre employé de venir m'aider. Il va se servir un cognac et en profite pour fermer la porte de son bureau. La conversation se continue. Mais à partir de là, il parle de sexe, les yeux dans la graisse de bacon. J'évite ses pièges et ça le rend agressif. D'une main, il prend appui sur sa canne et de l'autre... je ne sais pas, mais ça regarde curieux. Il me parle ensuite de ma cicatrice au front et multiplie les jeux de mots par rapport à mon sexe. Un peu plus tard, il me demande de lui servir un autre cognac. Je vais au bar remplir son verre. Alors il pivote sur sa chaise et me demande de lui apporter sa consommation par le côté au lieu que par devant Je le vois mal à cause de la fameuse colonne au coin de son bureau J'arrive devant lui et qu'est-ce que j'aperçois: monsieur à la bebelle sortie, ben droite en l'air.

Il me dit, le visage contrefait:

—Faudrait ben que tu fasses plaisir au petit soldat.

—Vous m'excuserez, faut que je parte.

—Le petit soldat est au garde-à-vous; il voudrait surtout pas que tu le déçoives.

—Tenez votre cognac, monsieur Arsenault, je m'en vais là.

—Le petit soldat n'aime pas attendre, il est impatient.

—C'est pas bien ce que vous faites.

—À genoux, qu'il me dit.

—Je fais signe que non.

Là, il jette sa canne en l'air, la poigne par l'autre bout pis me passe le bout arrondi autour du cou Je parviens à lui dire·

—On force pas les gens à faire ce qu'ils veulent pas...

—Je veux ce que t'as fait au petit Martel samedi soir dernier, qu'il dit.

Sur le coup, sans réfléchir, je te soupçonne d'avoir parlé et je lui demande ce qu'il veut dire.

Il fait un signe de tête et dit:

"Regarde ça: ça me permet d'entendre voler une mouche n'importe où dans la bâtisse. Le petit Martel, tu lui as ben tiré une pipe, samedi soir ? Tu lui as rien demandé en retour pour lui gruger le concombre au son de ma musique, dans ma bâtisse, sur du temps payé au petit Martel avec mon argent À soir c'est au tour du petit soldat de se faire payer la traite. À genoux fifille pis grignote."

—Il tire sur sa canne. J'avance un peu Rendue assez proche, je fais semblant de trébucher dans le tapis et lui renverse tout sur la bebelle, le verre de cognac avec les glaçons. Il laisse tomber sa canne que je ramasse et appuie contre la colonne, tout en m'excusant. Il me dit de m'en aller sans lever les yeux ni bouger. Hier, en fin d'après-midi, il me convoque et m'annonce que je suis dehors.

"La secrétaire vous fera parvenir par la poste votre chèque final si vous avez l'obligeance de lui remettre votre clef avant de partir. Veuillez ne rien oublier en nous quittant et bonne chance."

—C'est à peu près ce qu'il m'a dit. J'ai laissé ma clef sur le bureau d'Yvonne pis je suis partie. Comme tu peux voir, le vieux s'est régalé à nos dépens samedi. Ce qui veut dire que tu risques d'avoir des problèmes toi aussi. Comment ils ont expliqué ma... mise à la porte ?

–Quoi ?.. Ton départ ? Rien, absolument rien. J'ai su que t'étais partie, rien de plus.

–Ils ont dû donner une raison ?

–Tu sais, suis pas dans les confidences des patrons. Yvonne m'a dit que t'étais partie et a rien ajouté de plus. J'aurais pas cru que le bonhomme soit un pareil merdeux...

–Si tu perds ton emploi à cause de moi, je m'en voudrai.

–Crains rien: je fais leur affaire comme 'cheap labor' et je bouche ben les trous. T'en fais pas, tout finit par se payer.. Tu vas faire quoi?

–J'ai deux ou trois bonnes possibilités...

Il s'approcha d'elle et l'embrassa.

–Merci pour tout... pour tout.

Ils ne firent pas l'amour ni ne se caressèrent, car ils n'avaient, ni l'un ni l'autre, de goût pour les choses sexuelles

Une heure plus tard, ils se quittèrent.

Sur des espérances...

*

Le lendemain, Alain, vengeur, dénicha une jeune fille eczémateuse, pataude et frustrée. Il suggéra son nom à Yvonne qui la rencontra et l'embaucha.

Inutile revanche puisque des années durant, par la suite, il entendra la jeune femme se plaindre des entreprises du vieux qu'elle devrait repousser en parlant de ses menstruations ou de son ami qui l'attendait à l'extérieur.

Alain conçut une émission à idées de gauche enrobées de miel Il serait un agitateur intellectuel, frère des agitateurs des usines et de ceux des syndicats ..

Des idées nouvelles émailleraient l'émission et des sujets variés l'étofferaient: régimes alimentaires, santé, phénomènes rares, découvertes scientifiques, potins sur les vedettes. Un concours permettant au public de gagner des livres lui offrirait la possibilité d'aiguiller certains auditeurs vers des lectures d'auteurs engagés, puisque c'est de lui dont relèverait le choix des prix. Le contenu musical—il le composerait lui-même—ferait voisiner des pièces relaxantes ou joyeuses avec ses commentaires sur le collectivisme; par contre, des pièces agressives pour l'oreille et plus difficiles d'écoute accompagneraient ses critiques acides du système.

Sans faire allusion à son éventuel contenu politique, il soumit son projet à la direction. Quand on sut qu'il n'y aurait pas de déboursés, le feu vert lui fut donné sans questions.

Et de jour en jour, avec le zèle du néophyte, il livra le fruit de ses réflexions et ses convictions. Crimes du capitalisme: stress, obésité, racisme, criminalité, intolérance, pollution, pauvreté et même calvitie. Chaque jour, il soulignait un aspect du gaspillage américain, le rapprochant de la misère du Tiers-Monde. Aux récits des extravagances des vedettes de Hollywood succédaient ceux sur les atrocités au Viêt Nam.

Ne se sentant aucun goût pour donner des coups d'épée dans l'eau, il recueillit au fil des jours des éléments d'appréciation des résultats Trois mois plus tard, lors d'une discussion avec un vieil ami, il en profita pour faire le point. Devant une bière, dans un petit bar, ils abordèrent plusieurs sujets dont celui des grandes politiques et de leur influence sur la vie de tous les jours. Alain décelait en Guy un autre lui-même mais vieux de cinq ans, à l'enseigne de ses idées de 1965

Il jeta tout à coup:

—T'es l'homme du rêve capitaliste, et moi, suis l'homme de la réalité capitaliste.

—Ce qui veut dire?

—Tu crois qu'à partir de rien, tes grands projets pourront devenir des réalités, rien qu'à force de le vouloir Miroir aux alouettes du système Qui naît pauvre crève pauvre. Pis les exceptions confirment la règle.

—Attends et tu verras, dit l'autre. Laisse-moi le temps de monter mon spectacle.

—Bonne chance !

—Parlant de spectacle, ton show de fin d'après-midi sur les ondes est pas mal bon. C'est fort. Je te félicite; tu fais du bon travail. Ça doit exiger beaucoup de préparation. J'imagine que tes tondeurs d'oeufs de patrons doivent pas te fournir grand matériel.

—Le travail est intéressant, mais le public s'en contrecrisse. Ils écoutent pas, ils entendent point.

—Explique.

—Les auditeurs retiennent certains détails originaux, mais jamais les sujets sérieux. J'en ai des échos suffisamment pour le dire Parle-leur des dépenses folles d'un millionnaire et tu soulèves leur admiration; décris les conditions douteuses des mineurs de l'amiante et ils te diront que ceux-ci ont qu'à se débrouiller pour sauver leur peau Dis-leur que les multinationales créent des besoins artificiels en Amérique latine pour mieux exploiter les travailleurs pis les richesses du pays, et l'un te demandera ce qu'est une multinationale tandis que l'autre te répondra que les Sud-Américains ont qu'à faire comme nous autres· se retrousser les manches pis travailler. C'est à se demander si les gens doivent pas être secoués à coups de bombes

—Jamais tu poseras de bombes T'es un bâtisseur pas un démolisseur.

—Je l'espère ben! Malgré que souvent je me demande..

250

–Sûr que t'as fortement augmenté la cote d'écoute de fin d'après-midi...

–L'écoute de ce qui est léger, pas de ce qui est sérieux.

–Alain, il se passe à peu près ceci. Les gens ont assez de problèmes, ils veulent pas s'en faire jeter d'autres au visage en écoutant la radio ou la télé. Les émissions à idées les intéressent pas; c'est trop dur pour le cerveau. D'un autre côté, faut que tu penses qu'une idée met des années à faire son petit bonhomme de chemin. C'est la vieille histoire du clou: faut le temps pour l'enfoncer. Patience et longueur de temps...

–Quand les événements provoquent, les idées évoluent vite ..

–Tu cherches à prouver quoi ? Tu veux sauver l'humanité ou quoi ?

–Seulement à bâtir du propre. Je veux que la société de demain soit meilleure que celle d'aujourd'hui. Faire ma petite part pour la libération de l'homme...

L'autre haussa les épaules et rétorqua avec un sourire paternel:

–Quand le peuple voudra se libérer, il le fera bien. D'ici là, je sauve ma peau comme tout un chacun. L'idéalisme, ça mène nulle part. Prenons une autre bière et parlons des femmes.

–Bonne idée d'abord que c'est de même!

Amusé, Guy dit:

–Curieux, Alain, mais en ondes, t'as pas l'air d'un gauchiste... Waiter...

*

–L'abbé Tanguay vient souper à la maison. T'as prévu quelque chose pour le repas ?

Nicole leva la tête, l'air surpris.

–Depuis quand es-tu en amitié avec les curés ?

–Je l'ai pas invité parce qu'il est prêtre, mais parce que c'est un bon ami avec qui je travaille à préparer le party de fin d'année de l'école.

–J'ai du poulet sur le feu. Si y en a pour trois, y en aura pour quatre.

Il ouvrit la porte du réfrigérateur.

–Question religion, sais-tu que les choses ont drôlement évolué depuis quelques années ? Le fait de ne plus pratiquer nous a empêchés de suivre les transformations, mais je te jure que tout à changé de poil là-dedans...

–Ce qui veut dire ?

Et sur un autre ton:

–Alain, gâte pas ton souper; ferme la porte du réfrigérateur.

–J'veux un Coke.

251

Il en trouva un qu'il décapsula avant de s'asseoir dans sa berceuse.

—Ce qui veut dire que c'est plus la grosse religion sévère, noire, triste, qui impose ses idées et ne parle que d'argent Les prêtres sont plus libres, plus positifs. Sont proches du peuple pis ont le sens de l'équipe et l'esprit communautaire. Même les rites ont changé Les gens participent collectivement maintenant. On sent qu'il y a plus de fraternité, de compréhension, d'égalité dans leur affaire. J'ai hâte que tu connaisses Tanguay, tu verras.

Elle approcha une chaise d'une armoire et grimpa pour sortir la vaisselle de fête.

—À t'entendre, on croirait que t'es sur le point de retourner à la messe.

—Je dis pas non! Notre fille grandit; si on veut pas qu'à l'école elle se sente trop à part des autres... Je te jure que les niaiseries autour de la pilule, ça fait ben rire l'abbé Tanguay. Il dit que les moyens anticonceptionnels, c'est l'affaire de chacun. C'est pas un gars de la crise; il vit de son temps. Il flirte même un peu avec les jeunes filles. J'aime ça de même. Tu vois que c'est un homme, pas un robot conditionné par un système pourri. Il est capable de faire des farces et pense pas à l'argent Des fois, je me demande ce qu'il fait pour rester prêtre avec les vieux bornés qu'il y a là-dedans . Parce que tu sais qu'ils sont pas tous morts, les effondrés pis les effoirés de l'autre époque.. J'irai peut-être faire un tour de temps à autre à l'église. Pas par foi mais pour partager avec d'autres.

Nicole descendit de la chaise en se demandant d'où venait cet autre élan de son mari.

—Tu pourras y aller seul. Pour ma part, la messe et ces choses-là, ça m'intéresse plus. J'ai appris à vivre sans ça avec ton aide. J'ai pas envie de retourner en arrière.

Il avala une gorgée de Coke et dit, la voix un peu grasse

—Je te demande pas de me suivre. Je disais ça comme ça

—Tu veux que je te dise? Tu t'emballes vite, mais avec toi, les choses durent un feu de paille. Depuis six ans, tu m'en as fait voir de toutes les couleurs Dur à suivre.

Il protesta:

—Quand je commence quelque chose, d'habitude, je vas jusqu'au bout

—Souvent le bout est pas loin !

—Quand ça vaut pas le coup, je vire de bord, pis c'est normal.

Elle s'approcha de la table:

—Viens m'aider à agrandir la table.

Il s'approcha à son tour et agrippa les bords.

—Prends ton émission de radio: t'étais tout feu tout flammes au début et là, t'en parles jamais. Le délire est mort! Tire encore. le panneau passe pas.

—Je saute moins en l'air, dit-il en mettant le panneau de rallonge à sa place, mais je la continue, mon émission Pis si je saute moins haut, c'est parce que les gens comprennent rien.

—Tu te mets pas à leur portée...

—C'est pas ça ! Sont bornés

—Tu dois parfois te sentir tout seul parmi les pas bornés ?

—Viargini, tu comprends rien toi non plus.

Il referma sans douceur les panneaux coulissants et retourna s'asseoir.

—T'es difficile à comprendre quand tu pars avec tes lubies de socialisme pis tout le reste... Tout le monde à égalité, ça marchera jamais, ces idées-là.

Il leva la main.

—Voilà la femme que j'ai mariée. Servir, servir... T'as pas assez servi les riches dans ta vie ?

—Je le sais que j'ai pas d'instruction: pas besoin de me le répéter.

—C'est pas ton manque d'instruction que je te reproche, c'est ta mentalité de servante. Les esclaves noirs voulaient pas être libérés non plus Il en a fallu d'autres pour les libérer... C'est pas un cadeau ..

Nicole raidit et sa voix durcit:

—La servante est ben utile pour préparer le souper du maître, hein ? C'est peut-être de lui qu'elle devrait commencer à se libérer, ta servante.

—Tu mêles tout pis tu comprends jamais rien. T'es comme la plupart des gens· t'aimes te traîner à genoux... Ça fait mal, mais j'aime donc ça...

Elle prit une nappe de dimanche dans une armoire et l'étendit avec de grands coups tapageurs ·

—Veux-tu ben me dire... ce que tu cherches dans la vie... T'es jamais... content de rien. Tu critiques sans arr... sans arrêt.

—Je voudrais que le monde se réveille pis qu'on se dirige sans révolution, sans faire couler le sang, vers un changement de ce système pour un plus juste. Sinon, ça va finir par sauter partout autour de nous, dans dix, vingt ou trente ans, tu verras

Elle se mit à disposer la vaisselle sur la table.

—Le système, le système, c'est quoi, c't'affaire-là ?

—La patente qui nous conduit tous les jours pis qui fait que les mentalités sont ce qu'elles sont... pis qui fait que les lois sont ce qu'elles sont, pis qui fait que la vie de tout le monde est mal vécue. Ça s'appelle le capitalisme, une affaire du diable par laquelle d'aucuns sont riches, tandis que les autres les servent ou crèvent.

–Pouah ! j'ai travaillé chez des gens riches pis sont pas plus heureux que nous autres. Pis...

Il l'interrompit:

–C'est ça que je t'ai dit! Ce maudit système rend personne heureux. Le petit nombre en a trop et ça le rend malheureux; le grand nombre pas assez et ça le rend tout aussi malheureux. C'est la faute au système..

–Ces choses-là seraient changées que tu critiquerais toujours T'es pas content de toi-même pis c'est ça, ton problème.

–Y a de quoi! Passer une vie entouré de gens qui se tiennent pas debout.

–Si t'es si fin pis intelligent, prépare-le, ton maudit souper.

–Tu vois ben que le négatif ici vient de toi. Suis arrivé en parlant de l'abbé Tanguay pis j'en disais que du bien. Pis du bien de la religion renouvelée. Toi, tu m'as dit, sans même y réfléchir, que tu voulais plus rien savoir de la religion, me traitant de haut parce que je m'y intéressais. Ensuite, tu m'as accusé de me penser fin tout seul avec mon émission. Puis tu m'as dit que j'étais instable. Et là, tu m'envoies au diable avec le souper au moment où s'en vient un invité. Tu trouves que c'est endurable pour un homme ?

–Tu me pousses à bout avec tes idées pas comme tout le monde.

–Une auto s'arrête dans l'entrée. Ce doit être Tanguay.

–On soupera vers six heures... Pourquoi que tu m'as pas avertie, j'aurais pu faire un peu de ménage ?

Il se dirigea vers la porte et répondit:

–J'ai pas pu. Je l'avais invité depuis longtemps Après-midi, il m'a pris au mot sur une histoire d'échange de bandes magnétiques. Je lui ai dit qu'il devrait se contenter de ce que t'aurais préparé pour nous trois. Il s'attend à rien de spécial et m'a répondu qu'il mangeait de tout, pourvu que ça se mange Tu prendras le temps qu'il te faudra. Je vais le conduire au salon et on prendra une bière en attendant.

Il ouvrit la porte au jeune prêtre et l'accueillit. Les présentations furent faites et les deux hommes se rendirent au salon. Quand le repas fut servi, Nicole les invita à s'approcher.

D'une gorgée à même la bouteille, le prêtre finit sa bière. Il commença ensuite à se servir sur l'invitation de Nicole, sans réciter une formule de prière, ce qui surprit son hôte

–C'est ta fille ? Une belle grande fille! dit le prêtre en jetant un regard à l'enfant du couple.

–Je disais à ma femme tout à l'heure à quel point la religion s'était renouvelée depuis quelques années.

–Je pense bien! Autrement, ils auraient perdu un joueur .. et pas rien qu'un. Ce qui compte dans la religion renouvelée, c'est l'esprit communautaire, l'esprit d'entraide. Quel mal je fais à prendre une bière avec vous autres ce soir. Communiquer, dialoguer. Hein? Si on était à une soirée, est-ce que je ferais du mal à danser avec Nicole ? Qu'est-ce t'en penses, Alain ?

—C'est pas parce que t'es prêtre que tu dois t'arrêter de vivre.

—Comment comprendre les gens, si tu partages pas leur vie de tous les jours, si tu restes en haut d'une tour d'ivoire, à vivre dans un autre monde et à prêcher de haut ? Aimez-vous les uns les autres, a dit le Christ. Et à ses heures, il a pris du vin avec les gens. Et paraît qu'il détestait pas ça, parler aux jolies femmes...

Le prêtre adressa un large sourire énigmatique à Nicole. Alain hocha la tête.

—Si nos bons curés d'autrefois t'entendaient, Rodrigue.

Le prêtre arrosa généreusement son poulet de sauce brune et commenta:

—Dans la religion catholique, les valeurs d'autrefois et celles d'aujourd'hui sont pas les mêmes. Par exemple, avant, c'était la paternité qui comptait; aujourd'hui, c'est la fraternité. Le bon curé disait en se frottant le ventre: écoutez, c'est moi qui parle. Aujourd'hui, entre le prêtre et les fidèles, c'est le dialogue, d'égal à égal.

L'amicale discussion ne prit fin que longtemps après le dessert, sur les félicitations du prêtre adressées à Nicole. Gonflant l'estomac et le caressant d'une main tournoyante, il dit:

—Excellent repas, excellente cuisinière! Je te félicite, Alain, t'as une fort jolie femme. Qu'en plus elle sache si bien s'y prendre avec des chaudrons et ça donne une combinaison rare. Anciennement, on appelait ça une perle et on avait, sur ce point en tout cas, bien raison.

Nicole ne broncha pas, ni aux paroles du prêtre ni à ses regards intenses. Lorsqu'il fut parti, elle dit, songeuse:

—Chantage de pomme.

—C'est que tu le connais pas. C'est son genre. Il est comme ça avec les femmes.

—Il doit faire tourner la tête à ben des jeunes filles. Il a belle apparence .. Je veux dire pour un prêtre.

—Suis pas dans la peau d'une adolescente. Vois-tu, ce que j'aime de lui, c'est qu'il est sympathique. Esprit moderne, jeune.

*

Alain marchait lentement dans ce long couloir de l'école St-Esprit qu'il avait si souvent parcouru, pas toujours utilement. Il vit à l'autre bout Josette Rameaux qu'il appelait en son cœur sa belle Parisienne.

Il se rappela la première fois où il avait aperçu cette femme en septembre, à la cafétéria de l'école. Cabaret en mains, perdue dans une longue filée d'étudiants, elle attendait timidement de prendre, à son tour, une nourriture qu'elle n'aimerait probablement pas.

—Regarde, Alain, c'est elle, la Française, lui avait dit un voisin de table.

—Bon Dieu, qu'elle est belle ! s'était-il exclamé.

Courbes légères, délicieuses. Corps droit. Ses cheveux en toque rallongeaient le cou et déshabillaient deux petites oreilles huppées Quelques mèches blondes, échappées, insolentes, se balançaient avec grâce. Et ces yeux! Ah! ces yeux: quelle réserve, quelle robe, quel appétit de rire! Nez frondeur, délicat. Peau rosée de pêche pâle. Front étroit Oh! oh! oh! les mignonnes pommettes assorties! Comme les jambes semblaient frêles sous la jupe frissonnante !

Des épaules de grâce, d'aise, et qui sait, de consentement peut-être!

Puis il avait mis de l'ordre dans son expertise, depuis les cheveux en descendant. Il y avait ajouté une poitrine fine, une taille fragile et des hanches rassurantes, assez généreuses pour promettre.

Quand elle s'était assise juste en face de lui, à la seule place disponible à la table des professeurs, il avait rajouté aux éléments du chef-d'œuvre: les lèvres régulières, ni humbles ni agressives, et les mains graciles aux doigts souples. La femme, d'ailleurs, ne touchait pas les choses, elle les effleurait; elle ne marchait pas, elle bougeait comme une fleur fragile; elle ne riait pas, elle vibrait comme du cristal.

Quelqu'un les avait présentés. Elle avait dit simplement en baissant les yeux.

—Bonjour monsieur Martel.

Trop accroché par l'image de cette femme neuve qu'il aurait voulu baptiser poésie, il n'avait pas répondu sur le coup. Avait cherché un mot, une phrase qui puisse traduire son émotion sans la trahir La réponse lui était venue par son voisin de table qui avait souligné les origines françaises de la femme.

Alain avait commenté avec chaleur:

—Jamais j'aurais cru qu'un jour Paris vienne dîner avec moi.

Elle avait interrogé son sourire tendre, compris, ignoré l'allusion et rétorqué:

—Oh! vous savez, Paris, c'est qu'une ville! Une ville comme une autre !

Il avait toujours trouvé exquis cet accent de la femme française, mais, cette fois, le trouvait divin. Il s'était cependant réservé le plaisir d'y goûter davantage plus tard, car la réponse avait créé le besoin d'un rattrapage.

—Pour un Québécois qui a jamais mis les pieds plus loin que Montréal, Paris est la ville de rêve

—Oh! je ne vous souhaite pas d'y vivre, monsieur Martel. Les Parisiens sont impatients, nerveux, gueulards, et j'en passe. Voilà, à tout le moins, ce qu'affirment les autres Français. Et vous savez, entre nous, je crois bien qu'ils ont raison.

–Vous me parlez des Parisiens, mais moi je vous parle de Paris. Paris, pour moi, c'est la ville-lumière...

Par demi-cuillerées, elle avait entamé délicatement et sans passion son potage.

–En ce cas, gardez bien cette image en tête en tâchant de pas y aller.

–Fameuse idée! Et comme ça, chaque fois que j'en rêverai, c'est l'image d'une... jolie Parisienne qui enveloppera mon esprit.

Elle avait souri un brin et continué de manger, silencieuse, songeuse.

"Il a presque fallu que je sois indécent pour qu'elle accepte ma fleur!" avait-il pensé. "Est-elle donc prétentieuse et obstinée comme on le dit des Français en général ?"

Au tableau de leur attachement mutuel, cette question devait être la seule ombre et n'avait pas tardé à se dissiper.

Après le dîner, ce jour-là et les suivants, ils avaient jasé plus d'une heure. Elle avait la parole généreuse et le geste doux. Ni piège, ni marchandage, ni ostentation. Que de la joie et du respect! Elle avait toujours le mot qu'il cherchait, la nuance qu'il négligeait de faire, la touche féminine qui lui manquait et cette montagne de culture qu'il violait avec tant de joie.

Un soir, il s'était demandé pourquoi il ne l'avait jamais désirée physiquement. Pourtant, de toutes les femmes qu'il côtoyait, Josette était l'une des plus désirables. Mais chaque minute avec elle était trop riche pour laisser du temps au désir physique et son admiration trop prenante pour laisser place aux choses du sexe. Il aima la France qu'elle lui fit découvrir. Il se refusa à voir les côtés plaisants de lui-même qu'elle paraissait aimer lui réfléchir avec tant de tact et de mesure pourtant.

Mais quel complément si, en guise d'adieu, en juin, quand elle quitterait le Canada pour retourner dans son pays, ils s'échangeaient une dernière fleur, un souvenir complice!

En novembre, il avait proposé sa nomination au sein du conseil des professeurs. Elle avait tout d'abord refusé au nom de son incompétence. Alors il lui avait un peu forcé la main, apaisant ses dernières réticences en soulignant que la compétence en cette matière était affaire de tête et de cœur et que, si dans les deux cas, la Sorbonne elle-même n'avait jamais pu attribuer de diplômes à qui que ce soit, lui, Alain Martel, aurait pu en décerner un très haut à Josette Rameaux de Paris, professeur coopérant, stagiaire au Canada.

Tous ces souvenirs, plus des pas qu'il rallongea à dessein le rapprochèrent vite de la jeune femme qui souriait délicatement.

–Monsieur Martel, comment allez-vous aujourd'hui ? dit-elle en feignant la surprise.

–Pas mal. Surtout que le soleil vient de se montrer.

–Pas trop d'idées gauchisantes en tête ?

–Pourtant, je parle rarement de politique quand on bavarde !

–C'est que je vous écoute à la radio, vous savez

–Vraiment ?

–Régulièrement. Enfin les jours où mon mari n'est pas là, car lui est un mordu de musique classique et il déteste la radio Ces jours-là, je dois donc vous sacrifier.

–En ce cas, vous devez être la seule que je connaisse à comprendre le sens de mes messages.

–Je sais pas, fit-elle avec un mouvement de tête gracieux.

–Vous n'êtes pas engagée politiquement ?

–Oh ! non, je suis beaucoup trop égoïste pour cela ! avoua-t-elle avec un léger sourire.

–L'égoïsme, c'est la dernière chose que je croirai de vous.

–Je crois qu'il faut beaucoup de courage pour mener une action comme la vôtre dans un tel milieu, et je me sens pas du tout ce courage D'ailleurs, si je l'avais, j'aurais pris votre défense hier et je l'ai pas fait, dit-elle avec un filet de regret dans la voix.

–Me défendre ? Et de quoi donc?

–Des mesquineries à votre sujet au conseil des professeurs. Ne me prêtez pas un plaisir mesquin à vous rapporter la chose, mais je crois fermement que vous ne méritez pas ces attaques sournoises. Car ne pas vous donner l'occasion de défendre votre propre cause m'apparaît une chose très malhonnête...

Il mit doucement la main dans le dos de la jeune femme.

–Restons pas plantés au milieu du couloir, venez. Allons prendre un café à la salle de conférences toujours déserte à cette heure-ci.

Ils marchèrent côte à côte, parlant de la pluie et du beau temps Quand ils furent assis, séparés par une table basse où ils avaient déposé leur café, Alain ne tarda pas à renouer avec le sujet inquiétant

–On me rend service à mon insu ?

–Je vais vous dire comment les choses se sont passées. Je sais que vous ferez bon usage de mes paroles... et ne le prendrez pas comme de la délation.

–Je sais faire la différence entre délation et fidélité à une amitié que je crois très profonde.

Elle raconta:

–Il fut tout d'abord discuté d'un prétendu mauvais esprit qui régnerait dans l'école chez certains étudiants en contact fréquent avec certains professeurs. Plusieurs faits, si anodins que je perdrai pas de temps à vous les redire, furent soulignés. Le plus grave fut celui des briseurs d'élection. Alors vous imaginez...

–Vous voulez dire Auclair et compagnie et leur campagne pour inciter les étudiants à ne pas voter à l'élection du président de l'école ?

–C'est cela. Et on a soutenu que ces actes de rébellion contre l'autorité sont encouragés et même provoqués par certains enseignants soucieux de leur popularité et manquant de solidarité envers leurs collègues

–Bon, voilà que ça sent ce qu'on m'a fait subir l'an passé. Vous savez, ce fameux rapport d'appréciation dont je vous ai déjà parlé ?

–Justement, quelqu'un a mentionné le fait en fin de réunion. Car au début, on ne citait pas de noms; les efforts portaient surtout à donner du relief à la situation dans l'école afin d'en faire ressortir la gravité.

–Y a-t-il eu consensus ? Bien sûr, vous exceptée ?

–Quant au mauvais esprit, oui. Cependant, lorsque votre nom fut cité comme principal agitateur, il n'y eut que le professeur d'histoire et le principal-adjoint pour émettre des commentaires. Les autres se sont abstenus. Mais la chose remarquable dans tout cela, c'est que la porte avait été ouverte par monsieur l'aumônier car, après coup, je me suis rendu compte que c'était lui qui avait mené toute l'affaire. Oh! discrètement et subtilement, mais c'était lui quand même!

–Quoi ? Rodrigue Tanguay ? Vous êtes pas sérieuse ?

–Tout à fait sérieuse! Et croyez bien qu'il manipule avec une main de maître, au nom de la solidarité et aussi au nom du bien des étudiants Il se sert de son charme naturel et de son prestige de prêtre. Il a bien affiché de la grandeur d'âme au départ en refusant de nommer quelqu'un—ce qui a ajouté à sa crédibilité—mais lorsque les cerveaux furent suffisamment lavés, au nom de la jeunesse, il s'est déclaré forcé de citer des noms.

Alain hocha la tête, attristé.

–Je vous crois, mais j'arrive pas à le croire. Je parle souvent avec lui et j'ai jamais senti qu'il désapprouvait ma conduite. Je comprends maintenant pourquoi mon dossier fut si chargé l'an dernier; ce fut sans doute grâce à ses bons offices. Pourtant, je lui aurais donné l'absolution sans confession. Qu'a-t-il donc à gagner ?

–Peut-être qu'il protège ses propres intérêts ? Sa conduite avec les jeunes, qui n'a, à nos yeux, rien de répréhensible, chatouille-t-elle un certain conservatisme des autorités et s'en défend-il en détournant l'attention dans une autre direction ? C'est là une hypothèse qui vaut ce qu'elle vaut.

–Possible! Quelqu'un a-t-il émis des objections aux choses agréables que l'on disait à mon endroit ?

–Les sympathies ne vous étaient vraiment pas acquises. Quant à moi, j'ai demandé qu'on vous donne l'occasion de plaider votre propre cause devant le conseil, mais, sous prétexte de vous faire le moins de tort possible, il fut décidé de remettre le cas entre les mains de la sœur principale qui, dit-on espérer, userait de sa diplomatie naturelle pour vous faire rentrer dans le rang.

Visage contrefait, cœur battant, Alain marmonna·

—J'en reviens pas!

—Oh ! remarquez que la démarche de l'abbé fut insidieuse et qu'il m'a fallu y réfléchir après coup pour me rendre compte que vous n'auriez pas été cloué au pilori sans son habile manipulation. Voilà pourquoi je vous en parle.

—Il ne me reste plus qu'à ranger tout cela dans un recoin de mon âme...

—Vous adoptez l'attitude sage que je prévoyais. J'ai pensé me taire pour vous éviter des tracas, mais j'ai fini par penser que vous en sortiriez grandi.

—Je suis pas près de vous oublier. Comment vous, une étrangère .

Il prit un peu de café.

—Vous qui pouvez porter un jugement de l'extérieur, croyez-vous que c'est dans la mentalité québécoise de couler son semblable ?

—Vous dites ?... Ah ! oui, je comprends ! Ah ! vous savez, le fair-play n'a pas de frontières ni la sournoiserie non plus.

Avec grâce, elle porta sa tasse à ses lèvres et but.

Lui regarda la jeune femme comme s'il ne la voyait pas, comme si son esprit voguait très loin. Il parla avec nostalgie:

—Dire que dans un mois, vous retournerez en France. Comme j'aurais aimé vous connaître plus... et autrement. Je veux dire ailleurs qu'ici. Si c'était possible..

Elle pencha la tête sur le côté, sembla réfléchir très profondément

—Je dois vous reprocher une chose, Alain.

—Allez, allez, nous ne nous sommes jamais disputés.

—Vous ne prenez pas le temps de vivre. Vous courez sans arrêt entre votre domicile, l'école et la station de radio sans compter les soirées d'étudiants et les activités parascolaires auxquelles vous participez. À ce rythme, vous vous dépensez sans avoir eu votre part. Dans un monde où chacun cherche à sauver sa peau, vous perdez la vôtre. Au fond, rien ne vous oblige à vous battre autant pour les autres.

Il crut deviner ce que cachaient ces paroles et risqua·

—Nous aurions pu nous connaître mieux... mais il n'y avait pas que le temps, il y avait aussi . votre mari ..

—Mon mari est fort compréhensif, vous savez.

—Je l'ignorais.

—Vous n'avez jamais cherché à le savoir non plus.

—Mais puisqu'il est votre mari, je présume... Que voulez-vous dire par compréhensif ?

La porte s'ouvrit. Elle ne put répondre. Le principal-adjoint vérifia le contenu des distributrices automatiques. D'un sourire double, il salua Josette et Alain. Puis il quitta, croisant des professeurs qui vinrent s'asseoir près du couple d'amis.

La conversation se refroidit en même temps que le café.

***

Chapitre 13

1969-1970

–Nicole, tu sais ce que je reçois par la poste ?

–Ben non.

–Une lettre du directeur du personnel enseignant de la commission scolaire. Ma demande de transfert à la polyvalente de St-Martin est acceptée.

–Tu devais t'y attendre, répondit-elle distraitement.

Elle s'affairait autour d'une montagne de viande déjà découpée par le boucher, et qu'elle partageait en portions individuelles et emballait dans des sacs de polythène. Elle et une belle-soeur avaient acheté un boeuf entier qu'elles s'étaient divisé aux goûts de chaque famille.

–Mais je t'ai pas dit la meilleure.

Allongé sur le divan du salon, en tenue légère, il lisait en ricanant.

–Viens ici pour entendre ça.

–Je t'entends d'ici, répondit-elle sur le même ton.

–C'est la photocopie d'une lettre qui lui est parvenue de la part des trois directeurs de l'école St-Esprit. Écoute ben, je la lis. "Cher monsieur, pour les raisons mentionnées dans la présente, nous vous recommandons et vous demandons instamment de retrancher monsieur Alain Martel de la liste du personnel attaché à l'école St-Esprit. Cet enseignant n'a pas l'esprit de solidarité professionnelle et cela au détriment de ses collègues. Il exerce une influence néfaste sur les étudiants et montre des attitudes négatives envers les règlements et les autorités de cette école. Après maints avertissements, il passe outre à certaines règles établies par la commission scolaire, particulièrement celle concernant les arrivées et départs, n'avisant jamais la direction de ses allées et venues en dehors de l'horaire régulier. Saisi de son cas, le conseil des professeurs ne s'est pas prononcé et s'en est remis à notre jugement et à nos décisions. Notre conclusion unanime est la suivante: nous vous conseillons et vous prions de trouver à monsieur Martel une tâche ailleurs que dans cette école. Nous vous prions etc... etc.. " Et c'est signé par les trois directeurs. Qu'est-ce que tu penses de ça ?

—Après tout ce qui s'est passé cette année, fallait que tu t'y attendes.

—Tu veux que je te dise ? C'est le plus grand aveu de faiblesse que j'ai jamais lu de toute ma vie. Ils disent que le système d'éducation vise l'épanouissement individuel et quand une personne veut fonctionner selon ses propres normes, et se passer de leurs règles tatillonnes, ils le guillotinent. Ils voient aucune valeur dans les gens qui pensent pas comme eux autres et qui refusent leur moule.

—Alain, tu parles souvent de socialisme. Bon, je comprends pas grand-chose là-dedans, mais c'est pas comme ça que ça se passe dans ces pays-là ? Je veux dire que, des individualistes comme toi, ils s'en passent-ils pas, eux autres aussi ? Tout le monde égal par là, tout le monde dans le même moule, sinon on coupe le cou à ceux qui sont pas d'accord ?

—Qu'est-ce que tu dis ? Viens au salon, je t'entends mal...

—J'ai pas le temps, protesta-t-elle. J'ai que ma journée pour préparer ma viande, faire le repassage pis finir mon sarclage dans le jardin.

—Ils disent que je tiens pas compte des directives sur les arrivées et départs. Ce règlement est une façon de nous faire fléchir le genou devant messieurs dames de la direction Ils nous prennent pour des enfants. Plutôt de nous juger sur notre travail, ils nous jugent suivant l'horloge. Ils disent qu'ils veulent humaniser l'école et agissent comme si c'était une usine. Ils oublient de signaler toutes ces soirées que j'ai passées à enregistrer toutes sortes de choses pour celui-ci, celui-là.

—Peux-tu venir et descendre un plat de viande au congélateur dans le sous-sol ? C'est trop pesant pour moi.

Il s'amena, lettre à la main.

—J'espère que la direction de la polyvalente sera moins stupide. À quel bout du congélateur veux-tu que je mette tout ça ?

—D'un bout ou l'autre, mais dépasse pas la moitié. Faut que je garde de la place pour mes légumes à l'automne.

*

Nicole avait passé une partie de la journée à équeuter et blanchir des haricots jaunes. La dernière chaudronnée fumait sur le poêle.

Alain arriva en trombe, comme à son habitude en fin d'après-midi Sitôt dans la maison, il ouvrit la porte du réfrigérateur afin d'y prendre son souper: habituellement deux sandwiches et un fruit. Mais ce jour-là, pas de sac. Il referma la porte et soupira.

—Je dois être à la station de radio dans quinze minutes et j'ai rien à m'apporter à manger.

–Je me fiais qu'il te restait trois quarts d'heure. Je me dépêchais de finir les fèves.

Il grimaça.

–Bon, ça va, je t'en prépare.

Il consulta sa montre.

–Laisse faire, j'ai pas le temps.

–Tu partiras pas sans ton souper. Assis-toi; dans dix minutes, ce sera prêt.

Il marcha nerveusement, grommelant:

–Je travaille de huit heures du matin à minuit le soir, sept jours par semaine. J'ai pas le temps de m'occuper aussi des repas...

À ton retenu, elle répondit:

–Alain, écoute, j'ai blanchi des fèves toute la journée à travers les autres travaux pis en remerciement, je récolte des reproches. C'est décourageant d'être une femme dans la vie par bouts.

Il haussa les épaules.

–Sont ben à plaindre les femmes!.. Et puis, j'ai pas à te remercier pour le travail que tu fais, pas plus que je te demande des remerciements pour le mien. Dans la vie, à chacun ses responsabilités.

Elle ne répondit pas et entreprit de préparer le lunch.

–Moutarde et laitue ?

–Au diable la moutarde ! Mets-moi tout ça dans un sac: ça presse !

Il finit lui-même d'emballer les sandwiches et sortit en claquant la porte.

Ce soir-là, il se coucha fourbu. Nicole aussi.

–Je m'excuse pour ton lunch, si j'avais su que tu étais si pressé...

–N'en parlons plus. J'étais un peu nerveux aujourd'hui Tu sais, la première semaine d'école, c'est toujours plus stressant .. S'habituer à une nouvelle bâtisse, un nouveau groupe d'enseignants, de nouveaux étudiants. Commencer avec un mois de retard, ça aide pas non plus

–Et la principale ?

–La vieille soeur ? À date, je lui reproche qu'une chose pis c'est qu'elle soit religieuse. À force de me faire manger de la merde les soeurs pis les prêtres ont développé en moi un préjugé contre eux. Celle-là, elle me marchera pas sur les pieds.

–Tu devrais faire plus attention qu'à l'école St-Esprit. Tu t'attires des ennuis pour rien.

–Alors quoi ? Ramper ? Faire des courbettes ? Jamais! Je respecte les autres, que les autres me respectent !

–On dit que cette religieuse a un faible pour les hommes...

–Elle peut même en perdre connaissance si elle veut, quant à moi! Elle pèse dans les deux cent cinquante et sa barbe est plus forte que la mienne. Balourde, bras ballants quand elle marche.

–Barbue ?

–Je pense ben! Une clôture de broche piquante!

–Tu devrais pas te moquer.

–Des farces entre nous deux! Ça lui ôte pas ses qualités... si elle en a As-tu fini tes foutues fèves ?

–Le congélateur est plein: viande, légumes, fruits, compote, confiture. On est prêts pour l'hiver.

Alain se mit à somnoler et à rêvasser. Il vit un homme préhistorique revenant à sa caverne où l'attend une femme à barbe au regard agressif. L'homo sapiens fait comprendre par grognements à sa femelle qu'il n'a rien pu rapporter de la chasse. Elle lui répond, par grognements, qu'il est mauvais chasseur et que si la situation perdure, elle l'enverra vivre dans une autre caverne. L'homme se retourne et Alain reconnaît Rodrigue Tanguay.

–Plus je suis fatiguée, plus j'ai envie de faire l'amour.

L'homme sursauta.

–Quoi ?

–Suis morte de ma journée et j'ai une plus grande envie que d'habitude...

–C'est pas le cas de toutes les femmes. Paraît même que la majorité d'entre elles misent sur la fatigue pour éviter la chose...

–Tu sais ça, toi ?

–Ben. . par des lectures...

–J'aimerais jeter un coup d'œil sur tes revues. Apporte-les ici ?

–C'est pas le genre à laisser traîner à la maison. T'aimerais peut-être pas.

–Parce qu'il y a des photos de femmes nues dedans ?

–Ben... des fois... Mais c'est pas ce qui m'intéresse...

–Pourquoi que tu les apportes pas ?

Cette ouverture d'esprit inattendue le stimula et, dès qu'elle le toucha, il lui en donna plein la main. Simultanément, l'idée lui était venue de lui demander qu'elle participe à l'amour oral. Quand les attouchements furent plus passionnés, il dit:

–T'aimes ça quand je te caresse avec ma bouche comme là ?

–Ben oui...

–As-tu l'impression que je me dégrade en faisant ça ?

–Pas du tout pis j'ai jamais pensé ça

–Je me retiens depuis longtemps de t'en parler Aurais-tu objection

265

à faire pareil pour moi ? Ça te répugnerait ?

–Je désirais le faire, mais je n'osais pas.

–On y va ?

–O.K!

*

L'année scolaire fut emballante: tout lui était nouveau, tout était à essayer, à expérimenter.

Néanmoins, le mécontentement était général dans la nouvelle école. Pour l'un, le matériel audiovisuel n'arrivait pas assez vite. Pour l'autre, la carence de volumes de bibliothèque était intolérable. La plupart critiquaient leurs horaires. Certains disaient de la répartition des locaux qu'elle n'était pas fonctionnelle. D'autres en voulaient à la fréquence des interventions via le système d'intercommunication. Presque tous se plaignaient de retards chroniques dans leurs programmes scolaires.

L'insatisfaction était la seule forme d'unanimité dans la polyvalente. Sauf une minorité dont la principale et Alain Martel, tous maugréaient

Soeur Jeanne était partout. À trois minutes d'intervalle, elle commandait des aiguilles pour l'atelier de couture et donnait des directives aux ouvriers de la construction qui parachevaient une aile de la bâtisse. Son goût inné des choses matérielles marié à une indomptable énergie faisaient d'elle une organisatrice de première force.

Alain se demanda quelle inspiration avait pu, d'aventure, amener les dirigeants scolaires à la choisir comme principale de la première école polyvalente du territoire. Un coup de chance probablement.

Soeur Jeanne appliquait avec discernement les directives venues d'en haut et tenait compte de la personnalité de chacun des enseignants. Voilà pourquoi, on ne tarda pas, de toutes parts, à crier à l'injustice. Et le mouvement devait s'amplifier et conduire, deux ans plus tard, à la démission, fortement conseillée par la commission scolaire, de la religieuse

Chez les étudiants, dans tous les secteurs de la vie de l'école naquirent des projets, prirent forme des initiatives: l'ingéniosité, la créativité fusaient de partout. Pour Alain, ce milieu d'insécurité était le ciel. Pas de sclérose, mais du mouvement perpétuel. Et pour soeur Jeanne, c'étaient, beaucoup plus que leur ensemble, des centaines de petits défis quotidiens à relever.

Alain appliqua une nouvelle démarche pédagogique et reçut l'appui et l'encouragement de la religieuse. Mais parfois, ils se disputaient quant au règlement régissant allées et venues en dehors des cours. Par principe, il refusait cette norme fondée selon lui sur un instrument de contrôle infantilisant: l'horloge. Les deux finissaient toujours par en rire. Il protestait, exposait ses vues, promettait de s'amender... et le jour suivant recommençait.

Soeur Jeanne utilisait la force que lui donnait son titre et son auto-

266

rité pour casser des collusions naissantes ou pour contrer des mesquineries trop évidentes. Elle payait, à même son salaire, le dîner de plusieurs étudiants démunis et parmi lesquels des profiteurs. Ses propres deniers servaient souvent aussi à l'achat d'équipements sportifs ou électroniques utilisés par les étudiants. Alain avait appris toutes ces choses à travers les ragots scandalisés de certains qui ne digéraient pas ces façons

Inquiet de savoir si son approbation de sœur Jeanne dans sa rigidité envers certaines personnes n'allait pas chercher en lui-même une motivation semblable à celle qui avait poussé l'abbé Tanguay et compagnie à le couler à l'école St-Esprit, il ne trouva pas mieux que de piquer au vif la vieille sœur. Lors d'une conversation, il lui reprocha son favoritisme, ce à quoi elle répondit par des mots aussi simples que secs.

–Monsieur Martel, quand quelqu'un cherche davantage à détruire qu'à construire, je lui sers des taloches, si je le peux.

–Vous m'en avez pourtant jamais servi .. Si je me fie au nombre de claques reçues ailleurs, il fait pas de doute que je dois en mériter ici aussi.

–Monsieur Martel, vous êtes impulsif, entêté, insoumis, disputeur et bien d'autres choses encore, mais vous bâtissez parce que vous êtes pas endormi dans le confort et la sécurité.

–Arrêtez, vous m'intimidez, fit-il avec un rire mal contenu. Tiens, je vas aller plus loin. Je pratique aucune religion depuis plusieurs années, j'aime beaucoup la sexualité, je crois au divorce, j'ai des préjugés contre les prêtres et... les religieuses...

Elle l'interrompit:

–Vous savez, à mon âge, et de la façon dont j'ai été éduquée, je serais mal placée pour vous juger sur ces choses. Vos convictions religieuses ne regardent que vous. Et vous me faites rire avec vos prétendus préjugés. Je n'en crois pas un mot. Notre conversation prouve que vous en avez pas. D'ailleurs, vous doutez trop pour être un homme à préjugés.

Décontenancé, il balbutia:

–Jamais reçu autant de fleurs en si peu de temps Ça m'intimide. J'étais absolument pas venu pour ça. .

–J'essaie de donner à chacun ce que je crois être son dû.

–Vous croyez donc pas à l'égalité pour tous ? Pourtant, vous êtes en communauté ?

Elle pouffa:

–L'égalité pour tous ? C'est de la blague! Jamais cru à ça. Des personnes sont faites pour posséder plus, d'autres moins Moi qui vous parle, j'ai un budget personnel minime et je m'arrange.

Il songea aux railleries que cela valait à la sœur, mais dit.

–Vous brassez pas mal d'argent.

—Il me passe par les mains plus d'un million de dollars par année. Et je suis loin de consacrer la moitié de mon salaire à des dépenses personnelles. Je dis pas ça pour me vanter. Je demande pas non plus que les autres fassent la même chose. Chacun sa personnalité. Vous, même sans famille, vous pourriez pas vivre avec mon budget. Vous êtes plus porté sur les vêtements, les belles voitures...

Alain sourit, qui avait souvent fait monter la religieuse pour la conduire à Saint-Georges en fin d'après-midi.

—Me dites pas que vous approuvez le gaspillage des riches ?

—Quand ça commence, le gaspillage, hein ? Qui va le déterminer ? Vous ? Moi ? Les politiciens ? Les chefs syndicaux ? Le gaspillage de l'un n'est-il pas la misère de l'autre ? Gaspiller, c'est rouler Cadillac ou manger deux fois plus que ses besoins naturels? Ou gaspiller sa santé et son argent en fumant comme vous le faites ? La moitié de ce que vous avez est du gaspillage aux yeux de celui qui n'a que la moitié de ce que vous avez...

Il dit, songeur:

—Je parle encore de ça. Ça doit être une obsession chez moi.

—Y a pas que les choses matérielles dans la vie, monsieur Martel; vous êtes assez intelligent pour savoir ça. Elles sont bonnes en autant qu'elles restent. Faut manger pour vivre et non vivre pour manger.

—Pour faire ce qu'on veut, faut de l'argent.

—Si vous voulez vraiment faire quelque chose de possible, vous avez de bonnes chances d'y arriver...

—Vous parlez comme un certain livre américain que j'ai déjà lu! Ah oui! quand on veut arriver, on le peut, mais à quel prix ? Tricher ? Ramper ? Ou combiner les deux ?

—Pas satisfait de ce que vous faites dans la vie ?

—Cette année, suis assez heureux. Ici, ça bouge. Ça démarre: c'est normal. Mais les routines vont s'installer...

—Suffira d'aller plus loin, ailleurs... toujours plus loin et toujours ailleurs...

—Facile à dire et à faire pour vous! Vous êtes seule dans la vie et vous avez du 'power' entre les mains.

—Vous avez entre les deux oreilles tout ce qu'il vous faut pour vous en sortir...

L'homme sourit, se leva, dit d'un air gauche

—On m'a jamais autant fleuri qu'aujourd'hui; et pourtant, j'étais venu avec des pensées un peu agressives en arrière de la tête. Ceux qui diront que le crime paie pas...

La vieille soeur se frotta la barbe et dit, un oeil malicieux, l'autre sérieux:

—Quand une personne est sincèrement à la recherche d'elle-même, il lui faut souvent se faire dire des choses dures, mais parfois aussi des bonnes.

Amusé et perplexe, il quitta le bureau, se demandant comment cette femme de régularité et d'habitudes enracinées pouvait, à ce point, juger et accepter les indisciplinés, contrairement à tous les dirigeants qu'il avait pu connaître et qui, tous, recherchaient leur propre image à travers leurs subordonnés.

Dans les semaines qui suivirent, il se mit à l'écoute des vieillards et conçut pour eux une profonde admiration. Il aima leur détachement des biens matériels, leur tolérance, leur écoute des autres, leur amour simple de tout, leur cœur d'enfant mais libre d'égoïsme, et surtout cette aptitude merveilleuse à vivre avec eux-mêmes et leurs faiblesses

*

La rentrée scolaire de septembre 1970 se fit sous de meilleurs augures que la précédente pour ceux qui cherchaient une organisation rodée, reposante, sécuritaire.

La religieuse, qui avait essuyé tous les coups de la période organisationnelle, montra, par son laïus d'accueil qu'elle entendait déléguer plus de pouvoirs à son adjoint, un homme sympathique et souple.

Le mécontentement envers la principale que l'on qualifiait de bloc de ciment et même de rouleau de prélart, poussa les meneurs parmi les enseignants à se tourner vers le directeur adjoint, Lucien Rouillard qui se laissa aller à une complicité tacite avec eux. L'homme était trop loyal pour critiquer la soeur, mais trop opportuniste pour se taire. Alors il laissait échapper des sourires, des silences, des gestes à peine esquissés, des haussements d'épaules et des hochements de tête qui parlaient sans le compromettre Sa façon d'accueillir les confidences et doléances avait assuré la montée de sa popularité, tandis que celle de la religieuse avait proportionnellement décliné.

Alain et lui, de vieilles connaissances, s'étaient bâti, tout au long des années, plusieurs ponts. Leur plus solide: des aveux de faiblesse. Comme s'ils s'étaient glorifiés des contraires! Alain s'amusait des ambitions de Lucien et celui-ci souriait à l'esprit frondeur de l'autre. Tous deux avaient tenté de nombreuses fois, mais en vain, de cesser de fumer et s'en parlaient régulièrement. Lucien le voulait pour l'argent sauvé, Alain pour se libérer d'un esclavage. En tout, au pragmatisme de l'un s'opposait l'idéalisme de l'autre.

"On pourrait former une solide équipe comme celle de la foire agricole, si le système nous plaçait pas de chaque côté d'un mur," se disait souvent Alain. Pourquoi donc les hiérarchies doivent-elles être aussi anémiques, chacun recherchant en ses collaborateurs d'autres lui-même plutôt de viser une complémentarité qui risquerait pourtant d'être bien plus féconde.

Il réfléchissait à ces choses après le discours de la principale, juste avant la présentation par Rouillard des nouveaux enseignants de l'école.

Assis dans l'auditorium depuis plus d'un quart d'heure, les professeurs n'avaient bougé que pour applaudir copieusement à la mini délégation de pouvoirs de la sœur. On avait hâte maintenant d'entendre le discours de Rouillard pour connaître le ton de la nouvelle année.

–Après sœur Jeanne, j'ai, à mon tour, grand plaisir à vous accueillir dans cette école, vous de l'équipe chargée de mener à bon terme cette année scolaire qui, nous l'espérons tous, sera moins mouvementée que la précédente.

Des murmures fusèrent des quatre coins de l'assistance. Rouillard avait misé juste. Il poursuivit avec un sourire de satisfaction·

–Pour mettre tout le monde dans le bain (entre parenthèses, un bain serait pas de trop avec la chaleur qu'il fait aujourd'hui...)

Les nouveaux rirent de bon cœur; les anciens sourirent calmement; les vieux de la vieille, ceux d'une dizaine années d'expérience ne bronchèrent pas d'une ligne. Rouillard s'épongea le front.

–Nous allons connaître ceux et celles qui viennent enrichir notre équipe cette année. En effet, douze nouveaux enseignants se joignent à nous. Chacun, à l'appel de son nom, est prié de bien vouloir se lever. Au hasard de ma liste, en sciences, André Beaudoin.

L'homme se leva, salua d'un petit geste de la main. Grand, moustachu, cheveux minces, trente-deux ans environ... Alain ne put le détailler davantage; Rouillard poursuivit:

–Également en sciences, Charles Goulet qui vient de l'école St-Esprit.

"Tiens, Goulet a été transféré à son tour," pensa Alain

Impassible, l'homme au teint farinacé se rassit aussitôt.

–En catéchèse, une jeune demoiselle de Beauceville: Denise Martel

Souriante, la jeune femme se leva à son tour. Elle hocha la tête vers l'assistance et décupla son sourire.

"On est peut-être parents," se dit Alain, pensant que son grand-père originait aussi de Beauceville où les Martel se font nombreux depuis des générations.

–En français, de St-Gilles, Henri Rodrigue. .

Que d'émoi au début d'une nouvelle année scolaire!

*

Alain emprunta le large escalier en forme de L. Au palier, entre les deux étages, il croisa cette Denise Martel pas comme les autres. Il fit le geste de poursuivre sa route, mais elle l'accrocha par son sourire généreux et il la salua de drôles de mots·

–Je voulais toujours vous dire: vous portez un nom que j'aime bien.

Elle pouffa:

–Je pense que vous êtes le seul professeur à qui j'ai pas été présentée au cours du mois. Mais on m'a dit que c'était vous la voix charmeuse des ondes en fin d'après-midi.

Il ne sourcilla pas, même ainsi complimenté et poursuivit:

—On est peut-être parents de la fesse gauche?

—Facile à savoir, c'est quoi, votre lignée ?

Elle faisait allusion aux sobriquets familiaux largement répandus et qui servaient à démêler les liens et à évaluer en gros la consanguinité.

—Les Bebette.

—Pis moi, les Patoche.

—Ce qui veut dire ?

—Que si on a de la parenté, c'est de la troisième fesse gauche

Elle éclata d'un long rire sonore, plein, enfantin, communicatif, qu'Alain entendit résonner jusqu'au fond de son âme.

La voix plus légère, il demanda:

—Professeur de catéchèse ?

—Fraîche émoulue de l'école normale.

—Mais pas trop fraîche, j'espère ?

—Non, non, répondit-elle avec un débit si rapide que les 'n' se croisaient.

—Vous aimez le métier ?

—Emballée !

—Tant mieux! J'aimerais que votre enthousiasme soit communicatif

—Vous enseignez depuis longtemps ?

—Dix longues années.

—Tant que ça! Vous avez l'air jeune.

—Je le suis, ma chère demoiselle. Voyez-vous, j'ai commencé dans le métier à l'âge de onze ans, ce qui me donne... voyons... attendez .. vingt, dix-sept, vingt-huit ans. Ils sourirent.

Elle se fit plus sérieuse:

—Comme ça, l'enthousiasme diminue ?

—On se rassit, en vieillissant... Comme du pain! L'an dernier, ici, j'ai ben aimé ça. Mais cette année, l'atmosphère est trop au beau fixe pour que ça m'ennuie pas. Il manque de vie.

—On dit que l'an passé, ce fut une année de fous .

Elle se mit la main sur la bouche.

—Je voulais dire mouvementée..

—Vous excusez pas. D'aucuns pensent commne ça; moi, j'ai ben aimé. L'action a pas fait défaut. Il y a eu le retard d'un mois au début, le rodage de tout, les pertes de temps et malgré ça, les résultats furent excellents. Ce qui prouve qu'en enseignement, c'est pas la quantité qui compte.

—Comme dans tous les domaines.

Il leva les yeux, prit un air de réflexion.

—Peut-être pas en usine où seule la productivité compte. Mais on n'est pas en usine. Mais... Vous voulez une prophétie de malheur ? Je crois que ce système d'éducation à écoles polyvalentes va manquer ses objectifs et que le jour où on s'en rendra compte, on va blâmer les bâtisses. La créativité a pourtant rien à voir avec le béton. Pour ma part, j'ai jamais senti autant de créativité chez les jeunes et les enseignants qu'en cette fameuse année où j'ai enseigné dans un vieux couvent construit en 1918 et pas fonctionnel.

—Contre la modernité alors ?

—Mais non! Pourvu qu'elle reste l'accessoire et ne devienne pas l'essentiel du système. Tout ce matériel qu'on court le ventre à terre n'est utilisé que pour instruire plus et plus vite. On veut bâtir des cerveaux à la chaîne. Les gadgets visent le rendement.

Denise plissa le front.

—Je pense que la principale n'est pas fameuse, hein ?

—Au contraire, elle est excellente. Elle est matérialiste mais parfaitement consciente que le matériel est accessoire. Elle a pourtant dû se retirer moralement...

—Et monsieur Rouillard ?

—Il a la souplesse .. Mais la vague est là surconsommation, quantité, productivité, esprit de compétition... Et il penche du côté du vent

—Vous ne parlez pas comme les autres.

—Suis un peu dérangé sur les bords.

—J'aime ça entendre des opinions différentes.

—Ah oui ? Alors parlons de relations humaines.

—J'ai peu d'expérience dans ce domaine-là également; je vous écoute

Il pérora sur l'amour, le mariage, le divorce, les aventures extraconjugales, prônant des idées plutôt libérales pour l'époque et le milieu

Elle contesta plaisamment.

—Je veux m'en tenir à la conception traditionnelle.

—Sans doute fiancée.

Elle obliqua la tête comme se posant la question pour la première fois

—Pas loin.

—Ben vaut mieux que je vous laisse à vos illusions.

—Malgré mes illusions, c'est très intéressant de discuter avec quelqu'un qui a réfléchi.

Comme souvent, il se laissa dorer la pilule·

–À mon âge, vous aurez fait plus de chemin que moi. Vous serez peut-être divorcée.

–Faudrait que je commence par me marier

–Ah, ça viendra vite! Vous avez le sourire pour..

Elle rit haut et clair. Il cligna de l'oeil

–Là-dessus, je vous quitte. Il me reste cinq minutes pour préparer mon prochain cours.

–On se reparle.

–Plaisir!

Sur le chemin du bureau, Alain contempla l'image que la jeune femme lui avait laissée. Type châtain clair, teint pâle, front large, nez légèrement dévié, cheveux longs et sans éloquence, seins lourds, très importants.

"Plutôt ordinaire," pensa-t-il

Et se dit qu'il ne ferait pas l'amour avec elle, mais se ravisa, pensant avec un petit oeil perfide qu'une telle poitrine avait de quoi appeler son homme.

Cette pensée s'évanouit. Effacée par la chaleur du sourire de la jeune personne. Il se dit qu'il la voudrait pour soeur.

*

Ces jours-là, le sujet de conversation occidental était le double enlèvement de l'attaché commercial britannique à Montréal et du ministre québécois du travail, suivi de l'assassinat de ce dernier.

À la cafétéria des enseignants, à la polyvalente de St-Martin, chacun y allait de son commentaire, ce midi-là encore.

–Tout un manque de jugement d'avoir tué Laporte, ils ont sabordé leur affaire, dit Serge Poulin.

–Fallait s'attendre à des choses du genre avec des régimes politiques comme on a, rétorqua Charles Goulet.

–Mais de là à tuer, y a toute une marge, d'ajouter Denise Martel.

–Quand on pense qu'on se fait manger la laine sur le dos depuis deux cents ans, fallait s'attendre qu'un jour, un frustré, quelque part fasse sauter quelque chose. Pis c'est ça qui est arrivé, lança Goulet.

Le quatrième occupant de la table resta silencieux tout le long du repas. Il se contenta d'écouter et de sentir en lui-même une sorte de culpabilité

En fin d'après-midi, à la station de radio, il déchira son dossier à idées gauchisantes. En jetant les morceaux à la poubelle, il se dit tout haut:

–Ce pays-là, c'est pas si pire après tout !...

***

273

Chapitre 14

1971

Nicole profiterait d'une visite à sa coiffeuse pour faire un crochet jusque chez sa mère. Elle ne reviendrait pas avant plusieurs heures.

Alain goûta à ce bien-être de se sentir seul et en congé Ni enseignement, ni radiodiffusion, ni soirée à produire de la musique avec son système de son.

Ils iraient défoncer l'année dans un petit bar à la sortie de la ville, comme ils le faisaient chaque trente et un décembre depuis qu'ils habitaient St-Georges. Mais il avait toute la journée pour se préparer; il l'étirait à flâner et à se parler à lui-même.

"Que sera l'année qui vient ? Comme celle qui se termine ? Meilleure ou pire ? Mais encore faut-il que je me rappelle 1971. À tout prendre, ce fut une bonne année... Malgré que. . Tiens, j'en profite pour lire mon journal personnel aujourd'hui. La meilleure façon de faire le bilan.

Il descendit au sous-sol, grimpa sur un établi et mit la main derrière une poutre. Il en sortit un petit livre format agenda utilisé toute l'année comme journal intime. Il retourna au salon, s'affala sur le divan et revécut par les mots les événements des douze derniers mois.

4 janvier

Retour à l'école ce matin. Vacances trop courtes encore une fois. Malgré que des vacances qui se prolongent, on tourne en rond. Félix Lemieux pense qu'il aurait fallu recommencer le trois et mettre de côté la journée gagnée pour rallonger le congé de Pâques. En 69, il disait que faudrait reprendre le sept. Pauvre Félix: jamais satisfait, mais heureusement, pas trop bruyant.

12 janvier

Salon funéraire hier soir. Les quatre fers en l'air, la tante Alice

J'aime pas ça, veiller le corps. Ah! ces yeux qui regardent le cadavre! Un spectacle rassurant pour les vivants et bien portants. Tiens, si j'achetais ce qu'il faut pour produire des films sonores et en couleurs sur les funérailles... Espérons que l'oncle Darius cassera pas sa pipe trop vite... Aller au corps, c'est ennuyant à mourir...

24 janvier

Nicole et moi, on a fait l'amour avant-midi, comme à tous les dimanches. Comme d'habitude.

25 janvier

Grosse tempête de neige. Pas d'école. Journée de congé à la radio, j'ai pu flâner. Espérons qu'il n'y aura pas d'école demain non plus. Je finirai mon établi...

26 janvier

Pas d'école encore aujourd'hui, mais j'ai dû pelleter tout l'après-midi.

Paraît que c'est mauvais pour le cœur quand une personne est pas trop en forme. Faudra que je fasse de l'exercice pour me débarrasser de mes trente livres de trop. Plus je travaille, plus j'engraisse; à n'y rien comprendre!

3 février

À l'école, entre mon bureau et celui de l'administration, il y a trois cent quarante-neuf pas. Je les ai comptés aujourd'hui pour la nième fois. Que je m'endors ce soir! Faudra que j'aille discuter avec Rouillard la semaine prochaine. Bah, je sais pas mal d'avance à peu près tout ce qu'on va se dire.

12 février

Il s'est conté des histoires cochonnes comme jamais à la cafétéria des profs aujourd'hui. Denise Martel est pas trop farouche là-dessus Faudrait qu'une bonne fois, je la tasse dans un coin, celle-là. Peut-être qu'elle demanderait pas mieux. Mais si elle se fiance .

25 février

Le prof d'histoire m'a dit sur un ton sarcastique que je lui avais appris beaucoup de choses à mon émission de radio d'hier. Et, comme d'habitude, la guenuche a enrobé sa démolition d'un sourire. Un bon jour, elle l'aura pourtant, sa claque. Petite snob! Je dois avouer qu'elle me montre chaque jour mon manque de courage parce que je reste, chaque fois, sur mon envie de lui donner un chien de ma chienne.

23 mars

Suis à la station de radio. J'écoute de la musique et rédige mon journal personnel... évidemment. Tiens, j'ai pas écrit depuis un mois. Il s'est rien passé Quand y a-t-il des choses intéressantes dans ma vie ? Au fond, à tous les jours. J'aime l'enseignement, la radiodiffusion, j'ai un ménage qui marche Donc tout va! Mon compte de banque a atteint mille dollars aujourd'hui. J'ai bien des paiements de maison et d'auto, mais c'est comme la plupart des gens.

Quoi faire de ces mille dollars ? Les placer ? Au taux d'intérêt courant, si j'économisais mille dollars par année, dans vingt-cinq ans j'aurais un bon cinquante mille dollars de côté. Cinquante-quatre ans, cinquante-quatre mille dollars: intéressant. Mais on sera en 1996 et que vaudront cinquante mille dollars en 1996. Probablement pas grand-chose!

Laisser dormir l'argent en attendant ? En attendant quoi ? Peut-être un voyage avec Nicole et Patricia l'été prochain ? Non, faudrait un plaisir qui dure plus longtemps. Je vais acheter un lave-vaisselle à Nicole. Même si elle dit qu'elle en veut pas. Parfois, je me demande si certaines femmes ne se donnent pas volontairement de la misère sous prétexte d'économiser, pour se montrer plus indispensables. Bon, mais alors, le reste ? Tiens, pour le lave-vaisselle: un plan de financement et je le paierai sans m'en rendre compte. Et les autres meubles, on pourrait peut-être les échanger ou en échanger quelques-uns? Mais à quoi ça servirait ?

Un petit chalet sur le bord du lac? Et avoir constamment la parenté sur le dos... Non.

Un système de son pour le salon ? Bonne idée ! Je peux obtenir les disques au quart du prix de détail par les services de promotion des compagnies. Mais... pourquoi pas un gros système ? Très gros. Et faire de la musique de danse ? Ça se fait partout ailleurs. Triple emploi, les trois risquent d'en souffrir. Je pourrais me faire remplacer ici quand il faudrait remplir des engagements. J'aurais qu'à payer la discothécaire. Je trouverai à emprunter ce qui marquera pour le système Je vais me renseigner chez le marchand cette semaine. Tiens, voilà que je me rembarque dans le système...

7 avril

Nicole va certainement fêter mon anniversaire samedi. À moins qu'elle attende au souper de dimanche pour le faire chez ses parents, comme toujours. Est-ce pour moi ou bien pour le plaisir que ça lui rapporte à elle, les fêtes ? Y aura une chandelle de plus que l'an dernier sur le gâteau, un cadeau difficile à déballer et une photo. Si je lui dis de changer le scénario, elle se fâchera et me dira encore une fois que je suis jamais satisfait de rien.

8 avril

Ai fait poser les pneus d'été avant de me faire arrêter avec ceux à crampons.

22 avril

Ai terminé mon programme sur le Japon aujourd'hui. Ce pays intéresse les étudiants. Surtout son aspect humain. Au fond, c'est peut-être qu'il me fascine moi-même.

276

24 avril

Hier soir, ai assisté à un match de hockey entre les équipes de St-Georges et Beauceville. Bagarre générale. Fallait s'y attendre. Comment des gens sérieux, voisins de paroisse, peuvent-ils en arriver à se crier tous les noms, à se haïr autant ? Mais c'est mieux que la vraie guerre... Et, plus y a de violence, plus y a de monde! Et moi, que suis-je donc allé faire là ?

26 avril

Quelle chaude discussion à la table ce midi! Denise Martel m'a déçu de tant se laisser embarquer avec toutes ces querelles de clochers à propos du hockey. Son opinion des gens de St-Georges est pas trop favorable; elle a cependant insisté pour me dire, après le repas, qu'ils sont pas tous 'mauvais'. Heureusement pour moi! Ça m'aura tout de même donné l'occasion de constater que nos longueurs d'ondes se sont rapprochées depuis le début de l'année scolaire. Peut-être parce qu'elle et son ami se sont laissés ? Elle est moins bornée qu'auparavant. Lui ai dit qu'un homme aime pas moins sa femme parce qu'il a une aventure. Elle a penché la tête sans le nier. Lui ai demandé de me donner une seule bonne raison pour que deux êtres qui se plaisent mutuellement ne puissent avoir de relations sexuelles même s'ils sont pas mari et femme Elle a répondu qu'elle était d'accord pour des célibataires... mais pas si l'un d'eux est marié.

28 avril

Quelqu'un m'a fait un coup dans mon bureau à l'école: tiroirs à l'envers, chaise renversée. Je parie que c'est Denise Martel.

29 avril

C'était Denise. Par chance qu'elle a ce sourire!

4 mai

Ai pris un associé dans le projet discomobile Avons fait une tournée d'engagements. Avons contrats suffisants pour nous lancer.

16 mai

Ai demandé à Nicole de changer de recette pour le poulet frit. Elle s'est fâchée, disant que je critiquais toujours ses plats.

20 mai

Le nouveau poulet frit de Nicole était pas fameux. J'aurais pas dû le lui dire; elle s'est fâchée, me disant que c'était de ma faute si elle avait changé de recette.

27 mai

Avons mangé du poulet frit aujourd'hui. Du poulet à la Kentucky...

21 juin

Ai souhaité de bonnes vacances à Denise Martel et aussi bonne fête

Elle a vingt-deux ans. Lui ai dit que les natifs des Gémeaux et du

Cancer sont ceux qui se suicident le plus et que, naturellement, ceux qui sont à cheval sur les deux signes sont des candidats parfaits pour en finir avec la vie. Elle a bien ri.

30 juin

Ai reçu le résultat de mon test d'hyperglycémie provoquée. Aucun diabète. Je l'aurais juré! À trois médecins, pas un qui pose le même diagnostic. A fallu que je me regarde l'orteil en faisant l'amour pour me rendre compte que cette tache foncée doit venir d'un traumatisme causé par une chicane d'orteils.

17 juillet

Noce d'un ancien élève aujourd'hui. Ai produit la musique. On dit qu'elle est enceinte. Et après ? Sont tout de même ben jeunes pour avoir un enfant. Et après ? Pas plus que nous autres!

8 août

Nicole et moi, on a pas pu finir de faire l'amour avant-midi.

Le téléphone et puis Patricia. Les gens de la foire agricole veulent que je m'occupe de leur publicité cette année. Déjà la septième foire à St-Honoré. Et ça marche de mieux en mieux, m'ont-ils dit. Ils ont gardé les mêmes structures... L'idée devait pas être si bête que ça, même si c'est la fête des vaches pis des cochons pis des poules...

7 septembre

Une autre année scolaire qui démarre.

Denise Martel avait le visage drôlement rouillé. Je lui ai demandé si elle avait perdu sa virginité au cours de l'été. Elle a bien ri.

15 septembre

Nicole a-t-elle entendu dire que je parlais souvent avec Denise ? Elle a curieusement posé bien des questions sur elle aujourd'hui. Je lui ai dit ce que je pense: que Denise est pas une beauté, mais qu'elle compensait par de belles qualités morales. Je pense qu'elle est restée sceptique. J'espère qu'elle mettra pas la main sur ce journal Elle a tendance à fureter dans mes affaires. Si je le laisse caché au-dessus de l'établi, elle le trouvera jamais. Je me demande aussi pourquoi j'écris un journal personnel ? Manie d'adolescent frustré?... Moi, un vieux de vingt-neuf ans...

29 septembre

Pour la dixième fois, j'ai cessé de fumer. Ce qui me tue chaque fois, c'est la solitude. Quand ça bouge autour, je résiste, mais quand je tombe tout seul à la station de radio, je ne tiens pas trois heures sans courir à la pharmacie du coin. C'est à cause de cette solitude vécue à la maison que les femmes ont plus de difficultés à mettre le tabac de côté.

3 octobre

Ai fumé un peu aujourd'hui; mais seulement deux cigarettes. Espérons que demain, je tiendrai le coup.

20 octobre

Journée d'activités à l'école aujourd'hui. Ai accompagné un groupe en forêt. Avais de la misère à suivre, ai le souffle court. Faut que je me mette à l'exercice physique si je veux perdre mes trente livres de surplus. La journée a été longue, d'autant plus que j'avais oublié d'apporter mes cigarettes.

21 octobre

Nicole a fini de remplir son congélateur pour l'hiver à la même date que l'an dernier.

25 octobre

Denise et moi avons un peu lutté aujourd'hui. Avons bien ri. Ai failli lui mettre la main sur les seins. Paraît qu'elle a un nouvel ami.

27 octobre

Le patron a encore essayé de serrer la discothécaire dans un coin hier soir. Elle est arrivée en sacrant cet après-midi. Il lui aurait dit qu'il aimerait descendre la fermeture-éclair de son pantalon avec ses dents

29 octobre

Denise a lutté avec un professeur aujourd'hui. Je me demande pourquoi elle se fait pas respecter davantage ? Elle a eu beau être fille unique avec plusieurs frères... Les gens jasent dans notre petit milieu; c'est un de leurs rares plaisirs. Pourtant, ils se plaignent tous de ragots dont ils sont eux-mêmes les victimes!

13 novembre

Déjà de la neige hier! Le long enterrement qui commence La misère noire non... blanche. Le système discomobile accroché derrière l'auto, dans les côtes des hauteurs, à travers la tempête, à quatre heures du matin, ce sera beau!

17 novembre

Les travaux d'équipe des étudiants sur les États-Unis sont très bien. Malheureusement, c'est toujours les mêmes qui produisent, et les autres profitent d'eux autres. Le travail d'équipe a ses grandeurs, mais hélas! drôlement ses misères aussi.

1 décembre

Denise viendra à la station de radio ce soir pour un enregistrement Une femme vraiment active· elle fait partie d'une chorale, est responsable d'une boîte à chansons, anime le comité de relations sociales de l'école. Une vraie Québécoise avec un bon jugement Elle fera sans doute une bonne épouse au joueur de hockey, malgré que .

2 décembre

La lessiveuse est encore brisée. Ça coûtera bien dix dollars pour la faire réparer. Ça coûtera sept dollars juste pour faire venir le réparateur· ces gens-là ont pas de limites. Je déteste m'occuper de ces choses-là!

3 décembre

Ai aidé Denise dans la planification du party du vingt-trois décembre. Les professeurs vont passer toute une soirée

4 décembre

Nicole m'a encore demandé un surplus budgétaire. Je me demande ce qu'elle fait de tout son argent.

6 décembre

Denise m'a dit que Nicole était chanceuse d'avoir un mari qui lui donne un budget hebdomadaire de cent dollars.

7 décembre

Avons fait l'amour cet avant-midi, Nicole aime le sexe. Ses réactions sont toujours très fortes. S'il fallait qu'elle apprenne certaines choses... Que je désire caresser Denise et tout... Pouah ! je suis pas le seul à le vouloir! Même les plus timides parlent de ses seins à l'école. Pourtant, j'y arriverai le premier. .

26 décembre

Le party du vingt-trois fut une réussite. Denise recherche ma compagnie et Nicole a pas l'air de l'aimer trop. Y a pourtant rien de dangereux; je ne tomberai jamais amoureux d'une fille comme elle étant donné que... que... que l'amour, je ne crois pas à ça. Tiens, en janvier, je vais prendre une discussion avec Denise sur l'amour. Sur l'amour vrai! Qu'est-ce c'est que l'amour vrai et qui aime vraiment.

La veillée de Noël fut la même que par les années passées; mêmes chansons plates à la radio, éternels greli-grelots, rien de neuf à la messe de minuit, rien de spécial au réveillon. Pourquoi tant bayer aux corneilles ?

29 décembre

Ai bricolé toute la journée pour finir la salle de couture de Nicole. Si je le peux, avant la fin de l'hiver, je vais me finir un coin de sous-sol et m'en faire un petit bureau. Me faut mon lieu bien à moi dans la maison.

"Voilà pour le journal de 1971. À tout prendre, si je me compare avec d'autres, ma vie est pas si pire. Charles Goulet a pas de maison. Gilles Mercier en a bien une plus belle que la mienne, par contre, il doit se serrer la ceinture sur tout le reste. Gaspard Gagnon mène la grande vie, mais faut dire que sa femme fait des gros revenus tandis que Nicole... Heureusement que j'ai mes deux à-côtés. À force de se débattre... Que sera 1972 ? "

À chaque page, il s'était arrêté pour réfléchir et tâcher d'aller au-delà de l'événement. Il avait cherché la trame de cette année 1971, un soutien, une corde qui puisse rattacher tous les faits. Il avait tenté, mais en vain, d'être ce filigrane Il n'avait reconnu, comme acteur de ces trois cent soixante-cinq jours, qu'un homme masqué, rangé, normal.

Il avait mangé, fumé, engraissé, fait l'amour, fait ses paiements, avait bricolé, s'était exercé à la séduction, avait augmenté son compte en banque, s'était inquiété pour sa santé, avait lancé une petite affaire, avait beaucoup parlé de politique, de température, du dernier accident mortel, d'argent.

Il conclut, une ombre au front·

–S'il fallait que 1972 ne soit aussi que ça! Ce masque va-t-il s'épaissir et me coller définitivement au visage ? Que sera donc 1972 ?

***

Chapitre 15

1972

Après l'amour, ils s'étaient rendus à la cuisine pour manger et fumer quelques cigarettes.

–Une ou deux toasts ? demanda Nicole.

–Deux. Et sors le jambon et la moutarde.

–Voudrais-tu t'occuper des cafés ?

–Dans deux minutes, le temps de finir ma cigarette.

Il tira plus fort et plus souvent sur son mégot.

–Pouah! aucun goût! Trop fumé aujourd'hui. D'ailleurs, quand je commence à entendre des râlements dans mes bronches, c'est le temps de m'arrêter pour la journée. Je devrais jamais dépasser dix cigarettes par jour pis j'en fume une quantité industrielle.

Il écrasa, remplit d'eau la bouilloire, sortit deux tasses et le pot de café instantané dans lequel il plongea une cuiller. Une odeur de pain brûlé lui monta au nez. Il se retourna et aperçut de la fumée sortir du grille-pain.

–Merde, quelqu'un l'a mal réglé.

Il fit sauter les rôties carbonisées et les souleva du bout des doigts.

–Mes poumons ressemblent à ça pis suis trop crétin pour cesser de fumer.

Il jeta les tranches à la poubelle.

Nicole referma la porte du réfrigérateur et apporta sur la table le jambon et la moutarde ainsi que le lait et l'édulcorant pendant que son mari introduisait deux autres tranches dans le grille-pain rajusté.

–Je pense souvent que notre fille vieillit, Alain, et toi ?

–D'un an par année, comme tout le monde.

–On pourrait peut-être reparler d'avoir un autre enfant asteur qu'on a un peu plus d'argent.

Elle s'assit et alluma une cigarette avant d'ajouter:

–J'ai pas envie d'attendre à trente-cinq ans ou plus pour en avoir un autre.

Il coupa:

–J'y pense moi aussi à ça. Et même très souvent!

–Pis ?

–Suis pas prêt.

–Mais notre budget nous le permettrait !

Il pointa sa tête:

–Oui, mais c'est là-dedans que ça accroche.

Il entreprit de beurrer les nouvelles rôties.

–Tu vois, le prochain, je veux qu'il soit réfléchi. Ouais. Pis il me manque la conviction. Faire un enfant pour notre plaisir personnel? Pour combler un vide? Pour retrouver notre propre image ? Égocentrisme! Mettons-nous dans la peau de celui qui va naître. Le risque est grand de plonger quelqu'un dans la vie. Demain réserve quoi à l'humanité ? Surpopulation ? Faim ? Guerre ? Manque de tout ? Des plus intelligents que moi s'inquiètent. Dans trente ans par exemple, en 2002, ça sera peut-être une espèce de troisième guerre mondiale et la vie sera invivable...

–Des grandes idées, ça, voyons donc!

–Ah! oui ? Ben demande à ceux qui ont vécu dans les années trente si, à notre place, ils mettraient ben des enfants au monde sachant que ceux-ci devront vivre dans la misère d'une crise économique. Les vieux sont pourtant conservateurs pis leur réponse te surprendrait. Je me demande si le pire tour qu'on peut jouer à quelqu'un, c'est pas de lui donner la vie. Remarque ben que je ferme pas la porte, mais je vas y réfléchir davantage avant de me décider.

–Voudrais-tu m'apporter mes toasts, vont être froides

Il jeta les tranches sur la table et en mit d'autres dans l'appareil

–Je t'assure qu'aux heures de classe, quand vous êtes partis, toi et Patricia, la maison est vide.

–C'est ce que je disais: on fait des enfants parce qu'on s'ennuie L'enfant est un bien de consommation comme le chien ou l'appareil de télévision

–Tu le sauras quand si t'en veux un autre ?

–Sais pas. Quand, dans ma tête, je pourrai faire un bilan positif pour lui, sans nécessairement anticiper le paradis. Mais je veux pas lui faire un cadeau de Grec non plus.

Elle frissonna:

–Un cadeau... de Grec?

—Oui, un cadeau... pis tu te fais fourrer avec... comme le cheval de Troie.

Elle haussa les épaules:

—Un homme peut-il comprendre qu'une femme veut un enfant ? Tes grandes théories peuvent pas tuer l'instinct maternel.

—L'humain est différent de l'animal. Son intelligence peut contrôler ses instincts. La reproduction humaine doit pas se faire uniquement parce que la nature nous y pousse, elle doit être réfléchie Pourquoi Dieu nous a-t-il donné l'intelligence si on doit se conduire comme des bêtes dans tout ce qu'on fait, à commencer par l'acte le plus fondamental, celui de la reproduction ?

—Reviens donc les pieds sur terre de temps en temps!

—Suis pas sûr du tout que ce soit d'un enfant dont t'as besoin. À tout être humain, il faut un projet, une occupation, et l'enfant est la première solution venue. Une femme peut s'occuper de tas de choses tout aussi épanouissantes, sinon plus. Si ton instinct maternel est si fort, plus fort que ta raison, alors prends des enfants en garde. Y a justement pas de garderie à St-Georges et il en pleut des femmes qui s'arrachent les cheveux pour faire garder leurs petits.

—Ceux des autres, c'est pas pareil.

Il hocha la tête:

—Et on revient au point de départ! On veut un enfant juste pour le plaisir, et pour se dire: regarde comme il est beau, comme il ressemble à son père ou à sa mère, regarde comme il est intelligent comme ses parents. Et on rêve d'avance à sa place! Et on veut tout organiser pour lui sans tenir compte qu'il sera quelqu'un d'autre! On veut un enfant parce qu'on se recherche soi-même. On fait des enfants négativement, parce qu'on fuit quelque chose ou qu'on cherche à comprendre. Merci pour moi! Cette façon de me retrouver sur le dos de quelqu'un d'autre ne me dit rien qui vaille. Suis peut-être dénaturé, mais je veux me trouver d'autres miroirs de moi-même que celui-là. Avoir un autre enfant, peut-être, mais sûrement pas pour ces raisons-là! Quant aux autres, je les cherche.

Il beurra sa rôtie et commença à la manger tout en s'approchant de la table:

—J'ai pensé aussi à ton problème de solitude. Tu parles d'aller prendre des cours de haute couture à Québec, pourquoi pas ? Au lieu d'avoir un enfant qui te clouera à la maison, va donc à l'école te chercher de la compétence, un diplôme. Mes revenus me le permettent. Je vais te gagner des études et, par la suite, tu me le rendras en travaillant toi aussi, ce qui me donnera la chance de moins courir dans la vie. Un échange. Et ce sera une sécurité pour toi. Si je meurs demain, t'auras mieux qu'un petit emploi minable.

Parlant et gesticulant, il avait placé deux tranches de jambon et de la moutarde entre ce qui restait de ses rôties et grignotait lentement.

–Irais-tu finir les cafés ?

Elle se rendit au comptoir:

–Mais ça prendrait encore un an ou deux avant d'avoir un autre enfant.

–Peut-être avant, peut-être jamais !

Elle revint avec les tasses. Il avala sa dernière bouchée et but une gorgée avant de s'allumer une cigarette.

–Pense aussi qu'avec mes trois jobs, je pourrai peut-être pas tenir le coup longtemps. Certains soirs, le cœur me bat en troisième vitesse. Passe-moi donc la saccharine; paraît que le sucre est ben mauvais pour la santé.

Elle soupira:

–Encore trois heures du matin! La levée du corps sera pas facile tout à l'heure

*

Alain et Denise avaient pris l'habitude de s'isoler au salon des professeurs de catéchèse, toujours désert à l'heure du midi, pour discuter.

Il regarda à travers la fenêtre le froid bleu qui mordait partout Toutes les choses étaient recroquevillées, résignées: autant les grands arbres secs que les lampadaires bienveillants. Le village, à en juger par la fumée des cheminées, cherchait à s'enfuir vers le sud.

Denise lui tendit une tasse de café fumant, du café filtre qu'elle faisait bon. Il regarda la vapeur et commenta:

–Une perfection.

Et il s'assit.

–C'est pas la seule chose que je fais à la perfection, dit-elle avec de grands éclats d'un rire franc et chaud. Non, non, non, c'est une farce. J'ai jamais rien fait de bon en cuisine, sauf le café. C'est ma spécialité... ma seule spécialité.

Elle s'assit à trois fauteuils de lui:

–Paraît que ta femme est experte en cuisine ?

–Regarde ma taille: trente livres de bons plats. Bien cuisiner, c'est-il une qualité ou un défaut ? Ma mère était horrible en cuisine, mais mon père a jamais souffert d'obésité non plus, hein. Curieux, d'aucuns vantent la cuisine de leur mère pour son bon goût, moi, je la vante pour son mauvais goût.

–À ceux qui la mangent de se contrôler.

–Tu me trouves trop gros ?

–Quelques livres en trop, c'est courant même si c'est pas bon pour le cœur.

–Ah! le cœur, je l'ai solide! Grand comme un train. De la place dedans...

Elle fit des rides soucieuses sur son front:

—Des places vides ou remplies ?

—J'ai dit: de la place et non des places

—Qui peut vivre sans amour?

—Répète un peu ça! Sans amour ? Tu m'ouvres une belle porte, ma petite fille, parce que j'ai envie depuis un bon moment de savoir ce que c'est, pour toi, l'amour. Je cherche une personne qui le sait et me le dira.

Elle dit sans avoir l'air d'y réfléchir:

—Pour moi, il s'agit du lien entre deux êtres qui se plaisent et marchent côte à côte.

—Tu peux m'en citer beaucoup de cas semblables chez des gens mariés depuis dix ans ? Depuis cinq ans ? Depuis trois ans ? L'amour est un feu de quelques mois, le temps d'apprendre à se connaître, mais qui s'éteint vite et qui est suivi de froideur, d'indifférence, de cris, de larmes. L'amour des amoureux, c'est une vibration qui dure le temps des roses et leur fait se manger les oreilles, tandis que les gens mariés se les arrachent les oreilles, parce qu'ils l'ont perdue, la vibration.

Elle donna un coup de tête pour rejeter à l'arrière ses longs cheveux pâles.

—Ça serait-il que les hommes sont moins proches de leur femme quand elle est acquise et à leur disposition ?

—Réponse superficielle! L'homme se révèle plus facilement, mais la femme change autant à cause des maudites chaînes du mariage. Elle aussi se sent moins attirée, mais veut pas l'admettre et finit toujours par rejeter la responsabilité sur l'homme qui finit souvent par se croire responsable. La vérité est plus simple· quand une chose est défendue, t'en as le goût; quand elle t'est imposée, t'en perds le goût. Les inventeurs du mariage ont pas songé à ça. Et les usagers du mariage l'oublient trop souvent...

—Tu te souviens: on a parlé de mariage à cette époque où tu me disais vous gros comme le bras ? Tes idées sont pas bêtes là-dessus. Mais l'amour, lui, doit exister en lui-même ? Je veux dire sans égard au mode de vie des partenaires. Tu crois pas ?

Il ne répondit pas, se leva et regarda longuement la froidure extérieure. Silencieux. Inquiet.

*

—Suis fatiguée de couver la maison toutes les fins de semaine que le bon Dieu amène, dit Nicole.

—Que veux-tu que je te dise, hein ? Ou bien j'ai un side-line ou on manque d'argent pour sortir.

—Autrement dit, faut faire notre deuil des sorties de fin de semaine ?

286

—Tant que tu travailleras pas...

—Mais il reste beaucoup de temps avant que je finisse mes études.

—C'est quoi l'idée de vouloir sortir rien que les fins de semaine ? Parce que tout le monde sort ? Pourquoi pas aller se distraire le mercredi soir ou le lundi soir ?

Assis dans sa berceuse, il discutait avec sa femme et son esprit alternait entre ce qu'il disait et la pensée de ce la-z-boy qu'il avait vu dans la vitrine d'un marchand de meubles la veille, et se paierait peut-être avant longtemps pour pouvoir, au moins le samedi avant-midi, relaxer un peu et se reposer de sa semaine avant d'entreprendre une autre fin de semaine de travail.

Nicole dressait la table.

—Quoi faire par ici, les soirs de semaine ?

—Quoi de mieux les week-ends, surtout en mars ? Tiens, je vas écrire des possibilités.

Il prit dans sa poche un carnet et un stylo et nota en abrégé ce qu'il récitait tout haut:

—Visiter la parenté. Visiter les amis. Aller danser. Aller au cinéma Assister à un match de hockey. Pratiquer un sport: quilles, ski de fond, ballon-balai Activités culturelles: pièces de théâtre, expositions, concerts de chorales. Repas au restaurant. Pis quoi d'autre ? Qu'est-ce qu'on aime assez dans cette liste, tous les deux, pour en prendre l'habitude toutes les semaines ? Restaurant et cinéma. Ah! j'oubliais: les soupers chez ta mère tous les dimanches. Bon, voilà, on n'a qu'à sortir en semaine; le steak est pas plus cher et le cinéma non plus. Logique, non ?

—Ah! toi pis ta logique! C'est pas pareil sur semaine; y a pas la même atmosphère. On n'a pas l'impression d'avoir sorti. Pis le mercredi, je reviens tard et fatiguée de Québec.

Il jeta son crayon et son carnet et les laissa retomber par terre·

—C'est que tu veux que je fasse de plus ?

—Je te reproche rien, mais je trouve le temps long le samedi soir à la maison quand tout le monde sort.

—Pourquoi vouloir toujours faire comme tout le monde ? Quelle sorte d'insécurité que tu ressens à juste être toi-même ?

Elle déposait des plats fumants sur la table

—Tu comprends pas.

—De toute façon, je comprends jamais rien pis ça m'amuse. Tiens, que dirais-tu de venir passer la soirée à la station de radio ce soir ? Et après, on ira prendre un lunch au restaurant.

—O.K! fit-elle sans conviction. Viens manger là.

Elle n'avait jamais vécu à ses côtés une soirée de travail à la radio. Dès leur arrivée, il lui fit visiter tous les locaux non verrouillés puis la conduisit à la discothèque. Ils se dirent des banalités le temps qu'il choisit ses disques. Puis il l'emmena au studio de mise en ondes où il anima l'heure de radiodiffusion locale. Ensuite, ils retournèrent à la discothèque. Elle s'assit sur la chaise à bascule derrière le bureau. Lui prit place en biais, près du comptoir de la table tournante.

—Les soirées doivent être longues, tout seul, ici, osa-t-elle sur le bout des lèvres.

—Je m'occupe. Je prépare des émissions ou des cours, ou je fais des enregistrements publicitaires. Souvent, j'écoute de la musique en lisant un journal ou une revue.

—T'as de l'ordre dans tes tiroirs ? fit-elle en tirant sur l'un d'eux

Il réfléchit rapidement pour se dire qu'il n'y avait rien de compromettant là. Aussi, il pensa que de l'empêcher de satisfaire sa curiosité serait la meilleure façon de créer, faire naître les soupçons. Elle ne trouva que des livres, des disques, des revues, mais aussi un ordre qu'elle n'avait pas anticipé et des publications érotiques qu'elle s'attendait d'y voir Elle en sortit quelques-unes qu'elle jeta négligemment sur le bureau

Consterné, il s'empressa de commenter·

—Elles m'appartiennent pas. Je les ai empruntées au technicien un soir tranquille et je les ai oubliées dans mon tiroir.

À travers un sourire amusé, elle dit:

—C'est pas grave. Tu peux les apporter à la maison, je te l'ai déjà dit. Je suis pas jalouse de revues: c'est que du papier. Tu m'avais dit que tu en apporterais...

—C'est que certaines sont plutôt... osées...

Elle mit les revues dans son sac.

—Le technicien s'en souviendra pas, dit-elle, moqueuse. Possible qu'elles améliorent notre vie sexuelle.

Après tout, des livres de cuisine ont jamais nui à celle qui veut préparer des plats meilleurs, hein ?

Après le travail, ils filèrent droit à la maison pour regarder le film de fin de soirée à la télé. Quand ils furent devant l'appareil, elle n'écouta pas et mit son nez dans les publications érotiques. Le jeune homme jeta aussi son coup d'œil dans l'une d'elles, mais sans intérêt apparent. Plus tard, ils se couchèrent et firent l'amour avec une fougue inhabituelle.

Quand ils se relevèrent pour fumer et manger, elle le dévisagea joyeusement et lui confia:

—Tu crois pas que les revues nous ont aidés ?

—Tu crois que c'est pour ça que... dit-il distraitement.

*

—Salutations à madame Bruneau de Beauceville de la part de sa fille Lucie. Aussi, pour souhaiter un bon anniversaire de naissance à mon fiancé André, c'est de la part de Suzie. Pour ces personnes, voici une magnifique chanson du groupe Chicago: *Color my world.*

Deux notes voguèrent sur les ondes. Alain rajouta:

–Aussi, pour ceux et celles qui savent communiquer. Le dimanche n'est-il pas la journée idéale pour ça ?

Ces mots lui étaient inspirés par le secret espoir que Denise Martel se trouve à l'écoute.

Quelques minutes plus tard, elle lui téléphona et demanda à le voir. Il lui donna rendez-vous en fin de l'après-midi, juste après la période de radiodiffusion locale.

Elle arriva, visage défait, spectral.

–Ce que tu peux être pâle! T'es malade ou quoi ?

Elle hésita:

–Pas physiquement. C'est là que ça tourne pas rond.

Elle pointait son front. Puis elle soupira:

–J'ai tellement pleuré depuis hier soir. Il fallait absolument que je parle à quelqu'un. Oh! pas à n'importe qui, mais à quelqu'un en qui j'ai confiance et qui puisse me comprendre.

–Qu'est-ce que je peux t'apporter ?

–Je passe un si mauvais quart d'heure

–À ton âge, c'est pas la tête, c'est le cœur.

Elle garda les yeux baissés, demeura silencieuse.

–Les amours avec le joueur de hockey sont finies ?

–Non, pas encore... C'est que... Tu dois ben te demander pourquoi je suis pas avec lui, hein ? Il jouait à Rivière-du-Loup aujourd'hui.

–Alors je sais ce que t'as...

–Et...

–Nostalgie du printemps, le soleil et tout.

–Peut-être... mais y a quelque chose de plus.

Elle l'avait accompagné au studio de mise en ondes.

–Tu t'assois pas et moi, j'oublie de t'y inviter. Je te préviens je pense pas à ces formalités. Avec moi, faut qu'on se serve.

Elle emmagasina les mots sans les commenter. Péniblement, elle tira une chaise et s'y laissa tomber.

–Tu t'ennuies pas de ton joueur de hockey ?

–Pas du tout, au contraire. D'ailleurs, la fin de cette histoire est proche.

–La voilà la plaie ! s'écria-t-il, les bras levés au ciel

Elle nia catégoriquement:

–Pas du tout !

–Je comprends pas. T'as ta jeunesse, un bon métier et le plus grand de tous les biens: ta liberté. Que tu augmenteras d'ailleurs si tu casses

289

avec ton Maurice Richard. T'as devant toi toutes sortes d'horizons larges tant qu'on veut. Que veux-tu de plus ?

Son enthousiasme et sa conviction ne tirèrent de la jeune fille qu'une profonde inspiration. Elle leva les yeux et chercha à voir au fond de la pensée d'Alain.

—Devines-tu pourquoi je me suis décidée à t'appeler ?

Il haussa une épaule, fronça un sourcil. Elle poursuivit·

—C'est à cause de ta présentation en ondes de *Color my world*.

—Les paroles sur la communication ?

Elle fit un léger signe de tête, mais conserva son regard inquisiteur. Alain baissa les yeux et frôla du regard la poitrine abondante qu'il convoitait... Il se dit que, puisque le chemin serait bientôt libre, un petit coup de pouce à la vérité ne nuirait à personne. Et lança, le ton espiègle:

—Je faisais allusion aux personnes qui communiquent en profondeur, pour de vrai... Et je dois te dire que je parlais pas dans le vague.

—Tu visais quelqu'un en particulier ?

—Un bon matin, je te dirai de qui il s'agissait... Ou mieux, un bon soir.

Il chercha dans une pile de disques et en choisit un qu'il mit à tourner sur la table de gauche, trop éloignée pour qu'elle puisse lire l'étiquette.

—Et l'émission ?

Il plaisanta:

—Laissons Radio-Canada au public et vibrons... en circuit fermé.

Dès les premières notes, Denise laissa échapper un long ah, suivi de:

—Les larmes vont me revenir. Non, j'en ai plus; il m'en a trop coulé des yeux depuis hier.

Il se désola:

—J'aurais dû choisir autre chose que *Color my world*. J'en prends un autre.

—Non, non, laisse! Je veux l'entendre ici.. ici, insista-t-elle avec un sourire tendre dans ses grands yeux éplorés.

*

—Je me demande ben quel tour vont me jouer mes étudiants aujourd'hui ? Ils m'ont juré que tous leurs professeurs courraient le poisson cette année, confia Denise.

Alain ne fit aucun commentaire. Depuis cinq minutes qu'il était assis dans le bureau de la jeune fille, il n'avait fait qu'écouter, avec un air noir.

—T'es pas dans ton assiette ?

–À vrai dire, pas beaucoup!

–Mais, l'homme rieur et toujours optimiste, où il est ?

–Il a ses faiblesses.

–Nostalgie du printemps, m'a dit quelqu'un il n'y a pas si longtemps !

–Je sais exactement ce qui ne va pas! Ce qui n'améliore rien du
tout.

–Mais alors, dis-moi... je peux t'aider, comme tu l'as fait pour moi
la semaine dernière ?

–J'ai rien fait du tout.

–Tu m'as écoutée et c'est déjà énorme. Parle, tu verras comme tu te
sentiras mieux après.

–Un problème psychologique... personnel.

–Je veux pas être indiscrète par rapport à ton ménage...

–Rien à voir, c'est personnel.

Alors une expression tendre et confiante anima les yeux de la jeune
femme.

–Je suis une amie, je pense, non ? demanda-t-elle avec une infinie
douceur.

–Peut-être que ça m'aiderait à surmonter la crise que de me confier...

–Je veux t'aider comme tu m'as aidée.

Il parla gauchement:

–C'est que je prends mal de me voir franchir le cap de la trentaine
la semaine prochaine. C'est fou à dire, c'est tout de même que trente
ans, mais je parviens pas à l'avaler.

–Problèmes physiques ?

–Non! Rien de spécial. Mais, vois-tu, je fais le bilan de ma vie et je
le trouve pauvre. Désespérément vide !

Elle fit des yeux intrigués. Il poursuivit:

–Ah! bien sûr, j'ai une femme et un enfant, et aussi un métier, et
des revenus supplémentaires, des biens matériels, une maison, une auto,
un petit commerce, mais ça suffit pas. C'est comme si j'avais rien fait
encore de ma vie. Je voudrais avoir lancé de grands projets, avoir bâti
quelque chose. Mais j'ai l'impression d'avoir perdu mon temps, de m'occuper de balivernes. Plus je vieillis, plus je trouve que de répéter les
mêmes choses d'une année à l'autre est une perte de temps et me fait
une vie à la chaîne, à répétition, plate, sans épanouissement. Il se passe
désespérément rien. S'il fallait que les vingt-cinq années à venir ne soient
qu'un semblant de celle que je viens de vivre, pourquoi les vivre ?
Autant mourir au plus sacrant !

–Tu te plains, toi, Alain Martel ? Avec tout ce que t'as fait jusqu'à maintenant dans la vie ?

—Je me plains pas, je constate un fait.

—Alors, faire quelque chose, c'est quoi ? Veux-tu me le dire ?

Il se cala dans la chaise, croisa les doigts et les jambes et souffla:

—Voilà la question!

Il sourit.

—Mais c'est sûrement pas ce que je fais.

—En tout cas, je dois te dire sincèrement que je te trouve pas mal fort de passer à travers de la vie comme tu le fais. Oui, très fort... Comme peu d'hommes le sont.

Elle prit un crayon, le fit rouler entre ses doigts, y gardant les yeux rivés.

Il prit la flatterie comme un dû, ce qui se traduisit par un sourire à demi enterré dans l'embarras.

—Ah ! mais je te montre que le beau côté de moi-même, taquina-t-il. Je t'ai jamais dit que j'étais profiteur sur les bords ?

Elle secoua la tête.

—J'en crois pas un mot.

—Si c'est un défi, attention.

Denise sourit largement et leva les bras au ciel pour dire·

—Trente ans, le bel âge. Et monsieur se plaint.

—Moque-toi pas, dit-il sombrement.

—Non, non, non, c'était juste pour t'agacer.

—Parce que si tu te moques de moi, je me vengerai la semaine prochaine.

—Et comment donc monsieur s'y prendra-t-il ?

—Je te forcerai à m'embrasser à mon anniversaire. Qu'est-ce que tu dis de ça ?

Elle protesta:

—Les jeunes filles embrassent pas les hommes mariés.

—Même à l'occasion de leur anniversaire ?

—Devant tout le monde peut-être.

—Mais en privé, un bon baiser ?

—Non!

—Un tout petit, long comme ça !

Il écarta le pouce et l'index.

—C'est pas bien, dit-elle pudiquement mais avec un léger sourire

Il chanta:

—Ou t'as de vieilles idées, ou t'es en amour.

—Ni l'un ni l'autre. C'est fini avec le joueur de hockey

Il ne broncha pas.

—N'était-il pas de ceux qui ont beaucoup de force morale ?

Elle ricana:

—Lui ? Un enfant de nanane! Et l'autre d'avant aussi! À l'époque, je croyais qu'ils étaient des hommes... imagine.

—Pas le moindre souhait de bonne fête la semaine prochaine ?

—Ton anniversaire est un samedi et je te verrai pas cette journée-là.

Heureux qu'elle soit au courant, il dit

—Ben le lundi ?

—Il sera trop tard

—Tu devras donc te sauver de moi.

Elle sourit. Devenu songeur, il dit:

—Malgré que j'aime pas forcer les gens.

Elle perdit son sourire.

—De toute façon, tu seras si triste à cause de tes trente ans que tu voudras embrasser personne.

—C'est ben vrai! Si je le pouvais, j'effacerais cette date-là du calendrier. Malgré qu'un baiser me ferait peut-être oublier que je suis en train de vieillir. Tu sais: le démon du midi. Bah! peut-être pas du midi, mais au moins de l'avant-midi !

Elle retrouva son sourire, leva les yeux, les épaules, les mains Elle jeta son crayon sur le bureau, puis, dans une exclamation joyeuse, un rire d'enfant à peine retenu dans sa gorge, s'exclama:

—On verra, on verra !

*

Sur le chemin de la maison, Alain se questionnait. Surpris que Nicole n'aille pas souper chez sa mère ce dimanche-là, d'autant plus que c'était le lendemain de son anniversaire, il se demandait si elle n'avait pas aidé à ce désir qu'il manifestait avec plus ou moins de conviction depuis deux semaines de ne pas être fêté.

Il se dit aussi que Nicole aimait trop souligner les anniversaires pour avoir pris son vœu au sérieux, mais que, d'un autre côté, elle avait peut-être compris son besoin de quelque chose de différent, hors traditions.

Il avait vécu sa part de journées sombres dans sa vie, mais jamais une période noire comme celle-là. Tout d'abord, il s'était cru souffrant d'un mal de printemps; mais il avait constaté que sa neurasthénie accompagnait ce fameux bilan de vie que lui commandait l'approche de ce trentième anniversaire Et au-dedans de son âme, il s'était mis à piaffer à la venue inexorable du jour J.

Il avait peur d'être fêté tout autant que de ne pas l'être Pourtant, il sut qu'il le serait lorsque sa petite fille, ayant surveillé son arrivée, sortit de la maison pour lui dire:

—Tu dois entrer par la porte d'en avant. Viens

Frimousse radieuse, la petite blonde au visage de son père le prit par la main et l'entraîna jusqu'au salon Elle le fit asseoir devant le téléviseur.

Enfermée dans sa cuisine, Nicole brassait dans ses plats. Quelques minutes plus tard, l'enfant qui avait rejoint sa mère, entrouvrit la porte du salon pour dire d'un ton espiègle:

—Viens papa, le souper est prêt.

—Attends une minute, je finis d'écouter quelque chose.

L'enfant tourna la tête vers la cuisine, puis vers le téléviseur, puis vers son père, cherchant à comprendre. Elle insista:

—Mais papa, le souper est prêt, viens

—Minute, minute fit-il, impatient.

L'enfant tourna les talons, leva les bras au ciel et frappa du pied.

—Il veut pas venir, s'écria-t-elle, mécontente

—Laisse-le donc écouter son émission et viens t'asseoir, ordonna Nicole. Il le sait que le souper est prêt, tu viens de lui dire

Alain finit par se lever pour se rendre à la cuisine D'une voix atone et dans une exclamation commandée, il jeta:

—Oh ! mon Dieu !

Tous les murs étaient couverts de ballons multicolores. En rosette à partir du centre du plafond couraient vers les coins, des rabans de papier de soie joyeusement entortillés. Table chargée, vaisselle de fête, chandeliers dorés, nappe de Californie: Nicole, comme toujours, y avait mis le paquet.

Un bonnet-cône dans la main, la fillette s'approcha de son père, leva les bras et dit de sa petite voix flûtée:

—Baisse-toi, papa Je vais te le mettre.

—Donne, je vais le mettre moi-même, dit-il.

L'enfant jeta un regard à sa mère et n'insista pas Elle retourna s'asseoir.

—J'ai décidé qu'on fêterait ton anniversaire ensemble, rien que nous trois, cette année, dit Nicole dans un sourire inquisiteur. Comme t'es pas trop enchanté de tes trente ans, j'ai pensé que ça vaudrait mieux comme ça.

Ses yeux alternaient du visage d'Alain à la table. Ses mains tournoyaient rapidement à gauche et à droite le long de ses hanches· sa traditionnelle expression de joie devant une fête qu'elle avait préparée

—Franchement, cette année. .

—Assis-toi et dis-toi qu'il vaut mieux en rire, parce que le trente est là, que tu le veuilles ou non.

Elle le prit par les épaules, le guida.

–Envoye, le vieux, assis-toi.

–Tu mets pas ton chapeau, papa ? dit la petite fille aux yeux suppliants.

–Tout à l'heure, au dessert.

Il mit le bonnet sur la chaise inoccupée.

–Tu veux commencer par une bonne soupe aux légumes maison ? demanda la femme.

–Sais-tu, j'ai pas très faim.

–Bon, ben je te sers le bœuf bourguignon.

–Bah! donne-moi quand même juste un peu de soupe.

Il mangea moins vite que son appétit ne le lui commandait. Quand il eut terminé son bœuf, elle apporta le gâteau.

–Comme tu vois, y a ni chandelles ni chiffres.

–Papa, est-ce que tu vas mettre ton chapeau ?

–Patricia, je t'en prie, laisse-moi tranquille. J'aime pas porter ces fanfreluches. Je me sens ridicule avec ça!

–Maman, on lui donne son cadeau ? demanda l'enfant.

–Tu peux aller le chercher maintenant.

La fillette courut à sa chambre d'où elle revint, tenant précieusement au creux de ses mains un petit paquet rouge qu'elle tendit avec un sourire radieux, les yeux écarquillés.

Entre-temps, Alain avait dit à sa femme·

–Tu couperas le gâteau toi-même; je suis gauche dans ces choses-là.

–Bonne fête, papa. Tiens, dit l'enfant.

Elle embrassa son père et lui donna le paquet qu'il déposa à côté de son assiette.

–Tu le déballes pas ? demanda la fillette

Las, il répondit·

–Va me chercher les ciseaux, les emballages de ta mère sont pas toujours faciles à défaire.

Nicole lui en tendit une paire qu'elle avait mise toute proche sur le comptoir. Il devina que la boîte devait contenir un briquet puisqu'il avait encore une fois perdu le sien quelque temps auparavant.

Il eut raison et s'exclama sans grand élan:

–T'aurais pas dû. Je les perds tous.

–Tu cherches toujours des allumettes.

–C'est toi qui devras l'user, parce que je veux cesser de fumer. Pis je me propose d'y arriver avant longtemps.

–Pour le temps que tu t'en serviras.

Après le repas, il retourna devant le téléviseur et se plaignit de crampes d'estomac une partie de la soirée. Quand ses travaux de cuisine furent terminés, Nicole le rejoignit. Geignard, il dit:

–Je vas aller marcher quinze minutes dehors; ça me fera digérer

Il se dirigea vers la garde-robe de l'entrée.

Elle cria.

–Habille-toi comme il faut; il a pas l'air de faire ben chaud dehors.

*

Avec une satisfaction tranquille, il ouvrit l'enveloppe qu'il venait de trouver sur son bureau à l'école, se doutant qu'il s'agissait d'une carte de souhaits. Ce n'était qu'une carte blanche avec quelques lignes écrites à la main, mais qu'il trouva adorables. Il lut.

> Au bout de ses gestes, il y a son cœur;
>
> Au bout de son cœur, il y a sa vie;
>
> Au bout de ses lèvres il y a un désir,
>
> Au bout de son désir, il y a une fleur
>
> Il a trente fleurs à respirer,
>
> L'homme au cœur de pluie,
>
> Il a tant de joies à espérer,
>
> L'homme au cœur d'été.

Denise

Sitôt assis dans le bureau de la jeune fille, ce midi-là, il lui serra la main·

–Merci beaucoup pour la poésie.

–Quelques mots alignés, même pas des vers !

–Fameusement bien alignés, ces mots-là! Quand on pense qu'ils s'adressent à un enfant qui a peur de vieillir !

–Si t'es un enfant, Alain, où sont les hommes ?

–Au bout de son désir, il y a une fleur... Tu veux m'expliquer ?

Elle bougea des yeux chercheurs, puis se leva prestement et, toute légère, presque frissonnante, s'approcha de lui. Elle se pencha et lui effleura délicatement la bouche de ses lèvres fraîches. Féline, en souplesse, elle retourna aussitôt s'asseoir. Il ne réagit pas, tant le baiser avait été rapide.

Une brève pause et il songea:

"Son cœur est prêt et j'ai plus qu'à cueillir la fleur Mais elle doit savoir exactement ce que j'ai à lui offrir Je ne veux ni sentiment ni grande passion et c'est pourquoi je répondrai pas à son baiser aujourd'hui "

Il dit:

—Je te remercie pour ce second poème; il est encore plus beau que le premier. C'est même le plus doux qu'un être humain puisse offrir à un autre.

—Tu m'en veux ? demanda-t-elle sans lever les yeux Je veux dire. . est-ce que tu risques de te le reprocher à toi-même ?

—C'est que tu vas chercher là ? Depuis quand les rapprochements physiques entre personnes consentantes créent-ils le remords?

Il s'arrêta puis continua·

—La seule frustration suite à ce baiser, c'est de pas assouvir entièrement le désir. Trop court, trop léger. Faudra aller au bout de cette fleur, hein ?

Elle allait dire quelque chose lorsqu'on frappa à la porte. C'était le président du comité des relations sociales de l'école qui venait leur rappeler la tenue d'une assemblée au salon de catéchèse, juste à côté. Ils le suivirent.

On leur confia le soin de préparer un montage audiovisuel humoristique devant servir de divertissement à la soirée d'adieu des enseignants qui aurait lieu le vingt-trois juin.

"Ça me donnera tout le temps d'arriver à son lit. Mais aussi de mettre les cartes sur table..."

*

Pendant plusieurs semaines, il ne bougea pas, attendant un pas d'elle. Bien plus, il fit mine de s'éloigner. En fin d'après-midi, un dimanche, d'une cabine téléphonique proche de la station de radio, elle l'appela.

Dès qu'elle fut dans le studio de mise en ondes, il la prit dans ses bras, lui appuya le dos contre une porte et l'écrasa sans égards Il sentit enfin, tout contre lui, la généreuse poitrine qu'il désirait depuis si longtemps.

D'un ton autoritaire qu'il ne se connaissait pas, il dit:

—On fera bientôt l'amour.

Elle fit signe que non.

Il répéta avec un signe de tête affirmatif·

—On fera l'amour ensemble parce qu'il ne peut plus en être autrement On est tous les deux enfermés dans une voiture aux portes verrouillées de l'extérieur et on dévale une pente...

—Mais... ta femme ?

—Ma femme quoi ?

—Tu l'aimes pas ?

—Tu sais ce que je pense de l'amour. De plus, faire l'amour, toi et moi, va rien lui enlever à elle

—Où ça nous mènera-t-il ?

—Nulle part! Absolument nulle part! Et je voudrais pas de malentendu à ce sujet. Je veux une chaude amitié entre nous, rien de plus

–Alors pourquoi donc... faire l'amour ?

–Par amitié. Comme de partager un bon repas.

Il lui caressa un sein. Elle s'inquiéta:

–Je... je... je, fit-elle, contrainte.

–Si tu te sens déçue de moi au fond de toi-même, c'est que t'es pas prête, par ton évolution de pensée, à vivre ça. Notre longueur d'ondes est pas la même, par ce que je crois à ce genre de relations.

–Mais comment faire l'amour sans... sans amour ?

D'une voix très douce, il dit:

–Avec son corps, son désir, son cœur, son goût de partager quelque chose de bon avec quelqu'un qui nous plaît, sans ce sentiment d'appartenance rien qu'à l'autre et que les gens appellent l'amour, cette chose, cette maladie qui s'appelle la possessivité.

Il lui caressa l'autre sein.

–Suis marié, t'es célibataire; on peut vivre une très belle expérience Appelons ça une aventure; mais... une viargini de belle aventure.

–Une aventure ?

–Oui.

Il plongea ses yeux dans la blouse lâche.

–T'as de très beaux seins.

–Oh ! non, sont beaucoup trop gros !

–Combien se plaignent d'avoir une poitrine plate ?

Il approcha ses lèvres.

–Notre premier vrai baiser, tu veux ?

Leurs bouches se soudèrent. La main de l'homme trembla jusqu'à la région génitale de la femme.

Elle recula la tête

–Je sais pas ce que je suis venue faire ici

–Partager un bon plat avec un bon ami.

–J'ai peur de tout ça.

–T'as peur de toi-même ?

–Je crois que oui.

–En ce cas, tu ferais mieux de partir tout de suite.

–Mais c'est tellement différent de tout ce qu'on nous a dit sur la vie!

–Est-ce négatif, destructeur ? T'as sûrement déjà fait l'amour, j'en veux rien savoir Et t'as ben fait. Pourquoi ces réticences avec moi ? Parce que je suis marié ? Ça me rendra juste plus attentif pis délicat .

–J'essaierai, mais j'espère que .

Il secoua la tête, la rassura:

—Y aura que de la joie, du partage. En sortiront brisés ceux qui voudront se briser eux-mêmes....

*

Sa victoire morale assurée, il perdit le désir physique. Il ne lui restait qu'à toucher le but et celui-ci lui paraissait moins attirant.

Il adorait ses cheveux, mais il trouvait que Denise ne prenait pas grand soin des siens. Elle avait peu de talent pour s'habiller et se maquiller.

Il lui parla beaucoup de ses nombreuses occupations....

La composition des textes du montage et la recherche en discothèque des disques appropriés prirent du temps. Il fit comprendre à Denise que la rédaction de plus de quatre-vingts textes humoristiques exigeait énormément et qu'il devait y consacrer le peu d'heures libres dont il disposait.

Ce travail le fascina. Il s'y donna à fond, glanant des renseignements auprès des enseignants, triant des diapositives, prenant des photos, fignolant ses textes.

Trois midis d'affilée, il ne vit pas Denise à la cafétéria. Intrigué d'abord, inquiet ensuite, il finit par créer l'occasion de lui parler.

—On te voit pas beaucoup de ce temps-ci ?

—Avec le temps qu'il fait, je dîne rarement à l'école.

—T'apportes ton dîner ?

—Oui, et je vais manger avec les gars. On fait un pique-nique le midi.

—Les gars ?

—Jacques, Jean et Michel.

Alain ne broncha pas. Il le prit de haut:

—Mon Dieu, tu risques le viol! Dans le bois avec trois hommes ..

—Aucun danger... D'abord, sont trois; ensuite, je saurais me défendre. Malgré que je voudrais pas me retrouver seule avec l'un d'eux. Je t'assure que Jean passe une dure crise de ménage.

Alain leva les mains et secoua la tête pour dire·

—Je veux pas me mêler de ça...

Elle lui toucha le bras.

—Faut que je t'en parle, viens dans mon bureau.

Ils marchèrent lentement. Elle dit:

—Je t'avoue que ça me fait un peu peur, cette histoire-là. Je sais que tu pourrais m'aider à comprendre et me dire quoi faire. T'as du temps ?

Il hésita:

—Oui .. oui.

299

Ils continuèrent sans parler jusqu'au bureau où elle demanda·

—Tu permets que je ferme la porte ?

—Bien sûr, quelle question !

Elle refusa la cigarette qu'il lui offrit.

—Avec l'air que tu fais, il a dû se passer quelque chose de très spécial.

Ils s'assirent à leur place habituelle: elle, derrière son bureau et lui, entre le bureau et la porte.

—Ça s'est passé vendredi soir dernier. Après la classe, nous nous sommes réunis, tout un groupe, chez Denis Loignon. La fête a duré assez longtemps, soit de dix-sept heures jusque vers vingt-trois heures. Bien sûr, Jean était là. Il a pris un coup assez fort. Durant la soirée, il est venu s'asseoir à côté de moi et je te jure qu'il m'a fait avoir chaud.

Elle s'arrêta de parler un moment et donna l'air de réfléchir, puis elle dit:

—Je devrais peut-être pas t'en parler, après tout.

—Écoute, je suis ben placé pour que tu te confies, non ?

—Je voudrais pas nuire à Jean, tu comprends ?

Elle fronça les sourcils

—Sa petite femme est ben sympathique et je voudrais pas faire de tort à leur ménage.

Alain sourit tendrement.

—Comme t'es généreuse !

—Si j'étais sa femme, je voudrais pas entendre raconter ces choses Je peux compter sur toi pour rien en dire ?

—Tu dois me connaître sur ces questions. La tombe !

—Toujours est-il que Jean est venu s'asseoir près de moi et qu'il a commencé à me faire le joli cœur, mais surtout à pleurer sur son ménage. Quoi lui dire ? Je l'ai laissé parler. Je te jure qu'à la fin, il voulait aller loin. Il m'a offert de le retrouver à Beauceville en fin de soirée.. Entreprenant, le petit gars, je t'assure !

Alain haussa les épaules.

—T'avais qu'à le laisser faire. T'as répondu quoi ?

—Des choses vagues. Lui ai conseillé de parler plus avec sa femme. À force de faire la conseillère matrimoniale, j'ai fini par m'en débarrasser.

—À l'avenir, t'auras qu'à l'éviter

—Pour l'autre soir, j'ai réussi, mais il s'en promet pour le party de la semaine prochaine. Il dit qu'il emmènera pas sa femme et j'ai peur qu'il cherche à finir la soirée avec moi Je pense que j'irai pas à cette fête

Stupéfait, Alain s'écria:

–T'es malade ? Tu vas te priver d'une soirée parce que monsieur Jean te court après ?

–Tu peux pas savoir comme c'est fatigant de se faire courir après par quelqu'un d'aussi... entreprenant.

–J'imagine ben ! Remets-le à sa place. Sonne-le !

Elle secoua la tête dans un mouvement d'impuissance.

–Je t'assure que c'est pas facile. Tu le connais pas: une vraie mouche, il lâche pas.

–Peut-être que je pourrai régler ton problème On sera ensemble pour la présentation du montage, ce qui prendra deux bonnes heures. Et par la suite, au feu de camp, tu te tiendras avec moi. Il finira ben par comprendre...

Elle s'interrogea:

–Je sais pas, peut-être.

Puis songeuse:

–Ta femme sera pas là ?

–Probablement pas. Elle doit aller à Québec deux ou trois fois la semaine prochaine et elle aime pas beaucoup ce genre de soirées.

–Je voudrais surtout pas te mettre dans le pétrin pour sauver ma peau.

Elle secoua la tête tristement

–Le mieux pour moi serait de rester à la maison le vingt-trois juin

–Tais-toi ! Dis plus un mot pis laisse-moi faire. Je vas essayer d'arranger les choses, d'accord ?

–Mais Alain, s'il fallait qu'à cause de moi...

Il l'interrompit, lui mit un doigt sur la bouche.

–Shhhhhhhhhhh..

*

–Nicole, tu viens à la soirée de vendredi ?

–Peut-être !

–Ça me ferait plaisir que tu sois là. J'ai tellement travaillé sur le montage que j'aimerais bien que tu l'entendes. Il remit son rasoir en marche et continua à se faire la barbe J'espère que tu seras pas trop fatiguée cette semaine.

–Je tâcherai de m'arranger.

–Si jamais tu venais pas, je pourrai te faire entendre plus tard les bandes magnétiques du montage et te faire voir les diapositives.

–On sort si peu souvent ensemble que je ferais mieux d'en profiter.

–C'est vrai. J'espère que la femme à Félix sera là pour que tu puisses passer la période du montage avec elle. Ce qui veut dire deux bonnes heures.

–Je me débrouillerai, dit-elle distraitement.

Le lendemain, encore au moment de se raser, il dit:

–Au fait, je me suis renseigné et il semble que les conjoints seront pas de la fête vendredi Je veux dire· c'est pas une règle du comité des relations sociales, mais tous ceux à qui j'en ai parlé iront seuls, y compris Félix. Si tu veux m'accompagner quand même, à ton aise Je dis ça pour toi, au cas où tu veuilles pas venir t'embêter là. Malgré que, pendant la présentation du montage, tu pourrais te tenir avec. heu. la Denise Martel. Elle m'a fait voir qu'elle aimerait ben être avec toi.

–T'es sûr que les conjoints seront pas là ?

–Ce serait pas la première fois. Mais ça n'a pas d'importance! Viens quand même. De toute façon, ça durera pas longtemps· vers vingt-trois heures, on sera de retour.

–Je sais pas, je vais y penser...

Il cria plus fort afin d'enterrer à coup sûr le bruit de son rasoir:

–Nicole, sais-tu quelle sortie on devrait faire ensemble en fin de semaine, pis qui serait ben plus agréable que le party de profs où chacun sera guindé ? Pour fêter en grand la fin de tes cours, on devrait, dimanche soir, se payer un de ces repas au nouveau restaurant *La Grillade*. C'est que t'en penses ?

–Dimanche ?

Il débrancha son rasoir.

–Dimanche.

*

Chaque fois qu'Alain montait sur la galerie de la vieille maison, deux hirondelles agressives lui frôlaient la tête en d'énervants battements d'ailes. Les oiseaux, commandés par un instinct presque humain, défendaient leur nid contre les intrus

Mais il fallait bien sortir de la maison les équipements nécessaires à la présentation du montage. Craignant qu'il manque quelque chose et avant que la clarté ne meure, Alain voulait vérifier si tout fonctionnerait.

La bière roulait dans les verres et les gosiers. C'est elle qui comblait les vides laissés dans les cerveaux par l'émission abondante de paroles creuses qui inondent toujours la place lors d'une soirée à cachet social.

La naissance du soir apportait un brin de fraîcheur à ces hommes et femmes fatigués d'une année scolaire qui s'éternisait, mais qui, finalement, leur faisait déjà défaut.

L'écran fut monté contre la maison entre les caisses de son À quinze pieds de là, en face, Alain avait déposé le reste des équipements. magnétophones, projecteurs et bandes, sur deux tables collées.

Denise resterait à ses côtés pour le remplacer au besoin au contrôle des machines.

À dix pieds derrière le lieu de projection naissait une butte au flanc de laquelle les assistants pourraient s'asseoir.

Depuis le moment où il avait accepté la tâche de préparer ce montage, les choses avaient tourné rond pour lui. L'imagination n'avait pas cessé d'être fertile à la rédaction des textes; les collaborations lui avaient été aisément acquises. Malgré le grand nombre d'heures, il avait travaillé sans efforts, comme un artiste en création.

Après avoir vérifié les appareils, il sut que le succès serait complet. Plein de conditions favorables se rencontraient. Sécurité d'une troisième année dans cette école; esprit de clan encore faible; sclérose pas trop importante. Le lieu invitait à la fête: maison retirée, à l'abri des indiscrets et permettant à un groupe d'être à son naturel. Tout était fonctionnel pour une projection et un feu de camp. La chaleur du jour baissait et l'air, qui se fait souvent crû en ces dernières soirées de juin, ne devint que frais.

Dès que le noir et la lune eurent commencé à parler aux choses, Alain donna le signal d'attention, et les machines se mirent à la tâche

Dès les premières diapos, l'humour se fit mordant et tous comprirent que chacun passerait sur le gril. Un bien-cuit avant l'heure... Chacun aurait l'occasion de vibrer à trois plaisirs: celui d'entendre les autres se faire épingler, celui du suspense d'attendre son tour et celui de la détente consécutive à son moment de vedettariat.

Alain avait calculé chaque coup de griffe, libérant le plus de poivre envers les autorités qui ne seraient pas là. Il s'était dit que les absents supportent mieux un massacre et défoulent les présents.

Le succès lui apparut de premier ordre. Il y goûta à plein à travers les félicitations. C'était la joie de se sentir l'origine d'un mouvement il avait fait bouger. Et pour lui, la créativité prit un nouveau sens.

Un immense goût de liberté l'immergea. Cette liberté, ferment de la créativité, et qui prendrait la première place dans son échelle de valeurs. Elle serait à gagner, cette liberté, à construire, à atteindre.

La bière aidant, il sentit le désir de coiffer ses joies d'une victoire personnelle. Il serait, dans les faits, un homme libre, du moins pour quelques heures. Aussi, quand le signal du début du feu de camp fut donné, il se tourna vers Denise qui discutait avec un groupe et lui fit signe de s'approcher.

—Tu viens au feu de camp ?

Ils quittèrent la maison et coururent dans le foin vers la rivière Le feu crépitait déjà à la base de la pyramide.

—Allons s'asseoir de l'autre côté

—Ça va ragoter.

—Denise est une célibataire libre Alain est un homme marié libre Mais, dans leur bouche, ça donnera ceci. Quel scandale! Ces deux-là pourraient au moins se cacher! Je me demande quand Alain va laisser sa femme pour aller avec Denise ? C'est terrible, un homme marié, père de famille, avec la petite vache de Martel! Et patati et patata. Viens, pis au feu les jaloux !

Il la prit par la main et l'entraîna en un point d'où ils purent voir les autres, le feu, la rivière, la lune. Sitôt assis; il l'embrassa sur la joue, moitié par plaisir, moitié pour observer les réactions. Mais personne n'avait l'air d'avoir vu. Il aperçut Jean et sa femme.

–Jean devait pas venir seul ?

–Il l'avait pourtant ben dit. Sa femme aura décidé de le suivre malgré lui.

–T'auras aucun problème. Sauf moi, parce que je te lâche pas de la nuit.

Elle sourit, les yeux pétillants de la lueur du feu, ou peut-être bien de celle de la lune.

Des accords de guitare traversèrent la pyramide enflammée et une voix guida les cœurs vers des chansons connues, chaudes, gaillardes

Chaque air imprimait en son âme un nouveau ravissement À telle enseigne qu'à la quatrième chanson, Alain se surprit à embarquer dans l'allégresse générale, sans cette retenue gênante lui ayant toujours barré la route des plaisirs collectifs.

Bras dessus bras dessous, chantant, dansant, tous fraternisèrent jusqu'aux petites heures devant un feu sans cesse renouvelé, près d'une rivière qui fuyait sans bouger, sous une lune éternelle.

La fatigue s'infiltra peu à peu dans les yeux et leur éclat déclina tout comme celui du feu de plus en plus mal nourri.

–Allons à l'auto, j'ai des sandwiches et des gâteaux, dit Alain.

–Tu penses à tout !

Ils marchèrent dans l'herbe longue et humide jusqu'à l'auto stationnée en retrait et se cachèrent sur la banquette arrière pour manger et se caresser. Ils s'embrassèrent. Longuement, sans jamais assouvir tout à fait leur désir. Il mit sa montre dans un rayon de lune:

–Quatre heures et demie: faut partir. Mais on fera quelques arrêts en route

–Moi, suis libre. Mais que dira ta femme ?

–À cette heure-ci, elle dort comme un bébé.

–Et quand tu rentreras ?

–Elle dira que je suis un homme libre. Mais dans sa bouche, ça donnera à peu près ceci: d'où sors-tu à une heure pareille, tu devais revenir à minuit, je suppose que t'as pris un coup, avec qui t'étais ?

Ils changèrent de banquette et partirent

–J'exagère. Vois-tu, je vais m'en aller directement à la station de radio puisque c'est moi qui dois faire l'ouverture du matin pis comme ça, y aura qu'une seule engueulade à la maison.

Il conduisit prudemment malgré la griserie, mais aussi dans l'espoir de l'allonger le plus possible. Derrière Beauceville, sur une hauteur dominant la vallée, il repéra une entrée de champ camouflée et s'y arrêta

Il avait le cœur à faire l'amour à toute l'humanité. Il se libéra du volant, s'approcha gauchement d'elle, prit sa tête entre ses mains et la coucha sur sa poitrine. Explorant les bonnets enflés du soutien-gorge, sous la blouse lâche, il murmura·

—Tu te souviens de notre promesse ?

Elle l'interrogea:

—De ?

—De faire l'amour.

—Ici ?

Il rit.

—Je le voudrais de toutes mes forces que je le pourrais pas. Je me contente de le vouloir de tout mon cœur et de te caresser de toutes mes mains. Ce sera comme un avant-goût, comme de prendre un apéritif avant le repas.

Elle soupira:

—Il sera pas facile de nous voir pendant les vacances· le camping, le voyage.

—Tu pars à quelle date ?

—Départ le dix-sept juillet. Retour le sept août.

—Je crois que je vais m'ennuyer de toi.

—Et moi de toi.

—Si je pouvais donc partir avec toi! Chanceuse d'être libre! Tu boiras tout ton saoul au soleil d'Espagne pour moi et tu m'en rapporteras de grandes gorgées dans tes valises Profite ben de la liberté et surtout, tâche de la garder toujours

—Mais tu dis souvent qu'une personne peut se libérer quelle que soit sa prison ?

—Je le crois. En théorie Mais en pratique, on peut pas le faire comme ça, d'un seul coup. Faut gagner sa liberté, pouce à pouce. La prendre sans attendre qu'on vous la donne! Mais on peut pas briser les autres pour y arriver et c'est ça le plus dur. Se construire, se libérer soi-même sans briser les autres: voilà la grande question !

Il lui grattait doucement l'intérieur des cuisses:

—Cette grande question est un défi qu'on peut relever, non?

—Je le crois, murmura-t-elle.

Denise bougea un peu afin qu'il puisse introduire plus aisément sa main derrière la fermeture-éclair déjà dégrafée depuis leur départ Il suivit inlassablement le sillon à travers la culotte, tapotant des doigts, tournoyant de la main.

—Quel soir de la semaine pourrons-nous nous voir ? s'enquit-elle.

—Le jeudi

—Ça ira chez-toi ?

—Il est grand temps que je me donne une soirée de liberté ben à moi, en dehors du travail et de la maison. Je crois que dans chaque couple, les partenaires devraient prendre du temps libre, chacun de son côté. Ça mettrait du piquant dans leur vie de couple. Toujours ensemble—savoir ce que l'autre fait c'est tout comme être avec lui—est mauvais pour deux partenaires; ça tue le désir de se retrouver. Ah! et puis j'arrangerai tout ça en temps et lieu. Pensons à aujourd'hui, à la minute présente

Il donna plus de pression à sa caresse et ferma les yeux. Quand il les rouvrit, l'aube pointait. Il regarda naître la vallée brumeuse. Lourds d'humidité les feuillages accrochaient leurs verts à celui de l'herbe Et loin, très loin, il crut déceler les contours vaporeux des montagnes américaines, mais cela ne se pouvait pas à cause de la distance Alors il ramena ses yeux vers les prés mouillés et les bois environnants et crut voir l'Eden.

—Belle oréade, on se souviendra éternellement de cette nuit ?

—Plus que ça encore.

Il chuchota:

—T'es une rose frêle.

Elle murmura:

—Toi un arbre grand.

—Ta mère va te poser des questions quand elle verra l'heure de ton retour ?

—Je m'en vais au terrain de camping avant-midi; elle en aura pas la chance.

—Et moi, je te retiens. Les jeunes auront un moniteur aux yeux pesants à leur première journée.

—Je me reprendrai ce soir. Sous la tente, le sommeil est profond et reposant. Et puis je rêverai à mon arbre.

—Attention, y a beaucoup d'autres arbres sur un terrain de camping. Sois prudente. Et . sage.

Ils rirent.

*

En fin d'avant-midi, l'homme tricota longtemps dans les rues de la petite ville avant de s'engager dans la sienne. Il descendit lentement de l'auto, prit deux longues respirations, banda ses muscles et entra vivement. Il fila droit à la salle de bain, entrevoyant à peine l'extrême pâleur du visage de Nicole. Il n'eut que le temps d'enlever sa chemise qu'elle se montra dans l'embrasure de la porte

—J'ai pensé que t'avais eu un accident. J'ai écouté la radio très tôt ce matin. Mais comme c'est toi qui annonçais, je me suis dit qu'il devait pas s'agir d'un accident... trop mortel, ironisa-t-elle à faible voix.

—De mauvaise humeur parce que suis pas venu coucher ? Le party a fini si tard que j'ai décidé d'aller manger, puis de filer tout droit à la station de radio. Je tenais tout simplement pas à te réveiller.

—Ah bon ! réfléchit-elle. Beaucoup de plaisir à ta soirée. . à ta nuit ?

—Le montage fut un succès. Quant au reste...

Il haussa les épaules.

—Tu connais le genre ?

—T'étais avec qui cette nuit ?

—Avec tout le monde.

Il prit une débarbouillette qu'il mouilla et savonna

—Et avec qui.. en particulier ?

—Avec le groupe habituel, dit-il, impatient. Les professeurs de sciences humaines, ceux de catéchèse...

Elle l'interrompit·

—De catéchèse ?

—Oui... parmi d'autres.

Il se plaqua le linge humide sur le visage et marmonna à travers les fibres·

—Aurais-tu quelque chose à insinuer ? Je présume que t'as mal dormi et que tu t'es inquiétée, et aussi que tu t'es monté la tête ? T'as un vrai visage d'enterrement.

—Denise Martel avait aussi un visage d'enterrement ?

Il la regarda par le miroir, cherchant à deviner sa pensée.

—Cesse de tourner autour du pot, dit-il. Si t'as quelque chose à me dire, alors vas-y. Je t'avais offert de venir et t'as refusé. Maintenant que tu vois que le party a fini tard, tu le regrettes et tu cherches à me chicaner.

—Ou t'as été très intime avec mademoiselle Martel ou bien quelqu'un là-bas ne doit pas trop t'aimer, car j'ai reçu un appel anonyme vers quatre heures. On m'a dit de pas m'inquiéter puisque tu te trouvais en excellente compagnie.

Il ne broncha pas et continua de s'éponger la figure.

—On t'a dit autre chose ?

—C'était ben suffisant, tu trouves pas ?

—Comment as-tu réagi ?

—J'en ai rien cru et j'ai raccroché Ensuite, je me suis mise à trembler comme une feuille. Les minutes duraient des heures et toi, t'arrivais pas. Vers quatre heures et demie, j'ai commencé à m'inquiéter sérieusement. À cinq heures, je me suis mise à avoir des doutes. Et à six heures, j'ai fait un crise de larmes. Quoi qu'il se soit passé cette nuit, Alain, t'aurais pu me téléphoner.

Elle commença à pleurer et ajouta avec une grimace et des soubresauts des épaules:

—Pourquoi que t'as pas téléphoné ?

—J'étais d'un groupe de personnes qui chantaient autour d'un feu de camp et je pensais pas que tu t'inquiéterais autant. Tu savais que j'étais à une fête, pas à la guerre du Viêt Nam. L'appel, je sais exactement qui l'a fait et pourquoi. Car ce devait être la voix d'un homme, hein ?

Elle fit signe que oui sans lever les yeux qui coulaient abondamment.

—C'est Jean Bélanger de Beauceville pis je vas t'expliquer pourquoi Il court après Denise Martel, mais hier, il a raté son coup. Sa femme est venue le chercher. Denise, pendant le feu de camp, s'est tenue dans notre coin. Il y avait Paul, Félix, Constance, Lise, Jacques pis tous les autres. et même l'aumônier. Aussi un des directeurs de l'école Il aura pensé qu'elle était avec moi... Elle avait dû s'occuper des machines quand je devais m'absenter. Il aura pas digéré le succès du montage Pas plus tard que la semaine dernière, il a fait des avances à Denise et c'est pour ça qu'elle le fuyait hier soir. Ça l'aura frustré... d'autant plus que sa femme, comme je te l'ai dit, est venue le chercher.

—La Denise Martel, on dit qu'elle se tient proche des maris des autres.

—Je t'en prie, Nicole, c'est pas 1962. Une fille qui parle avec un homme marié, ça veut pas dire qu'elle couche avec ! Tout de même ..

—Elle a l'air pas mal vache...

—Tu l'as à peine entrevue. Comment peux-tu la juger ?

—Une femme a pas à prendre des mois pour se rendre compte de certaines choses chez une autre.

—Vous vous fiez aux apparences et vous vous trompez. Votre fameuse intuition vaut ce qu'elle vaut. Moi, je préfère connaître davantage une personne pour pas risquer d'être injuste envers elle Et je connais assez ben la Denise Martel pour te rassurer. Elle est pas dangereuse pour toi. De toute façon, avec l'apparence qu'elle a...

Avec une moue dédaigneuse, Nicole commenta:

—Ça, tu peux le dire! Elle s'habille assez mal!

Il exagéra ses gestes dans le linge mouillé.

—Sois honnête tout de même! Tu la remarques parce que t'étudies en haute couture. J'admets qu'elle est un peu dépenaillée, mais elle est pas pire que tous les jeunes d'aujourd'hui.

—N'importe qui avec les yeux ouverts le verrait.

Il se lava la poitrine, les aisselles, se frotta vigoureusement les mains.

–C'est une amie comme Constance, Lise ou les autres. Aucun danger pour toi. Elle m'attire pas du tout. Tu conviens qu'elle a rien pour attirer un homme. Si tu t'inquiètes quand même, c'est que t'es jalouse .

–Suis pas jalouse !

–Ah! ça ? Tu vas apprendre à me laisser vivre un peu. J'avais, depuis longtemps, l'intention de me prendre une soirée à moi chaque semaine, mais avec ta réaction pour hier, la vie sera pas facile.

–Un soir de plus ou de moins... Pour le temps que tu passes à la maison dans ta semaine...

–Tu vois ? Ça commence! Faut que je travaille pour gagner cette sacrée vie et c'est pour ça que j'ai trois emplois. Le reste du temps, suis à la maison. Mais j'aurais quand même droit à un peu de liberté de temps à autre. Tiens, en 63-64, au début de notre mariage, je prenais au moins une soirée par semaine, et asteur, je travaille!

–Je suppose que tu veux sortir avec Denise Martel ?

Il jeta sa débarbouillette avec violence. L'eau éclaboussa le miroir et le plancher.

–Casse-pieds! Être seul des fois sans toujours me sentir poursuivi par l'œil de Dieu, ton œil. Pis toi, tu penses que je vais aller m'enchaîner ailleurs ? Dors tranquille. J'ai besoin de voir du monde, c'est tout Je me fatigue de voir toujours les mêmes faces

La jeune femme n'insista pas. Elle retourna à son fer à repasser.

Il termina sa toilette et se coucha.

Elle se remit à pleurer.

Il s'endormit.

*

Quelques jours plus tard, dans un bureau de la station de radio, Alain et Denise eurent leur première relation sexuelle. Elle n'était pas vierge et ça ne le surprit pas. Mais plutôt tiède et ça l'intrigua. Il regretta de n'avoir pas prolongé les préliminaires et utilisé des caresses orales à effets magiques sur le corps de sa femme. Mais il ne voulait pas brusquer les choses avec Denise, comptant bien que les étapes seraient vite franchies puisqu'elle était d'une génération moins fermée

Leur deuxième rencontre fut au motel.

Une soirée de promesses, se dit Alain quand il embrassa la pièce du regard Ici, pas de stress du lieu, de l'heure, de la nouveauté, des risques d'oreilles indiscrètes. Mais un lit moelleux, une chaude réclusion et les attraits d'un corps toujours neuf.

Dans la première demi-heure, ils se dirent des banalités, étendus côte à côte, tout habillés. Puis, il proposa qu'ils ôtent leurs vêtements.

–Tout à fait ? demanda-t-elle en pudeur.

309

Il hésita, mais devant son inquiétude, dit:

—Gardons nos sous-vêtements.

Il s'éclipsa discrètement dans la salle de bain pour la retrouver, quelques minutes plus tard, allongée sur le ventre, partiellement nue. Il se dévêtit et la rejoignit.

—Tu veux éteindre une lampe ? demanda-t-elle.

Il le fit. Sa main rejoignit l'autre sur le dos de la femme. Ses doigts savourèrent un long plaisir à voyager sur la chair chaude, frôlant la peau soyeuse. Les longs cheveux d'or, fraîchement brossés, fins, caressaient le lit vertébral et elle tenait fermés ses yeux, laissant, pensait-il, son corps boire aux mains audacieuses

—Guide ma caresse. Je veux être au service de ta joie, fit-il

Elle ne répondit pas.

—Tu veux ?

Elle bougea légèrement la tête en signe d'acquiescement

—Je veux que notre plaisir soit total, et toi ?

Elle fit signe que oui.

—Tourne sur le dos, tu veux ?

Elle obéit

Alors les yeux de l'homme épousèrent toutes les courbes, depuis le nuage de cheveux flottant sur le drap jusqu'à la fine pointe des pieds. Quand il eut exploré, balayé, vu, ses doigts emboîtèrent le pas aux yeux chercheurs et se firent prodigues de pressions et d'attouchements. De nouveau comme parfois en amour, le passé et le futur se fondirent dans le moment présent

Les mains montent, descendent, contournent, tournoient. Elles touchent et relâchent. Les doigts s'écartent, s'appuient, et se resserrent, tirant des profondeurs des chairs une grande détente, préparant ainsi le corps pour le dur et merveilleux exercice

—J'ai hâte, tu sais, de voir tes seins. J'ai hâte de les toucher, de les embrasser...

Elle sourit un peu. Il a envie que les deux corps se touchent, se brûlent; s'allonge sur elle, arc-bouté pour ne pas l'écraser. Mais elle lui fait perdre l'équilibre. Il tombe sur elle. Se soudent longuement. Quand ce désir-là est un peu rassasié, il s'éloigne de nouveau et reprend ses caresses du bout des doigts, des paumes et des lèvres sur toute la peau brunie par le soleil de juin.

Il cherche des indices de l'éveil du désir, détache le soutien-gorge, insère ses doigts sous le tissu. Les mains tournent en rond, reviennent, cherchent les mamelons, les trouvent, leur parlent. Ils répondent Il enlève le vêtement, mais n'ose regarder: il gonfle son désir, gorge sa fièvre Il touche La chair est molle, mais neuve et différente. Mais si abondante qu'il manque de mains pour l'aimer toute; alors il s'aide des yeux, puis de ses lèvres, puis de ses mouillures, puis de sa langue. Résolument et avec tout l'art qui lui naît au bout des doigts et des lèvres, il pétrit.

Ses lèvres nagent dans les rondeurs, s'arrêtent, butinent, pressent, aspirent. Il passe la main sous l'élastique de la culotte, à la recherche du sexe qu'il imagine déjà fiévreux. Il touche. Un peu plus loin. Un peu plus au centre. Un peu plus en avant. Mais le sexe ne brûle pas; il n'est pas chaud; le sang n'y a pas afflué, pas encore. . Le défi est plus grand qu'il ne l'aurait cru. Pour le mieux relever, il enlève la petite culotte devenue gênante.

Il entreprend de lui mouiller tout le ventre, disant:

–J'aime, j'aime ton corps, j'aime, j'aime ta peau.

En même temps, ses doigts s'insinuent dans les replis de la chair tendre; ils étirent un brin, écartent, pressent et parfois, sans crier gare, enferment avec autorité et délicatesse. Mais la chair, la respiration, les hanches restent au repos. La femme ne vibre pas.

"Je vais lui annoncer les choses pour qu'elle les espère," pense-t-il

Il murmure:

–Je vais te caresser avec mes lèvres. Boire à toi, tu veux ?

Un petit oui l'encourage.

Il garde un doigt sur le clitoris. Sa bouche humide dépose cent souffles chauds sur le triangle de soie. Il cherche à créer de petites frustrations génératrices de folie sexuelle. Sa bouche approche, tournoie, s'ouvre; la langue touche, presse, attaque. Elle ne retourne chez elle que pour refaire ses forces, que le temps d'un éclair, et revient, reprend sa course folle le long du sillon, frappe à l'entrée, entre un peu et retourne en arrière. La bouche se fait gourmande; elle enveloppe tout, goulûment, elle lape, entrouvre les pétales, s'active.

La femme ne bouge toujours pas

Alors l'homme combine, coordonne, organise. Il multipliera les points de contact: sa poitrine couvrira le ventre, une main cajolera la cuisse, l'autre se tiendra sous l'autre cuisse, prête à relever sporadiquement la bouche et la langue de leurs mouvements fébriles. L'attaque reprend, se prolonge; l'homme espère, désespère ..

Une idée naît, venue de souvenirs. Elle reçoit sans donner; en conséquence, je deviens un simple masturbateur. Or, elle s'est masturbée des centaines et des centaines de fois dans sa vie, et connaît à fond son propre corps; d'où, à côté de son habileté, je fais figure d'incompétent. Je ne peux donc rien tirer d'elle. Il faut qu'elle participe ou désire le faire. C'est la seule façon! Elle doit s'extraire de son sexe de masturbation pour vivre une sexualité de participation, comme celle que nous vivons, Nicole et moi.

Grâce à lui, Denise naîtrait à une autre dimension de sa sexualité. Il l'éduquerait tout comme Nicole et lui s'étaient mutuellement formés. Sa richesse de cœur et son ouverture d'esprit m'ouvriront vite toutes les portes, se dit-il. De toute façon, les femmes faisant l'amour les bras croisés ne méritent pas de jouir et finiront bien par être mises en quarantaine un jour. Mais Denise ne serait pas de leur nombre, car il lui enseignerait davantage que le nom et la fonction des organes que font connaître bien des formes d'éducation sexuelle, se targuant ainsi de justifier leur nom. Il l'éduquerait au plaisir.

—Chérie, tu peux me toucher, fit-il.

—Tu dis ?

Il releva davantage la tête:

—Si tu en as l'envie, tu peux me toucher.

Elle le regarda, incrédule, et souffla:

—J'ai envie que tu viennes sur moi... en moi.

—Tout de suite ? fit-il avec un léger sourire.

—D'accord.

Fatigué des caresses prodiguées, pénis ramolli, inquiet de ne pouvoir la pénétrer, il se coucha sur elle et attendit que son érection revienne. Il goûta le contact des corps, huma l'odeur des cheveux, exerça des pressions pelviennes, mais toutes les caresses n'étaient plus qu'un retour en arrière, comme si, à mi-chemin d'une côte qu'il lui aurait péniblement fait monter, elle ait manoeuvré pour qu'il la dévale jusqu'au bas et doive recommencer à grimper afin d'essayer de la rejoindre. C'est ce qu'il pensait, mais, en vérité, en dépit de tous ses efforts, elle-même n'était pas à mi-pente. Dans sa dégringolade, il ne l'avait simplement que rejointe en bas.

C'est ainsi que l'orgueil du jeune mâle en prit un bon coup, conscient qu'au pied de la côte, un homme ne peut pas faire l'amour, tandis que sa partenaire le peut.

Si, au moins, elle voulait m'aider un peu! Juste me toucher du bout des doigts, pensa-t-il. Si j'avais su, je l'aurais pénétrée sans trop de préliminaires, et ainsi, j'aurais pas perdu mon érection. Juste sa main enveloppant mon pénis et je monterais au septième ciel. De quoi a-t-elle donc peur ? Mon corps lui répugne-t-il ?

—J'espère que tu seras pas trop déçue. Tu dois comprendre que je suis marié depuis dix ans et que j'ai fait beaucoup de chemin. . en sexualité, je veux dire. Sans ton aide, je peux avoir du mal à finir

Il avait déposé les mots à son oreille avec infiniment de douceur, mais elle réagit violemment. Elle prit une longue inspiration et enveloppa son visage de ses deux mains.

—Comme c'était pas le moment de me parler de ton mariage! Si tu savais quel effet terrible cela peut me faire! Pourquoi, Alain, pourquoi ?

—Je m'excuse, Denise, comme je m'excuse ! Tu comprends, suis si mal à l'aise de pas pouvoir te pénétrer. J'ai cherché une culpabilité en dehors de moi-même pis je t'ai rejeté la faute sur le dos. Pardonne-moi, tu veux ? Tiens, il me vient une idée.

Il prit son pénis entre ses doigts et le frotta sur l'entrée vaginale. En même temps, il concentra son esprit sur le souvenir des lèvres de Monia. Le membre se tendit. Il le mit en position et poussa, mais la mouillure de l'entrée n'étant que les restes de sa propre salive et les parois n'ayant point lubrifié, il sentit une lacération sur le bout de la verge Il avait eu cette même sensation de brûlure la première fois, mais alors, il en avait accusé le manque de préparation.

"Que se passe-t-il donc ? Elle est pas vierge et je suis bâti moyen ?"

Peu après le début du va-et-vient, les douleurs disparurent, indice qu'elle avait sécrété. Grâce à la faiblesse de son désir, il n'eut aucun mal à contrôler la montée éjaculatoire. Il prit tout son temps pour faire durer le mouvement, faisant alterner les brèves pauses aux accélérations agressives, elles-mêmes suivies d'un rythme plus lent.

Elle avait grimacé quand il l'avait pénétrée. Puis elle n'avait plus bougé. Son corps frémissait, mais c'était de recevoir les poussées de l'homme. Sur son visage, il n'y eut rien pendant longtemps Puis une légère moue de désagrément. Désagrément aussi sur le gland, car la brûlure renaissait.

Alors il poussa le rythme au maximum, se disant qu'après tout, il avait fait son possible. Bientôt, il sentit son pénis vibrer comme à la fin d'une masturbation. Le sperme jaillit, mais de l'organe seulement pas du ventre, ni de l'échine, ni du cerveau comme dans l'orgasme total qu'il connaissait toujours avec Nicole.

Il voulut se laisser tomber à côté pour relaxer, mais elle le retint dans cette position qu'il trouvait aussi pénible après l'acte qu'agréable pendant.

—Suis heureuse. Que je suis heureuse !

Il s'inquiéta:

—Mais t'as pas eu d'orgasme ?

—C'est rien. Et toi, comment c'était ?

—Un peu de mal au départ. Ensuite...

Elle perdit son enthousiasme:

—Mais pas plus que ça! C'est meilleur chez toi !

—C'est normal, Nicole et moi, on a une adaptation et une évolution de plusieurs années. Mais, toi et moi, ça viendra! Ayons confiance !

—Difficile pour une femme de sentir que l'homme a l'esprit ailleurs . même si c'est avec sa propre femme.

—Mais j'avais l'esprit ici, protesta-t-il.

Elle tourna la tête tristement.

—Quand tu m'as dit que t'étais marié depuis dix ans, j'aurais voulu mourir.

—Écoute, à soir, c'était que la deuxième fois entre nous deux. Dans six mois, on sera des champions. Tu te laisseras guider et tu verras

—Dans six mois, tu me regarderas peut-être même plus

—Qu'est-ce que tu vas donc chercher là ? Tout ce qu'on a vécu ensemble, tout ce qu'il nous reste à vivre... disparaître ?... Non. Si je croyais à l'existence de l'amour, je te dirais que je t'aime.

Elle tourna la tête et sourit, les yeux pétillants. De ses doigts en ciseaux, elle lui pinça les joues.

—Grand fou, fit-elle, en lui donnant un vif bec à pincettes.

Elle chercha à le retenir des mains et du soupir pour qu'il reste sur elle. Mais il força doucement l'étreinte et s'allongea sur le lit, juste à côté; il s'appuya la tête au creux de son épaule et se laissa gagner par la détente.

Il se jugea injuste d'avoir prêté à Denise une sorte d'égoïsme sexuel, car il se rappela qu'il n'y avait pas de femmes frigides et seulement des hommes maladroits.

Il pensa·

Les étapes d'une éducation sont multiples. On sait pas tout au premier jour. Je dois lui donner du temps. Nous apprendrons à connaître nos longueurs d'ondes. Je lui aiderai. Je...

*

L'auto s'avança dans le sentier bordé de sapins jusqu'à une petite clairière. Alain savait, pour y être souvent allé de jour avec Denise, qu'il pourrait y faire demi-tour facilement. Il stationna la voiture dans une pente afin qu'ils puissent mieux voir le ciel. Ils y seraient seuls au monde. L'endroit n'était connu que de quelques bûcherons et de rares amoureux.

—Notre dernière soirée et je me sens triste, dit-il.

—Eh oui! Demain soir, dix-sept heures et demie: vvrrroooooom! Le grand départ en 747.

—T'es heureuse et je suis content pour toi, mais je me sens triste, incroyablement triste.

—Pourquoi donc ? Tu seras avec moi tout le long du voyage. Tu seras dans ma tête, dans mon cœur et dans un petit coin de mes valises.

—Oh non! je serai enchaîné à deux tables tournantes, derrière un microphone À tourner en rond avec les disques et à rêver en me disant que j'aimerais, moi aussi, prendre l'avion pour l'Espagne.

Elle rit et l'embrassa sur la joue.

—Tu te débrouilleras ben pour pas t'ennuyer T'es capable d'être heureux en toutes circonstances.

—Quand y a du changement, oui. Mais quand c'est toujours la même rengaine chaque jour que le bon Dieu amène...

–T'écouteras '*Without you*' pour nous deux.

–L'écouter ? Non, je vais le manger. Pis pourquoi je préparerais pas mes bagages, moi aussi, à soir ?

–Je rapporterai tout le voyage dans mes valises et je le déballerai devant toi. Tu pourras en vibrer chacune des journées.

Elle pencha la tête d'un côté, puis de l'autre et minauda:

–Nous vois-tu, Alain, faire l'amour et la farniente sur les bords de la Méditerranée ?

–À trente ans, j'ai jamais mis les pieds beaucoup plus loin que Montréal. Plus épais, tu meurs !

–Shhhhhhh, je vais penser à toi chaque jour et je t'enverrai des tas de cartes postales

–J'espère. Malgré que t'auras d'autres chats à fouetter là-bas. J'espère que tu feras pas trop la chatte avec les Espagnols. Paraît que ces gars-là ont le sang chaud.

Elle éclata d'un long rire pétillant. Et l'embrassa sur le bout du nez:

–Grand fou !

Inquiet de voir partir ainsi deux femmes célibataires pour des vacances dans un pays très latin, il poussa plus sérieusement son inquisition·

–Je me demande ben pourquoi t'as choisi l'Espagne. J'ai rien contre ce pays, mais tu connais pas la langue. J'aurais choisi la France pour communiquer avec les gens ou les Etats-Unis ou l'Angleterre parce qu'un Québécois arrive toujours à se débrouiller en anglais ou encore la Belgique ou la Suisse pour le français...

–Tu te trompes, je connais déjà quatre mots d'espagnol: ! muchas gracias ! et ! buenos dias !

–T'aurais pas eu envie d'aller quelque part...

–Je vais en Espagne pour me reposer ?

–Ça coûte cher, se reposer. Une relation humaine peut valoir cher, mais pas une relation avec une plage ou le soleil ..

–L'argent, on le traîne pas dans sa tombe. Faut vivre quand c'est le temps. Et puis, chacun son choix. Toi, c'est une maison, une famille, des cours payés à ta femme.. T'as d'autres grandes joies que j'ai pas.

–Tu veux me narguer parce que j'ai justement un grand besoin d'évasion de ce temps-ci !

–Non, non, non, c'est pas ce que j'ai voulu dire. Mais tu peux pas me reprocher de vivre. On a si peu ce qu'on voudrait dans la vie.

–Tu dois vivre et je suis heureux pour toi, avec toi. Notre discussion vient du fait qu'on n'a pas les mêmes priorités quant aux pays à visiter, mais c'est pas grave. On peut pas s'entendre sur tout, hein ?

–Malheureusement! soupira-t-elle.

Elle déboutonna sa chemise et fit tournoyer son doigt dans les poils de son estomac. Une caresse à effet hypnotique. Il laissa tomber sa tête sur elle et ferma les yeux, s'abandonnant au rêve et à la nostalgie.

–J'espère que l'Espagne sera pas entre nous deux, mais avec nous à ton retour.

–Ta femme risque bien plus de nous séparer que l'Espagne.

–C'est dans ta tête qu'elle est entre nous deux, pas dans la réalité.

–Je me le demande. Dans trois semaines, l'Espagne, pour moi, ce sera chose du passé, mais ta femme, elle, sera toujours là.

–Tu la détestes ?

Denise sursauta, s'écria:

–Es-tu malade ? Mais pourquoi ?

–Parce que je suis son mari.

–Je déteste pas les gens pour qui t'as du sentiment. De plus, je me vois mal critiquer ta femme: elle a tant de belles qualités Je me sens très petite à côté d'elle.

Il fureta de son haleine chaude dans le long cou laiteux de sa maî-tresse.

–Pourquoi te déprécier comme ça ? T'as tes qualités merveilleuses. Et puis, j'ai plusieurs longueurs d'ondes qui se rapprochent bien plus des tiennes que des siennes. Tiens, nos goûts! Et nos tempéraments, hein ? Elle est très matérialiste, et nous deux, on est des intellos. Le pire, c'est qu'elle est possessive. Elle avale pas que je sorte le jeudi soir et, chaque fois que je rentre, elle pose une série de questions. Un de ces soirs, je lui fournirai un état détaillé de mon emploi du temps par écrit Ah! les femmes !

Denise fronça les sourcils. Elle reprit son mouvement du doigt et dit en hésitant·

–Les femmes sont pas toutes comme ça. Mes frères sortent quand ils le veulent, sans problèmes à leur retour à la maison. Suis la première à dire que ta femme a de grandes qualités, mais je crois que tu mérite-rais un peu plus de liberté. T'es tout de même pas un ivrogne ou un drogué et tu gagnes honorablement ta vie, ne comptant ni ton temps ni tes efforts... Et puis tout homme a besoin d'évasion ..

–J'ai manqué de fermeté avec elle dans le passé. Mais à l'avenir, elle touchera pas à mes jeudis. D'ailleurs, elle le sait.

Il se releva, sortit ses cigarettes.

–Mais revenons à l'Espagne... Tu veux une cigarette ?

–Je voulais t'en demander une. Tu sais, je peux plus m'arrêter de fumer.

–J'aime pas te voir t'abonner pour ta vie à cette horreur-là. Com-bien par jour ?

—Dix, douze.

Il hocha la tête en allumant les cigarettes.

—Tu devrais t'arrêter immédiatement... avant qu'il soit trop tard.

—Et toi, t'en fumes combien ?

—Je les compte pas. Plus que deux paquets par jour. Mais j'achève ! Je finirai ben par avoir le dessus. Quand je crèverai, personne dira qu'une petite cochonnerie comme ça aura été plus forte que moi dans la vie.

—Le tabagisme coûte cher chez vous.

—Trois cartons par semaine, pas moins.

—Tu pourrais t'en payer des voyages en Espagne avec tout cet argent.

—Oui ! Pis c'est ben plus intelligent d'aller en Espagne que de fumer...

—Quand je reviendrai, on essaiera d'arrêter ensemble, tous les deux

—Peut-être, on verra !

Elle s'avança vers le pare-brise et regarda le ciel.

—T'as vu le paquet d'étoiles ? On devrait descendre et marcher un peu dans le sentier.

Il acquiesça. Ils descendirent. Main dans la main, sur le petit chemin désert, ils marchèrent lentement, la tête levée vers le firmament.

—J'ai une idée, dit-il. On devrait se choisir une étoile. Elle nous appartiendrait pour jamais, rien qu'à nous deux. C'est toi qui la choisis. Que voulez-vous, ma reine ? Le ciel est à votre disposition. Vois comme il y en a... Trente-neuf mille visibles à ce que j'ai lu Un supermarché d'étoiles et on est tous les deux seuls dedans.

—Choisis toi-même.

—Si tu veux. Et on la gardera toute notre vie, et quand l'un regardera cette étoile, où qu'il soit et quoi qu'il fasse, il pensera à l'autre. Elle sera notre complicité du ciel, rien qu'à nous deux, pour toujours.

—Quel poète!

—Tu choisis dans la constellation du Cygne, du Grand Chien ou d'Orion ?

—Oh ! tu t'y connais en astronomie!

—Un poète astronome.

Rieur, il ajouta:

—À vrai dire, j'ai lu ces noms quelque part et c'est les seuls que je connaisse. Mais je connais aussi la petite Ourse ainsi que l'étoile polaire. Et toi ?

—Non.

—Suis mon doigt. Tu vois là, quatre étoiles formant un carré presque parfait avec une queue de trois autres ?

Elle fit signe que oui.

–La dernière de la queue de poêle, c'est l'étoile polaire On la choisit pas, elle me donne froid. On prend sa voisine.

–Pis on va sceller ce cadeau d'un baiser.

Elle le prit dans ses bras et l'embrassa.

–Quel nom on lui donne ?

–Tu l'as choisie, tu la baptises.

–Tu me laisses tout le travail, dit-il, espiègle.

Ils continuèrent leur marche au clair de lune dans la clairière. Silencieux, il réfléchissait. Il finit par dire:

–Je te propose trois noms et t'en choisiras un. Mais ris pas de mes idées...

–Juré! Promis!

–Martelos, à cause de notre nom à tous les deux et parce que le son os est espagnol. Futuros, parce que le futur nous promet à tous les deux beaucoup de choses à vivre ensemble. Et le plus beau, Denalos, pour Denise, Alain plus os, le son espagnol. Ce nom voudra dire que l'étoile et l'Espagne nous rapprocheront, nous souderont.

Elle médita sur ses choix, les yeux levés au ciel.

–J'aime pas trop le son os, ça fait... squelettique. Je voudrais quelque chose qui parle du futur et de toi, mais pas Futuros... Je vais combiner deux de tes idées et je pense que ça ira. Écoute bien: Futural, pour futur et Alain.

–D'accord pour Futural, notre étoile éternelle.

–Ça me donne un peu à penser, fit-elle, en dodelinant de la tête

Il lui ébouriffa les cheveux et dit avec un brin de malice:

–À quoi donc, chère fée des étoiles ?

–Après l'Espagne, si on continue ensemble, il arrivera quoi de nous deux ?

Elle releva la tête vers le ciel:

–Je veux dire: où tout cela nous mènera-t-il ?

–Nulle part en particulier. Vers une forme d'épanouissement, vers un partage, une complicité.

–On va peut-être se faire du mal ?

–Mais non! Le temps va tout arranger On vivra notre romance dans la joie et la paix. Graduellement, le temps atténuera nos sentiments jusqu'au jour où il ne restera plus qu'un doux souvenir.

Elle soupira·

–Les choses sauront-elles être aussi faciles ?

–À condition de le vouloir, oui

–Je voudrais rien briser dans ta vie, tu le sais !

–Alors aimons-nous... avec réserve. Aimons-nous! C'est un droit sacré. On cueille des fleurs ensemble tant que ça ne détruit personne. .

–Mais Alain, t'as déjà commencé à mentir.

–C'est forcé. Nicole et sa possessivité.. Et puis la culture qui encourage ça. C'est obligé. Et je devrai mentir tant qu'elle sera pas libérée.

Denise scruta son amant pour dire, l'oeil brillant et songeur.

–Et à moi, tu mentiras ?

–J'ai pas à le faire parce que toi, t'es libérée. Je te dirai pas toujours tout. Faut garder en soi-même des recoins mystérieux, secrets, pour attirer l'autre, mais je ne te mentirai pas.

Ils ne se parlèrent plus tout le tour de la clairière. Et retournèrent s'asseoir dans l'auto.

–Serre-moi bien fort dans tes bras. Faut maintenant partir.

–Déjà ?

–Tu comprends, on part assez tôt pour Montréal demain.

–Je comprends.

Ils s'étreignirent sous l'œil morne et indifférent de Futural.

*

Vingt-quatre heures après, seul, affalé sur une chaise de parterre, devant sa demeure, Alain regardait les étoiles s'allumer une à une, tandis que les derniers nuages de feu se noyaient au fond de la vallée.

Il concentra jusqu'à la plus petite parcelle de ses forces psychiques et lança un message télépathique:

–Je m'envole avec toi vers l'Europe, vers la liberté, vers la vie.

Nicole arriva en auto. Patricia vint offrir à son père une crème glacée molle qu'il n'avait pas demandée. Il tourna les yeux vers sa maison, puis vers la petite ville illuminée. Enfin, vers le ciel pour regarder intensément Futural.

–Je t'aime ! murmura-t-il, les yeux luisants.

*

Le samedi suivant, Alain eut à remplir un engagement de discomobile. Noce à St-Honoré, d'un de ses anciens élèves, à ce même endroit où la sienne avait été célébrée neuf ans auparavant.

Lors de la deuxième pause, il prit place à cette même table où buvait, l'après-midi de son mariage, en 1963, ce vieux célibataire qu'il avait plaint paternellement et dont il avait cru, à l'époque, deviner les pensées.

Quand les époux, quelques minutes plus tard, quittèrent les lieux pour aller se changer de vêtements, il se dit que c'est de lui-même dont le jeune marié devait aujourd'hui évaluer et plaindre les pensées. Perpétuel recommencement, se dit-il aussi. Après tout, les réflexions du vieux célibataire de 1963, mort déjà depuis longtemps, ne devaient pas être bien différentes des siennes aujourd'hui, en cette fin de juillet 1972, et possiblement de celles du jeune marié lui-même quelque part vers les 1980.

Il médita.

La jeune fille pure, angélique, blanche comme son voile, deviendra, après s'être changée de vêtements et de personnalité, une femme mariée authentique dont le visage disparaîtra derrière le ventre, dont les hochements de tête ou d'yeux pour les autres hommes feront place à la rigidité d'une nuque classée, dont les hésitations et les doutes seront remplacés par la sécurité des décisions masculines. Pour elle, l'espoir du lendemain dégénérera en une nécessité d'aujourd'hui parfois entrecoupée d'une nostalgie d'hier. Elle s'enfermera entre quatre murs du mariage: maternité, fidélité, soumission et domesticité. Quant au rêve et à la robe de mariée, ils se partageront une même garde-robe d'entreposage Et, toute sa vie, elle cherchera vainement sa jeunesse.

Le jeune homme pur, sans tache comme son habit noir, héroïque, deviendra un homme marié authentique, dont le visage disparaîtra derrière les lunettes, dont les regards honnêtes feront place à ceux de la convoitise, dont les hésitations et les doutes doubleront d'avoir à décider pour deux ou plus—et au surplus devra-t-il les cacher—, dont l'espoir du lendemain se changera en nécessité du moment. Il s'enfermera entre quatre murs du mariage: paternité à vivre, fidélité à afficher, stress décisionnel à cacher, réussite à tout prix Quant au rêve et à l'habit de noces, ils s'useront au même rythme, en quelques mois Et, toute sa vie, il cherchera vainement sa jeunesse.

*

Atteignant aujourd'hui son point maximum, leur amour n'a plus qu'à s'éteindre plus ou moins vite, soit par une usure lente d'avoir à trop se frotter aux murs de leur union ou bien par une dégringolade plus rapide aboutissant à une rupture officielle.

Ce jour de leur mariage est le premier d'un long assassinat mutuel, parsemé de joies fausses, de rires douteux, et de drogues passagères que sont les biens de consommation devenus des buts à atteindre plutôt que des compléments agréables, comme au temps de leur jeunesse

S'ils parviennent à s'entendre et que leur mariage dure, alors ils se paieront une maison de rêve, des meubles de rêve, des voyages de rêve, des autos de rêve, plein de gadgets de rêve, et sans doute quelques enfants de rêve Mais rien de tout cela ne leur fera jamais retrouver le grand rêve perdu, figé sur la pellicule des photos, entreposé avec la robe de mariée, usé avec l'habit de noces. l'espoir de la jeunesse

Chaque jour de l'été, jusqu'au retour de Denise, Alain écrivit. Chaque après-midi, il écouta *Without you*. Chaque soir de temps clair, il regarda Futural.

320

Nicole sentait les changements qui s'opéraient dans l'âme de son mari et chercha à le distraire. Elle lui fit acheter un poêle au charbon de bois, un équipement de tennis plus moderne. Elle lui fit consentir à un voyage d'une semaine en Gaspésie pendant ses vacances du mois d'août.

La veille de la date prévue pour son retour, Denise revint d'Europe. Elle téléphona à son amant. Il se laissa aller à une joie d'enfant et lui demanda de venir au plus vite à la station de radio. Elle entra, vêtue d'un poncho vert, le visage rose vif.

—Buenas tardes, dit-elle.

—Bonsoir, fit-il, cachant son émotion.

Il ne put s'approcher d'elle. Le technicien rôdait dans les divers studios. Et Alain devait, de toute façon, poursuivre sa mise en ondes. Il fit signe à Denise de s'asseoir et courut fermer à clef la porte extérieure avant que son disque ne prenne fin.

—Tu m'as pas inondé de cartes postales, lui reprocha-t-il quand il eut regagné sa place derrière son microphone.

—Je craignais d'arriver en même temps qu'elles.

—La seule que j'ai reçue m'est parvenue trois jours après son oblité- ration en Espagne.

—Si j'avais su ..

—Pas grave ! Pourvu que tu sois là.. et complète ? dit-il, les yeux inquisiteurs.

—Alain, ce fut un voyage merveilleux parce que tu m'as suivi, là, dans mon cœur.

—Partout ?

—Presque, fit-elle avec un clin d'œil taquin.

—Tu peux pas deviner ce qui m'est arrivé dans une discothèque de Barcelone. Nous étions assises Aline et moi, et, quelle chanson ai-je entendue ?

Elle secoua la tête.

—*Without you*, j'aurais voulu mourir.

—Et je gage que ça t'a portée à parler de nous deux à ta compagne Moi, j'aurais voulu crier nos sentiments au monde entier.

Exubérante, elle dit:

—C'est exactement ce qui s'est passé !

—J'espère que tu lui as dit... ce que je vais te dire tantôt!

—Quoi donc ?

—C'est pas le moment... encore.

—Et tu as fait quoi de bon cet été ?

—J'ai perdu mon temps devant des steaks sur charbon de bois. Mais je t'ai parlé pis je t'ai écrit des choses

–Montre-moi.

–Tout à l'heure !

–Il va s'en passer des choses tout à l'heure ?

–Plus que tu crois, fit-il dubitativement.

–Tu m'inquiètes.

–Et t'as raison. C'est un peu inquiétant, je dois te l'avouer

Il s'interrompit, le temps de lire un message publicitaire et de présenter le disque suivant.

–Raconte-moi ton voyage. Je voudrais te dire tout d'abord que le déraillement du train Madrid-Cadix m'a énervé. Tu risquais d'être dedans. C'était le lendemain de ton arrivée là-bas.

–Mon père aussi s'est inquiété quand il a entendu la nouvelle, mais, tu vois, j'ai pas déraillé...

Elle rit.

–Je te résume le voyage en peu de mots. Nous sommes allées à Madrid, Séville, Barcelone, la Costa del Sol, en Andorre et à Paris Rien s'est passé comme prévu et on a fait ce que tu dis qu'il faut faire en voyage: parler aux gens, communiquer plutôt que de visiter des monuments et des villes et de rester dans de grands hôtels. On a si vite traversé les villes que je peux même pas t'en parler. On s'est fait chauffer la couenne pendant trois jours sur la Costa del Sol, puis on a rencontré un ophtalmologiste d'Andorre. Tu connais l'Andorre ?

–Une province du sud de la France ?

–Pour un professeur de géographie...

Elle fit une moue taquine.

–C'est un pays indépendant, infiniment petit. Donc on a rencontré Pierre et on a passé le reste de nos vacances, sauf notre journée à Paris, chez lui. On a fait des choses formidables· pêcher la truite, tournée de discos, visite de la station de radio du pays. Comme j'aurais voulu que tu sois là! Un voyage extraordinaire ! Et regarde-moi comme j'ai la peau corsée: j'ai pris huit livres.

Cette narration décupla le désir d'Alain de livrer son cœur à la jeune fille, mais aussi, il souffrit imperceptiblement de l'existence de ce Pierre. Il devrait l'enterrer royalement sous une charge de sentiments.

L'entrée du technicien empêcha Denise de poursuivre. Quand il sut qu'elle revenait d'Espagne, il l'entretint longuement de son propre voyage au Mexique, l'hiver d'avant. Il finissait de détailler chacune de ses journées sur la plage quand Alain termina son émission, après quoi il conduisit Denise à la discothèque. L'autre quitta les lieux.

–Le TOUT À L'HEURE est arrivé, dit-elle bientôt

–Je le crois.

Il s'approcha doucement et la prit dans ses bras.

–On n'a pas encore pu s'embrasser, dit-elle.

–Là-bas, au studio, j'aurais voulu sauter dans tes bras par-dessus les tables tournantes. J'aurais dû! Déjà la tête me tournait passablement.

Il la regarda intensément au fond des yeux comme pour lui imprimer à jamais dans l'âme ces mots –je t'aime qu'il brûlait de lui crier depuis qu'elle était partie. Ensuite, il ferma les yeux et chercha à se décrire mentalement le baiser le plus violemment tendre qui se puisse être, et il tâcha précautionneusement de le déposer sur la bouche adorée. Après de longues secondes, il recula la tête, le temps de souffler un 'je t'aime', puis rengagea son baiser. Quand il reprit son souffle et que s'atténuèrent un peu les convulsions, il entendit la jeune fille murmurer:

–Comme j'avais peur que tu ne les dises jamais, ces mots merveilleux !

Leurs intensités décuplèrent. Sentiments, sentiments, sentiments...

Un peu plus tard, ils scellèrent un autre pacte: celui de cesser de fumer.

***

Chapitre 16

1973

Il rentra très tard de sa soirée avec Denise. Nicole achevait le repassage de la semaine. À son visage tuméfié, il comprit qu'elle avait encore pleuré. Il savait d'expérience qu'il valait mieux ne pas lui parler en ces moments-là puisque, de toute façon, elle ne manquerait pas de se vider le cœur avant qu'ils ne se couchent.

Plutôt de laisser planer le long silence habituel, il décida de déclencher la crise afin d'être libre au plus tôt pour aller dormir.

–À ton air, je dirais que t'as reçu un autre appel de gens qui nous aiment pis qui veulent nous rendre service ?

Elle dit sans lever la tête:

–J'aurais dû en recevoir un ?

Il s'approcha d'elle comme pour mieux mentir:

–Si tu bases ta vie sur la jalousie, oui.

–Parce que t'as passé ta soirée avec quelqu'un en particulier ?

Il s'assit à la table de cuisine et sortit un crayon·

–Tu veux un rapport détaillé ?

–Je te demande simplement où t'étais Pourquoi pas me répondre ? C'est-il si terrible de chercher à savoir où son mari passe ses soirées et ses nuits ?

–Oui, c'est terrible, et aussi longtemps que tu t'obstineras à me le demander, je te le dirai pas.

–Parce que t'as des choses à cacher ?

–Parce que ça te regarde pas, tout simplement !

Elle hocha la tête:

–Pis moi, je reste ici à me morfondre, à repasser tes vêtements, à

324

travailler pour toi...

Il l'interrompit:

—Je fais ma part dans la vie. Il est ridicule de recommencer à mesquiner là-dessus.

—Tu vas finir par t'arranger tout seul avec tes affaires.

Il ne répondit pas et se rendit à la salle de bain où il s'enferma. Il avait adopté cette attitude chaque fois qu'elle augmentait le ton à un degré insupportable. En fait, il savait que le silence dont il s'entourait alors était agressif et désapprobateur, mais il refusait d'alimenter la guerre avec des réponses qui arrivaient trop vite à dépasser sa pensée. Il n'avait rien trouvé de mieux pour se calmer que de siffloter, ce qui doublait la hargne de Nicole mais, pensait-il, coupait de moitié la durée de l'altercation.

Elle lui cria à travers la porte:

—Jamais tu me sors de la maudite maison, mais toi, tu prends tous tes aises. Aucun homme dans toute la ville agit comme toi . Si tu continues, tu vas me perdre. Je sais que ça te dérangera pas, mais tu vas perdre aussi ta fille. J'ai fini d'endurer. La semaine prochaine, tu vas trouver la soupe chaude...

Elle faisait un arrêt entre chaque phrase, cherchant à obtenir une réaction qui ne venait pas. Il sentait pourtant la pression augmenter en lui vu l'utilisation de l'enfant comme monnaie d'échange pour l'empêcher de vivre.

Elle se mit à sangloter.

—Tu sais que ma santé est pas très bonne de ce temps-ci Avec la maison à entretenir, les études au loin et cette douleur incessante dans le côté .. Pourquoi que t'es pas plus raisonnable ?

Il serra les dents et pensa: "La pauvre victime commence le chantage de la maladie et des larmes."

Elle ne parla plus tout le temps qu'il finit sa toilette. Il en profita pour préparer son argumentation qu'il lui répéterait pour la dixième fois. Était-il un fainéant ? Buvait-il ? Fumait-il ? La privait-il à cause de ses sorties ? Ne l'avait-il pas forcée d'accepter un lave-vaisselle en cadeau à Noël pour lui faciliter la tâche ?

"Ah! et puis non! Plus je parlerai, plus elle voudra me cerner dans un coin. Elle cherche à me faire parler, mais elle réussira pas En tout cas, pas à soir."

Il reprit son calme, sortit et fila droit au lit Il se coucha sans hâte, bientôt suivi d'elle.

—Pourquoi tu dis rien quand je parle ?

Il ne répondit pas.

—Réponds-moi donc une bonne fois!

—D'accord, si tu veux absolument le savoir. Ce soir, je suis allé à une réunion de gens qui s'occupent de la télévision communautaire et, par la suite, Guy et moi, on est allés prendre une bière dans un bar. Satisfaite ?

–Tu sens pas la bière.

–J'ai pris un Coke. On m'a dompté, tu te souviens, à pas toucher à l'alcool quand je dois conduire après.

–Pourquoi me l'as-tu pas dit avant de partir ou en revenant ? On dirait toujours que t'es coupable de quelque chose. Et moi, je pleure et j'enrage...

–Simplement que je veux un coin de vie bien personnel, c'est pas trop demander, non ?

–Je m'excuse pour mes paroles de tout à l'heure, mais j'étais si stressée, tu comprends.

Il ne répondit pas. Quelques minutes plus tard, elle s'approcha, passa son bras par-dessus lui et le caressa de son doigt magique, tournoyant, frôlant, chlorofor... endor...

*

–Allons courir, dit Denise.

Les amants avaient profité de leur après-midi de congé pour s'évader dans la nature. Ils descendirent de l'auto et marchèrent sur la route déserte

Soudain, elle grimpa sur le banc de neige du bord du chemin et se laissa tomber sur les genoux. Comme un petit animal, elle se creusa un trou et ôta une mitaine afin d'y plonger la main qu'elle retira aussitôt et porta à sa bouche.

–La neige est bonne, fit-elle.

–Tu risques d'être malade; cette neige est malpropre.

–Jamais de la vie ! Ils mettent jamais de sel sur cette route et la neige est blanche comme... comme de la neige.

Ils rirent en choeur.

–Et comme elle a bon goût ? s'exclama-t-elle. Hummmmmm ! elle goûte le froid. Viens, monte ici. Je te fais une petite place juste à côté de moi.

Il grimpa à son tour et s'accroupit en petit bonhomme Elle plongea la main dans le trou et lui offrit un peu de neige fondante de ses doigts raides et rougis qu'il lécha en ronronnant. Elle lui mit alors le pouce sur le bout du nez et dit:

–T'es mon gros nounours !

Il sourit d'incertitude, contrarié par ces mots Elle ajouta:

–Non, t'es toi et je suis moi. Pis aujourd'hui, on est à deux.

–J'aime mieux comme ça!

–Je t'agaçais.

–Tu veux que je te dise pourquoi je t'aime ?

–Tu me l'as dit pour la première fois quand je suis revenue d'Espagne, tu te souviens ? Pis tu m'as dit aussi que t'avais recommencé à utiliser le mot aimer parce que tu en savais maintenant le pourquoi.

–Et depuis ce temps-là, j'ai trouvé plein de raisons qui expliquent cet amour.

–L'amour a pas besoin d'être compris et justifié.

–Les amours qui s'expliquent pas logiquement durent pas et se transforment vite en possessivité. Pour avoir raison d'aimer, faut avoir des raisons d'aimer. Et j'en ai de nombreuses.

–Alors, raconte !

–On rit, on jure aux mêmes choses, on réagit de la même façon aux gens et aux choses, on est d'un milieu social semblable, on a même langage et souvent, même longueur d'ondes, et, de par notre profession commune, on peut partager les mêmes problèmes. Et on a jusqu'au même nom. Comme on dit, on est faits pour s'entendre. Tu m'as fait redécouvrir la poésie, mon esprit d'enfance, mes joies d'adolescent. Tu m'as fait prendre conscience de tout ce qu'il y a eu de beau dans mon passé. Grâce à toi, je me suis libéré de l'esclavage du tabac et j'ai retrouvé un nouveau souffle. Merci pour tout, ma chérie... non, chérie tout court.

–Elles étaient là, en toi, toutes ces richesses. J'ai simplement mis ma main sur ton visage et dit: "Arrête. Puis j'ai mis devant toi un miroir pour que tu redécouvres le beau en toi."

–On devrait aller fêter tout ça dans un bon lit chaud.

–Quelle belle idée!

Ils se rendirent à leur motel du jeudi soir. Quand ils furent nus sous les couvertures, ils se collèrent.

–Merci pour tout, dit-il. Merci pour ton corps, ton cœur, ta poésie, ta jeunesse. Si un jour on prend chacun notre route, me reprocheras-tu d'avoir pris tout ça de toi ?

–C'est mon choix. Je le fais librement chaque fois que j'accepte d'être avec toi. Je ne suis plus une enfant. Je sais ce que je fais et ce que je veux. Toi, en retour, tu m'apportes beaucoup. tes heures, ta force morale, ta réflexion profonde sur les gens et sur les choses. C'est pour ça que je t'aime. Et puis, j'ai pas besoin, moi, de m'expliquer pourquoi: pourvu que je t'aime

Elle rit à gorge déployée.

–Denise! fit-il, menaçant.

Elle lui souffla dans les cheveux:

–Tu savais que je t'aime ?

Il lui frôla les épaules du bout de ses doigts.

–Tu veux que je te caresse ?

Elle fit signe que oui.

D'un geste brusque, il rejeta le drap au pied du lit.

—Brrrrrr... fit-elle en croisant les bras.

—T'auras pas froid longtemps parce que je vais te réchauffer.

Il s'assit à l'indienne et entreprit un massage lent et ferme, ponctuant chaque pression d'un mot de relaxation·

—Tout doux. Ferme tes yeux. Bois à mes doigts. Je t'aime. Ta peau est douce. Peau veloutée, peau satinée. Ton corps est chaud. Je te désire. T'es une fleur. Belle. Exquise. Neuve. Folle. Shhhhhhhh. Je vais t'effleurer. De mes doigts. De mes mains brûlantes. De mes lèvres mouillées. T'es une femme. Une vraie. Merveilleuse. Douce. Gentille Généreuse. Parfois. Ne ris pas. Je t'adore. J'adore t'adorer. Je suis à toi. Je t'ai choisie. Librement. Relaxe. Mais ne dors pas. Je veux m'unir à toi. Je veux être en toi. Tu m'envelopperas. Tu m'absorberas. Je me répandrai en toi. J'irai mourir en ton corps, sur ton corps, sur tes seins. Pour renaître à la vie, à la liberté, à l'amour...

Ses mains se font tour à tour: ondulantes, mordantes, chatoyantes, savantes, invitantes, souvent agaçantes et parfois méchantes. Il ne s'arrête qu'à son troisième désir violent de goûter à son corps.

Obéissant aux frissons qui lui parcourent l'échine, il refait le même chemin de ses lèvres capricieuses et sa main oppressante enveloppe l'entrecuisses. Il porte son doigt à sa bouche, le mouille pour ne pas irriter la chair et porte sa caresse au clitoris. Elle ne bouge pas. Il ne s'éternise pas. Il sait que ce n'est pas la bonne façon. Alors c'est son majeur qu'il enveloppe de salive. Il dépose sa main sur le triangle, cherche la vulve, approche, délicatement, trouve l'entrée, écarte un peu les chairs et enfonce doucement le doigt pour que le pouce reste à hauteur du clitoris. Commence alors un mouvement de va-et-vient qui anime davantage le pouce que le doigt enfoui. Sa bouche attend sur le pubis, guette, et parfois, si nécessaire, noie la sécheresse.

Il n'écoute pas son poignet qui se meurt de fatigue. Il lui répond en accélérant le rythme et la pression. Imperceptiblement, les hanches commencent à bouger, puis se soulèvent, puis cherchent le pouce en tournoyant légèrement de bas en haut et de gauche à droite. Le second signal ne tardera pas. L'avant-bras de l'homme, son poignet, son pouce l'espèrent. La respiration de la femme augmente, augmente...

—Continue, continue, souffle-t-elle.

Là, il double le rythme et la pression; il écrase avec toute la force qu'il peut, bouge le pouce à droite et à gauche, craignant de briser, de déchirer, mais les hanches se lancent en avant à la recherche des doigts fouisseurs, cherchant une délivrance qui retarde. Un doigt pistonne, l'autre broie. Le féminin tressaille, ondoie, s'agite en soubresauts. Une longue plainte en jaillit:

—Ahhhhhhhhhh devient ensuite ohhhhhhhhhh puis se calme dans un. vfiouououououououou...

Alors seulement, il fait grâce à ses doigts. Sa main se retire laborieusement, un doigt mouillé d'un liquide clair, l'autre tenaillé à sa base par un mors d'acier, le poignet traversé par une crampe douloureuse. Il ne les masse que deux secondes de peur qu'elle ne sèche et il se dépêche de se coucher entre ses jambes pour la pénétrer. Il prend son pénis entre ses doigts, frotte son gland contre les chairs tièdes et se concentre sur un désir qu'il a ressenti dans l'avant-midi pour une collègue de Denise. La raideur vient, il s'introduit. Le gland lui brûle. Une idée fixe: l'éjaculation. Il a trop souvent échoué de rechercher le plaisir de cette manière.

Avec Nicole, il chevauche, trotte, s'arrête, passe au galop, revient au petit trot; le rythme varie, mais le désir et le plaisir augmentent parallèlement, sans se lâcher, comme deux skis sous des jambes expertes, et le sprint final est une avalanche qui dévale, tonne, envahit tout et ne laisse que le plaisir pur.

Mais là, il faut commencer dans un galop avancé et passer tout de suite au sprint; autrement, ce serait l'échec et la frustration. Il contracte son pénis, en fait une pompe à vide, prend de formidables élans, force le sperme à venir, vide. Et il se rejette à côté avant qu'elle ne le retienne sur elle.

Il ne parla point, se demandant pour la trentième fois comment elle pouvait supporter une telle sexualité: cette caresse épouvantable qu'elle l'avait amené à lui prodiguer et sans laquelle elle ne pouvait atteindre l'orgasme.

Trois fois, il lui a demandé de s'ouvrir à une autre forme de plaisir, d'embarquer dans une sexualité de participation, en lâchant ses obsessions masturbatoires, mais, chaque fois, elle lui a répondu qu'il lui faudrait du temps pour s'habituer à cette idée, lui rappelant qu'elle n'était pas mariée depuis dix ans. Après sept mois, elle n'a pas encore touché à son corps. Il n'ose lui dire qu'elle rate un convoi géant formé de don et de prise de possession, de reprises, de montée graduelle du désir, d'excitations mutuelles, de cris, de halètements, de torsions, de tortures, d'agressions douces, d'exubérance incroyable, de pleurs, de feux impossibles à endurer, de folie furieuse, de soulagement total· bref de plaisir légitime à deux. Il n'ose, car pour le faire, il devrait forcément parler d'une autre femme.

Pourquoi cette tiédeur ? Pourquoi ce torticolis du pouce et du pénis, ces masturbations hors-propos ? Elle ne devrait pourtant jeter qu'un simple "je veux" pour faire le pont entre le chemin désertique et le riche convoi. Qu'attend-elle donc pour vouloir ?

Toutes ces questions devraient finir par trouver leur réponse. le grand oui que toute femme désirant jouir vraiment, doit dire un jour. Il se dit qu'il lui parlerait discrètement, indirectement, par de petites revues françaises d'avant-garde mais dignes. En tout cas pour ceux qui croient que le sujet puisse être traité dignement, à découvert.

Elle n'aurait qu'à lire ces revues dont il soulignerait les passages importants pour leur vie sexuelle.

*

Sept des douze chaises étaient occupées par les membres du conseil de l'école polyvalente. Denise, Alain et trois autres professeurs avaient pris place un peu en retrait, près d'un rayon à demi-rempli de la bibliothèque.

—Cinq fumeurs sur sept, la partie sera dure, se dit Alain.

Pendant que la discussion portait sur des carences en matériel audio-visuel, il repassa un à un les arguments qu'il croyait susceptibles de toucher son auditoire. Il sortit de ses réflexions lorsque le président aborda la question.

—Quelqu'un a demandé que soit discuté le point suivant, à savoir: doit-on continuer de laisser fumer les étudiants à l'intérieur de l'école ? Je le soulève et le propose à vos commentaires et réflexions.

Il avait parlé sans se départir d'un léger sourire au coin des lèvres, palpant ses poches tout au long de ses phrases. À la fin, il trouva son paquet et s'alluma une cigarette.

Une petite bonne femme de religieuse, le sourire rigide, reculée sur sa chaise depuis le début, s'avança le corps vers la table et s'appuya les coudes.

—Laissons donc la parole à celui qui a suggéré que cette question soit débattue même s'il est pas membre du conseil. Je pense qu'on pourrait faire exception aujourd'hui et lui demander de se joindre à nous afin d'exposer ses idées, car, d'habitude, des idées, il en a...

Tous sourirent.

Le directeur qui avait gardé son menton dans sa main gauche, dans une position de bras croisés, laissa échapper un rire à deux éclats étouffés

—Des objections ? demanda distraitement le président

—Aucune ?... Alors si Alain Martel veut s'approcher de la table et se joindre à nous ? Nous sommes prêts à l'écouter

Et il consulta sa montre.

Alain approcha, toisa du regard les assistants. Il ne décela d'intérêt véritable que chez la religieuse. Pour débuter en douce, il dit:

—Pérorer sur les devoirs de notre tâche, il y aurait toujours matière à discussion donc à mésentente; mais je pense que cette question soulevée aujourd'hui fera l'unanimité puisqu'il s'agit de la santé de nos jeunes. Mon intervention vise d'abord à protéger les droits des non-fumeurs. Il faut faire disparaître cet encouragement à fumer dont sont l'objet de façon permanente les étudiants de cette école, et créer de multiples incitations à ne pas le faire...

Charles Goulet, sans lever les yeux, le visage sombre et pâle, maugréa:

–Je me demande de quelle façon les droits des non-fumeurs sont si mal protégés ici. Fume qui veut et s'abstient qui veut. Après tout, les étudiants fument pas dans les salles de cours.

–Le problème vient du fait que les non-fumeurs doivent souffrir la fumée des autres dans les locaux de récréation et que. .

Il fut interrompu par Goulet qui éleva le ton sans lever les yeux:

–Ceux qui sont pas contents ont qu'à passer leur récréation dehors.

–C'est pas à eux de le faire, c'est à ceux qui fument, protesta Alain

Goulet haussa les épaules et hocha la tête en même temps qu'il sortait son paquet de cigarettes dont il se servit pour faire, avec son autre main, un cornet sur sa bouche. Il chuchota à son voisin, mais assez fort pour qu'Alain puisse entendre:

–S'il veut mettre les fumeurs dehors aux récréations, il s'occupera lui-même de les faire sortir. On verra ben s'il réussira ou même s'il essaiera

Alain rétorqua:

–Faut la collaboration de tous et, pour ça, des décisions doivent être prises à cette table.

–Personnellement, dit Rouillard, je vois pas le tort fait aux non-fumeurs par la fumée, si c'est évidemment celui d'être incommodés Bien sûr, se faire boucaner est agréable pour personne...

Il troqua les mots pour une moue de contestation.

–Bon Dieu, Lucien, chaque semaine, des journaux ou des revues rapportent des résultats d'études sur la nocivité d'une atmosphère polluée par les émanations du tabac, autant pour les non-fumeurs que pour les fumeurs

–Soyons sérieux, Alain, et prenons pas pour l'évangile tout ce que rapportent les journaux et les revues. Mon grand-père a fumé jusqu'à l'âge de 92 ans et il est mort pour avoir trébuché sur de la glace... Et c'est pas un mégot de cigarette qui l'a fait tomber...

Cette répartie du directeur provoqua un rire unanime, bruyant

Alain perdit un peu contenance:

–Lucien, comment peux-tu me plâtrer avec un sophisme pareil ? .

–Sophisme, sophisme, c'est quoi, ça ? interrompit le président

–Ai-je besoin de citer tous les éléments nocifs contenus dans l'air vicié par la fumée du tabac ?

Alain ouvrit une chemise qu'il tenait dans ses mains. Rouillard dit·

–Fais-nous grâce de tes statistiques, Alain. Tout le monde sait ben que le tabac est mauvais pour la santé. Ceci dit, revenons les deux pieds sur terre et envisageons le problème sous son angle pratique. Penses-tu sérieusement qu'on puisse arriver demain matin devant douze cents gars et filles du secondaire et leur dire: à partir d'aujourd'hui, défendu de fumer à l'intérieur. Peux-tu seulement imaginer tous les problèmes, les protestations, les contestations ?

–Parole de démission, répondit Alain. À Montréal, y a sous terre une sorte de train mû par l'électricité et qui s'appelle métro...

–Change de ton, Alain, il nous arrive d'aller à Montréal, dit Rouillard en habillant son agacement d'un vague sourire.

–Mes excuses pour le sarcasme. Dans le métro circulent des milliers et des milliers d'adultes tous les jours, et personne ne fume là-dedans. Et vous croyez sincèrement que soixante-quinze enseignants qui le voudraient pourraient pas faire respecter une directive par douze cents étudiants ? On fait quoi ici?

–Alain, dit le président, les professeurs sont drôlement mal placés pour parler. La plupart fument. Et plusieurs pendant leurs cours.

–Ils devraient cesser pendant leurs cours, ce qui les empêcherait pas de fumer dans les bureaux. D'autre part, pourquoi ne se serviraient-ils pas de leur propre expérience en tabagisme pour prévenir les jeunes des inconvénients graves de cette habitude ? Prêcher par l'exemple veut pas nécessairement dire montrer une belle image de soi. Si je dis à mes étudiants: je fume, c'est là un esclavage de chaque jour, de chaque heure, qui me fait tousser, qui accélère mon rythme cardiaque, qui affaiblit ma résistance aux maladies, qui me coupe le souffle, qui diminue l'acuité de tous mes sens, qui peut m'amener cancer, emphysème, maladies cardio-vasculaires, qui me coûte une petite fortune et qui va peut-être réclamer sept années de ma vie, je suis aux prises avec ce problème, je voudrais m'en libérer et je vous déconseille fortement de vous y laisser entraîner, croyez-vous qu'ils me traiteront de fou de ne pas cesser de fumer ? Peut-être! Mais au moins, ils pourront dire: celui-là, il sait de quoi il parle. Et ils prendront conscience qu'il est pas facile de cesser, ce qui les incitera à pas commencer.

–Tu le faisais quand tu fumais toi-même ? demanda quelqu'un.

–Avec assez d'information sur le tabagisme, comme on en a tous maintenant, je l'ai fait régulièrement. Pis je crois que mes paroles avaient plus de poids. Dire aux étudiants les dommages causés par le tabac, même si on fume soi-même, est pas un aveu de faiblesse, bien au contraire.

–On a aucune pression sur la question de la part des parents, dit le principal-adjoint.

–Et après ? dit Alain. Les parents non-fumeurs sont pas conscients des dangers. Quant aux autres, ils font les autruches et disent: comment puis-je défendre à mes enfants ce que je fais moi-même ? Au-delà de l'apathie générale, l'école a des devoirs à remplir.

–Pour ma part, je trouve qu'on perd notre temps à discuter de ça, dit le président en consultant sa montre.

–Détails ? Pierre, si les droits des non-fumeurs ne te touchent pas, si leur santé te laisse indifférent, réagiras-tu à la question d'argent ? T'es pourtant généralement pointilleux là-dessus. Un jeune qui apprend à fumer ici va dépenser au bas mot vingt-cinq mille dollars dans sa vie de fumeur. Quel beau diplôme!

–Alain, si le coût de la vie est de vingt-cinq mille dollars par année comme prévu après l'an 2000, et qu'un fumeur écourte sa vie de sept ans comme tes études le prétendent, alors il économisera six fois vingt-cinq mille dollars soit cent cinquante mille dollars dans sa vie par rapport à un non-fumeur.

Tous s'esclaffèrent. Rouillard, jugeant le moment opportun, sortit son paquet de cigarettes et en offrit une à Alain en disant:

–Fais-nous plaisir, tire donc une bonne touche. Sais-tu, je vois mon paquet pis ça me rappelle que c'était justement ta marque!

L'adjoint dont les épaules sautaient de rire, ajouta:

–Mourir d'un cancer dans vingt-cinq ans pour avoir fumé à l'intérieur ou d'une pneumonie tout de suite à fumer dehors par nos grands froids .

De nouveaux éclats de rire fusèrent. Alain se leva Il se forgea un sourire, mais ne put contenir son amertume.

–Merci de m'avoir écouté. Il en restera peut-être quelque chose Je vous laisse à des sujets plus sérieux.

*

–Ding!

La minuterie annonça la fin du temps qu'Alain mettait chaque soir à parcourir six milles sur sa bicyclette fixe. Mais, depuis deux mois qu'il s'acharnait, la balance refusait obstinément de bouger et lui faisait lire le même maudit poids chaque matin.

Couvert de buée, suant à grosses gouttes, il mit sa tête sur son avant-bras, cherchant à retrouver son souffle Son rythme cardiaque se lisait sur ses tempes folles.

–A-t-on déjà vu un mois de mai aussi chaud et humide, viargini ?

–T'as toujours mal supporté la chaleur, lui dit Nicole

–Avec trente livres de merde en trop sur la carcasse.

–T'exagères tout de même un peu.

La fillette qui s'amusait avec des bonshommes de carton voulut renchérir:

–T'as l'air d'un gros cochon, papa.

Un rire de cristal jaillit en cascade de sa bouche d'enfant. Ses yeux brillants cherchaient dans ceux de son père une récompense à sa finesse.

Blessé dans son orgueil, atteint au plus vif, il dit avec mépris.

–Puisque t'es incapable de parler avec le peu de cervelle que le bon

Dieu t'a donné, va te reposer un peu dans ta chambre.

–Mais papa...

–Dans ta chambre et tout de suite.

La fillette s'accroupit pour ramasser ses bonshommes éparpillés

–Ta chambre et tout de suite.

L'enfant se releva et se dirigea vers sa chambre, les fesses serrées, jetant au passage de la cuisine un regard désemparé à sa mère.

–Je vais aller arranger ça, dit Nicole qui suivit l'enfant.

Elle laissa la porte ouverte et dit d'une voix douce, mais assez ferme pour qu'Alain puisse entendre:

–Patricia, on dit pas des choses pareilles à son papa.

La petite fille explosa en sanglots.

–Il a quelques livres de trop, mais c'est pas parce qu'il est paresseux Tu sais comme il travaille dans la vie pour nous deux. Il a beaucoup de misère tous les jours à pédaler sur sa bicyclette, il faut l'encourager et non lui dire des paroles blessantes.

–Je . je... je voulais pas... le faire fâcher.

–C'est que t'as pas assez réfléchi avant de parler. Couche-toi quinze minutes et maman va aller vous préparer un bon souper à tous les deux

–Est-ce que tu vas ramasser mes bonshommes ?

La mère se rendit à la salle de bain, mouilla une débarbouillette et retourna auprès de son mari dont elle épongea la figure et le corps. Elle chuchota:

–Tu tâcheras de la consoler au souper, elle a beaucoup de peine

–Y a tout de même des limites de se faire traiter de gros cochon par une enfant de huit ans. Qu'est-ce que ce sera quand elle en aura vingt ?

Nicole retourna à ses chaudrons. Lui se calma à l'écoute de *Hawaï Five-O*. Quand il s'approcha de la table, la petite était déjà là, tête basse, yeux bouffis, cœur gros.

–Si je t'ai fait pleurer, Patricia, c'est que tu m'as agressé avec ta parole irréfléchie. On agresse pas les autres, surtout ses parents, de cette manière. Suis pas un de tes copains de classe, moi, tu comprends ?

Les yeux rivés sur une tasse, bouche ramassée et projetée en avant, l'enfant jeta:

–Ouais !

Tout juste avant une cuillerée de soupe, Alain porta à sa bouche un morceau de pain beurré déchiré de sa tranche.

–D'après ta réponse, je me demande si tu vas comprendre, mais je vais essayer de t'expliquer quand même.

–Tu manges pas Patricia ?

–J'ai pas faim, dit sèchement l'enfant.

—Mange ta soupe, dit Alain sur un ton ferme.

Il se beurra une deuxième tranche de pain tout en parlant:

—On dit pas gros cochon à son papa quand il est en train de se crever à faire des exercices dans le but de maigrir. Ça, c'est une première chose...

—Mais papa, t'as dit toi-même que t'avais trente livres de... de . sur le dos, protesta-t-elle.

Il se rappela de son mot 'merde' et convint au fond de lui-même qu'il avait été trop dur envers elle Il se fit plus doux, presque suppliant

—La deuxième chose, c'est que ton papa est pas si gros que ça. Des hommes de trente ans de ma grandeur et qui pèsent plus de deux cents livres, il y en a... à la tonne. Après tout, je pèse que cent quatre-vingt-dix .

—Tu veux cette plaque de steak ou bien celle-ci ? demanda Nicole en montrant deux morceaux de viande.

—Donne-moi le gros, j'ai l'estomac creux. Tiens, je vais me reprendre un plat de soupe en attendant.

Il se servit, continuant à discourir à l'adresse de la gosse qui mangeait du bout des doigts.

—Un gros cochon, ça travaille pas, ça se laisse vivre et ça se laisse engraisser.

Il se prit une autre tranche de pain.

—À ton âge, c'est facile de parler, t'as pas de problèmes de poids, mais un jour, ce sera ton tour. Tu veux du beurre ?

L'enfant fit signe que non

—En plus que si j'étais un gros cochon, je fumerais encore comme un cochon.

Nicole activa le steak dans la poêle et jeta, en même temps qu'un sourire de coin:

—Merci pour tes bonnes paroles

Embarrassé, il dit:

—Toi, c'est moins pire, tu fumes rien qu'un paquet. Moi, je dépassais chaque jour les deux paquets. J'ai voulu dire que si j'ai réussi à cesser de fumer, j'arriverai ben à maigrir. Mon steak avance ?

—Il est prêt, je te l'apporte

Elle mit l'assiette sur la table et, tenant la poêle haute de l'autre main demanda:

—Encore de la sauce ?

—O K!

Elle vida le mélange de jus de viande, de beurre et de consommé sur le steak. Lui se servit ensuite une portion de purée de pommes de terre et en offrit du geste à la fillette.

–Je m'en prendrai moi-même, suis plus un bébé.

Il garnit son assiette de pois verts et entreprit de découper sa viande

–La semaine prochaine, je vais doubler la tension sur la bicyclette. À force de pédaler, je finirai ben par atteindre le gras.

–C'est dur pour le cœur ce que tu fais, dit Nicole.

–C'est sûr que c'est dur, mais c'est ce qu'il faut pour perdre du poids. Efforts, efforts... Pis c'est ben moins dur pour le cœur que fumer.

–Ton steak est à point ?

–Parfait !

–Un autre morceau ?

–Non, ça va, merci.

Il avait parlé la bouche pleine et sa réponse fut enterrée par le bruit du ventilateur de la hotte du poêle et du grésillement d'un autre steak.

–As-tu dit que t'en voulais encore ?

Il fit signe que non et dit, en consultant sa montre:

–Je me dépêche, une émission importante commence à la télé.

–Du shortcake aux fraises pour dessert, en prendras-tu ?

–Je commence à être plein. Pouah! avec tout l'exercice que je fais, je dois ben pouvoir me permettre un dessert de temps en temps. Je vais l'apporter devant la télé... Nicole j'ai calculé ça et je fais mon quarante minutes par jour: vingt de bicyclette, dix d'extenseurs, dix d'haltérophilie. Et cet été, je vais faire un peu de tennis...

*

–On lui a fait son curetage hier et elle est revenue à la maison dès ce midi. Elle avait si peur que je sorte seul pendant qu'elle serait à l'hôpital qu'elle a décidé elle-même de quitter avant son temps.

Il parlait par saccades, levant les mains du volant à chacune de ses phrases.

–Bon Dieu, des fois je me demande si elle a pas un sixième sens pour choisir les moments où m'encarcaner.

–Est-elle seule à la maison ? demanda Denise.

–Oui, mais elle a qu'à faire venir sa soeur qui reste à deux pas, ou encore sa mère. Mais je suis sûr qu'elle en fera rien et ça lui permettra de jouer au drame quand je rentrerai en fin de soirée.

–Il peut rien lui arriver de sérieux ?

–Absolument pas! Juste un curetage. Mais encore une fois, elle a trouvé un moyen de me culpabiliser. De toute façon, elle a le téléphone, elle pourra s'en servir en cas de besoin. Elle est pas une enfant; elle a trente ans.

–Aurait-il fallu que tu te sacrifies encore ?

–C'est ça! Elle en veut à ma liberté et prend tous les moyens qu'elle peut imaginer pour la briser, mais elle y arrivera pas, même si je passe pour un monstre. Elle avait qu'à être raisonnable et passer la nuit à l'hôpital comme prévu, mais non S'il fallait que son objet de mari parte à l'aventure !

–Pourquoi pas lui dire tout ça ? Pourquoi pas lui parler comme tu fais maintenant ? Les choses changeraient peut-être.

–Sincèrement, elle m'a tant poussé à bout que j'en suis à me demander si je suis intéressé à ce que les choses changent. Je t'en parlerai davantage plus tard. Pour le moment, oublions tout ça. Toi et moi, on est ensemble et on y va enfin à notre pièce de théâtre. Et à soir, pour moi, c'est tout ce qui compte.

–Ce serait merveilleux si on pouvait passer la nuit ensemble à Québec, après le théâtre ! soupira la jeune femme.

–Je sais ben, mais on peut tout de même pas dépasser certaines limites.

–Oh! je disais ça comme ça !.

Deux personnages de la pièce *La nuit des Rois* de Shakespeare accueillaient le public à l'entrée de la salle de présentation.

Si la façade de la bâtisse avait plongé Alain un siècle en arrière, cet accueil des acteurs aux accords du luth le dépaysa de trois siècles et demi. Il se laissa porter par l'évasion. Le chatouillement que lui causait la maladie de Nicole disparut vite.

Main dans la main, ils entrèrent dans le vieux théâtre du vieux Québec.

–On devrait venir plus souvent, lui souffla Denise quand ils furent assis

Il sourit.

–J'ai hâte de voir le personnage d'Olivia.

–À qui le dis-tu ?

–C'est dans le personnage d'avoir cet air snob que t'avais sur tes photos en Olivia ?

–Elle ne rit pas parce qu'elle est en deuil. Faut dire aussi qu'elle est d'un certain rang social...

–T'avais quel âge quand t'as joué ce rôle-là ? Dix-neuf ?

–Oui.

–Heureusement que t'es pas en deuil

–En deuil ? Mais je le suis souvent . De ta présence près de moi

Il lui chuchota à l'oreille:

–Je t'aime.

–Mais t'es pas là souvent !

–Je fais mon possible.

–T'en es sûr ?

–Je suis là ce soir ? Si j'avais écouté quelqu'un d'autre, *La nuit des rois* se déroulerait sans nous.

–Je t'approuve d'avoir tenu ton bout...

–Je veux pas la détruire, mais je veux pas qu'elle m'assassine non plus. Trop d'hommes se laissent étrangler par leur femme. J'espère que tu feras pas la même chose quand ce sera ton tour.

–Non, non, non, parce que le mariage, c'est pas pour moi.

–Tout le monde le dit, mais un jour ou l'autre, chacun se fait prendre et rares sont ceux qui s'en sauvent. Certains pensent y échapper parce qu'ils ont pas signé de contrat devant le curé et le notaire, mais ils se comportent exactement comme des gens mariés: chacun cherche à faire de l'autre son nounours.

Le rideau se leva. Alain put constater, à mesure que se déroulait la pièce, que l'amour n'avait pas changé ces quatre cents dernières années

À l'entracte, Denise lui demanda ses impressions.

–Pièce très plaisante à tous les points de vue, bien montée, bien interprétée..

Il réfléchit.

–Mais je suis sûr que tu devrais être meilleure dans le rôle d'Olivia, parce qu'avec tes talents de comédienne ..

Il lui adressa un clin d'œil malicieux.

–Dangereux talents chez une femme, renchérit-elle.

–Et naturels surtout! De sorte que ces pauvres hommes...

–Les femmes se défendent comme elles le peuvent

–Mais leurs armes de défense sont si efficaces qu'elles gagnent toutes les guerres. Pourtant, la faiblesse des hommes est si grande que les femmes auraient pas besoin d'ajouter la comédie à leur arsenal, tu trouves pas ?

–Même quand elles utilisent leurs armes pour construire ?

–Qui sait quand il construit, qui sait quand il détruit ? L'un va jamais sans l'autre.

–Tu philosophes, Alain. Shakespeare t'inspire ?

–C'est toi. C'est ton éclat de ce soir.

Il mit ses mains en cornet sur sa bouche et murmura à son oreille·

–J'ai observé toutes les femmes de la salle, t'es jalouse ?

Elle fit signe que oui et sourit.

–Pour me rendre compte que tu es la plus jolie de toutes

La pièce finit au-delà de minuit Deux heures de route les attendaient. Avant de traverser le fleuve Saint-Laurent, Denise s'exclama en soupirant:

–Si on pouvait donc finir la nuit ensemble !

Il prit sa main, la serra doucement et la porta à ses lèvres. Tout en parlant, il lui mordilla les doigts:

–On pourrait faire l'amour jusqu'à l'aube.

Elle renchérit avec chaleur:

–Et ensuite on pourrait dormir jusqu'à midi.

–Je vais y réfléchir, et arranger quelque chose une bonne fois.

Elle soupira, hésita, bougea

–Ça irait pas si tu rentrais chez toi que demain matin... Je veux dire avec ta femme ?

–Il vaudrait mieux pas, Denise, Nicole a tout de même subi un curetage et paraît que c'est assez dur pour une femme.

–C'est justement, elle doit dormir, tu penses pas ?

Il lui serra à nouveau la main.

–Une autre fois, c'est promis. La soirée ne fut-elle pas magnifique ?

Elle ne répondit pas.

Sitôt le pont de Québec franchi, la pluie se mit à tomber et, quelques milles plus loin, tourna en véritable déluge. Il fallut ralentir à trente milles à l'heure et faire travailler les essuie-glace à haute vitesse Ce genre d'orage, trop violent pour durer longtemps, lui était familier et, calmement, il tint la vitesse sur plusieurs milles d'affilée La pluie ne se lassait pourtant pas et tombait parfois si dru que le champ de vision devant l'auto se réduisait à une vingtaine de pieds.

Chacun des nombreux tournants tirait un long soupir à la jeune femme Elle finit par dire, lasse:

–Pourquoi pas nous arrêter pour laisser passer l'orage ?

–Ça donnerait rien: on roule depuis trois quarts d'heure et la pluie a pas lâché une minute.

–Mais tout de même !

–À cette vitesse, on n'arrivera pas avant trois heures et demie, alors imagine si on arrêtait une heure sans même savoir si la pluie diminuera

–Mais pourquoi es-tu si pressé de retourner chez toi ?

–Pressé ? Mais je vais à trente milles à l'heure. Par contre, il vaut mieux avancer qu'attendre sur le bord de la route.

–T'as plus d'attachement envers certaines personnes que tu le laisses paraître. Autrement, on prendrait une chambre dans le prochain motel

–Denise, t'es pas raisonnable. C'est tout de même un être humain qui m'attend à l'autre bout. Je devais pas céder au chantage de la maladie, mais, au-delà, y a la simple question humanitaire, et ça n'a rien à voir avec le sentiment. Je comprends ta réaction, mais de ton côté, tu dois comprendre que j'ai des devoirs à remplir.

–Évidemment, j'ai aucun droit sur toi !

–Elle non plus ni personne. Mais toute la liberté du monde me laissera toujours des devoirs à remplir. J'avais prévu retourner à la maison à deux heures et j'y serai pas avant quatre heures: c'est suffisant comme ça.

Denise retira sa main et ne parla plus sur une longue distance. Puis elle cassa la glace:

–Je m'excuse pour tout à l'heure, mais j'ai tant besoin de toi et je te sens tellement à une autre qu'il m'arrive de dire des bêtises Suis égoïste; je voudrais te garder pour moi toute seule.

–Donne-moi ta main et parle-moi de la pluie.

Triste, elle répondit:

–Surtout pas de la pluie !

–Alors de fleurs, d'enfants, de joie, de beauté. Tiens, maintenant que j'ai vu la pièce, dis-moi comment t'as vécu ta *Nuit des Rois* à l'époque.

*

Peu après quatre heures, il rentra chez lui Couchée sur le divan du salon, Nicole attendait. Elle ne dormait pas.

Il prit les devants:

–Qu'est-ce tu fais debout à une heure pareille ? Après ce que t'as subi, tu devrais dormir...

–Et toi, qu'est-ce que tu fais sur la route ?

–Encore des comptes à te rendre ? J'arrive de Québec

–Je le sais, tu me l'as répété pendant une semaine que tu allais te chercher de l'équipement pour ton système de son. Tu en as acheté beaucoup ?

–Y a rien de mieux à Québec qu'ici. Je me suis fait charroyer d'un côté et de l'autre et j'ai couru tous les magasins d'électronique de la ville, mais j'ai rien trouvé d'original par rapport à ce qu'on a par ici Faudra que j'aille à Montréal ou bien aux États-Unis.

–Tout ce voyage pour rien ?

–Je pouvais pas deviner d'avance.

–Finalement, en comptant que t'es reparti de Québec à la fermeture des magasins, il t'aura fallu sept heures pour revenir. Par chance que t'as pas passé droit, t'aurais pu te retrouver à Boston d'ici à un mois

–Écoute, fit-il impatient, je vais te faire mon rapport. Tout d'abord, t'as entendu l'orage...

–Oui, et ça dure depuis minuit.

–Dans la région de Québec, depuis plus longtemps. Suis sorti du dernier magasin passé neuf heures et je suis allé au restaurant d'où je suis sorti vers dix heures et demie. J'étais pas rendu au petit pont temporaire de St-Isidore que la pluie tombait terriblement. J'y suis arrivé aux environs de minuit, mais j'ai pas voulu traverser parce que l'eau passait par-dessus le tablier. Et j'étais pas le seul: toutes les autres voitures rebroussaient chemin aussi. J'ai donc fait plus de quatre-vingts milles à vingt milles à l'heure. La pluie a pas lâché de tout le trajet et ça tombait, tu peux me croire. Calcule tout ça et tu obtiendras le sept heures qu'il m'a fallu.

—Mais y a pourtant tout le long de la route des possibilités de téléphoner. Pourquoi ne m'as-tu pas appelée ? Juste pour me rassurer un peu. J'étais morte d'inquiétude... surtout dans mon état.

—Bon, bon! Fallait ben que je sois coupable de quelque chose, hein là ? Si tu me faisais davantage confiance, je t'aurais appelée. Que j'aurais donc aimé arriver à la maison et te trouver endormie! Pour une fois au moins! Mais non, tu m'attends pour scruter à la loupe mon emploi du temps.

Elle haussa le ton, mais sa faiblesse physique donna un air faussement autoritaire à sa voix:

—Je voudrais te voir à ma place, malade, ton conjoint parti pour Québec et ne rentrant que le lendemain matin avec, dehors, un orage pareil. Et pourtant, un simple coup de fil aurait pu arranger tout ça...

—D'accord, je suis coupable! La prochaine fois, j'appellerai. Asteur, viens te coucher et te reposer. On aura les idées plus claires demain et on en discutera.

Il se rendit à la salle de bain et fit sa toilette

Pantoufles traînantes, Nicole s'approcha lentement.

—Tu prends tous tes aises, Alain. Tu te prends pour un roi...

Il sortit son visage de la débarbouillette mouillée et se regarda dans le miroir. Avec une pointe de sadisme au coin de l'œil, il dit très haut·

—Parce que tu t'imagines, malgré tout ce que je t'ai raconté, que j'ai passé une *nuit de roi* ?...

*

Une auto passa sur la route. Ils ne s'en inquiétèrent pas. Ils s'étaient bien camouflés derrière un bouquet d'arbres. L'herbe avait poussé dans le tracé du petit chemin bordé de sapins balsamiques. Les amants s'y étaient étendus sur une couverture. Le soleil n'était que bon, que chaud, que doux; mais ni harassant, ni pesant. Pourtant, juillet avait plombé ces trois dernières semaines.

—D'accord, j'ai mes torts ! Mais ça change rien au fait qu'elle m'écœure chaque fois que je mets le nez dehors. Un homme finit par en avoir marre de se faire houspiller à propos de tout et de rien...

Le ton changea, devint plus résolu:

—Je vais me libérer de son agression perpétuelle.

—Que veux-tu dire ?

341

–Que j'ai pris de grosses décisions.

–Comme ?

–La séparation! D'ici deux ans. Je veux vivre libre. Pas comme un objet entre les mains d'une femme. Elle voudrait tout contrôler· mes gestes, mes sorties, mes pensées Quand ça n'est pas directement ou violemment, c'est subtilement et en douce. Mais son but est le même. Moi, je suis né pour la liberté.

Elle coupa:

–Tu vivras seul ?

–Pour un bout de temps, oui. Cependant, libre veut pas dire sans amour ou bien automatiquement seul. Si je rencontre une femme, toi ou une autre, qui sache vraiment respecter ma liberté, alors je ne ferme pas la porte à d'autres essais de vie à deux.

–Est-ce que tu serais plus sévère à mon égard ?

–Certainement! Tu connais, toi, les résultats de s'attaquer à la liberté d'un homme.

–Tu vas laisser ta maison ?

–Je vais ramasser du capital. J'ai une bonne équité sur ma maison, je vais l'hypothéquer et me mettre à la recherche d'une petite affaire. Et dans deux ans, je liquiderai tout. Je diviserai moitié moitié avec Nicole et on prendra chacun notre route.

–Ce sera moins facile que tu le penses... Je veux dire à cause des lois.

–Je divorcerai pas. Nos lois sont trop stupides. Imagine la farce plate: aujourd'hui, en 1973, faut que tu prouves que ton conjoint a commis l'adultère pour obtenir ton divorce. L'adultère· une pareille niaiserie généralisée... Cette chère justice cherche ses fondements dans des niaiseries .. Tiens, je pense qu'on s'est pas encore embrassés. Viens me voir.

Elle ne se fit pas prier et se colla à lui. Le visage éclatant, elle chanta:

–T'as vu les belles petites fleurs rouges près des sapins ?

–Ce sont des... des... Je le sais pas. Je sais rien, ni des fleurs ni de la forêt. Comment je pourrais savoir puisque j'ai passé toute ma jeunesse à l'école ? C'est leur beauté qui compte. C'est de savoir vibrer à elles comme je vibre à toi. Et ça, école ou pas école, c'est à notre portée.

Elle le prit dans ses bras et l'embrassa. Puis, soucieuse, elle s'enquit·

–Tu vas quitter la radio ?

–De toute façon, je végète en radio Ça vaut pas le coup· ni pour l'argent ni pour l'intérêt de l'emploi. Je prépare un rapport sur notre radiodiffusion et si rien ne bouge, je quitterai Suis fatigué de bourrer le public. Qu'on change une médiocrité par une autre, au moins on aura essayé.

Il réfléchit un moment et reprit:

—En enseignement, c'est pareil. On bourre les jeunes de connaissances qu'ils assimilent mal et le plus souvent inutiles. Y aurait tant de choses valables à leur communiquer. Je vais décrocher aussi du monde de l'enseignement.

Amusée, elle demanda:

—C'est le soleil qui te rend aussi noir aujourd'hui ? Si tu décroches de tout, tu vas t'accrocher à quoi ?

—L'entreprise privée. Être mon propre patron. Ne plus pouvoir m'en prendre à l'humanité si je suis malheureux. J'ai déjà essayé, mais j'étais pas assez mûr. Oh! tout sera pas parfait là non plus, mais, au moins, je serai pas une marionnette, encore moins un complice comme maintenant.

Elle hésita:

—Bien sûr, si... t'es pas heureux chez toi, devras-tu suivre... le chemin de ton cœur? Mais il te faudra une vie professionnelle. Et partout, y a du contre.

—Des chaînes partout, oui, mais je veux choisir les miennes. Pas me sentir forcé de me les mettre sur le dos. Vivre positivement. Tandis que maintenant, je sens qu'on m'assassine de tous côtés.

—Qu'est-ce qu'il adviendra de moi dans tout ça ?

—Toi et moi, on continuera, si tu le veux, d'être ce qu'on a toujours été un pour l'autre: un poème, une évasion, un épanouissement. Et si on en arrive à vivre ensemble un jour, ça voudra dire qu'on est vraiment faits l'un pour l'autre. Mais aucun des deux devra jamais étouffer l'autre...

—Je te jure que je t'étoufferai pas. Même si je t'écraserai souvent dans mes bras.

Allongés sur le dos, côte à côte, les yeux plissés par le soleil, chacun vibra à son rêve. Denise ne rompit le charme que longtemps après.

—Je t'ai toujours trouvé d'une extrême patience de vivre ce que tu vivais chez toi. Je me suis toujours demandé, et certaines de mes amies qui te connaissent aussi, comment tu faisais pour passer à travers tout ça.

—En tout cas, dix ans d'essai, ça suffit.

—En somme, t'as tout un programme à remplir d'ici deux ans· un commerce à créer, ton problème de ménage, quitter la radio et l'enseignement ..

—Et le milieu, dit-il. Faut trop s'identifier aux autres ici. Tu peux pas être marginal, être toi-même. Tu dois être une photocopie, que ça fasse ton affaire ou pas. Et ça m'intéresse pas. J'ai beau gueuler contre eux, les affubler de tous les noms, c'est pas à eux de se transformer parce que ça ferait mon affaire. C'est à moi de laisser tomber. La situation est aussi simple que ça. Je refuse l'absorption, donc je dois m'en aller.

–Tu trouves pas que tu mets les échéances courtes pour ton programme ?

–Il me faut longtemps pour prendre des décisions, mais quand c'est fait, j'avance.

–Mais si les choses tournent pas comme tu le prévois ? Par exemple, si ta femme changeait ses attitudes à la maison ?

–Je verrais. Mais c'est pas dangereux. Elle est malade de possessivité et je me demande si c'est une maladie curable chez une femme.

–Ma mère se demande où je m'en vais dans la vie.

–Et toi, ça t'inquiète ?

–Oh! non, suis trop amoureuse de ma liberté pour m'embarquer dans une relation étouffante comme le mariage ou...

–Nos idées se croisent! J'aurais voulu te connaître il y a dix ans !

–T'aurais ri.

Le soleil continua de leur envelopper le corps et d'engourdir leur esprit. Parfois une auto passait, discrètement, au loin...

–Paraît que t'es pas fameuse pour faire cuire un steak... dit-il beaucoup plus tard

*

Le téléphone sonna. Alain, mu par un pressentiment, répondit lui-même, ce qu'il faisait rarement quand Nicole était là.

–C'est Denise, dit la voix.

–Oui.

Son visage devint écarlate. Il savait qu'il balbutierait, dirait des choses bizarres, s'empêtrerait et mettrait ainsi Nicole sur la piste des soupçons. Et il ne voulait pas qu'elle apprenne maintenant qu'il avait une maîtresse. Il s'était donné une tâche à accomplir avant que le temps de la vérité n'arrive: il devait d'abord travailler à l'émancipation de sa femme. Il amènerait Nicole à vivre par elle-même, pour elle-même, au lieu de la laisser continuer à s'accrocher à sa queue de blouse comme il le disait. Denise ne devait donc pas l'appeler chez lui; il l'avait avertie de son incapacité de jouer la comédie. Mais cette fois, elle avait tout prévu.

–Réponds oui ou non. Tu m'as raconté cette semaine que t'avais un problème d'assurances. Alors dis à ta femme que ce sont les gens du bureau des assurances qui te demandent d'aller les voir Suis au garage pour l'achat de mon auto et j'aimerais que tu viennes.

–Que je m'y rende ?

–J'ai envie d'insister. J'aimerais tant que tu me donnes ton idée Pourrais-tu venir tout de suite ?

344

–C'est d'accord, j'y vais.

–Je t'attends.

Il raccrocha et dit à Nicole qu'il devait se rendre au bureau des assurances afin d'y régler l'affaire dont il lui avait parlé quelques jours plus tôt.

–J'espère que ça va s'arranger.

Il examina sans sourciller la voiture qui tentait Denise. Elle lui demanda ce qu'il en pensait.

–J'ai aucun conseil à te donner.

–J'ai voulu que tu viennes justement pour me donner ton avis, protesta-t-elle.

–C'est difficile. Je suis ni ton mari ni ton frère. Et le vendeur est là qui nous observe.

Elle s'inquiéta:

–T'as pas l'air d'aimer le modèle, hein ?

Il s'éloigna et lui fit signe de le suivre dans un coin en retrait où le vendeur se serait senti mal à l'aise de rester à leur écoute. Il dit à voix basse:

–Le modèle est ordinaire. C'est une excellente marque. Je fus le premier à te conseiller de t'acheter une auto pour que tu puisses te libérer de certaines servitudes, mais je crois que tu devrais attendre encore un peu. Dans à peine deux mois, les nouveaux modèles seront mis en vente et tu pourras économiser sur la dépréciation par rapport à celui-ci, et surtout, tu auras beaucoup de choix, tandis que celle-ci est la seule 1973 qu'il leur reste.

–Le vendeur affirme que les 74 seront plus chères.

–Ils le disent chaque année à ce temps-ci. C'est pour se débarrasser de ce qu'ils ont à écouler; comme ça, ils ont pas à rabattre le prix

Elle réfléchit un moment puis marcha, indécise, vers le vendeur Elle discuta un moment et revint trouver Alain.

–Il soutient que ça changera rien quant à la dépréciation si, au moment de l'échanger plus tard, je le fais au même temps de l'année.

–Alors il reste que la question de choix. En réalité, t'as pas le choix, c'est la seule. Tandis que dans deux mois...

–Donc tu la prendrais ?

–J'attendrais, mais c'est une question de goût J'aime ben quand y a plusieurs possibilités.

Il cligna de l'œil et sourit.

–Tu sais, mon père m'a conseillé de l'acheter, et comme c'est lui qui endosse mon emprunt. . .

–Mais bon, j'ai plus rien à dire Fais-lui plaisir. C'est sa marque C'est son garage. Il est ton endosseur. L'auto lui plaît. Et toi, t'as envie de l'acheter. Que te faut-il de plus ?

—Puisque t'es d'accord, je me décide. Il me faudra bien une demi-heure pour régler tout ça. Veux-tu m'attendre ? J'aurais à te parler de quelque chose d'important.

—Je serai dans mon auto, à l'autre bout du stationnement.

Elle le rejoignit un peu plus tard.

—Heureuse ?

—Aux oiseaux... pour l'auto...

Elle devint songeuse.

—Parce qu'il y a autre chose ?

—Ah ! ça me déprime tellement, cette histoire-là!

—Tu m'inquiètes. Ça nous concerne ?

Elle soupira:

—Malheureusement oui !

—Dis-moi vite, je me sens mal à l'aise.

—Ma mère a reçu un coup de téléphone anonyme. Quelqu'un, une femme, lui a parlé de moi. Ma pauvre mère qui a pas le cœur trop fort d'avance, a failli en mourir.

Il leva les bras et hocha la tête en signe de désespoir et de rage.

—Mais pour lui dire quoi, bon Dieu ?

—Ben des choses déplaisantes. Tu connais la mentalité de mes parents: pas besoin de leur en dire trop pour qu'il se désespèrent.

—Quelles choses ?

—De voir à s'occuper de leur fille, la coureuse de maris Que je devrais sortir avec des célibataires et . laisser les hommes mariés tranquilles...

—Une commère du village!

—Non, c'était une jeune femme... enfin, d'après la voix. Et probablement d'ailleurs que de Beauceville puisqu'elle a parlé de professeurs.

—D'après toi, quelqu'un de St-Georges ou de St-Martin ?

Elle fit une moue de semi-approbation.

—J'ai ben hésité avant de t'en parler. Je sais ce que tu penses de ces appels.

—Ça me fait vomir.

—Je me demande qui ça peut être ?

—Inutile de chercher l'aiguille dans la botte de foin.

—Quant à ça, t'as raison.

La jeune femme passa un doigt sur le dessus du tableau de bord et dessina un cœur dans la poussière.

—T'es un gros paresseux qui prend pas soin de son auto.

—C'est qu'on va souvent sur des routes pas pavées et que l'auto, tout comme moi, commence à vieillir.

—Pour en revenir à l'appel, il doit sûrement s'agir de quelqu'un qui nous a vus ensemble jeudi soir... ou encore qui savait...

—Personne nous a vus...

—Tu trouves pas ça curieux, un appel comme celui-là, soudainement, en plein vendredi avant-midi ? Crois-tu que c'est n'importe qui ? fit-elle en détruisant le cœur de poussière.

—Quant à ça... Je connais assez les gens pour savoir qu'il a fallu à quelqu'un un motif tout chaud, tout récent pour poser un tel geste

Il réfléchit un moment.

—Tes idées sur les rencontres hommes-femmes étant assez libérales, t'aurais-pas parlé quelque part à un homme, comme tu m'as raconté que tu le faisais parfois dans les restaurants ou ailleurs, dont la femme aurait pas trop appré...

Elle l'interrompit:

—Alain, y a absolument rien eu de ce genre ces derniers temps.

—La femme d'un des profs avec qui tu voyages depuis l'école à chez toi ?

—Impossible, je leur ai souvent parlé au téléphone, ma mère aussi. Aucune d'elles aurait pris un tel risque; d'autant qu'elles ont aucune raison de le faire... Si tu voyais comment je traite leurs maris...

—Je vois pas beaucoup de solutions... À moins qu'il s'agisse d'une de tes propres amies, un peu jalouse sur les bords... On sait jamais, ça s'est déjà vu, des choses comme ça.

—Tu penses à Gaétane ou Aline ou Ginette ? Pauvre Alain, si tu les connaissais comme je les connais...

—On connaît jamais les profondeurs de l'âme humaine

Elle secoua la tête et dit d'un ton résolu:

—Aucune possibilité, je t'en donne ma parole Je mettrais ma main au feu...

—Je nage en plein mystère.

—Mais... de ton côté... je veux dire...

Il l'interrompit:

—Tu penses qu'il faudrait que je cherche autour de moi ?

—Peut-être, dit-elle, désolée.

Il réfléchit un long moment, puis regarda Denise au fond des yeux

—Je crois que j'ai trouvé.

Son visage s'éclaira, mais celui de la jeune fille resta impassible

—Ça peut être que la petite secrétaire qui travaille avec moi à la station de radio. Premièrement, elle te connaît pour t'avoir vue souvent avec moi là-bas; deuxièmement, elle me court après depuis longtemps; troisièmement, jeudi, quand on s'est parlé au téléphone, quelqu'un a décroché quelque part dans un des bureaux. C'est donc elle. Et crois-moi, la petite est ben capable de ça.

Denise hocha négativement la tête et fit une moue incrédule.

—Ça me surprendrait beaucoup!

—Mais qui veux-tu que ce soit d'autre ?

Elle pencha la tête et tira sur un petit fil qui sortait du dossier de la banquette.

—T'es absolument certain qu'il peut pas s'agir de quelqu'un de ta parenté ?

—Mais qui veux-tu que ce soit ? Aucune de mes belles-sœurs sait qu'on se voit... Ah! tu voudrais dire Nicole ?

—Non... oui... tout à coup..

—Nicole est bourrée de défauts, mais elle ferait jamais une chose pareille. Et d'ailleurs, j'avais même pas pensé à elle. Elle est violente parfois, mais c'est à moi qu'elle s'en prend D'autre part, elle a trop souffert d'appels anonymes elle-même. Finalement, elle se doute de rien à notre sujet. Elle croit ou veut croire, et je l'encourage à le faire, que je joue aux cartes le jeudi soir, comme je le faisais au début de notre mariage. Et pour coiffer tout ça, je te jure que j'aurais décelé quelque chose dans son attitude jeudi soir. Quand je suis arrivé, elle a un peu rechigné, mais elle a pas tardé à s'endormir.

—Je disais ça comme ça! Mais si t'es sûr d'elle...

—Comme tu m'as dit tout à l'heure pour tes amies: aucune possibilité et je mettrais ma tête à couper.

—Dans ce cas

Elle cessa de jouer avec le fil tiré et jeta un coup d'œil vers la vitrine du garage où l'on s'affairait autour de sa nouvelle auto

—J'aurai pas ma voiture avant demain. Ils doivent la préparer; pourras-tu me reconduire chez moi tout à l'heure ?

—Bonne idée; j'aimerais ben en parler à ta mère de cet appel anonyme.

Elle hocha brusquement la tête, le visage horrifié:

—Es-tu fou ? Tu veux la faire mourir ou quoi ? Avec toutes ses questions d'hier soir, y aura plus aucun doute dans son esprit à notre sujet.

—Elle sait pas qu'on se voit souvent ?

—De là à savoir qu'on est des amants

—À vingt-quatre ans, t'as encore des comptes à rendre à tes parents ?

—C'est que je reste encore à la maison...

—Faudra que tu te prennes un appart. Des parents, tu sais . Ils voudraient tout régler dans la vie de leurs enfants, jusqu'à leur mort. Et, malheureusement, les enfants ont tendance à rechercher, auprès d'eux, même dans les reproches, une sorte de sécurité rarement épanouissante. Comme s'ils avaient besoin de l'approbation du passé pour bâtir leur futur... Je m'éloigne du sujet, mais ne pourrais-tu pas lui poser toi-même quelques questions quant à l'appel ?

—Elle m'a tout dit et je tiens pas à aborder à nouveau le sujet avec elle, cela l'affecte trop.

Il s'exclama, impuissant.

—Ah! les larmes des parents: chantage!

Il hésita un moment, puis, comme s'il se libérait de quelque chose, lança:

—Pouah! cherchons plus! Le mal est fait. . On nous a rendu service. À l'avenir, on sera doublement prudents

Elle redevint songeuse.

—Ce qui me chicote, vois-tu, c'est l'heure de l'appel. Si c'était la secrétaire qui travaille avec toi, pourquoi elle aurait pas appelé dès jeudi soir ? Pourquoi attendre vendredi avant-midi ?

—Vers quelle heure ?

—Tout près de dix heures.

—Je reviens à Nicole: elle aussi aurait appelé dès jeudi soir si elle avait su quelque chose pour nous deux. Et elle serait pas allée à Québec vendredi. Tiens, ça me fait penser que vendredi avant-midi, elle était en pleine classe à Québec, ce qui rend plus certain encore le fait qu'elle ne soit pas l'auteur de l'appel.

—Pas que je veuille insister, Alain, mais il est plus facile encore d'appeler depuis Québec.

—Pour régler la question, je vais te décrire le scénario de ce qui se serait produit si Nicole avait su qu'on sortait ensemble jeudi. En supposant qu'elle n'ait pas réagi sur le coup, ce qui est fort peu probable, elle serait restée à la maison, aurait pas fait un pouce de travail sur cette robe de mariée qu'elle est en train de créer et qui l'absorbe à cent pour cent, aurait fumé trois paquets de cigarettes, bu une demi-bouteille de vodka et m'aurait attendu, en robe de chambre, cheveux raides, assise à l'indienne dans la cuisine, pour m'agresser une partie de la nuit suivante...

Il se mit en position de conduire et sortit son trousseau de clefs.

—La solution est simplement du côté de la secrétaire de la station de radio, car tout concorde...

—Si tu penses, fit Denise dubitativement.

***

349

Chapitre 17

1974

Il termina son étude vers la fin de l'année 1973 et il en soumit un exemplaire à chacun des deux nouveaux directeurs de la station de radio.

Ceux-ci n'avaient pas voulu rompre avec la tradition de leurs prédécesseurs et avaient tenu à donner une réception à leurs employés à l'occasion de la Noël. Pour démontrer que l'administration, désormais, serait différente, ils avaient teinté la fête d'une allure démocratique grâce à un laïus où chacun avait insisté sur la collaboration que la nouvelle direction voulait très étroite avec les employés, et par lequel également, ils se déclaraient ouverts à toutes les suggestions pertinentes.

Alain avait ri sous cape à ce discours, se disant que les nouveaux directeurs seraient pris au mot et devraient prouver leur ouverture d'esprit, car son étude apportait des jugements sévères sur l'ancienne direction. Elle démontrait, preuves à l'appui, que la station de radio offrait bien moins au public que d'autres comparables au Québec. Au-delà de ces critiques, l'analyse comportait une série de propositions pour bonifier la radiodiffusion.

Après avoir relu une dernière fois son texte final, il se l'était mentalement résumé:

—Ramassez les profits, mais faites appel à la créativité du public, celle de la jeunesse surtout.

Un mois plus tard, il fut convoqué au bureau d'un des patrons L'homme lui serra la main et le remercia de l'intérêt qu'il portait à la radiodiffusion. Il lui dit d'un ton fortement désolé qu'une étude des chiffres de l'année 1973 démontrait que l'accent à court terme, soit en 1974, ne devait porter que sur l'augmentation des ventes. Habitué depuis cinq ans à cette chanson sur les impératifs budgétaires, le jeune homme se contenta d'un sourire paternel.

L'autre y alla de quelques commentaires sur le document soumis, le jugeant hautement intéressant, mais peu réaliste. Alain lui dit regretter de constater que tout naissait toujours quelque part ailleurs et déplora en termes généraux le manque d'audace d'ici. L'entrevue prit fin sur l'annonce de changements lourds dans l'horaire de travail d'Alain, ce qui ne diminuerait pas son salaire, mais l'empêcherait de remplir des engagements de disco.

Ou ramper ou démissionner, ce qu'il fit le lendemain.

Il téléphona à Denise et lui annonça la nouvelle.

Le jour suivant, elle lui dit qu'elle en avait été affectée au point de pleurer une partie de la soirée.

*

Au printemps, Alain vendit sa discomobile et se mit en quête d'un commerce. Un agent immobilier lui proposa un restaurant-bar, situé sur la grande route, en dehors de la ville. Casse-croûte au départ, la bâtisse avait subi de nombreux agrandissements pour devenir un ramassis de recoins. Équipements âgés, aménagements mauvais, endroit malpropre

Il ne s'arrêta qu'aux avantages: situation stratégique pour le tourisme américain, immense terrain, investissements raisonnables. Mais, d'abord, l'endroit lui permettrait de s'évader de ses prisons: le foyer et ses servitudes, l'enseignement et ses habitudes, le milieu et ses contraintes.

À sa visite du lieu, il prévit des aménagements, rêva d'agrandissements. Mais ne remarqua pas qu'au-delà des problèmes de nettoyage et d'équipement, risquaient de lui donner des maux de tête: plomberie, électricité, climatisation, toit, isolation, système de chauffage, égouts (et odeurs), cour (drainage), approvisionnement en eau potable et, suite logique, financement et liquidité.

Les difficultés d'organisation doublèrent de son peu de talent dans sa façon d'acheter. Il se vit vendre des équipements peu fonctionnels, trop dispendieux pour les besoins et à prix fort. Il rencontra dans tous les domaines des profiteurs pressés à lui vendre et peu enclins à le guider raisonnablement. Il se fiait au sérieux des marchands, abdiquant trop souvent sa propre responsabilité décisionnelle.

Quelques semaines après l'ouverture sous son administration, la prise de conscience fut brutale, qui blessa sérieusement son amour-propre.

Un soir que la clientèle se faisait rare, il entendit quelqu'un s'amuser avec une voiture dans la cour Un des clients réguliers du bar, réglé comme une horloge, venait tous les lundis, mardis et mercredis engloutir deux Bloody Mary et se vider des agressions de la journée, subies chez lui et à son travail.

L'homme gris entra en chantonnant selon son habitude, car sa tournée des grands ducs incluait plusieurs autres bars avant celui-là Quand il fut devant son verre plein, il raconta comment il avait montré, ce jour-là, à son patron et à sa femme de quel bois il se chauffait.

À l'écoute de ce client type des bars de la région et des autres rats de stools comme il les désignait, Alain découvrait de jour en jour, de plus en plus, son peu d'affinité pour le métier de barman.

Depuis qu'il lui parlait, l'homme ne cessait de le désigner sous le nom de monsieur Douglas. Les jours précédents, il l'avait appelé l'homme aux larges épaules. Un autre soir, le jeune cousin.

—Je vous rappelle un certain monsieur Douglas ? dit Alain pour alimenter la conversation et savoir quelle intention se cachait derrière ce nouveau sobriquet dont l'homme l'affublait

L'autre semblait attendre la question. Comme s'il y avait réfléchi depuis longtemps, il répondit:

—Le monsieur Douglas à la télévision. Vous avez l'air plus intellectuel que barman. Mais c'est surtout d'avoir acheté pareille bâtisse et d'y mettre autant d'équipement. Les vendeurs vous appellent monsieur Douglas.

Alain essaya de se composer un sourire. Il était tiraillé entre le respect du client et son envie de l'assommer.

—C'est pas plutôt vous qui avez cette opinion ?

L'homme se mit à chantonner et détourna la conversation. Il ne revint pas sur le sujet malgré toutes les tentatives de l'autre. Et quitta en disant:

—Bonsoir monsieur Douglas.

Le nouveau restaurateur chassa les paroles de ce vieux frustré Sans cesse pourtant, elles revenaient harceler son esprit. Aussi, dans les jours qui suivirent, fit-il une étude de rentabilité. Il songea à chaque pièce d'équipement dont plusieurs avaient été achetées à l'aveugle. Force lui fut de constater que l'aventure du bar s'avérait fort dangereuse et qu'il risquait d'y engloutir toutes ses économies plus l'équité de sa maison, donc de perdre tous ses efforts d'épargne des dernières années.

La seule solution logique lui parut d'avancer. Avec beaucoup de précautions et en redoublant d'efforts, mais d'avancer.

Il prit diverses décisions. Lui-même s'occuperait à l'avenir de tout ce qui touchait l'entretien et les réparations. Il ignorait tout de l'électricité, mais il apprendrait. Il en connaissait peu en construction, mais se ferait guider par un vieil oncle, ouvrier retiré qui, moyennant repas copieux et bière abondante, lui enseignerait sur place. Il demanderait à Nicole de suspendre temporairement ses cours pour prendre en charge la bonne marche du restaurant, économisant ainsi un salaire. À cours de capital, il miserait sur son bon crédit auprès des fournisseurs et sur leur désir de faire de bons profits à ses dépens afin d'obtenir tout le matériel nécessaire à la construction d'un agrandissement qu'il estimait devoir le sauver. Cette expansion lui permettrait de transformer son bar en discothèque, la première de la ville, espérée par bien des gens depuis long-temps. De plus, il changerait automatiquement de clientèle, se débarras-sant de ses rats de stools méprisants et méprisés.

Il se donna un mois pour l'exécution du plan et ferma les lieux pour agrandir. L'année scolaire s'achevant, il pourrait y travailler plein temps

*

Nicole sursauta.

—Pas question que je suspende mes cours pour travailler dans ta cabane.

Il haussa les épaules et fit une moue de résignation.

—Je ne puis m'en sortir... nous en sortir autrement

—T'as fait à ta tête comme d'habitude et tu l'as acheté ton bar, dé-brouille-toi avec.

—Comme tu l'entendras. Note que je pourrai pas continuer à payer tes cours et que je devrai reprendre en charge le budget de la maison.

De négatif qu'il était, le ton devint résolu et Nicole dit.

—Je ne peux laisser tomber mes cours au moment où je les achève.

—Fais-moi rire. Un an, me disais-tu, la première année. Ensuite j'ai compris ton désir d'une seconde année. Perfectionnement, soutenais-tu. Pour je ne sais quelle raison, t'as fait une troisième année et voilà que tu rôdes autour du pot depuis quelque temps, en parlant d'une éven-tuelle quatrième année. Des cours ou un abonnement à vie ? La femme aussi a ses responsabilités au niveau des revenus de famille; à ce mo-ment-ci, sans ta collaboration, pas ton aide, ta collaboration, on passera pas et on risque de perdre ce qu'il nous a fallu si longtemps à gagner

—Pourquoi l'as-tu achetée, ta baraque ?

Il leva la toile de la cuisine et regarda au loin, quelque part, dans la nuit

—Ça sert à rien de pleurer là-dessus; ceux qui font jamais rien font jamais d'erreurs. L'avenir, c'est demain. Il nous faut non seulement ré-parer les pots cassés, mais les tourner à notre avantage et pour ça, je dois être plus rigide envers tout le monde, y compris toi.

Elle commença à pleurer.

—Je fondais tant d'espoir sur mes cours.

—Pour sauver la barque, faut que toi aussi, tu rames. T'es ni malade ni infirme ? En ce cas, fais ta part. Quand je pourrai ramer seul à nou-veau, tu reprendras tes études.

—Dis ce que tu voudras, je laisserai pas tomber mes cours.

Cette objection lui parut davantage une question. Il se dit que Ni-cole avait besoin de sentir qu'elle n'avait pas le choix.

—Ce sont pas tant les cours qui te tracassent que le travail au restau-rant...

—Alain Martel, je perds pas mon temps dans la vie.

—Tu travailles, oui, mais tes efforts portent pas sur les bonnes choses au bon moment. T'es mal synchronisée. Au lieu de passer des journées à coudre des créations pour Patricia ou à ébouillanter des légumes ou à frotter ta verrerie, tu vas mettre tout ça en veilleuse et venir m'aider à sauver le bateau.

Il retourna s'asseoir derrière la table ronde, juste devant sa femme et lui dit tout doucement mais fermement:

—Ton problème, c'est celui de ben des femmes qui s'emplâtrent à couver la maison. Elles en viennent à plus vouloir sortir, sinon pour s'occuper aux mêmes ritournelles chaque semaine. Je crois que plusieurs vont jusqu'à vouloir un enfant pour s'éviter de sortir du foyer Tu sais, couver la maison trop d'années est pas bon pour la santé mentale. J'aimerais ben l'essayer un jour...

—Mais justement, je vas à Québec chaque semaine ..

—Une ritournelle.

—Qu'est-ce qui est pas une ritournelle pour toi ?

—Une vie professionnelle, des défis à relever, des organisations à s'occuper, du monde à rencontrer, des études à plein temps et quoi encore. Il est mauvais de passer tout son temps dans un même milieu de vie. Ah! c'est un piège qui invite à la facilité Les maîtresses de maison en viennent à avoir peur du monde extérieur . Pas toutes, mais plusieurs. Et elles se cimentent dans des habitudes.

—Dans les familles normales où y a des enfants .

Il l'interrompit·

—Tiens, encore le paravent qui apparaît.

Il leva les bras au ciel.

—Nicole, tu te cacheras pas encore...

Il ramena ses mains sur la table.

—De toute façon, t'auras plus à te cacher derrière cette excuse-là parce qu'on n'aura pas d'autres enfants. J'ai réfléchi pendant des années à la question et je sais asteur que j'en veux plus.

—Mais les autres en ont tous deux ou plus !

—Au diable les gens je suis moi Et pour moi, c'est un enfant La règle là-dessus, c'est le libre choix individuel, pas la mode Aux raisons que je t'ai déjà données ajoutée celle-ci. Comme on peut pas présumer de l'avenir en tant que couple, qu'un autre enfant nous condamnerait à vivre au moins seize ans ensemble, je préfère laisser à d'autres... Si à vingt ans, je pouvais décider pour ma vie, à trente-deux ans, j'en suis incapable.

La jeune femme se fit ironique:

—Par chance que Patricia a que dix ans, ça nous laisse six ans de répit avant le divorce.

–Patricia est venue à une époque où c'est la vie qui décidait à notre place. Je pense que t'en veux un autre comme chaîne de sécurité à me mettre...

Triste, elle laissa tomber:

–De toute façon, c'est ton choix, pas notre choix.

–Ton choix de maternité devrait-il l'emporter sur mon choix de non-paternité ?

–T'as l'air peu sûr du lendemain en ce qui nous concerne ?

–Un mariage doit être repensé chaque cinq ans pis quand les échelles de valeurs correspondent plus, les partenaires ont le droit et le devoir de se quitter.

–Et la cinquième année, pour toi, c'est cette année ?

–Tant de choses dépendent pas de moi.

–Comme le fait que j'aille ou non travailler à ton bar ?

–Celui-là et ben d'autres

*

Résolue d'attendre pour connaître le prochain geste de son mari, Nicole n'annonça aucune décision. Il devina qu'elle avait parlé à sa mère et à ses sœurs et que leur verdict avait été négatif. Il résolut d'attendre lui aussi.

Un après-midi qu'il travaillait seul dans son agrandissement, il reçut un appel de sa maîtresse qu'il invita à venir le retrouver. Il lui indiqua un endroit où cacher sa voiture, pas loin du restaurant.

Quand elle fut à l'intérieur, il verrouilla toutes les portes. Il lui faisait voir ses travaux lorsqu'arriva une auto dans la grande cour avant À l'instant même, il ne s'inquiéta pas, mais quand des voix féminines lui parvinrent à travers la porte, il eut un pressentiment qu'il s'agissait de Nicole et de sa sœur. Il demanda à Denise de sortir par la porte arrière et de l'attendre dehors au cas où.

Pour donner le change, il frappa du marteau à deux reprises avant d'aller répondre aux coups répétés frappés à la porte avant. Il déverrouilla: c'était Nicole, sa mère et sa sœur. Alors il multiplia les sourires gauches et les gestes incohérents, ce qui eut l'heur de mettre la puce à l'oreille aux trois femmes.

Elles achevaient de visiter le bar quand Alain pensa que Denise avait dû malencontreusement laisser sa veste dans la cuisine. Il ne se souvenait pas qu'elle l'ait prise en sortant. Il ne trouva rien de mieux à dire qu'il avait oublié d'éteindre un rond du poêle. Et se rendit précipitamment à la cuisine. Il empoigna la veste qu'il jeta par la porte arrière Denise n'était plus là. Il referma.

Nicole arrivait

–J'y pense, dit-il gauchement, faut absolument que j'aille acheter du matériel de plomberie avant que la quincaillerie ferme. Oublie pas de déclencher le loquet de la porte en quittant; je serai de retour dans une heure.

Il sortit en hâte, monta dans sa voiture et fit le tour de la bâtisse. Jetant des regards furtifs vers le restaurant, il ramassa la veste et s'en fut retrouver Denise à quelque distance à l'abri d'arbres fournis.

*

La table était dressée. Les assiettes remplies attendaient dans le four ajusté à température de réchaud.

—T'es en retard pour le souper, dit Nicole quand son mari entra.

—Fallait que je finisse de réparer la pompe, répondit-il sans lever les yeux.

Il fila tout droit à la salle de bains où il se lava discrètement la figure, les mains et les dents. En fait, il étirait le temps et sifflotait.

—Comme d'habitude, t'as oublié d'appeler.

—J'étais à quatre pattes sous la bâtisse à travailler sur une pompe à l'eau et dans ces moments-là, on prend pas le temps de téléphoner. J'ai autre chose à faire de ma vie que de la perdre au téléphone. .

Cette allusion la piqua au vif:

—T'as pas vu trop de rats?... Vu que c'est pas trop propre dans cette bâtisse-là.

—Si les rats rôdent encore là-bas, alors il y en a à foison dans toutes les bâtisses de la ville. Tout a été nettoyé de fond en comble, au pouce carré, dératisé, désinfecté. Il nous a fallu je ne sais combien de jours pour faire le tour, et d'ailleurs, tu le sais très bien.

Nicole ne répondit pas sur le coup. Elle attendit qu'il vienne prendre sa place à la table pour rengager la conversation.

—Je pensais qu'il pouvait rester des coins capables d'attirer les rats étant donné qu'il y en avait un avec toi aujourd'hui. Pour dire la vérité, c'était un rat femelle... Les rates sont peut-être moins sensibles aux désinfectants.

Elle avait parlé sur un ton plus que désinvolte, presque amusé.

Alain prit son souffle, durcit ses traits de figure et questionna

—Que veux-tu dire par là ?

—Y avait une femme avec toi au restaurant cet après-midi. Pas une cliente puisque c'est fermé. À moins que tu lui aies servi une bouteille de colle à tapis. Les rats mangent n'importe quoi.

—Une femme ? Y en avait même trois.

—Avant notre arrivée.

Il haussa les épaules. Elle sourit:

—Ce que tu peux être hypocrite !

—Moi hypocrite ? C'est qu'il faut pas entendre ? C'est le seul défaut que tu me prêtais pas encore.

–T'avais l'auto et tu t'es pas méfié. Tu sais ben que j'aime pas mettre les pieds à ton restaurant. Et tu t'es fait prendre.

–Et qu'est-ce qui te fait croire ça ?

Elle s'appuya les deux mains sur le dossier d'une chaise et le dévisagea·

–Peux-tu me dire en pleine face que t'étais seul ? J'aimerais par ta réponse, savoir à qui j'ai affaire.

Il pensa très vite:

"Ou bien elle sait avec certitude et je fais mieux d'avouer ou bien elle n'a qu'un doute et je ferais mieux de nier catégoriquement."

Il n'eut pas le temps de peser le pour et le contre.

–Réponds ! Seul ou non ?

–Si je te dis que j'étais seul, est-ce que ça fera passer ton doute ? Certainement pas! Ce qui veut dire que pour moi, y a aucune issue suis condamné d'avance. Ton idée est déjà faite.

–Alain Martel, pas de détours. Étais-tu seul, oui ou non ?

–À quoi ça servirait

–Oui ou non ?

Il devait risquer·

–J'étais seul au restaurant cet après-midi.

Elle reprit avec morgue:

–C'est tout ce que je voulais savoir.

–Tu vois, je te l'avais ben dit que ma réponse ne réussirait pas à te convaincre. Ton problème: t'es maso.

Elle recula une chaise et s'assit à la table pour dire:

–Ton problème, il courait vite derrière le bar après-midi.

Il sentit une chaleur lui monter derrière la nuque.

–Ça veut dire ?

–Que ta petite amie a les jambes longues. Essaie pas . ma sœur l'a vue s'enfuir effarouchéc.

–Ta petite vache de sœur cherche à mettre du trouble...

–Si je t'avais pas vu ramasser la veste derrière le restaurant   O.K. mon petit gars ? Bon dis-moi encore en pleine face que t'étais seul.

–Que veux-tu que je te dise ?

–Si t'as une maîtresse, il est temps que je le sache pour pouvoir organiser ma vie en conséquence

–Une maîtresse ? Une maîtresse ? Mais t'as perdu l'esprit ou quoi ? Ah! mais je vois tout venir: je vais passer pour en avoir une Jalousie des jalousies Et tu te fais crinquer par la parenté.

Il commença à manger en mastiquant vigoureusement, satisfait de sa contre-attaque.

–Si je suis encore à te demander des explications, c'est parce que je peux me faire une idée par moi-même. Écouter les autres, je serais chez un avocat à l'heure qu'il est.

Il laissa tomber ses ustensiles et croisa les mains sur sa bouche

–Dans ce cas, je vais mettre les cartes sur table.

–Toutes les cartes ?

–Toutes les cartes.

Il réfléchit quelques secondes.

–Tout à l'heure, je t'ai menti, mais suis incapable d'improviser des mensonges. Faut que je les réfléchisse à l'avance. Deuxièmement, si j'ai cherché à te mentir tout à l'heure, c'est que je veux pas que notre ménage soit brisé par une chose de si peu d'importance.

–Une autre femme, seule avec toi dans un restaurant fermé au public, et qui s'enfuit comme un voleur quand j'arrive: t'appelles ça une petite chose de peu d'importance ?

–Peu d'importance dans ma tête. Mais grave dans la tienne et dans celle des gens de notre milieu... C'est leur mentalité qui m'a forcé à mentir parce qu'ils font une montagne avec des riens. Qu'est-ce qui est le plus à condamner de mon mensonge ou de l'esprit borné des gens ?

–Viens-en au fait. Qui était cette femme et que faisait-elle au restaurant ?

Paternaliste, il répondit·

–Va pas t'imaginer le pire; elle n'avait enlevé que sa veste. Faisait chaud en dedans, comme t'as pu le remarquer. Elle était là que depuis quinze minutes. Une certaine amitié, tout à fait anodine, entre deux personnes du sexe opposé, ça se peut, hein.

–C'était probablement **ta** Denise ?

–**Ma** Denise, **ma** Denise... C'était Denise Martel Je l'avais invitée, comme d'autres, à venir faire son tour. En passant, elle a vu mon auto et s'est arrêtée...

–Son auto était même pas là!

–Comme le restaurant est fermé, je l'ai envoyée stationner dans le chemin d'en bas, pour éviter les maudits cancans.

–Pourquoi elle s'est sauvée comme une malfaisante ?

–Quand j'ai vu ta mère pis ta soeur, je lui ai demandé de partir pour m'éviter des problèmes. Si elle avait été ma maîtresse, elle serait restée là et on aurait joué le jeu... Mais... quand on sait pas mentir, on s'en sort pas. Les menteurs s'en sortent toujours, eux autres, dans la vie.

–Difficile en christ à avaler tout ça avec les problèmes que ta Denise m'a donnés dans le passé pis avec les bruits qui courent sur elle...

–Suis pas du tout responsable de tout ça et je tiens pas à payer pour. Ce qui s'est passé, je vais te le répéter. Je la connais. Elle passe par hasard, frappe. C'est un lieu public, je te le rappelle . Dois-je l'envoyer au diable ? Elle entre. Je verrouille. Et comme par hasard, ta mère et ta sœur sont avec toi.

Il secoua la tête.

—J'aimerais ben savoir ce que tu venais faire là-bas aujourd'hui

—J'allais voir comment organiser le travail d'abord que tu me forces à m'occuper de ton restaurant. Un beau commencement.

Il leva sa fourchette, le geste menaçant.

—Je te force à rien du tout. Je t'ai exposé une situation où je dois faire appel à ta collaboration, mais t'es libre d'accepter ou de refuser. Je suppose que tu vas refuser là...

Elle s'alluma une cigarette et prit un ton ferme:

—Ma mère pis ma soeur me trouvaient folle d'avance d'accepter de travailler là Après ce qui s'est passé, elles vont ben me renier de la famille si je le fais. Mais je vais le faire.. Pour collaborer comme tu dis!

Il brandit sa fourchette, la secoua négativement·

—Je veux pas te voir là si t'es sur l'impression que je t'y traîne par les cheveux. Je veux pas non plus que tu le fasses pour négocier sur mes comportements. Le bar va me coûter beaucoup de liberté, mais je refuse que tu te serves de ce que tu m'aideras pour m'en couper toi aussi. Que ça soit ben clair entre nous dès le départ! Si tu viens pas m'aider, quelqu'un d'autre va venir.

—Comme Denise ?

—C'est ben la dernière que je verrais là !

Il ajouta, impatient

—Pourquoi me reviens-tu toujours avec elle ?

—Parce que t'es trop souvent avec elle.

—Tu penses que je recherche sa présence, hein ?

—Sans t'en rendre compte peut-être, mais c'est ça.

—Ah oui ? Eh ben, je vais te donner la preuve du contraire. Sais-tu que j'avais demandé mon transfert pis qu'à l'automne, j'enseignerai dans une autre polyvalente qu'elle ? Ça veut dire qu'en septembre, on travaillera chacun de notre côté. Si elle était ce que tu penses pour moi, je serais resté pas loin.

Nicole ne sourit pas, mais Alain constata qu'elle fumait de façon plus détendue. La discussion se poursuivit sans accrocs. Il se mit à jubiler à la pensée que la tempête, loin d'avoir détruit, au contraire, était venue servir ses plans.

Au cours de la soirée, il se demanda pour la dixième fois comment il s'y prendrait pour annoncer à Denise la nouvelle de son transfert.

*

Il avait longuement réfléchi à ce départ et trouvé plusieurs raisons pour le demander. Il y avait la distance réduite. Le temps sauvé. Et les soupçons de sa femme à apaiser. Ce transfert servirait même, croyait-il, à renforcer son lien avec Denise. Il la trouvait négative depuis quelques mois. "Une présence quotidienne qui tue le plaisir de se retrouver."

Il se disait:

"Le temps de la grande romance est fini, chacun doit trouver de son côté son propre épanouissement pour que les partenaires, quand ils se revoient, puissent se raconter, s'enrichir, partager. Pour se rapprocher, faut savoir se séparer."

Mais Denise le prendrait-elle ainsi ? Il avait donc remis de semaine en semaine, la nouvelle de sa demande. D'ailleurs, ne devrait-il pas dire qu'on lui avait imposé ce changement ?

Dans la semaine, il dut affronter la réalité. Entre deux courses, il rencontra sa maîtresse sur la rue et vit, au premier regard, qu'elle n'allait pas.

—T'as vu le diable ou quoi, t'es toute pâle ?

—Pire que ça.

—Qu'est-ce qu'on t'a donc encore dit ?

—Tu t'en doutes pas ?

—Un peu.

—Le gros Bernier m'a dit que tu changes d'école à l'automne.

Il pencha la tête, réfléchit un instant, jeta une œillade à la femme.

—Viens, allons marcher le long de la rivière, sur le trottoir de la jetée.

Il l'entraîna.

—Je peux pas le croire, Alain, je peux pas le croire.

—C'est ben vrai. Je l'ai appris il y a un mois et je savais pas comment te l'annoncer. Je devais le faire ces jours-ci... Tu vois comme dans notre petit milieu, les nouvelles voyagent vite...

—Mais pourquoi, Alain ?

—On m'a imposé ça. Mais faut voir le beau côté des choses.

—Autant dire qu'on se verra plus. La seule façon de se rejoindre depuis que t'as ton bar, c'était à l'école. Qu'est-ce qu'il va advenir de nous deux ?

Il mesura ses mots pour être le plus persuasif possible, car trop d'enthousiasme aurait pu trahir sa combine, et pas assez aurait indiqué une indifférence qu'il ne sentait pas.

—Tu parles depuis longtemps de te prendre un appart ici en ville ? C'est le temps. On se retrouvera tous les après-midis, après le travail. Chacun ira de son côté chercher son épanouissement et on se retrouvera ensuite pour partager...

Elle l'interrompit:

—Mais quand, Alain, quand ?

—Je viens de te le dire: en fin d'après-midi, après l'école. Et même certains soirs comme avant. Pas les mêmes. Le bar étant devenu disco-thèque sera ouvert du jeudi au dimanche. Mais certains soirs du début de la semaine.

—Mais le jour, chacun de son côté .

—Pour le bien de notre attachement, pour notre avenir...

—Quel avenir ?

—À tous les deux, ensemble.

Elle scruta la grisaille de la rivière qui roulait ses eaux sales et lourdes des dernières pluies diluviennes.

—Je comprends pas.

—Je veux dire que dans ma tête et dans mon cœur, y a des projets d'avenir pour toi et moi. Si tu le désires, bien sûr.

—Plus le temps passe et plus on est séparés.

—L'amour véritable consiste pas à être toujours ensemble. L'amour, c'est partager les richesses de l'autre. Mais faut que l'autre puise ses richesses quelque part ailleurs. Si on veut pas tarir, s'assécher, faut ben faire le plein autre part. Le moyen le plus sûr de tuer notre amour, c'est de se regarder dans les yeux et de plus voir personne d'autre.

Elle l'interrompit:

—Tu pourras mieux voir à tes affaires personnelles en travaillant par ici.

—Sûrement!

—Et tu pourras dîner avec ta femme tous les midis

Il secoua la tête.

—T'es pas gentille, Denise, après tout ce que je t'ai dit sur notre avenir. J'aurais cru que cela te fasse plus d'effet. On croirait que tu cherches la rupture

Elle protesta:

—Mais non et tu le sais. Je désire plus que tout au monde qu'on soit ensemble, mais les événements nous éloignent de plus en plus et pour ça, j'y crois de moins en moins.

—Pour qu'une chose arrive, faut la vouloir de tout son cœur et y croire de toutes ses forces. Mon grand plan avance et la seule chose qui s'y soit ajoutée, c'est que j'envisage de vivre avec toi au lieu d'aller vivre seul. Pourquoi une tête pareille ?

—Mon chéri, la nouvelle de ton départ m'a bouleversée. Laisse-moi un peu de temps pour m'y habituer.

—Mes reproches sont bien plus affectueux qu'agressifs Fais-moi con-fiance, aie confiance en l'avenir. Sois positive: c'est la clef du bonheur.

Broyer du noir sert à rien. S'en prendre à la vie encore moins. Tu riras pas toujours. Tu connaîtras des journées creuses. Mais quand tu feras le bilan à la fin de la semaine ou de l'année, tu pourras constater qu'à tout prendre, le total vaut le coup de rire. Et par-dessus tout, rappelle-toi de cette chose très importante: pour être heureuse **avec** moi, tu dois pouvoir l'être **sans** moi. Voilà qui devrait être la grande vérité de tous les couples au monde...

*

Les Martel passèrent plus de la moitié de l'été à rénover le bar. Ils le transformèrent en discothèque comme prévu. L'achat de ce commerce, une erreur avouée, devint une école de tout: plomberie, électricité, construction, décoration, rembourrage, climatisation... La veille de l'ouverture, ils se dirent, pour s'encourager que les connaissances acquises vaudraient, dans l'avenir, bien plus que les mauvais risques initiaux.

–Manque rien que du monde.

–C'est pas ce qui va manquer.

Dans les mois qui suivirent, chaque soir d'opération, ils durent refuser de nombreux clients. Autant il avait pu espérer le succès cependant, autant il s'en méfiait maintenant. Plutôt de suivre les conseils de ceux qui lui suggéraient d'agrandir de nouveau, il ne bougea pas et se contenta de chercher une consolidation de ses dettes.

*

Le bar était désert par ce torride après-midi. Martel finissait de remplir un refroidisseur à bière lorsqu'entra un homme qu'il ne reconnut pas sur le coup. Le client, que des pupilles inadaptées à la noirceur, forçaient d'avancer à tâtons, finit par prendre place au comptoir-bar.

–Un rat de stool, se dit Alain en le détaillant.

L'homme portait cheveux longs et malpropres, barbe hirsute et mal entretenue, chemise truquée par d'inutiles pièces, breloques agressives

–Une bière, ordonna-t-il sèchement avant qu'Alain ait pu s'approcher

Sans se presser, se donnant des airs de barman aguerri qui ne lui convenaient pas, Martel chercha en ses souvenirs l'endroit où il avait bien pu, déjà, rencontrer ce personnage. L'accoutrement ne trompait pas· ce devait être un intellectuel nouvelle vague. L'âge, l'allure et tout. Peut-être un ancien élève comme il lui arrivait souvent d'en rencontrer sans pouvoir les identifier, car si les visages demeuraient gravés dans sa mémoire, les noms s'effaçaient.

Il versa la bière dans une grande chope anglaise frissonnante, geste qui dégelait toujours les clients.

L'homme plissa les yeux et dit d'une voix forte et enjouée

–Comment ça va, toi, Alain ?

–Ôte ta barbe et je te verrai le nom écrit sur le menton. Tu te caches trop ben derrière tes poils.

La barbe du client servait d'alibi à sa mauvaise mémoire.

L'autre s'esclaffa:

–C'est Serge...

Martel se frappa le front.

–Ah! si c'est pas Serge! Comment ça va ?

Il tendit la main.

–Ce que tu peux avoir changé, c'est incroyable! Ça fait combien d'années qu'on s'est pas vus ?

–Proche sept ans, fit l'autre en serrant la main tendue

Même s'il cherchait toujours le nom de famille, Alain risqua·

–Sans ta barbe, je t'aurais replacé tout de suite.

–Te souviens-tu de l'année où tu m'as enseigné ? C'était après Expo-67.

–Bien sûr, en 67-68. Je m'en souviens comme si c'était hier.

–J'ai entendu dire que tu t'étais lancé dans le commerce et j'ai décidé de venir faire mon tour.

–Grand plaisir. C'est que tu fais de bon ?

–Crois-le ou non, suis devenu prof. Eh oui, deuxième année à l'automne.

Alain, sans perdre le fil du sujet, tâchait de se rappeler les étudiants du nom de Serge qu'il avait connus; mais il n'arrivait pas à faire correspondre à ce visage-là un ensemble formé du prénom Serge et d'un nom de famille. B.   Blais ? Non. Boulanger ? Non plus. Serge C... Caron ? Non. Cliche ? Non plus...

–T'aimes ça ?

–Beaucoup. Et ça marche avec mes élèves. Faut dire que je me sers souvent de tes idées et de ta pédagogie... Ça marche. Chaque fois que j'ai un problème, je me demande comment tu t'y prenais.

–C'est flatteur.

L'homme rit à grands éclats.

–La flatterie, c'était pas ton fort. Tu prenais pas de gants blancs. Direct.

–Suis moins comme ça aujourd'hui.

–Le feu diminue? En train de ramollir mon vieux

–À l'époque, je m'emballais vite Mais à force de déchanter, je suis devenu plus incrédule, plus sceptique...

–D'après ce que je vois, tu t'emballes encore assez vite T'as dû investir beaucoup et pourtant, c'est pas trop ben situé...

–Un cheval rétif reste toujours nerveux même si la vie le dompte, rétorqua Alain.

Puis ils se rappelèrent des leçons sur le capitalisme et le socialisme et les vues d'Alain sur la société et qu'il avait tâché de transmettre en une autre époque à ses étudiants, ce qui s'inscrivait bien dans le grand bouillonnement de la fin des années soixante.

Soudain, le jeune homme demanda:

–T'as beaucoup réfléchi, semble-t-il, au bonheur, Alain. Donne-moi donc ta définition.

Le barman soupira, jeta son torchon sur une tablette.

–Ah, c'est beaucoup de choses ajoutées les unes aux autres comme la liberté, la santé, l'initiative, la créativité, le désir, la maîtrise de ses forces négatives, la découverte de ses propres richesses morales et celles des autres. C'est la bonne mesure en tout.

Serge remit sur le tapis leur échange sur le système et se rendit compte que son ex-professeur s'était fait absorber Et ça lui déplut. Puis ils échangèrent aussi sur la notion de liberté individuelle et collective.

Le visiteur finit par sourire malicieusement en disant:

–Alain, tu dois souvent écouter *Les Arpents verts* à la télé parce que, comme monsieur Douglas, t'as perdu le sens des réalités

L'arrivée d'un client empêcha la poursuite de la discussion.

–Je me sauve, Alain, dira Serge un peu plus tard Ça m'a fait plaisir de venir jaser avec toi, bien que le professeur, encore une fois, ce fut toi

–Comme en 1968, dit Alain.

–Au plaisir, Alain Martel !

–Au plaisir, Serge.

L'homme sortit. Alain pencha la tête.

–Je sais toujours pas son nom de famille, mais, bon Dieu, c'est pas que j'ai pas essayé de le retracer

Il ramassa la bouteille restée sur le comptoir et se mit à la recherche de son torchon qu'il perdait sans cesse.

*

La serveuse revint à la cuisine et dit à Nicole:

–À la table numéro quatre, y a des Américains qui parlent pas un mot de français. Je pense qu'ils veulent des explications sur les mets et je suis incapable de leur en donner.

–Va avertir Alain au bar, dit Nicole.

La jeune fille obéit et Alain se rendit à la table indiquée.

–Yes?

L'homme à qui il venait de s'adresser, d'environ soixante ans, avait tout du touriste américain moyen, ce qu'Alain constata d'emblée sans toutefois l'avoir détaillé.

Traduction libre...

—Vous êtes le boss ici ? demanda l'homme d'une voix exagérément forte.

—Yes.

—Suis à lire le menu and j'ai besoin... d'explications. C'est quoi, ça ?

Alain se pencha et lut:

—Bœuf ménagère. A kind of beef stew... Une recette spéciale, une vieille recette du Québec...

—And this ?

—Pâté vieille maison: a meat pie. Tourtière.

—Sorte de viande ? Boeuf, porc, veau or...

—Beef and pork... and special seasoning.

—Tout est... spécial ici.

—Seulement la nourriture québécoise

—Pourquoi ne servez-vous pas de bonnes choses comme... des club sandwiches, des hot-chicken sandwiches ou des beefsteaks ou...

—Parce que c'est un restaurant typiquement québécois. So we have typical Quebec food.

—Ça serait pas mieux pour vos affaires de servir ce que les gens veulent?

Froissé, Alain se contint. Un touriste, par définition, va à l'étranger pour autre chose que ce qu'il a tous les jours chez lui. Un dépaysement.

Ce touriste résumait les autres à lui seul. Alain avait rêvé d'initier des centaines d'Américains à la savoureuse cuisine québécoise, mais on lui demandait des hamburgers.

—On espère vous plaire avec quelque chose de différent.

—Une erreur... Bon, quelles sont vos suggestions ?

—Maybe ragoût de boulettes... or jambon à l'érable...

—Thank you very much, we'll think it over.

—À votre service !

Un peu plus tard, la serveuse revint à la cuisine avec sa commande.

—Un pâté à la viande pour lui. Elle veut rien d'autre qu'un martini sec

Alain haussa les épaules et retourna derrière son bar où le retrouva, une quart d'heure plus tard, la jeune serveuse·

—Il a presque pas touché à son pâté. Il a rien voulu d'autre. Lui ai donné sa facture...

—Il nous prend pour des fricasseurs sans chercher à savoir. Un borné.

La jeune fille se rendit à la caisse pour recevoir le paiement de la facture. Elle revint aussitôt:

–J'ai encore besoin de ton aide, Alain. Je dois leur charger l'escompte sur l'argent américain et il comprend pas ce que je veux dire.

Alain s'approcha et le touriste lui demanda:

–Vous prenez l'argent américain ?

Alain fit signe que oui avec un sourire.

–Oh ! oh ! ils aiment notre argent!

–Vous devez payer cinq pour cent pour le 'discount' sur votre argent.

L'homme présenta un billet de vingt et la serveuse lui remit sa monnaie moins un dollar pour l'escompte Il ramassa l'argent en ayant l'air de réfléchir.

Soudain il demanda:

–Vous pouvez me remettre la monnaie en argent américain ?

La jeune fille comprit et se rendit chercher de l'argent U.S. dans une autre caisse, mais elle omit de lui rendre la part d'escompte lui revenant alors. L'homme ne la réclama point.

Les Américains décidèrent de faire le tour de l'établissement et se rendirent au bar où ils prirent place au comptoir derrière lequel travaillait Martel. Ils commandèrent

–A nice place, dit l'homme en jetant un coup d'œil circulaire. Si vous êtes d'accord, on prendrait des photos.

–As you wish.

Une musique d'après-midi, à volume réduit, avait été programmée sur le système de son de la discothèque.

–Are you from New England ? demanda Alain pour alimenter la conversation.

–Oh no! from Wisconsin.

–Milwaukee ?

–Madison !

–First time you visit Quebec ?

–Yes. A nice country.

–Really ?

–Oh yes ! just like Europe !

–You visited Europe ?

–J'ai vécu là deux années... vous-tu comprenez?

–Really ?

–Durant la seconde guerre mondiale.

–A vet.

–Yes.

—Did you go there afterwards ?

—Non, jamais!

—And you think there's...

 L'homme l'interrompit:

—Belle musique!

—Thank you.

—Vous avez Lily Marlene ?

—Excuse me...

—Lily Marlene. Une chanson de la deuxième guerre. Vous vous souvenez ?

—I know... A German song.

—Avec Marlene Dietrich.

—Heard about her. À propos, Marlene donnait un récital à Vegas la semaine dernière.

—Oh no ! c'était une star des années 40, vous-tu comprenez ?

Alain n'insista pas. L'homme reprit dans son anglais le plus compétent:

—Vous savez, ma femme est fan de bonne musique et s'y connaît Où est le juke-box ?

—On n'en a pas. It's a discotheque here..

—On ne peut pas choisir nous-mêmes les disques ?

—La serveuse va vous les montrer et vous choisirez. .

Alain fit signe à la serveuse et lui demanda d'accompagner la femme à la cabine de contrôle du système de son.

L'Américain secoua la tête.

—Tu sais, aux États, on a des grosses boites à musique comme ça .. Tu mets une pièce dedans et tu choisis le record de ton choix. On appelle ça un juke-box. Pourquoi t'en achètes pas un? Ça serait bon pour tes affaires. Big profits, you know.

Il glissa un clin d'œil complice. Alain rit mentalement, se disant

—Ou il est stupide ou il se moque de moi.

Quand les deux femmes revinrent, la serveuse fit un signe à son patron qui la suivit en retrait.

—J'ai oublié de leur rendre l'escompte sur l'argent

—Je m'en occupe.

—Sir, you didn't claim your discount on the U.S money the waitress gave you back. Here it is.

Il étala soixante-douze cents sur le comptoir.

—Je ne veux pas vous voler.

L'homme rit et secoua la tête.

–Gardez ça pour vous.

–I insist, dit Alain avec un sourire malicieux. These are Canadian coins; give them to your grandchildren and tell'em it's a souvenir from a man who has been very happy to know their grandfather, and, above all, to learn from him a lot of fascinating things...

L'homme rit plus fort et ramassa l'argent. Il déposa un billet de cinq dollars sur le comptoir et dit:

–Bonne idée. Et laissez-moi vous offrir un billet de cinq en pourboire. Pour les photos. Vous êtes prêts pour ça ? Je vais en prendre une de vous et de votre serveuse. Je vais chercher la caméra. .

Alain fit signe que oui et l'homme sortit. Il revint bientôt et dit, triomphant, arborant son appareil:

–It's a Polaroid. Vous avez vos photos tout de suite...

–Really ? s'exclama Alain l'air faussement émerveillé. I heard of it au Ed Sullivan show à la télé.

–Prêts pour la photo ?

–Je vais chercher ma femme et je reviens, dit Alain.

Il revint pendant que le touriste ajustait sa caméra et fit placer Nicole et la serveuse, une de chaque côté. Il essaya alors de composer sur sa figure un sourire comme ceux des singes dans *La Planète des Singes*, penchant la tête, ouvrant grand les yeux, bombant le torse, projetant vers l'avant sa lèvre inférieure.

–Je cherche la pose, dit-il à la jeune serveuse au rire facile.

Elle plissa les yeux, jeta un coup d'œil à Nicole et les épaules commencèrent à lui sauter pendant que l'Américain et sa femme discutaient de l'ajustement de l'appareil.

–Soyons sérieux, dit Alain. Le monsieur est en train d'apprivoiser le petit oiseau et va bientôt nous le montrer. Et vous savez quoi ? Dans soixante secondes, on va voir les photos. Ah oui! je vous le dis, elles seront développées. Le monsieur à une PO LA ROID comme dans les émissions du bon monsieur Sullivan. . en 1958.

–T'es fou, dit Nicole, un peu intimidée.

–Comme lui.

–Ready ?

–Ready, dit Alain.

Il bomba le torse et chercha à composer à nouveau son sourire de singe. L'homme braqua sa caméra et appuya sur le bouton. Le même manège se répéta à plusieurs reprises, le touriste ayant décidé de photographier sa femme avec Alain, Nicole avec sa femme et la serveuse, sa femme avec Nicole seule et sa femme avec Nicole et Alain.

Quand tout fut terminé, l'homme admira son travail et fit voir ses photos à tout le monde. Ensuite, il multiplia les remerciements et salutations avant de quitter les lieux.

Sitôt qu'il fut parti, les femmes pouffèrent.

—Quel énergumène ? fit Nicole.

—Ils vont me faire sécher, ces Américains, s'exclama Alain en se frappant le front.

Le regard fixé sur la porte, il réfléchit un instant:

—Tu sais ce que je vas faire? Une pancarte au chemin et NO AMERICANS.

—Tout de même, Alain, sont pas tous comme lui...

—Au contraire, ils se font voir et s'écoutent parler. Viargini, j'aurais dû le jeter dehors.

—Mais qu'est-ce qu'il a fait de si terrible ?

Alain raconta par le détail ce qui s'était passé. Le ton enchérit.

À la fin de sa narration, Nicole fit un clin d'œil à son mari et lui dit:

—Ils ont au moins une qualité, ces Américains· ils jouent franc jeu, et avec eux autres, on sait sur quel pied danser.

Elle tourna aussitôt les talons. Tout le temps qu'elle se dirigea vers la cuisine, jusqu'à sa disparition par la porte battante, Alain, l'air hébété, la regarda aller.

*

Aux premiers airs du temps des fêtes il laissa deviner à sa femme qu'il passerait la nuit de Noël à dormir, soutenant que les traditions lui apportaient bien plus de désagréments que de joies. Elle n'avait pas pris au sérieux cet avertissement et, jusqu'à la dernière minute, agit comme si de rien n'était. Dans l'après-midi du vingt-quatre, elle dut bien faire face à la réalité.

—Tu me laisseras tout de même pas aller réveillonner toute seule chez mes parents ?

—Je te l'ai dit il y a un mois et je suis décidé plus que jamais.

—Mais qu'est-ce qu'ils vont dire, mes parents ?

—Ce qu'ils voudront!

Elle ne comprenait pas qu'une chose aussi sacrée que le réveillon de Noël soit remise en question par son mari. Et demanda dans une totale incrédulité:

—Mais d'abord que t'es pas malade ?

—Je vais te l'expliquer pour la dixième fois pis j'espère que tu vas comprendre pour de bon. Le scénario de la nuit de Noël et tout ce qui entoure cette fête: tanné de ça. La messe de minuit, c'est l'ennui. Le réveillon une grande bouffe. Le bruit. Les enfants braillards. Un vacarme d'enfer. Ça rote, ça pète. Non, moi, je me couche Suis contre l'orgie de consommation du temps des fêtes. L'an dernier, j'ai coupé l'envoi des cartes de souhaits; cette année, je coupe l'histoire du réveillon et l'an prochain, plus de cadeaux. Quand j'aurai éliminé Noël de moi, là, je pourrai choisir Noël librement. Je veux choisir mes traditions, pas être choisi par elles. Je te laisse ta liberté là-dessus, laisse-moi la mienne.

–Ma mère s'est fatiguée depuis trois semaines pour préparer tout ça...

–Moi, je lui fais plaisir depuis dix ans en assistant à son réveillon. À son tour de me faire plaisir en m'en dispensant sans passer de remarques. Elle est catholique, elle peut comprendre une brebis perdue dans mon genre ?

–T'as envie de te faire remarquer.

–Je me suis posé la question. Mais j'pense pas.

–Moi, j'y vais pour Patricia. Noël, c'est la fête des enfants.

–Voici ce que je propose. L'an prochain, au soir du vingt-quatre, tout le monde se couche comme d'habitude Le lendemain, tout le monde se lève en forme, y compris les enfants. On passe un avant-midi de fraternité en famille. Puis c'est le repas: menu différent des autres années, histoire de faire un peu changement Des gâteries ? Oui... il en faut de temps à autre. Après le repas: distribution des cadeaux... sans cadeaux. Je m'explique. Le père Noël ne fait que montrer les photos, gravures ou diapositives illustrant les cadeaux que les gens se feront les uns les autres... en janvier. Tu trouves ça farfelu ?

–J'ai pas dit un mot ! C'est toi qui dis que c'est fou

–Ton sourire en dit long. Je continue quand même; je suis habitué de faire rire de moi. Les avantages seront multiples. Un: voir l'image et pas voir le cadeau créera le désir. Deux: chacun pourra acheter ses cadeaux en janvier et paiera trente pour cent meilleur marché. Trois: chacun pourra donner son opinion personnelle sur les choix faits pour lui, ce qui évitera des surprises indésirables et des sourires préfabriqués. Quatre. tous verront ce que chacun va recevoir, ce que le temps du déballage permet pas dans une distribution traditionnelle. Quant aux enfants capricieux, pour leur fermer la trappe, on pourra leur faire des cadeaux symboliques de faible valeur et qui les contenteront dans l'attente des vrais.

Nicole haussa les épaules.

–C'est pas pour demain, ton affaire.

–Je sais ben. Faudra d'abord que la mode naisse ailleurs...

–Tu rêves, tu rêves.

–Écoute bien. Quand la distribution d'images sera finie, chacun prendra un montant égal à vingt pour cent de ce qu'il a investi en cadeaux pour faire une cagnotte envoyée aux pauvres. Et c'est comme ça que nos enfants pourront acquérir un certain sens du partage

–Si t'es si convaincu de tes idées, viens donc convaincre les autres toi-même.

–Ta mère et tes soeurs sont contre moi. Si je proposais ça, on me dirait malade, sonné, etc... Merci! Supporter leurs sarcasmes avec les enfants qui jappent et les chiens qui braillent ? Merci! Si je reste ici, c'est que j'ai des convictions, et aussi pour pas que quelqu'un ait honte de moi...

–Ta Denise Martel, je suppose ?

–C'est qu'elle vient faire là-dedans, celle-là; je l'ai pas vue depuis des mois... Pas Denise, Alain Martel.

–C'est ton dernier mot ? Tu viendras pas ?

–Définitif!

–J'espère que tu dormiras bien.

Il hocha la tête et ne répondit pas

*

Cheveux en broussaille, barbe de deux jours, il s'était allongé sur le divan du salon pour réfléchir sur les événements de l'année, sur son évolution psychologique et sur son avenir.

Le bilan lui apparut d'abord, négatif. Toute l'année, il s'était senti mis en quarantaine. En janvier, par les patrons de la station de radio Au printemps, par les profiteurs de la ville. À l'été, par les touristes américains. À l'automne, par la direction de la nouvelle école. Nicole et même Denise s'étaient éloignées. Un seul succès: le bar. Mais encore là, s'il ne trouvait pas une consolation de ses dettes début 1975, il risquait de le perdre.

Il ne parvint pourtant pas à détester son 1974, et se demanda pourquoi. Comment un ensemble de situations négatives pouvait-il avoir rempli son âme d'optimisme ? Laborieusement il chercha et trouva des réponses.

En premier lieu, il avait osé secouer sa sclérose professionnelle. Il avait quitté la radio, changé d'école, plongé dans un nouveau métier.

Et s'était émancipé de Nicole et Denise.

Il avait retrouvé ce vieux rêve américain si longtemps refoulé, jamais réalisé. En cette nuit paisible, il l'identifia encore une fois: liberté était son nom, authenticité son tremplin. Il n'en savait pas moins qu'il devrait mentir encore et souvent, mais il s'en accommodait mieux maintenant, convaincu que ce sont les autres qui le forceraient à le faire.

L'aventure du restaurant lui avait montré que la situation la plus noire peut être stimulatrice, génératrice d'effets positifs puisqu'elle fait jaillir du fond de soi-même des valeurs cachées, des talents insoupçonnés

Par-dessus tout, il s'était passé quelque chose cette année-là. Il y avait eu changement, évolution dans sa vie. Et c'est en cela qu'il voyait la plus grande richesse de ces douze mois s'achevant.

En conséquence, il fit de l'évolution son objectif premier pour 1975.

Il précisa en son esprit les choses vers lesquelles il tendrait. Au plan physique, il rebâtirait son corps par une alimentation plus équilibrée et par le conditionnement physique. Au plan professionnel, il quitterait l'enseignement. Au plan affectif, il choisirait entre Nicole, Denise ou une vie solitaire, c'est-à-dire entre son devoir, son amour et sa liberté.

Sur un bout de papier qu'il devait cacher en un compartiment de son portefeuille, il inscrivit de petits signes qui lui rappelleraient ses objectifs à la fin de 1975.

Il se fit aussi la promesse ferme d'effacer de son esprit, parce qu'il les en expulserait, une foule de notions acquises et une grande part de l'échelle traditionnelle de valeurs pour pouvoir exercer son libre choix dans le plus grand nombre de domaines possible. Il ferait maison nette des vieux meubles, puis reprendrait ceux lui apparaissant conformes à sa nature, complétant l'ameublement de son âme avec du neuf.

Il ne souhaita pas que 1975 lui épargne des problèmes de cœur ou d'affaires; il ne se souhaita pas non plus un gros lot ou de belles opportunités. Mais il demanda à Dieu de la santé, promettant en retour de prendre soin de son corps, car il aurait trouvé indécent de requérir une telle faveur s'il avait fumé ou s'était adonné à d'autres excès ruineux.

Enfin, il dit à Dieu que pour le reste, il n'avait pas besoin de ses interventions

Avant de fermer les yeux, il se dit que Dieu n'interviendrait pas, non plus de toute façon, pour la question de la santé. Et il sourit, se disant qu'au fond, c'était beaucoup mieux comme ça.

Et il s'endormit profondément.

***

Chapitre 18

1975

En Beauce, quand l'hiver parle, tout le monde se tait. Il faisait une de ces tempêtes à faire rêver Alain d'un exil permanent. Quand cette sensation de coupure d'avec le reste de l'humanité faisait rage avec trop de violence dans son âme, son imagination débordait les murs de la poudrerie et le conduisait à des étés romanesques d'un pays à bâtir.

Il arrivait rarement au bout d'une rêverie, car Nicole essayait sans cesse de le ramener à elle en le ramenant à la réalité. Et cela aussi, il le lui reprochait.

Il avait ouvert les rideaux du salon pour regarder le néant de la rage hivernale. Son rêve de ce jour-là se termina abruptement sur ces mots d'elle·

—J'espère que je manquerai pas mon cours demain.

Il ne répondit pas et soupira doucement. Il se rappela le compromis qu'ils avaient fait et qui avait permis à sa femme de combiner le travail de maison, sa participation à la tenue de la discothèque et la poursuite de ses cours de couture à Québec une fois par semaine

Sa décision de n'opérer le commerce qu'aux fins de semaine après la saison touristique devait solutionner plusieurs problèmes: lui permettait de rencontrer plus facilement sa maîtresse, empêchait ses deux occupations d'enseignant et de restaurateur de se nuire, dégageait Nicole d'une partie de sa servitude.

—Comme ça marche, je pourrai faire quelques mois d'étude l'automne prochain pour compléter mon cours de coupe.

Elle avait affirmé interrogativement et Alain sentit qu'elle revenait encore à la charge afin qu'il lui laisse faire une autre année de cours.

—Essaies-tu de me dire qu'il te faut continuer encore une année à

373

Québec ?

—Je tiens bien la maison et je fais mon travail à la disco.

—Le problème est pas là. J'essaie de te faire comprendre depuis long-temps qu'il faut que tu te bâtisses une vie professionnelle. Je veux que tu puisses te débrouiller par toi-même dans la vie, parce que demain je peux crever, parce que demain, on peut se séparer. Je veux que tu te prennes une assurance-avenir, une vraie. Une vie professionnelle à ton goût et selon tes aspirations. Pourquoi les femmes doivent-elles attendre d'avoir des coups sur la tête pour s'inquiéter de leur avenir ? Pourquoi ne misent-elles pas sur l'avenir au lieu de se cacher derrière des faux-fuyants d'obligations familiales ? Elles me font rire avec leurs mouve-ments de libération; c'est pourtant pas de l'homme dont elles doivent se libérer, mais d'abord d'elles-mêmes...

—Écoute, y a plein de femmes qui ont une vie professionnelle...

—Je parle des femmes d'intérieur et tu le sais.

—À t'entendre parler, c'est à croire que tu veux divorcer demain.

—Je veux pouvoir me dire que tu peux affronter l'avenir quoi qu'il se passe. Je devrais pas dire affronter, mais vivre sans amertume, heu-reuse, avec ou sans moi. Je veux que tu deviennes autonome et que tu puisses te passer de moi.

—Je tiens pas à me passer de toi dans la vie!

—Faudra pourtant que tu puisses le faire.

—Une question qui m'a toujours tracassée: comment prendrais-tu la vie, si je mourais demain matin ?

Il se tourna et décroisa les bras. Nicole regardait vaguement à l'autre bout du divan sur lequel une migraine l'avait clouée depuis le matin. Il fit le geste de tourner la page d'un livre Comme elle regardait ailleurs, il dit:

—De cette façon, et il répéta son geste.

—Je meurs et tout sera dit le lendemain ?

—L'hier est déjà vécu. C'est demain qu'il me faudra vivre et je m'y prépare mentalement dès aujourd'hui. Tu meurs ? Patricia meurt ? Je tourne la page. La vie, c'est demain.

Il marcha jusqu'au divan et s'affala à l'autre bout.

—Suis pas bâtie comme ça.

—Tu ferais pareil par la force des choses. Mais sans préparation. Pis tu le ferais dans l'anarchie, le désordre, les airs désemparés, les pleurs inutiles. Tu guérirais vite, tout comme moi. Comme tout le monde en fait ! Observe les gens: ils se remettent plus vite de la perte de leur conjoint que d'une chirurgie. On t'a éduquée à la dépendance et tu crois trouver ta liberté sous l'aile de quelqu'un d'autre. Et tu te dis que le monde s'écroulerait si cet autre disparaissait. C'est pour cette même raison que tu espères gagner du temps en poursuivant tes études: au fond, t'as peur de t'émanciper, de voler de tes propres ailes dans la vie.

–Je dois être pire qu'une autre parce que toi, tu me rejettes tout le temps ? Je fais mon possible pis t'es jamais content.

–Je voudrais que t'en finisses avec les études et que tu lances un petit commerce, sais pas, là. Je t'aiderai à t'organiser. Je te financerai. Je partirai ta comptabilité. Je préparerai ta publicité. Tu commenceras lentement mais sûrement. T'auras des clientes comme ça! La femme du député, à elle seule, te créera toute une clientèle; chaque mois, elle te téléphone pour savoir si t'as fini tes cours. Il est si rare que l'on frappe des gens positifs... à toi d'en profiter, elle va te faire du nom. Une cinquième, une sixième, une septième année ? Un bon matin, faut bien prendre le taureau par les cornes...

Elle scruta son mari du regard, cherchant à lire au fond de son âme

–Alain, plus ça va, plus je pense que ça durera pas entre nous deux.

–L'avenir le dira.

Elle dit, la voix en larmes:

–Si notre vie était plus normale, comme celle des autres.

–Suis d'accord sur le fait que je doive pas t'imposer mon entendement de la vie. Et justement, je te pousse à vivre pour toi-même. Mais, de ton côté, tu dois pas m'imposer ta façon de voir sous prétexte qu'elle est plus conforme aux normes établies. Ou ben j'embarque dans ton bateau—et je le ferai pas—ou tu embarques dans le mien—et tu refuses de le faire. Que reste-t-il comme solution ? Chacun doit démantibuler sa propre embarcation et, avec les morceaux, participer à la construction d'une neuve qui convienne aux deux partenaires. Rappelle-toi bien cependant que saborder son bateau, ça fait très mal, très très mal

Nicole écoutait, fumait et pleurait doucement.

*

C'était une journée clémente de février. La neige au sol s'alourdissait, somnolait sous la tiédeur du vent.

Alain ne cacha pas sa voiture comme d'habitude avant de se rendre à l'appartement de sa maîtresse. Il ne le faisait plus depuis deux mois. Pourtant, cet après-midi-là, il avait fait le geste d'aller la garer parmi celles des employés de la clinique médicale, de l'autre côté de la rue Mais quelque chose, une sorte de prémonition malicieuse, l'avait retenu et il la braqua en travers au beau milieu de la cour du bloc où logeait Denise.

Il monta, passa son heure habituelle d'avant souper avec la jeune fille, puis retourna chez lui. Dès qu'il mit le pied dans la maison, Nicole, le visage défait, l'apostropha·

–D'où que tu sors ?

–De l'école, voyons.

–Menteur, dit-elle simplement en appuyant sur chaque mot.

Elle n'ajouta rien de plus, s'habilla et sortit. Une demi-heure plus tard elle revint avec une douzaine d'œufs. Et la soirée se passa comme des centaines d'autres: lui, au salon devant le téléviseur et elle, dans la cuisine à ses travaux domestiques. Dans l'esprit d'Alain, il ne faisait plus de doute qu'elle avait découvert le pot aux roses et il sentait venir une forte tempête dont les signes annonciateurs étaient cette détermination mêlée de rage dans les gestes de la femme.

Il espérait la tempête; il la souhaitait.

Il finit par se dire, d'après l'attitude de Nicole, que tout ne se passerait que le lendemain, ce jeudi vingt février 1975.

Et il se mit à avoir hâte au lendemain.

Il reçut un appel téléphonique de Nicole alors qu'il était à son travail à l'école: cas exceptionnel. À cause d'un rendez-vous avec un dentiste de la clinique médicale, elle lui demandait de venir directement à la maison.

Sitôt rentré, il fila droit à son bureau du sous-sol où il entreprit de ramasser ses idées. Un dénouement se préparait, mais c'est lui qui tirerait les ficelles. En tout cas, il s'y préparait.

Une heure plus tard, elle était de retour. Quand il l'entendit descendre l'escalier menant à son bureau, il prit un crayon et se mit à écrire calmement. Nicole trouva un cendrier et s'accroupit dans un coin jusqu'à s'asseoir franchement par terre. Elle tira longuement sur sa cigarette et rejeta nerveusement la fumée.

—Alain Martel, pourquoi m'as-tu fait ça ?

Il releva la tête et dit froidement:

—Fait quoi ?

Rageuse et douloureuse à la fois, elle cria:

—T'as une maîtresse, vas-tu le nier ?

Sans changer de ton, il répondit:

—Non, je le nierai pas. Je mens depuis trop longtemps C'est vrai, j'ai une maîtresse.

Elle éclata en d'insoutenables gémissements.

—Pourquoi, Alain, pourquoi ?

—C'est personnel, privé, tout comme mon courrier ou les papiers que je mets dans certains compartiments de mon portefeuille ou dans les tiroirs de ce bureau. Je suis un être humain individualisé, capable de penser, capable de se conduire, capable de prendre lui-même ses décisions et qui a décidé, un beau jour, de se prendre une maîtresse

Hochant la tête contre le mur, cherchant vainement à chasser sa douleur intolérable, elle dit:

—Mais ça se peut pas, je rêve. Le monde entier s'écroule autour de moi ..

–Le choc sera dur, mais tu te relèveras...

Il se fit un moment de silence.

–Personne est inconsolable en ce bas monde, et puis je vais t'aider...

–Je veux pas de ton aide, t'es qu'un beau salaud !

–Sois pas violente, Nicole, dit-il doucement. Qu'aurais-tu à y gagner ? En premier lieu, voudrais-tu me dire d'où tu viens ?

–De chez ta putain, à son appartement où j'ai vu ton auto hier à mon retour de Québec.

–Tu l'aurais découvert tôt ou tard. J'espère ben que tu savoures pas une petite joie morbide à m'avoir démasqué ? Ça non plus t'avancerait à rien. Au fond de moi-même, j'avais hâte que le chat sorte du sac et, asteur que c'est fait, je me sens ben plus libre.

Elle écrasa sa cigarette.

–Faut que je sache une chose: as-tu eu des relations sexuelles avec elle ?

Il hésita un moment.

–Ça te regarde pas.

–Je dois savoir.

Il haussa les épaules et jeta:

–Puisqu'elle était ma maîtresse !

–Oui ou non ?

–Évidemment que j'ai eu des relations sexuelles avec elle !

À travers des sanglots désordonnés, elle gémit:

–Qu'est-ce que j'ai donc fait au bon Dieu pour que ça m'arrive ?

–Ma pauvre enfant c'est tout simplement que tu y comprends rien, ni à la vie ni aux hommes, comme la plupart des femmes.

Il jeta son crayon et recula sur sa chaise.

–T'as voulu faire de moi un objet possédé. Or, je suis un être humain, pas une chose, pas ta chose. Ton malheur, c'est que je suis plus tête de pioche que ceux qui se laissent posséder. Depuis des années tu m'agresses pour tout et pour rien; je dis pas que t'es pire qu'une autre, non. T'es une femme normale, c'est tout. Mais je veux pas d'une femme normale. Tu cherches à contrôler ma vie; tu fais du chantage en menaçant de partir avec Patricia; tu vis accrochée à moi. Pas plus tard qu'il y a un mois, je t'ai dit pour la nième fois de t'épanouir à ta façon, de vivre pour toi-même d'abord, de te bâtir toi-même, sans toujours te réfugier sous mon aile pour m'agresser, me picorer, me culpabiliser. J'ai essayé de te faire comprendre tout ça positivement, mais t'as rien voulu savoir. Tu t'obstinais à rien voir, à faire l'autruche, à fermer les yeux sur mon besoin d'air. J'ai pioché pendant des années pour te faire comprendre que j'avais besoin de ma liberté, de mon épanouissement à ma manière. Et j'essayais de t'amener à cette idée-là pour toi-même, mais t'as pas voulu avancer d'un seul pouce. C'est tout ça qui a fait qu'une simple aventure avec Denise Martel s'est transformée en liaison. Une femme qui cherche à étouffer son mari le pousse dans les bras des autres, car un homme, à moins de nier sa propre nature, a besoin de grands espaces...

—Tu vas choisir entre elle et moi pis ça presse !

—Non, Nicole, c'est pas toi qui vas faire la loi. Tu te ferais une grande illusion de croire que je vais laisser Denise Martel demain matin. Elle est ma maîtresse depuis quatre ans et on a des projets d'avenir

—Mais t'es complètement fou. Et ta maison, et ta fille ? Tu vas me mettre dehors et lui donner ma place ? Grand Dieu de grand Dieu, que va-t-il advenir de moi ?

Elle écarta les bras et hoqueta à travers ses sanglots désordonnés:

—Mais je t'aime, Alain, je t'aime. Je veux pas vivre sans toi. Tu vas pas m'abandonner! Suis prête à tout pour que tu me reviennes. De grâce, laisse cette fille. Effaçons tout ça ! Recommençons à zéro... Comme je souffre, Alain, c'est incroyable comme je souffre...

—Si t'étais moins préoccupée de ta petite personne, tu souffrirais pas autant. Je suis désolé pour toi, mais tes larmes ne m'émeuvent en aucune manière.

—Mais qu'est-ce que j'ai donc fait, Alain, dis-moi, dis, dis...

—Je viens de tout t'expliquer; va-t-il falloir que je le répète encore une fois ?

—Mais pourquoi donc avoir eu des relations sexuelles avec elle, pourquoi ?

—Réglons tout de suite ce cas, si tu veux. Avoir eu des relations sexuelles avec elle, c'est la même chose dans mon esprit, que d'avoir partagé une bouteille de vin avec elle. Je crois pas en la fameuse sexualité du mariage: t'es mon bien pour toujours, je suis ton bien pour toujours. T'es toi et libre de ton corps, je suis moi et libre du mien. Sincèrement, si on se sépare pour la question sexuelle, je vais en rire le reste de ma vie, parce que le seul point de notre mariage qui a toujours bien marché, c'est justement celui-là. J'ai vécu une sexualité ailleurs parce que c'est différent, parce que je crois qu'il est naturel pour un être humain de connaître une certaine variété dans tous les domaines Si Dieu nous a donné l'intelligence d'étendre nos horizons dans tout, il devait s'attendre à ce que les humains s'en servent pour bonifier des choses déjà bonnes en elles-mêmes au départ. Et il doit sûrement se désoler de voir à quel point les humains se servent peu de leur tête pour rechercher la variété sexuelle. J'ai vécu une sexualité ailleurs pour pas me sentir propriété exclusive d'une seule personne et qui sait, peut-être pour t'apprécier davantage.

—Mais je comprends pas, c'était si bon la sexualité ensemble !

—C'est ce que je viens de te dire. J'ai pas eu une maîtresse pour le sexe, mais pour mon épanouissement personnel, pour un partage...

–Qu'est-ce qui va m'arriver quand tu seras plus là ?

–Que je sache, suis pas encore parti. Je vais t'aider à te relever et quand on se quittera, tu seras forte. Tu te seras rebâtie toi-même, sans moi, et tu souriras à nouveau. Je te laisserai pas dans la rue Pis si t'es d'accord, on essaiera de pas se laisser avoir par des avocats...

Elle l'interrompit, comme si elle n'avait rien écouté.

–Tu m'aimes pas, Alain ?

–Selon ta définition de l'amour, non. Pour toi, l'amour est possessivité et pour moi, c'est la libération de l'autre. Vivre et laisser vivre. Vois-tu, ce qui pousse les gens au mariage c'est pas l'amour, mais une romance dans laquelle il y a un intense désir de posséder l'autre rien que pour soi. Cette chose est de la possessivité et elle a rien à voir avec l'amour. Elle ne dure d'ailleurs que le temps des roses.

Reprenant un peu son calme, elle dit·

–L'amour, ça se passe entre deux personnes, pas trois.

–L'amour doit pas comporter le rejet pur et simple, ni non plus le rejet sexuel des autres; autrement, cet exclusivisme devient de l'égoïsme à deux, de la possessivité mutuelle, génératrice de jalousie, d'étouffement, de drame, de divorce et, d'un bout à l'autre de la vie, d'agression.

Nicole leva un genou et dit sur le ton de la protestation:

–Tu peux donc te permettre d'aller coucher avec n'importe qui ? Quelle belle mentalité ?

–Je deviens pas dévergondé parce que je deviens libre, au contraire. On croit rendre les gens raisonnables en les enchaînant. Libre et équilibre sont deux concepts qui s'apparentent bien mieux que chaînes et équilibre !

Elle fit tourner un mégot de cigarette dans son cendrier et regarda son mari brièvement, à deux reprises. C'était la première fois qu'elle posait son regard sur lui depuis qu'elle était là.

–Tu aimes Denise Martel ?

–Je pense que oui !

–Mais elle te possède à son tour. Tu vois pas clair dans son jeu ?

–Nicole, on commence par le commencement et tu vas me dire ce qui s'est passé lors de ta rencontre avec elle. J'en ai déjà trop dit et je veux pas que tu m'arranges les choses à ta manière. Je t'écoute

Elle essuya ses larmes avec le revers de sa main, puis se mit à fixer des yeux un point inexistant du plancher.

–Je t'écoute.

–J'y suis allée avec ma soeur.

–Quel besoin avais-tu donc d'elle ?

—On prend jamais assez de précautions.

—Ensuite ?

—J'avais obtenu son adresse exacte en appelant chez ses parents aujourd'hui, ce qui d'ailleurs m'a confirmé que tu étais bel et bien avec elle hier.

—Et qu'espérais-tu en allant la voir ? La battre ? Lui faire peur ?

—Fallait que je le fasse, mais j'aurais pas dû. Comme tu l'as souvent dit, ce qu'on sait pas fait pas mal. Et là, j'en sais trop, beaucoup trop.

Elle cessa de parler et rejeta ses épaules contre le mur, comme si elle cherchait son souffle.

—Continue. Que s'est-il passé ensuite ?

—J'ai sonné, elle m'a répondu...

—Saute les détails. Qu'est-ce que vous vous êtes dit ?

—J'ai dit qu'elle était une petite putain et qu'elle devrait s'ôter le nez de mon ménage. Mademoiselle lisait son journal. Dédaigneusement Elle m'a dit: je l'ai eu par mon intelligence, je vais le garder par mon intelligence. Je lui ai dit ce que c'était que de tenir maison, d'élever un enfant, de travailler à la discothèque. Je lui ai dit qu'on est mariés depuis douze ans et qu'elle avait qu'à s'intéresser aux hommes célibataires. Elle a rétorqué que je te laissais jamais tranquille, que tu travaillais quinze heures par jour à l'année et des choses semblables. Je lui ai dit que je me tournais pas les pouces pendant que tu travaillais, que je restais à la maison à repasser tes pantalons, à préparer tes repas. Finalement, elle t'a fait passer pour une petite victime...

—Juge-la pas sur ce qu'elle t'a dit. Il semble qu'elle n'a fait que répéter les problèmes dont je lui faisais part...

—C'était donc si terrible de vivre avec moi ?

—Terrible ? Oui. Surtout depuis trois ans

—Depuis que t'as une maîtresse, hein !

—Tu crois qu'elle m'a mis le grappin dessus et qu'elle me montait contre toi. Tu te trompes. Suis pas son objet. Elle respecte ma liberté et m'a jamais poussé dans le dos pour que je te quitte.

Il réfléchit un moment à ces paroles qu'il venait de jeter et quelque chose lui gratouilla le cerveau. En fait, il voulait que Denise respecte sa liberté, mais il s'était rendu compte qu'elle trépignait de plus en plus et que lui, de plus en plus, prenait ce grand rêve pour une réalité. Une réalité qui n'avait pas duré plus que leur première année de liaison S'il se droguait de cette illusion, le plus souvent, il en riait ou encore se trouvait des raisons d'espérer que Denise puisse changer quand il vivrait avec elle. Ce qui, avant tout, le poussait à planifier son avenir davantage en fonction de sa maîtresse plutôt que de sa femme, c'était de penser que Nicole avait eu sa chance pendant dix ans, alors que Denise n'avait pas eu l'occasion de prouver qu'elle puisse être une compagne libérée. Et Denise le lui rappelait souvent. Et ces nombreuses fois où il s'était lassé de sa liaison, l'habitude avait pris la relève des attitudes hargneuses de Nicole pour le faire continuer.

Il pensa à la conversation qui avait opposé les deux femmes et se dit, non sans une certaine fierté qui le fit sourire mentalement:

"Tiens, tiens voilà deux femelles qui se disputent farouchement un bien."

—S'est-il parlé d'autre chose ?

—La même chose que tu me chantes souvent: que je devrais sortir de ma coquille et me cultiver. Elle m'a dit que vous aviez des goûts semblables et les mêmes buts dans la vie et que j'y pourrais rien changer. Elle m'a dit aussi que vous aviez des projets d'avenir.

—Mais toi, que lui as-tu dit ?

—Je me souviens pas de tout...

—En allant la voir, t'avais l'intention de lui dire quelque chose ? Tu avais bien dû formuler des phrases à lui débiter, depuis vingt-quatre heures que tu y pensais.

—Je voulais la démasquer, lui faire savoir que je voyais clair dans son petit jeu, dans votre petit jeu; mais ça s'est pas passé ainsi..

—Parce qu'elle t'a fait prendre conscience que je suis plus ta chose!

Nicole alluma une cigarette et posa à nouveau ses yeux égarés sur un point fixe du plancher.

—Je lui ai demandé où elle allait dans la vie avec un agissement comme le sien. Elle m'a répondu qu'elle vivait au jour le jour. Je lui ai demandé si ses parents étaient au courant de son petit manège. Elle a fortement réagi, m'a dit de laisser ses parents en dehors de tout ça.

Nicole continua sa narration, mais Alain n'écoutait plus. Il se remémorait cet appel anonyme que la mère de Denise avait reçu il y avait déjà plus d'un an. Sa maîtresse avait essayé de diriger son doute vers Nicole, mais il avait carrément nié la possibilité psychologique d'une telle action de la part de sa femme. Il se rappela aussi que Denise avait réagi de façon bien réticente à son hypothèse voulant que ce soit une secrétaire de la station de radio qui par jalousie... Mais la secrétaire —il l'ignorait à l'époque— était elle-même à ce moment-là la maîtresse d'un homme marié et devait, peu après s'en aller vivre avec lui. Alain n'avait pourtant jamais plus pensé à cet appel et voilà que les mots de Nicole concernant les parents de Denise lui remettaient tout cet événement en tête. Car le mystère s'épaississait. Nicole avait spontanément donné des preuves de comportement, bien involontairement, à l'effet qu'elle n'avait rien eu à voir avec cet appel. Un tel geste aurait inévitablement accompagné d'autres tempêtes concernant Denise Martel. Que Nicole agisse d'une façon aussi violente pour ensuite s'endormir ou presque, jusqu'au jour où elle découvre sa liaison, aurait relevé de la plus pure fantaisie, digne d'un téléroman...

—Autre chose ? dit-il distraitement

–Tout revenait toujours au même. Elle...

Il cessa d'écouter. À peine était-il revenu à sa réflexion sur l'appel que la lumière éclata en son cerveau, provoquant à ses lèvres un sourire à peine réprimé. Il se demanda comment il avait pu être bête et aveugle au point de soupçonner tout chacun avant de mettre le doigt sur la vraie coupable. Denise, elle, avait saisi tout de suite qu'il ne pouvait s'agir que d'une personne très proche de toute l'affaire et c'est pourquoi elle avait immédiatement soupçonné Nicole. Mais puisqu'il n'y avait aucune chance que ce soit Nicole, alors la coupable, –Alain en avait maintenant la certitude– était la mère de Denise qui avait elle-même inventé toute cette histoire. Il savait pourtant depuis longtemps tout ce que des parents peuvent machiner pour que leurs enfants marchent dans le bon sillon, c'est-à-dire le leur, mais cette idée ne lui avait même pas effleuré l'esprit au moment de l'appel. Il avait bien essayé de sortir Denise des griffes de sa parenté, comme il l'avait fait avec Nicole, mais il n'aurait jamais osé penser, à l'époque, qu'une mère puisse donner dans des actions aussi violentes pour couver son enfant, même une adulte de vingt-quatre ans.

Il soupira mentalement:

"Que voulez-vous, quand une femme vit à l'année longue ses frustrations, seule, derrière ses chaudrons..."

Cette idée de chaudrons le ramena à la réalité et lui fit prendre conscience qu'il avait faim. Comme il présuma que ce n'était pas le bon jour pour demander si le souper était prêt, il dit:

–Tu vas m'excuser une dizaine de minutes, je vais aller manger quelque chose.

Elle dit:

–Quand je suis revenue tout à l'heure, j'ai rapporté du poulet frit Kentucky et je l'ai laissé dans le four pour qu'il se garde chaud.

Il la regarda incrédule, réfléchit une seconde, pensa à ce complexe de la poule couveuse chez la femme, complexe admiré des gens mais en fait relent de possessivité. Il se dirigea vers l'escalier.

–T'as pris des dîners ou une boîte économique ?

–Des dîners.

–Dans ce cas, je vais descendre ma boîte ici .

–Laisse la mienne dans le four, j'ai pas faim.

Elle s'alluma une cigarette avec le mégot de la précédente et recommença à pleurer. Quelques minutes plus tard, Alain revint en grignotant. Il rabattit le couvercle sous sa boîte et la déposa sur son bureau.

–Tu devrais aller faire souper Patricia et en profiter pour faire un peu le point sur les événements. Autrement, tu risques d'en perdre des bouts. Il avait gardé son ton ferme, mais tâchait de lui injecter une touche de bienveillance.

Nicole, dont les idées s'étaient pas mal bousculées pendant l'absence de son mari, écrasa vivement sa cigarette et se leva en maugréant. D'un pas nerveux, elle se rendit à l'escalier, en gravit quelques marches et s'arrêta.

–À soir, tu vas rester à la maison et on poursuivra la discussion.

–J'avais pas l'intention de sortir, mais tu me fais décider à le faire. Je serai donc pas disponible pour une discussion... ou demande-le sur un autre ton.

Il se lécha les doigts.

Elle pencha la tête et se fit plus douce, presque suppliante:

–Tu veux donc me faire ramper à tes pieds ?

–Non, au contraire, c'est moi qui ne marcherai plus par l'agression.

Du doigt, elle gratta nerveusement le tapis et d'un ton retenu, sans lever les yeux, demanda:

–Veux-tu rester à la maison à soir afin qu'on puisse discuter ?

–Je resterai. Et il plongea une patate frite dans la sauce brune.

*

Il finit de manger sans réfléchir. Il tenait à reposer son esprit de tout, comme s'il venait d'avoir un orgasme, se libérant aussi, du même coup, d'une forte envie d'uriner. Il se sentait soulagé de ce qui n'avait été pour lui ni un poids ni une douleur, mais un immense désir retenu, devenu une fixation détestable. Il avait enfin posé les bons gestes, dit les bonnes paroles, eut les bonnes attitudes, vibré à ses profondes convictions, pour conquérir une des grandes libertés de sa vie: il avait abattu les murs de son mariage et cela le rendait incroyablement heureux.

Quand il eut disposé des restes de son repas, il leva les yeux vers une mini bibliothèque au-dessus de sa tête, sur le mur, et se choisit un livre. Il en parcourut plusieurs pages, sans suite, ici et là. Chacune lui rappelait tout le contexte d'un chapitre puisqu'il avait déjà lu le volume à plusieurs reprises. Plus tard, longtemps après, il le remit à sa place.

Il essaya alors de prévoir la suite de la discussion. Nicole tenterait de lui démontrer qu'il avait tort. Elle ferait des menaces, pleurerait, ferait du chantage. Elle parlerait d'amour et passerait aux promesses. Elle utiliserait sans doute au complet l'étonnant arsenal féminin. Mais il ne bougerait pas d'une ligne et il n'avait même pas besoin d'en prendre la décision, il le savait tout simplement, froidement, à l'avance.

Plus tard, Nicole revint s'asseoir au même endroit qu'avant le souper. Elle enleva le papier-cellophane d'un paquet de cigarettes neuf et le bruit qu'elle fit pouvait signifier que c'est elle qui donnerait les cartes. L'expiration de sa première bouffée accentua ce qu'il jugeait comme une intention de sa part. Elle déposa lentement la cigarette sur le rebord du cendrier et, le visage dur, demanda:

–Je peux savoir à quoi m'en tenir quant à notre avenir ?

—Ton avenir t'appartient et j'ai pas à en décider à ta place. En ce qui me concerne, la vie continuera exactement comme elle était, sauf, ben sûr, que je vais laisser les choses évoluer à leur rythme.

—Tu vas continuer de rester ici et, à la semaine longue, charroyer chez ta maîtresse ? Pis tu crois que les choses pourront aller longtemps comme ça?

—C'est ce que je pense! Pis si ça te convient pas...

Il termina sa phrase par un haussement d'épaules.

—Tu voudrais ben que je quitte la maison, hein ?

—C'est pas ce que je désire.

—Si tu me veux pis que tu veux l'autre aussi, ça pourra jamais aller.

—Je te veux pas, je veux pas Denise non plus. Vouloir quelqu'un, c'est déjà le traiter en objet.

—Tu cherches à ce que je laisse la maison pour tout garder pour toi.

—Tiens, tiens, appelle donc tout de suite un avocat!

Il décrocha puis raccrocha le téléphone.

—Si tu veux refuser mon aide, libre à toi. Mon idée est la suivante: tous les deux, on continue de vivre ensemble. Tu vivras ta vie à ta manière et tu me laisseras vivre la mienne. Je te rendrai plus de comptes, même indirectement, comme c'était souvent le cas quand tu m'inondais de questions. On n'essaiera pas d'embarquer l'autre dans des projets qui lui conviennent pas et, s'il choisit de les vivre, il le fera en parfaite liberté. Chacun prendra ses propres décisions pour lui-même d'abord, car dès qu'au nom de cette chose qu'on appelle l'amour, on s'oublie pour l'autre, commence la mesquinerie qui devient vite frustration, qui devient agression, qui devient possessivité.

—Faut ben tenir compte de l'autre.

—Quand une personne est heureuse avec elle-même d'abord, elle peut rayonner sur son entourage: c'est la vérité la plus simple, la plus oubliée et la plus galvaudée. C'est dans ce sens-là, qu'après mûre réflexion, je t'annonce que je vais quitter l'enseignement cette année et que, d'ici deux ans au plus tard, j'aurai quitté le milieu.

—T'es certain que t'es pas en train de tourner fou ?

—C'est ce que je suis en train de faire. Mais pas assez pour être interné. En conséquence, tu devras tenir compte de ces données-là pour prendre tes propres décisions. Je vais t'aider à t'en sortir; t'es pas encore prête à le faire. C'est pas là de la grandeur d'âme, mais un devoir à remplir. Pis un devoir tout à fait égoïste· parce que je vivrais mal avec moi-même de te plaquer sans rien Autrement dit, on va se préparer au divorce. Un beau divorce. On prendra chacun notre part comme on l'a gagnée...

—Ta maîtresse pense pas de même; à l'en croire, tu fais tout et je fais rien.

—Elle a sûrement pas utilisé ces mots-là. Elle a voulu dire que tu tournes en rond. Si on commence à fendre les cheveux en quatre, on s'en sortira jamais. On n'a pas été des fainéants ni l'un ni l'autre.

—Tu devras ben choisir entre elle et moi: un mariage à trois, ça se peut pas.

—Si tu penses qu'il s'agit d'un mariage à trois, ben ça va exister, parce que j'ai nulle intention de laisser Denise ni de quitter la maison non plus.

—Tu crois que je vais tolérer cela ?

—Sinon, va faire tes bagages.

—Mais tu peux tout de même pas coucher avec deux femmes à la fois...

Il perdit contenance.

—Laisse donc le sexe en dehors de ça. Donne-lui la place qui lui revient. Je vais garder ma maîtresse et ce que je ferai avec elle ne regardera que moi. J'irai avec elle quand bon me semblera... Rassure-toi, je tâcherai de rester discret.

Elle leva les mains au ciel, crispa les poings:

—Une situation intolérable, que diront les gens ? Quelle femme endurerait ça ?

—Pense donc pour toi-même et au diable les autres. D'accord, tâche d'éviter leur merde, mais t'en crée pas à cause d'eux autres.

Il y eut un court moment de silence au cours duquel il se ressaisit.

—Après un an, j'aviserai. Si tu changes ta façon de voir la vie, librement, pour toi-même et non pour essayer de me repêcher, là, je verrai. Faudra que tu brises des chaînes: celles pour me retenir, celles avec ta parenté, celles du matérialisme, celles de ton passé, du milieu. Faudra que tu arrêtes de pleurer sur toi-même. Faudra que tu cesses d'accuser le monde entier de tes malheurs alors que l'ennemi est en toi-même. Faudra que tu regardes la vie et l'avenir avec optimisme. Si tu fais tout ça, là peut-être qu'on pourra trouver ensemble des projets d'avenir communs.

Elle replia ses genoux et s'y appuya le menton

—Tes projets sont déjà faits... ailleurs, avec ta maîtresse.

—Projets, projets... intentions, oui. Mais aucune décision d'arrêtée. Elle aussi a ben des choses à changer... Mais ça te regarde pas

—Tu veux nous mettre en compétition ?

Il fit une moue d'indifférence.

—Si tu le prends comme ça !

—Avec peu d'espoir pour moi !

—L'espoir est en toi-même. Je te préviens: si t'en fais une compétition, t'as toutes les chances de perdre, parce qu'un enjeu de compétition est toujours un trophée, un bien à posséder. Et j'en serai jamais un Compétitionne avec toi-même, pour te libérer; là, je serais d'accord.

Comme si elle n'avait pas écouté, elle dit:

—Contre elle pis sa grande intelligence, suis perdue d'avance.

—T'as tes qualités; elle a les siennes. Mon problème à moi c'est de savoir laquelle est la plus positive, la moins possessive. D'ici un an, je saurai. Et si je constate que chacune est incapable d'être heureuse par elle-même sans avoir besoin d'arborer un panache d'homme dans son living-room, alors je m'en irai vivre seul.

Nicole secoua la tête et affirma rageusement.

—Dans un an, tu vas prendre tes affaires et aller vivre avec ta maîtresse...

—C'est ben possible.

La jeune femme serra les poings et grimaça Des larmes abondantes roulaient sur ses joues. Elle ravalait sans cesse, cherchant à absorber tous les coups qu'elle avait reçus depuis deux jours. Mais toutes ses révoltes se heurtaient à un mur que l'homme avait bâti, pierre par pierre, depuis des années, depuis dix ans. Ce mur, il l'avait fait, défait, refait, y avait travaillé la nuit, l'hiver, dans la peur, les remords, la torture morale; mais il l'avait armé de toute sa sincérité et cimenté de tous ses rêves. Personne ne le détruirait plus; il était inexpugnable

Elle siffla entre ses dents:

—Pourquoi m'être tant dévouée dans la maison ?

—Tu recommences à mesquiner. Le partage des tâches et des mérites se fait pas avec une balance. Dans la vie, on travaille pas pour acheter l'amour, la fidélité, l'attachement de quelqu'un, on travaille d'abord pour soi-même, pour son propre épanouissement et c'est cet épanouissement qui attire l'attachement. C'est ce qui se passe quand deux jeunes se rencontrent; mais leur attachement, à cause de la nature humaine possessive et de la conception traditionnelle du mariage qui structure cette possessivité, se transforme invariablement en négociation entre les partenaires· si tu fais ceci, je ferai cela etc... Même le vocabulaire des amoureux pourrit vite: je te veux, je t'aime, je veux rester toujours avec toi, t'es la seule que j'aime, t'es la plus belle, je ne pourrais vivre sans toi, marions-nous, ma femme, mon mari... Et le sous-entendu de ces mots: t'es ma chose et je veux te garder rien que pour moi. Cette possessivité est un faux-semblant de l'amour, relevant d'un amalgame bon-mauvais de l'âme, où c'est le mauvais qui mène. Cette possessivité est trompeuse parce que dans ses débuts, elle fait naître la romance, la fameuse petite ou grande vibration des fiancés sur laquelle on engage une vie entière et qui, par définition, peut pas durer. Quand elle a disparu, les hommes la cherchent plus ou moins discrètement ailleurs et les femmes se plongent dans la consommation, et ça nous donne la société de fous-courants dans laquelle on vit. C'est le monde de l'orgie au lieu d'être le monde de l'équilibre. On a d'incroyables valeurs entre les mains et pourtant, on sait pas s'en servir. C'est de tout ça dont je veux me sortir sans trop briser autour de moi.

—Comment-veux-tu que je... que je réponde à tout ce que t'attends d'une femme? Tu m'en as jamais parlé.

—Je te parlais comme je pouvais, à mesure que je découvrais les choses, et en utilisant d'autres mots que ceux d'aujourd'hui. Tu t'entêtais à garder espoir que je change et devienne un mari ordinaire Telle que je te connais, si je l'étais devenu, t'aurais pas été davantage satisfaite. Ta mère, trouvait moyen d'agresser ton père chaque semaine. Mes parents catholiques se sont bagarrés toute leur vie. J'aime pas généraliser, mais de là à croire que c'est le hasard qui a fait se rencontrer deux personnes comme nous, nées de parents incapables de communiquer dans l'entente ?...

Il fit un geste d'incrédulité et ajouta:

—Que les psychiatres disent ce qu'ils voudront, ce phénomène d'agression perpétuelle à l'intérieur d'un couple a pas de justification fondamentale !

Il y eut un long silence. Le cœur de Nicole et l'esprit d'Alain reprirent leur souffle. Comme si chacun attendait le signal de l'autre pour se remettre à l'action. Comme s'ils sentaient que tout était dit et répété. Comme s'ils savaient que la discussion n'apporterait plus rien de neuf. Comme si chacun chargeait ses batteries pour revenir à la charge avec les mêmes arguments, en des mots différents, espérant intuitivement que l'autre puisse avoir oublié ses raisonnements.

Nicole s'alluma une cigarette, mécaniquement: autre geste cent mille fois répété depuis sa jeunesse, inutile, destructeur, à la fois profondément et si peu humain.

—Je pourrai pas vivre avec toi sachant que dans l'heure d'avant, tu étais avec une autre, dans les bras d'une autre. Ça serait révoltant

—Et pourtant, c'est pas ça qui est grave. Il est bien pire de désirer être avec quelqu'un d'autre au moment où je suis avec toi

De sa main libre, Nicole s'enveloppa le front.

—Ce que je peux avoir mal!

Puis elle secoua la tête.

—Pourquoi cette fille est-elle venue se mettre le nez dans notre ménage ?

—Elle ou une autre .

—Je sais ben. les hommes sont jamais contents de ce qu'ils ont chez eux !

—Et c'est normal. C'est la même chose pour les femmes, sauf qu'elles le disent par l'agression, par la jalousie, par la possessivité.

Elle se fit plus douce, communicative:

—Alain, y a plus grand espoir pour moi, hein ?

–Nicole, tout est dit. J'ai plus rien à ajouter. Parlons d'autre chose; on est tous les deux fatigués du sujet.

Ils restèrent longtemps silencieux. Chez la jeune femme, les périodes de larmes alternaient avec celles de crispation rageuse Alain demeura impassible, écrivant les mots-clefs de ses raisonnements, les alignant comme un vieux comptable aurait mécaniquement disposé de ses chiffres.

*

Beaucoup plus tard, elle dit doucement:

–Allons nous coucher et faisons l'amour une dernière fois, veux-tu, Alain ? Je te l'impose pas, je te le demande.

–D'accord!

Il fut intrigué par ces paroles qu'il crut choisies à dessein. Pourquoi avait-elle donc combiné "une dernière fois" et "je ne te l'impose pas" ? Comme si elle fermait une porte et, en même temps, l'ouvrait.

Ils montèrent et se couchèrent.

Sous la lueur d'une lampe en veilleuse, il regarda les larmes rouler doucement sur les joues de sa femme. Pensant alors au sadisme inné de chaque être humain, il se demanda si le sien n'avait pas atteint un degré excessif. Il se dit que non puisque sa joie devant la souffrance de Nicole ne relevait pas de son côté morbide mais lui de voir enfin les choses bouger en elle. Brutalement, mais elles bougeaient!

Elle était là, démolie, les yeux perdus et intarissables. Il pensa qu'elle devrait descendre encore plus creux et que toutes ces larmes encore à verser sur elle-même, devraient sortir pour laisser place à la joie, à l'optimisme, à l'ouverture aux autres, à l'avenir, à la vie.

Alors il se surprit à prier.

"Mon Dieu, je sais que je suis le bon médecin pour son âme. Cette prière, puisque c'en est une, pourrait vous sembler un doute, un manque de confiance en moi-même, mais vous savez qu'il n'en est rien. Vous savez aussi que les plus grandes erreurs sont commises par les gens les plus sûrs d'eux-mêmes. Vous savez comme je me méfie des politiciens et des prêcheurs qui se prennent pour la voie, la vérité et la vie Mais puisque vous avez mis en moi tous les éléments, et semé sur ma route tous les événements pour que j'en arrive à une aussi grande certitude morale, si je me trompe pour Nicole, pour Denise et pour moi-même, alors je vous en voudrai. C'est pas une menace que je vous fais, c'est une façon de vous dire que j'avais besoin du dernier élément qui manquait encore à ma conviction: que ma logique m'assure que vous êtes de mon côté Tant de gens ont soutenu que vous les approuviez et pour des motifs si souvent douteux que vous me pardonnerez bien de vous dire une fois dans ma vie non pas éclairez-moi, mais plutôt· si mes propres lumières m'aveuglent, aidez-moi et faites en sorte qu'elles diminuent d'intensité. Au fond... je sais bien que vous n'interviendrez pas, car ce serait une contradiction de vous-même..."

388

Il s'interrogea sur la nature du désir physique de Nicole. Est-ce qu'elle souhaitait des préliminaires longs ou courts ? Ou quoi ? Elle avait dit qu'elle voulait faire l'amour et pourtant, elle restait immobile. Pour savoir, il fit un geste direct, ce qui ne signifiait plus pour eux une indélicatesse. Presque aussitôt, elle lui fit un signe qu'il connaissait bien en lui tirant sur le bras.

–Viens en moi.

–Tout de suite ? Si vite ?

–Je te veux en moi... une dernière fois.

De la sentir aussi prête lui donna une érection ni violente ni faible· de celles qui lui permettaient un meilleur contrôle.

Il prit position, mais ne fit que des caresses. Brusquement, elle le saisit par les épaules avec une violence qu'il n'avait jamais connue et, hochant la tête, respirant en saccades, elle réussit péniblement à dire, à travers ses sanglots:

–Alain, viens en moi.

Il plongea. Leurs corps ne se touchaient que par le bas-ventre. Hochant toujours la tête à gauche et à droite, elle lui exerça une forte pression sur les épaules afin qu'il se soude à elle. Quand il eut obéi à son attente, elle l'enveloppa de ses bras nerveux et douloureux.

Elle hoqueta:

–Je t'aime et je sais pas ce que je ferai pour vivre sans toi.

–En la période du désir, les choses nous apparaissent toujours plus belles qu'elles le sont en réalité. Il en est de même des événements sombres. On les anticipe toujours plus terribles qu'ils n'arrivent en fin de compte. Tu verras qu'on s'habitue à tout.

Elle poussa ses hanches vers lui et dit:

–J'ai jamais autant vibré de toute ma vie.

Il ne parla pas et entama un léger mouvement de va-et-vient Il finit par dire:

–Cette vibration nouvelle que tu as, vient peut-être du fait qu'on ne prend véritablement conscience de ce qu'un être représente dans notre vie qu'au moment où on envisage de le perdre. Alors tout ce qui le concerne prend une dimension nouvelle et démesurée.

–Tu veux m'embrasser ?

Il l'embrassa tout en bougeant les hanches juste un peu plus vite. À nouveau, il leva son corps et s'appuya sur les coudes

–Si jamais on divorce, ça sera sûrement pas parce que notre vie sexuelle est un échec Jamais on n'a fait deux actes identiques. Même quand on a raté notre coup, on a appris quelque chose. Même nos douleurs morales et nos inquiétudes, plutôt que de les tuer, ont ajouté une couleur Tu sais pourquoi tout ça ? Parce que la sexualité est une chose essentiellement positive et qu'on l'aime tous les deux pour de vrai... pis qu'on a cherché à évoluer en ce domaine, sans avoir peur. Non, faut dire qu'on a eu peur souvent, mais on est allés d'avant et ça nous a ben payés...

Il s'interrompit un moment, puis ajouta:

—Quand on sera chacun de notre côté et qu'on voudra une bonne séance de sexe, on pourra toujours se téléphoner.

Il rit et Nicole sourit à travers ses larmes.

—C'est bon, soupira-t-elle.

—C'est bon comme ça l'a jamais été.

—Tu vois que d'avoir fait l'amour avec une autre nuit pas à notre plaisir. Et tu verras, dans les mois qui viennent, que ma sexualité ailleurs t'apparaîtra comme tout à fait secondaire. Divorcer à cause de ça serait une... une monstruosité.

—Mais Alain, c'est notre dernière fois, la dernière, la dernière..

Elle crispa ses doigts dans les épaules de son compagnon et d'autres larmes brûlantes jaillirent. Son désespoir, sa douleur, son impuissance, son plaisir, tous ces sentiments mélangés, désordonnés, incompréhensibles la tuaient. Elle mourait d'une mort merveilleuse et effroyable

Lui accéléra son rythme.

—Tu sais ben que c'est pas notre dernière fois, murmura-t-il à son oreille.

*

L'homme empocha les billets de banque qu'Alain venait de lui donner.

—Si t'es d'accord, je vais quitter.

—C'est pour que tu puisses partir immédiatement que je te paye, dit Alain.

L'homme s'habilla et sortit du bar, suivi, quinze minutes plus tard de Nicole et d'Alain. La discothèque avait fermé une heure plus tôt que d'habitude, faute de clients, refoulés chez eux par la poudrerie du blizzard de mars.

Sur le chemin du retour, Alain demanda:

—C'est notre placier qui t'a encore renseignée sur mes allées et venues avec Denise Martel ?

—Il se fait un devoir de me rapporter tout ce qu'il sait... mais il a fait mieux cette semaine.

—C'est-à-dire ?

—Qu'il a passé aux avances directes.

—Comme ?... En fait, ça me regarde pas, mais il est toujours intéressant d'observer le comportement de ceux qui s'affichent comme des amis.

—Il a pas l'air d'aimer beaucoup Denise Martel. Il a passé la soirée à me dire que je devrais te rendre la pareille en me permettant moi aussi une aventure. Et il a fini par ajouter, que, le cas échéant, il serait disponible. Il a mélangé de l'humour à ses paroles et longtemps tourné autour du pot, mais c'est ce que ça voulait dire.

Alain haussa les épaules et donna un inutile coup de pied sur la pédale d'accélération. Les roues arrière patinèrent.

—Qu'il te fasse la cour s'il le veut, je m'y oppose pas; autrement, j'aurais qu'à le congédier. Mais qu'il le fasse sur mon dos, cherchant à me détruire, voilà qui est dégueulasse!

—Vas-tu le renvoyer ?

—Son cas est bien trop intéressant à étudier...

—Je profite de l'occasion pour me renseigner sur ta maîtresse

—Et t'as su quoi ?

—Que t'es pas le seul sur sa liste. Claude l'observe agir à son école .. et il dit que t'es pas le seul homme à se rendre à son appartement.

Alain avança les épaules et fronça les sourcils, comme si, de cette façon, il pouvait mieux scruter la route qui, dans la bourrasque, apparaissait de plus en plus incertaine.

—J'espère que tu dis pas ça pour me provoquer. Tu connais mes opinions là-dessus; Denise est aussi libre que toi de faire sa vie. Je sais qu'elle sort régulièrement avec d'autres, mais je m'en formalise pas et je lui pose jamais de questions. C'est pas à me dire qu'il y a d'autres hommes dans sa vie que tu vas me détourner d'elle.

—Je le disais pas pour ça; je veux juste comprendre ses agissements D'autant plus que dans les paroles de Claude, j'en prends et j'en laisse.

—On voit pas loin en avant. Ça me rappelle cette fois où j'étais revenu de Québec sous un orage excessif...

Nicole l'interrompit:

—Tu devais être avec Denise cette nuit-là, hein ?

—Tu sais ben que je ne te répondrai pas.

—Quelle différence: tu vis ta vie pis que ton avenir est ailleurs !

—Mon avenir est pas nécessairement ailleurs, comme tu le prétends. Tout dépendra...

—Quelle fut sa réaction de voir qu'on a continué ensemble ? Qu'a-t-elle dit la première fois que tu l'as vue après ma rencontre avec elle le mois passé ?

—Elle m'a raconté votre petit entretien... Vos deux versions se sont pas contredites. Mais elle t'a pas accablée... Tiens, le chasse-neige; on restera pas enlisés.

Il se souvint que Denise avait en effet dit peu de chose de sa rencontre avec Nicole. Elle lui avait demandé de ne pas trop la questionner, soutenant qu'elle préférait oublier tout ça. Ses commentaires avaient été davantage non verbaux: hochements de tête, soupirs, haussements d'épaules.

Mais ces gestes avaient suffi à lui faire comprendre qu'il avait bel et bien été un objet dont deux femelles se disputent la possession. Il avait ri et s'était dit qu'elles finiraient probablement nez à nez dans leur course, mais à zéro, car il ne serait la chose ni de l'une ni de l'autre.

—Pour en revenir à Claude, dit-il, je ne serais pas du tout surpris qu'il joue le même jeu avec Denise Martel étant donné qu'ils se voient tous les jours

—Tu vas la questionner pour savoir ?

—Absolument pas! Je sais que jamais elle se laissera influencer par lui. Elle a toujours condamné sa façon de détruire systématiquement tout ce qui convient pas à son entendement; elle digère pas cette démolition verbale que s'entendent à faire lui et son ami Charles Goulet...

—Tant mieux pour toi si c'est vrai!

—Quand deux personnes se font confiance, le reste a pas d'importance

Elle ne parla plus de tout le trajet, mais une tache rouge colora sa joue jusqu'à la tempe.

*

Denise faisait nerveusement courir l'aiguille rouge sur la bande A.M. et cherchait une musique non parasitée pendant qu'Alain arpentait le petit salon où ils se retrouvaient tous les jours, depuis près d'un an, pour rêver, jaser, discuter de choses et d'autres et se raconter la vie de leurs écoles.

Le sujet, ce soir-là, s'avéra brûlant, comme la température du jour.

—Denise, on détourne la question depuis trop longtemps

—Si je peux retrouver ce poste.

—On fait l'amour depuis trois ans à raison d'une fois par semaine ou à peu près. Pourtant, c'est comme si on l'avait fait qu'une fois... je veux dire sexuellement parlant. Pas d'évolution. Je m'en suis pris à moi-même pendant longtemps, mais je crois que ça va chercher beaucoup plus loin que le simple cliché disant: y a pas de femmes frigides, y a que des hommes maladroits ..

Elle se leva et retourna au divan, épaules basses. Elle dit à faible voix:

—Mais Alain, j'ai fait ce que tu m'as demandé· je te caresse. comme tu voulais que je le fasse et tout.

Il fit une moue d'incrédulité et, gardant les yeux rivés sur le système de son, ajouta:

—Oui... oui . mais d'un geste mécanique, obligatoire. On dirait que tu ne le fais que pour moi, dans une sorte de résignation..

—J'ai pas douze ans d'expérience dans ça, moi

Il s'affala sur un fauteuil et croisa la jambe.

–Je n'accepte plus cette objection et pour plusieurs raisons qui se ramènent toutes à la suivante: tu donnes l'impression d'avoir peur du sexe. Quand j'aborde la question, tu changes le sujet. Je t'ai souvent apporté des revues depuis deux ans et j'ai même souligné certains passages traitant de la participation féminine, mais je crois que tu les as même pas lues. Au début de 1974, j'avais fait une émission de radio précisément sur ce sujet-là. À la dernière minute, tu t'es trouvé une bonne excuse pour pas l'écouter. Denise, on dirait que tu veux pas évoluer dans ta vie sexuelle. Comment ça se passe ? Je te masturbe à l'orgasme pendant que tu me touchailles comme si mon sexe était un serpent venimeux. Et ensuite, je me masturbe dans ton vagin jusqu'à l'éjaculation. Car ça mérite pas le nom d'orgasme. Faudra que tu sortes de tes peurs et de tes dégoûts et que tu vives plus intensément ta sexualité dans la recherche du plaisir. On dirait que tu vis notre intimité uniquement parce que c'est comme ça, parce qu'il faut ben, parce que tu veux pas te sentir anormale de pas la vivre.

La jeune fille avait les bras croisés et cherchait, d'une main restée libre, du bout des doigts, de petites mousses sur l'autre manche de son gilet.

–Tu m'accables, Alain, fit-elle tristement.

Elle gardait la tête basse et parlait à voix à peine audible.

–Quand on fait l'amour, je t'assure qu'il est pas facile de penser que l'autre sera dans les bras de sa femme une heure plus tard.

Il secoua la tête.

–Denise, Denise, c'est une autre excuse. Comme cette variété que tu réclamais, disant qu'elle te ferait vibrer. On l'a fait dans le salon, dans un fauteuil, dans le bois, dans l'auto, mais on est toujours revenus au lit.

Il secoua la tête davantage.

–Tu veux que je te dise: pour que ça soit bon dans le bois, faut que ça commence par l'être sur un lit.

Denise pencha la tête davantage Il ajouta·

–Pour que le sexe soit bon sur un lit, faut que les deux embarquent. .

–La deuxième fois qu'on a fait l'amour, tu m'as fait sentir la présence de ta femme dans ta vie... C'est une marque difficile à effacer. Surtout qu'elle est toujours entre nous.

–Je t'avais dit cela par peur mâle. Fallait ben que j'explique cette érection perdue. Je sais que j'aurais dû employer d'autres mots comme· je suis dans la trentaine et ma libido est moins vive qu'auparavant, et il en faut davantage pour éveiller mon désir qu'une femme qui écarte les jambes et se laisse faire. Que ces paroles aient créé un traumatisme chez toi, peut-être! Mais faut ben, un jour, en revenir de ses traumatismes; faut s'en servir pour lutter, pour s'améliorer. Faut collaborer à la bâtir cette sexualité entre deux personnes sans avoir une idée fixe au sujet des tiers. T'es restée comme figée depuis le départ. Le seul geste que t'as ajouté, c'est de me toucher à peine du bout des doigts depuis tout récemment.

Elle se fit sèche:

—Y a pas que le sexe qui compte dans la vie.

—Oh! pour ça, je le sais fort bien! Si quelqu'un en est conscient, c'est moi. Autrement, je serais parti depuis belle lurette. Denise, c'est pas mon plaisir physique que je défends, mais j'ai peur de ton attitude figée, de ton incapacité d'évoluer. Tu critiques les autres de s'emplâtrer et pourtant, tu ne veux pas brasser ton propre ciment. Tu cherches des responsables en dehors de toi-même.

—Tu vas loin, Alain.

—D'accord, t'en es pas là, mais tu risques d'y arriver si t'apprends pas à rentrer en toi-même.

—Je pense qu'on va devoir se séparer.

—Pourquoi cette solution négative ? On devrait commencer par identifier l'ennemi en chacun de nous avant ça, non ? L'amour de soi vient de notre partie animale, mais se regarder dans un miroir est humain.

—Je veux dire une séparation temporaire... pour recommencer ensuite sur de nouvelles bases. On va profiter de mon voyage aux U.S A pour réfléchir chacun de notre côté.

—C'est pas à courir le monde qu'on apprend le plus sur soi-même C'est en explorant d'abord sa petite planète tête là, entre les deux oreilles Courir le monde et les psychiatres sans d'abord chercher à se connaître par soi-même est une combinaison de surconsommation et de fuite de la réalité.

—Si t'avais la chance... dit-elle sur un ton de reproche. Comprends Alain, qu'il me faut changer d'air. Tu te vantes si souvent de pouvoir expliquer les attitudes des autres...

—Y aurait tant à découvrir en toi-même !

—Pour ce que je peux être intéressante !

—C'est ça la fuite de la réalité... On est encore en train de dévier du sujet.

Elle l'interrompit·

—Alain, j'ai le moral à terre de ce temps-ci; pourquoi on finirait pas la soirée autrement que de cette façon ? On pourrait mieux utiliser le peu de temps qu'on a à passer ensemble ?

Il secoua la tête.

—Et retarder encore la discussion ? Non. Gâtons pas complètement la soirée en restant tous les deux sur nos frustrations. Allons au fond du pot.

Comme si elle venait d'être prise au dépourvu, Denise consulta sa montre d'un geste brusque et dit:

—On reprendra la discussion dans quelques minutes. Je devais appeler maman à cette heure-ci. Tu le prends pas comme une fuite, là, j'espère ?

Elle se rendit dans une autre pièce. La conversation téléphonique dura une dizaine de minutes au cours desquelles Alain ressassa ce qu'il avait dit. Il la forcerait à bouger, comme il l'avait fait pour Nicole. Elle devrait prouver, par une évolution sexuelle, sa capacité d'évolution tout court. Il s'allongea sur le divan pour relaxer et tâcher de penser plus juste. Denise le rejoignit bientôt. Il se rassit.

Elle se colla à lui et murmura à son oreille:

—Couche ta tête sur ma poitrine, je vais te détendre.

Il fit un signe négatif.

—Non, pas tout de suite. Tout à l'heure, quand l'abcès sera au moins incisé sinon vidé.

—Ça nous empêcherait pas de parler.

—Oh si !

—On croirait que tu cherches la guerre, ce soir, fit-elle en s'éloignant.

—Et toi la paix ?... Il est pas question de paix, de guerre ou d'agression; il est question de changer une situation qui perdure.

Ses rides précoces rendirent son front plus nébuleux encore que son âme ne l'avait ordonné. Elle se tourna vers lui afin d'observer ses réactions à l'aveu suprême qu'elle entama doucement:

—Alain, je te l'ai pas dit, mais je suis allée voir un gynécologue pour savoir si j'avais quelque chose aux organes Il a rien trouvé à son premier examen, mais il semble que je devrai en passer d'autres

—T'aurais une malformation ou quoi ?

—J'ai souvent de la douleur quand tu me pénètres.

—J'ai une belle-sœur qui a des problèmes sexuels depuis son mariage, il y a quinze ans Elle a subi cinquante examens, espérant qu'on lui trouve quelque chose, mais elle n'a strictement rien aux organes. Son problème, c'est qu'elle a jamais vraiment essayé de jouir de son corps quand elle fait l'amour. Elle veut pas de la sexualité pour elle-même; elle est bourrée de réticences; elle freine tant, qu'elle a même peur des farces sur le sujet. T'es saine de partout et comme par hasard, t'aurais des troubles génitaux ? J'en doute. Surtout qu'un examen a déjà montré que t'as rien.

—T'en sais des choses sur ta parenté...

—Quand on écoute parler, on apprend...

—Mais que veux-tu donc que je fasse ?

—Cesse de te retenir et injecte une dose de sexe dans l'acte d'amour Cette chose-là peut pas toujours être enveloppée de romance pis de sentiments; autrement, on ferait l'amour une fois par année devant le champagne et les chandelles. Libère ton esprit; dis un grand oui à la sexualité non romantique. Quand ce pas sera franchi, les recettes du plaisir viendront d'elles-mêmes, avec ou sans livres sur les techniques sexuelles

À son tour, Alain avait guetté les réactions de sa compagne. Elle n'avait pas bronché et resta silencieuse pendant plusieurs minutes.

Air sombre, voix contrainte, elle dit:

—Je crois que je serai toujours bloquée par l'ombre de ta femme. Je me demande si... si... tu devrais pas cesser tes relations sexuelles avec elle. Tu sais, ça lui donne une forte emprise sur toi, sans même que tu t'en rendes compte.

Alain n'ordonna qu'une chose aux muscles de son visage et ce fut de réprimer un sourire de totale impuissance qui montait en son âme

—Je vais y penser, dit-il à deux reprises

Il resta silencieux pendant quelques secondes, puis sourit à sa prochaine phrase. J'aimerais coucher ma tête sur ta poitrine. Le veux-tu encore ?

—Mais oui! fit-elle avec un papillotement amoureux des deux paupières. Il la laissa lui détacher, un à un, les boutons de sa chemise et ferma les yeux. Elle entreprit de lui gratter doucement l'estomac.

Il médita:

"Non, Denise, je ne cesserai pas mes relations sexuelles avec une autre; le mal est pas là. Jamais je marcherai dans pareil marchandage de ton corps... S'il fallait que tu sois de celles qui négocient leur corps toute leur vie! Je garde espoir malgré tout .. Ah! et puis .. Bon Dieu, dis donc oui à ton corps une bonne fois! Pourquoi freiner, freiner, freiner, encore et toujours...

*

L'un avait multiplié les menaces et les invectives; l'autre, les attaques.

Alain finit par dire à l'homme-lion:

—Fais rédiger ma lettre de démission par ta secrétaire; j'ai déjà trop abusé de ton précieux temps.

L'autre retrouva son sourire et sortit aussitôt. Pendant sa brève absence, Alain se remémora les événements de l'année scolaire qui l'avaient, à vrai dire, forcé à démissionner Il y avait eu cette campagne anti tabac menée beaucoup plus durement qu'à l'autre polyvalente, ce qui avait particulièrement déplu aux autorités. Puis ce pamphlet rédigé par lui et distribué, et dans lequel il dénonçait l'esprit de clan grandissant dans l'école. Les deux fois, il avait été congratulé par les enseignants, mais il avait fini par se rendre compte qu'aucun d'eux n'approuvait quoi que ce soit de ses avances

Le directeur du personnel enseignant revint et déposa la lettre sur le bureau. Alain, entre-temps, s'était machinalement approché de la petite fenêtre par laquelle il regardait la ville.

–Il t'arrive pas de t'ennuyer à rester à l'année longue entre ces quatre murs ?

–Je t'avoue que les journées sont plus longues de ce temps-ci; il fait si beau dehors. Mais on se reprend après le travail. Je pratique beaucoup le golf.

–Quel âge as-tu maintenant, Bernard ? Tu dois ben frôler la quarantaine ?

–Eh oui!

Le professeur promena son regard sur le mur et dit, comme s'il réfléchissait tout haut: "Ce sont tes enfants sur ces photos ? Comme ils sont charmants! Que de rêves et d'espoirs dans des têtes d'enfants! Dommage qu'ils doivent être déformés par l'école! Bon, alors je vais signer cette lettre et on sera soulagés tous les deux."

Il s'approcha lentement du bureau.

–Je dois te dire que je vais apposer la plus coûteuse mais sans doute aussi la plus heureuse signature de ma vie.

Pendant l'acte de signature, l'homme-lion consulta sa montre pour la dixième fois depuis le début de leur entretien. Il s'alluma nerveusement une cigarette.

–Voilà! s'exclama Alain. Et maintenant, il va falloir que je trouve des revenus pour vivre. Ceux de la discothèque suffisent pas encore

–Suis pas en peine pour toi.

L'ex-professeur se mit une main sur la bouche, la retira. Il fouilla fébrilement dans ses poches à la recherche de cigarettes. Alors il se souvint qu'il ne fumait plus depuis près de trois ans. Il soupira:

–Ça fait drôle de plonger ainsi.

L'autre ramassa la lettre, s'épongea le front du revers de la main gauche et il tendit la droite, disant:

–Là-dessus, je te dis bonne chance.

Alain plissa les yeux et regarda intensément son ex-directeur.

–S'il arrive un jour de la pagaille au Québec, elle sera enfantée par le monde de l'éducation.

Après ces mots, il tendit la main à son tour.

L'homme-lion retroussa un coin de lèvre et sourit, incrédule.

*

Le téléphone sonna.

Somnolent, Martel se dirigea vers l'appareil en pensant:

–Qui peut ben appeler ici à quatre heures et demie du matin ?

—Monsieur Martel, venez à votre bar, y a du feu, dit la voix.

Alain fut presque soulagé; il s'attendait à pire: quelqu'un de mort dans la proche parenté ou un accident survenu à Denise quelque part aux États-Unis.

—J'y vais tout de suite, répondit-il avant de raccrocher.

Nicole s'était levée.

—Que se passe-t-il donc ?

—Du feu à la discothèque. Appelle les pompiers pendant que je m'habille.

Elle n'avait pas raccroché qu'il partait. En route, il se demanda quelle pouvait être la gravité du sinistre, et surtout comment cela avait pu se produire puisque Nicole et lui venaient de quitter les lieux quelques heures plus tôt.

"Sûrement un problème d'électricité ! Il aurait fallu qu'elle soit entièrement refaite."

Sur une hauteur d'où il pouvait voir l'établissement, il aperçut une colonne de fumée sortant de l'arrière de la bâtisse ainsi que les flammes qui commençaient à lécher le rebord du toit. Il sentit la réaction qu'il avait toujours eue avant une extraction dentaire: une crispation muette et froide, cet exceptionnel sang-froid de celui qui est au bord de la panique et réussit à se retenir, jugeant sa réaction enfantine et inappropriée.

Quand il arriva, il fut surpris de constater que tant de gens puissent courir sur les lieux d'un incendie à pareille heure. Était-ce cette même hypnose qui les attire sur les lieux d'un accident de la route ? Ce goût de la catastrophe qui bouscule un peu la platitude de leur vie ? Il ne put répondre à la question puisqu'en descendant de sa voiture, il fut abordé par plusieurs et dut faire maints commentaires et soulever bien des hypothèses.

Un sapeur lui montra le foyer d'incendie et lui en expliqua les causes présumées.

—Le feu sera maîtrisé dans moins de dix minutes, ajouta-t-il. Faudra que tu rénoves entièrement l'intérieur, c'est d'une calcination complète

Deux heures plus tard, Martel se retrouva seul dans la bâtisse dont il fit le tour. Section restaurant: calcination Section cuisine· équipements récupérables. Section bar: dégâts importants. Remise arrière· entièrement détruite. Discothèque· calcination, équipements perdus Dommages au toit et à une cloison arrière.

Il sortit chercher une caisse de bois dans une remise extérieure et revint s'asseoir en un point d'où il pouvait voir tout l'intérieur.

Il essaya d'ordonner ses pensées. Le montant des assurances couvrirait les pertes matérielles, mais sûrement pas les pertes de revenus le temps qu'il faudrait pour rénover. La clientèle se disperserait ailleurs et il faudrait la rebâtir. Il se retrouvait donc sans gagne-pain, au pire de ses relations avec Nicole comme avec Denise. L'échéancier qu'il s'était donné l'année d'avant était complètement remis en question par cet imprévu. Pourtant, il ne se sentait pas abattu, comme si d'être à zéro le stimulait.

Un bruit de pas attira son attention. Puis une voix claire, qu'il reconnut aussitôt, se fit entendre derrière lui.

–Mon pauvre vieux, qu'est-ce qui t'arrive à matin ?

Il se retourna pour répondre:

–Simplement qu'il va falloir que je me crache dans les mains et que je recommence à neuf.

–Complètement ruinée, cette bâtisse, affirma le visiteur

–Oh non! Raynald, presque toute la charpente est bonne, aussi le toit. L'équipement est en partie récupérable.

–À la condition que tu te retrousses les manches très haut, très très haut...

–C'est la vie, hein ?

–Avec tout l'ouvrage que t'auras ici, on pourra plus faire beaucoup de jogging ensemble le matin.

–Probable !

–Bonnes assurances?

Martel répondit par un signe de tête affirmatif et ajouta·

–Mais j'ai rien pour couvrir les pertes d'opération

–Je te plains, car ça risque d'être long.

–Long ?

–J'ai réglé plusieurs cas de ce genre et je t'assure que les compagnies sont pas des plus empressées. .

Intrigué, Alain demanda:

–Les gens sont-ils obligés de se prendre un avocat pour se faire payer leur dû par les compagnies d'assurances ?

L'autre lança de sa voix la plus assurée:

–Assurément! À ton âge, t'as sûrement déjà entendu parler des compagnies d'assurances, voyons, Alain. Dans un cas de perte partielle comme celui-ci, t'es pas sorti de leurs pattes. Ces gens-là vont t'envoyer des agents de réclamations le plus vite possible et essayer de te faire signer des déclarations et des acceptations. Je suis surpris que l'agent soit pas encore là. Ensuite, ils vont traîner le paiement tant qu'ils pourront.

L'avocat fit quelques pas vers la discothèque et tourna lentement la tête. Il arc-bouta son coude sur sa poitrine et appuya son menton en galoche sur son poing à demi fermé. La langue entre les dents, il fit plusieurs TSTTT.

–Vraiment pas chanceux, toi qui viens de démissionner de l'enseignement. Que vas-tu faire maintenant ?

–Quoi d'autre, sinon relever le commerce, hein ?

–Ouais, ouais... Quelle est la cause de l'incendie ?

Alain fit un signe de tête.

–Dur à dire: à une heure, on quittait et à cinq heures, y avait le feu.

–Mon pauvre ami, t'es vraiment pas sorti du bois: enquêtes policières puisqu'il n'y a pas de témoins et ensuite, enquête des assureurs Tu pourras pas rouvrir avant un an.

Interloqué, Alain protesta:

–Mais ça n'a pas de sens !

–Tu verras ben comme les compagnies d'assurances se moquent du bon sens. Ce qui les intéresse, c'est l'argent. Des compagnies américaines, immenses, sans cœur et sans âme. Tu dois savoir ça autant que moi; tu connais leur réputation.

L'homme fit quelques pas et multiplia les secousses de la tête

–Je te jure qu'à la nouvelle de ton incendie à la radio, j'ai tout de suite pensé au pire. Mais je vois que c'est pire que pire parce que t'as pas eu la chance que tout brûle. Je voudrais pas te décourager; il y a solution à tout, comme je te l'ai souvent entendu dire. Mais dans ce cas-ci, t'es pas sorti de l'auberge, mon vieux.

–J'ai jamais eu affaire aux compagnies d'assurances, sauf pour payer des primes.. soupira le sinistré.

–Ces gens-là vont essayer de te manipuler, je les connais depuis longtemps. J'espère que tu te laisseras pas faire. Quand ils voient que le gars connaît pas trop son affaire, ils en profitent.

–Tu ferais quoi à ma place ?

L'homme sourit et fit quelques pas. Il frappa fort des talons, s'arrêta sec, s'enveloppa la joue d'une main, donna l'air de faire une difficile expertise mentale:

–À ta place, je fermerais ça le plus vite possible et je prendrais un mois de vacances.

–Facile à dire !

–Facile à faire! Prends ton auto et va te reposer quelque part sur le bord d'un lac. Profite de ce qui t'arrive et paye-toi un congé bien mérité. Ensuite, tu chercheras un emploi.

Il pencha la tête et sourit.

–Et je pense même que j'aurais un tuyau... Quelque chose dans tes cordes, intéressant et payant. Et je suis ben placé pour faire les pressions qu'il faut.

–Dans quoi ?

L'homme fit osciller son nez raboteux à droite et à gauche et, de deux doigts, il se frotta le lobe d'une oreille tout le temps qu'il parla·

–Je peux pas t'en parler aujourd'hui, étant donné que c'est pas officiel, mais dès que je le peux, je te lâche un coup de fil. Plus j'y pense, plus je crois que tu serais l'homme qu'il faut pour ça. En tout cas, pour en revenir à ton affaire d'ici, advenant que tu partes te reposer, je peux m'occuper de tout si tu veux pas être dérangé là. Un service personnel. J'appellerai les compagnies. Je m'arrangerai avec les enquêteurs de la brigade des incendies. Et si t'as des problèmes financiers, je pourrai même te donner un coup d'épaule. . Qu'en penses-tu ?

–J'ai aucun problème financier actuellement J'avais obtenu une consolidation de dettes le mois passé et j'étais à l'abri. De plus, la discothèque fonctionnait à plein régime ..

L'avocat l'interrompit:

–Ah! je sais! Et ça me fait d'autant plus de peine que tu risques d'être fermé longtemps.

Il consulta sa montre.

–Bon, je dois aller travailler.

Il marcha vers la sortie, ses talons donnant à son corps frêle une importance qu'il n'avait pas

–Tu viendras faire ton tour cette semaine puisque t'auras rien à faire ici. On va prendre une de ces discussions sur les médias; ça va te changer les idées. Quant à moi, ça va me reposer de la ratatouille qui passe à mon bureau Ensuite, on ira prendre une consommation quelque part . Je vais t'attendre.

–Je dis pas non.

*

Il décrivit les dommages à Nicole, puis il mangea un peu. Le téléphone sonna. C'était l'agent de réclamations qui désirait se rendre le plus tôt possible sur les lieux du sinistre.

Alain retourna siroter son café et dit à sa femme:

–Raynald est venu. D'après lui, il est pas facile d'être payé par les assureurs. Paraîtrait qu'ils sont pressés de te faire accepter ci ou ça, mais que, par la suite, ils sont longs à payer.

–Quoi faire en attendant ?

–Attendre ! Raynald va peut-être me trouver quelque chose

Il soupira:

–Il manque plus qu'une histoire de meurtre à ce restaurant-là et on aura eu tous les problèmes imaginables.

–J'aimerais aller avec toi pour voir les dégâts.

–Habille-toi autrement. Y a plein de suie partout.

Au bar dévasté, un homme assis dans sa voiture les attendait Il se présenta comme l'agent de réclamations Alain esquissa un sourire:

–Service rapide !

—On fait tout pour que les choses se règlent le plus vite possible. Quand y a des retards, c'est dû, dans la plupart des cas, à la brigade des incendies. Nous autres, du bureau des expertises, faisons notre rapport au plus tôt et on le fournit aux assureurs qui voient à payer dès qu'ils ont celui de la brigade des incendies.

L'homme un peu timide, à la voix douce, le nez large, n'inspira aucune confiance à Alain, justement parce qu'il avait toutes les apparences d'un homme à qui on peut faire confiance.

Ils entrèrent et l'agent posa une longue série de questions. Puis il demanda un rapport sur les pertes en ameublement, équipement et inventaire.

—Chaque détail devra y figurer, dit-il, même les boîtes de cure-dents. N'oubliez rien, car le paiement de cette partie des dommages sera basé sur ce rapport. Bien sûr, la vaisselle récupérable doit pas y être mentionnée, malgré que vous puissiez réclamer un certain montant pour son nettoyage. Tout ce qu'on vous demande, c'est d'être honnête

Quand l'homme eut quitté, Alain demanda à sa femme·

—Comment tu trouves ça, les dégâts ?

—Tout ce travail perdu...

—Reste à recommencer... pour ceux qui en ont le courage. Et moi je l'ai.

—Si tu recommences, suis prête à te donner mon aide.

—J'aurai besoin de toute l'aide qu'on voudra me donner Tu peux même commencer tout de suite en rédigeant le rapport des pertes d'inventaire. Prends un crayon et un papier et note tout ce qui a été perdu, même le papier hygiénique. Quant à moi, je vais voir l'avocat... Crains rien, je vais pas en profiter pour aller voir Denise Martel. Elle est en voyage aux États-Unis...

Il sortit et se rendit au bureau de son ami avocat qu'il connaissait depuis l'époque de la radio. Ils avaient discuté à quelques reprises des moyens de communication de masse. Au printemps, ils s'étaient retrouvés dans un groupe de joggers et se voyaient un ou deux matins par semaine.

—Entre Alain et viens t'asseoir ici, lui cria l'avocat quand il l'aperçut dans la salle d'attente. Avec ma grande gueule, j'ai failli te demander comment ça va. C'est pas trop le temps d'une pareille question, hein ? C'est comme de présenter ses félicitations aux proches du défunt dans un salon funéraire. Déformation professionnelle, mon vieux. Je travaille trop et j'en suis rendu à prendre les amis pour des clients.

—L'agent de réclamations vient de partir d'avec moi, là-bas Un peu plus il serait venu avant l'incendie!

L'avocat eut une réaction du visage et la réprima aussitôt:

—Qu'est-ce que je t'avais dit! Et je suppose qu'il a voulu te faire signer des formules ?

–Rien d'inquiétant! Mais c'est sa manière de fouiner qui est gênante.

–Il a dû mesquiner un peu sur tout... jusque sur la vaisselle...

Surpris, Alain fit signe que oui.

–Ça me surprend pas, ça me surprend pas!

–Depuis notre conversation de ce matin, je me demande comment les compagnies d'assurances pourraient s'y prendre pour refuser de me payer.

–As-tu relu ta police ? Y a sûrement dedans une clause où on parle de négligence grossière. C'est généralement écrit en petit. Comme t'étais absent au moment du sinistre et qu'il n'y avait personne dans la bâtisse, ils vont chercher à établir qu'il y a eu négligence grossière. Par exemple, y avait-il, pas loin du foyer d'incendie, des substances accélérantes· essence, diluant à peinture ou autres choses du genre ?...

Le visage de Martel devint livide.

–Le pire, c'est qu'il y en avait.

–Pas question qu'ils cherchent à t'incriminer puisque tes affaires étaient bonnes, que tes dettes étaient consolidées et que ton achalandage grandissait; mais ils peuvent miser sur ta négligence. As-tu une idée de la cause de l'incendie ? Feu de vidanges, défaillance électrique, combustion spontanée ?

–D'après les sapeurs et l'agent de réclamations, il s'agirait d'un feu de vidanges dans la remise arrière. Et je pense comme eux; j'avais laissé un sac de déchets dans ce bout-là.

–Tu vois! C'est une imprudence, ça. Quasiment grossière, sans vouloir t'insulter, là. Et les compagnies peuvent jouer facilement là-dessus. Et si en plus, il y avait des accélérants dans la bâtisse... Mais je peux te garantir qu'une fois le rapport de la brigade des incendies émis, je vais m'en occuper et voir à ce que ces gens-là bougent. Et toi, t'auras rien d'autre à faire que de dormir sur tes deux oreilles.

–Faut tout de même que j'établisse le rapport des pertes en équipement et inventaire.

–Dès qu'il est prêt, tu me l'apportes et tu vas te reposer Ils me passeront pas de sapins à moi. C'est la première fois que t'as à régler un problème semblable. Les assureurs pataugent à l'année longue là-dedans et connaissent tous les trucs possibles. Il se trouve que moi aussi, je connais la partie et que j'ai tous les contacts pour pas qu'ils puissent t'embarquer. Quel est le nom de l'agent de réclamations qui t'a vu ?

–Gilles Rancourt

L'avocat fronça les sourcils:

–Méfie-toi de lui. .

–Ça arrive que les assureurs refusent de payer ?

–Dans des incendies comme le tien. c'est presque toujours le cas.

–Je vas appeler le propriétaire de la *Lune d'Or*

L'avocat avança sur sa chaise en hochant la tête

–C'était pas un incendie comme le tien. Le feu s'est déclaré en plein jour, dans l'huile à patates frites.

–Alors celui de *Manoir des Pins*.

–Autre cas ben différent du tien· feu d'électricité en plein hiver.

–Si les écœurants refusent de payer.

–Refuser, peut-être pas, mais essayer de te passer une perte moindre .. Attends une seconde...

Et l'homme de loi répondit au téléphone.

–Raynald Boisvert, dit-il en décrochant. Oui, Suzanne, comment ça va ?... D'après ta voix, ça va pas trop, ma pauvre Suzanne, hein ?... Ton mari ?... C'est arrivé quand ?... Ah sacrement !... J'espère que tu le laisseras pas faire.   T'as ben fait de m'appeler .. Quand tu dis de la bagarre, ça veut dire qu'il t'a frappée ou non ?.   Non ? C'est quand même un argument de plus pour nous autres Passe me voir ces jours-ci et on va tout mettre au point pour la comparution... Hésite pas à m'appeler et surtout, te laisse pas manger la laine sur le dos Oublie pas que je suis là pour t'aider... T'as raison à cent pour cent... Même que je te trouve généreuse de pas frapper plus fort. . Je vais t'attendre... Bye, Suzanne !

Alain recommença vite à parler de son problème qui n'avait pas cessé de le préoccuper pendant toute la conversation téléphonique.

–Tu veux dire qu'ils peuvent essayer de régler pour trente mille une perte deux fois plus élevée ?

–Même pour vingt, mon ami.

–J'aurais cru qu'ils payent intégralement les dommages ou ben qu'ils refusent complètement Si la négligence grossière leur est une porte de sortie pour dix ou vingt mille dollars, pourquoi pas pour la somme entière ?

Boisvert hésita, bredouilla, toussa. Puis il parla à voix nette et forte:

–Qu'ils refusent de payer et tu les poursuivras, hein ? Mais là, ils risquent de perdre leur procès et d'avoir à payer en plus tous les frais légaux· les leurs et les tiens. Par contre, s'ils t'offrent disons vingt au lieu de quarante et que tu acceptes, là, ton dossier se ferme sans procédures judiciaires coûteuses. Tu peux toujours refuser leur offre, mais ils savent ben que t'es pas en position de le faire et que tu peux pas t'embarquer dans de longues et onéreuses démarches, d'autant plus que tu dois rouvrir ton commerce le plus vite possible. Le temps joue pour eux et contre toi et ils sont parfaitement conscients que tu finiras par accepter une offre modifiée. En bref, c'est un gambling et la meilleure carte à jouer pour eux, c'est celle de l'offre réduite.

—Mais tout ça n'a aucun sens, gémit le sinistré.

—Pour eux: oui !

—Qu'est-ce que je peux y faire ?

—La meilleure façon, c'est d'abord de leur faire savoir que tu les crains pas en t'adjoignant immédiatement quelqu'un d'habitué dans ces cas-là pour défendre tes intérêts: moi ou... un autre avocat. Soit dit en passant: tu sais que chaque avocat a un peu sa spécialité ? L'un, les divorces; l'autre, les incendies etc..

—Plusieurs autres, la politique !

—Ha, ha, ha, maudit Alain! Toujours le mot pour rire! Donc, s'ils se sentent suivis de près, ils te feront une première offre d'au moins vingt pour cent supérieure à celle qu'ils t'auraient faite si tu avais négocié seul. Mais, comme ils veulent pas de procédures judiciaires, ils seront prêts pour la négociation. Au fond, ce qui les intéresse, c'est un règlement à l'amiable.

—L'agent de réclamations qui établit les chiffres travaille pas pour les compagnies d'assurances, lui.

—Ni pour toi non plus! Ne va surtout pas croire non plus, qu'il va travailler à te sauver de l'argent.

Alain fit une moue d'approbation résignée.

—Je poursuis, dit l'avocat. Ils te feront donc une offre meilleure car ils te sauront solidement appuyé. Ensuite, on va négocier serré, ce qui veut dire qu'en fin de compte, au lieu d'aller chercher disons vingt mille, on aura trente ou trente-cinq.

Au bout d'un long et las soupir, Alain laissa tomber:

—Je commence à comprendre qu'ils ont le gros bout du bâton

—Pis si jamais t'essayais de savoir qui tient le manche, faudrait que tu fasses de l'antichambre une bonne dizaine d'années dans un gros édifice ben haut de New York.

L'avocat réfléchit un moment.

—Écoute, mon ami, t'es fatigué et c'est normal, bourreau de travail comme tu l'es. Repose-toi, prends des vacances. Je vais prendre en charge ton problème et je peux te garantir que tu seras en mesure de relever ton commerce en moins de temps que tu le crois. Si tu préfères traiter directement avec eux autres et prendre des risques, libre à toi. T'es habitué avec des étudiants, des auditeurs, des buveurs et des danseurs, mais pas avec des assureurs. Et quand il s'agit de montants de l'ordre de trente mille dollars, on rit pas.

Inquiet, Martel se frotta la barbe

—Évidemment, t'auras des honoraires: ça voudra dire combien ?

Comme si c'était pénible à entendre, l'avocat fit un signe de rejet de la main:

—Ne me parle surtout pas de ça! On s'entendra bien. C'est un ami

405

qui est en face de moi, pas un client. Ce qui compte pour le moment, c'est que tu te fasses pas avoir. Apporte-moi ton rapport de pertes et je communique avec ton agent de réclamations et les assureurs. Je te garantis que ça va bouger.

*

Denise et Alain s'embrassèrent longuement.

—T'as fait un bon voyage ?

—Ce fut long sans toi. Comme j'aurais aimé que tu sois avec moi ! Je te jure qu'on n'a pas été gâtés par le soleil. Et toi, il t'en est arrivé toute une. Quand je l'ai appris, j'ai pleuré... toi qui as tant travaillé pour monter ce commerce !

—Le feu, c'est pas grave! Ce qui l'est davantage, c'est le problème des assurances. Ils risquent de contester le paiement pour une clause de la police.

—Ah non!

—Au fond, rien de trop alarmant. Raynald. . Boisvert m'aide à m'en sortir. Bah! parlons pas de ça! Allons au salon pis conte-moi ton voyage Tu m'invites ?

Elle lui prit la main et l'entraîna dans la petite pièce où ils s'assirent à une distance leur permettant le désir de se rapprocher.

—Quoi de neuf aux États ?

—Du mauvais temps. Paraît qu'ils en ont jamais autant subi que cet été. Pluie, bruine et le jour d'après, pour changer, bruine et pluie.

—Toujours restée au bord de la mer ?

—Sauf deux jours à Washington et une semaine dans les Laurentides. La pluie à fini par nous chasser et on revient une semaine avant notre temps.

—À Washington, t'as salué le président de ma part ?

—On lui a laissé un message et il va te rappeler, répondit-elle sur le même ton.

Puis elle redevint sérieuse:

—Alain, une des rares fois où je suis allée à la plage, j'ai pensé à toi très fort. M'as-tu entendue ?

—Je t'assure qu'avec tous les problèmes...

—T'as pas trop pensé à moi et je te comprends. Mais, cette fois-là, je t'ai parlé tout haut. Et en revenant à la chambre, je t'ai composé un mini poème.

—Tu me le montres ?

—Pas tout de suite. Sais-tu à quoi j'ai pensé ? J'aimerais qu'on tienne cette promesse qu'on s'est faite depuis longtemps de souper à la chandelle et au vin, ici, de l'autre côté, dans la cuisine, dans notre cuisine. Et là, je te donnerai mon poème.

–Oh oui! ça me plairait beaucoup! Nous fêterons nos retrouvailles.

–Jeudi ?

–Vendredi.

*

Cette scène avait si souvent caressé son rêve. En son esprit, elle avait couleur d'armoiries, de noblesse, de dignité, de bourgeoisie, de poésie. Que Denise soit l'auteur de cette mise en scène le surprenait un peu. Elle pouvait emprunter le genre, mais elle ne l'avait pas fondamentalement.

–Tes yeux sont pleins de neuf !

–Parce qu'ils sont pleins de toi !

Assis, face à face, maîtresse et amant, seuls au monde, séparés par de douces interférences génératrices de désir: musique en sourdine, chandelles envoûtantes, un Côte-Rôtie 1970, des poivrons farcis, quelques roses en retrait...

–Moque-toi pas de mes essais gastronomiques, sinon je t'embrasserai plus.

–Jc me moque de personne sauf de ceux qui essaient jamais..

Il réfléchit avant d'ajouter

–Malgré tous mes problèmes, je trouve la vie de plus en plus meilleure.

–Raconte, mon chéri !

–Pour toutes sortes de raisons. Tiens, par exemple, en ce moment, de voir que toutes ces choses sont à notre portée. Quel complément à la vie !

Voix délicieuse, prunelles chargées, vibrante jusqu'au bout de ses longs doigts fins, Denise s'exclama:

–Toujours tes grandes théories!

Il sourit.

–Sais-tu que nous sommes riches ce soir ?

–Riches d'amour, murmura-t-elle en balançant son corps à droite et à gauche

–Riches d'espoir, riches de désirs, riches d'être plus heureux que les riches, riches de liberté, riches d'équilibre, riches d'être pauvres, riches de nouveauté, riches d'imagination, riches du futur, riches comme des fiancés...

–Pas mariés, protesta-t-elle doucement.

–Non, car les murs du mariage tueraient ces richesses.

–Arriverons-nous seulement à vivre ensemble un jour ?

Il haussa les épaules et jeta avec un sourire·

–Qui sait ?

Il se dit à lui-même:

—Peut-être! Quand tu comprendras que de se marier ou bien rester ensemble, c'est du pareil au même. Car si les modalités changent, l'esprit demeure.

—T'as soudainement l'air bien lointain.

—Je pensais à... quelque chose.

—À quoi ?

—C'est un secret que tu devras découvrir.

—Ce sera plus facile si tu me le dis.

—Y a des choses qu'il faut découvrir par soi-même.

—Et si on les découvre pas ?

—Là, on manque un certain bateau...

—Quel bateau ?

—Celui de la joie.

—Mais doit-on refuser de répondre à qui veut pas rater le bateau et, pour cela, demande l'heure ?

—Oui... quand cette personne a déjà une montre.

—Si elle sait pas s'en servir ?

—Il lui appartient de pas perdre de temps à demander l'heure et de se diriger au plus vite vers le bateau.

—T'es chouette, dis-moi le secret.

—Non.

—Tu me dis pas tout.

—Surtout pas. Et toi ?

—S'il fallait.

—T'es à croquer.

—Pas du tout. Mais toi tu l'es.

—Pas du tout. Mais tes yeux m'aiment.

—C'est vrai.

Elle fit des paupières gamines.

—J'ai une bonne idée, dit-il.

—Les idées mènent le monde.

—Cliché, ma chère! Et foutaise ! Les enfants mènent le monde. Où sont donc les poivrons ?

—Tous mangés.

—Et notre vin ?

—La bouteille achève.

—On a bouffé ?

—On a dégusté.

408

–Ils étaient très bons tes poivrons. Où as-tu pris la recette ?

–Dans un livre. Quelle était ton idée ?

–Perdue.

–Tu perds tes idées et tu gardes tes secrets: je me sens seule.

–Tu m'offres un dessert ?

–Oui, un brownie.

–J'en veux pas.

–Non ?

–Mais je vais en prendre quand même

–T'es fou.

–C'est enfantin. Pire: c'est péché de prendre un dessert quand on a des livres à perdre. Mais qui sait si le péché occasionnel ne soutient pas la persévérance dans la vertu ?

Elle accompagna le dessert de crème glacée et le servit pendant qu'il terminait sa coupe de vin.

–La tête me tourne et j'ai une bonne idée.

–Cette fois, tu me la dis ou je t'enlève ton dessert.

–Tu ris ? C'est pourtant ce que tu vas faire: nous enlever nos desserts et les mettre au congélateur. Et, pendant que le vin nous caresse l'âme, on fait l'amour   non on déguste l'amour.

–Si, si, si.

Il ferma les yeux et lui adressa un clin d'œil. Elle répondit en déposant amoureusement un baiser imaginaire sur sa main. Elle le lui montra ensuite, puis elle le lui souffla délicatement.

–On est deux enfants.

–Je voudrais pas !

–Mais pourquoi, ils sont si charmants.

–Je voudrais que de l'enfance, on garde le rêve, le désir, la spontanéité, le goût d'exploration, mais que tout ça s'accompagne en nous d'équilibre physique et mental, de maîtrise de notre corps et de notre esprit par nous-mêmes, pour nous-mêmes et ensuite pour les autres ..

–Shhhhh, plus de discours !

Après avoir disposé des desserts, elle passa ses bras sur les épaules de son amant et glissa ses mains vers sa poitrine pour chuchoter à son oreille:

–Tu t'es ennuyé cet été au moins ?

Non, dit-il en gambillant au son d'une musique rythmée venant du salon

–C'est pas gentil.

–Tu voudrais que je mente ? Je me suis dit elle vit, elle est heureuse et je dois en faire autant. S'ennuyer de l'autre, souffrir à cause de son absence, c'est la contrepartie de la possessivité amoureuse. .

—Mais pourtant, quand je suis allée en Espagne ?

—J'étais possessif, puisque je souffrais tant de ton absence. Et, si tu te souviens, j'étais, sans vouloir l'avouer, au fond de moi-même, très jaloux. Et si j'avais été libre, j'aurais voulu te mettre en cage· la cage du mariage.

—Tu t'es même pas ennuyé... tout court ?

—S'ennuyer tout court, c'est manquer d'imagination créatrice.

—Moi, je me suis ennuyée de toi.

—Alors tire tes propres conclusions.

—Gros méchant !

—Les hommes sont tous de gros méchants et les femmes des petits anges victimes! Demande à la société.

—Ta femme a dû se sentir bien cet été ?

—Parce que t'étais pas là ? On en a pas parlé.

—Elle a dû le sentir ou ben le vérifier

—Je me rappelle de le lui avoir signalé au moment de l'incendie Elle a fini par se décider à sortir de sa coquille et s'est trouvé un emploi en attendant que nous... que je reconstruise la discothèque

—Elle travaille ?

—Vendeuse au supermarché.

—Elle travaille ce soir ?

—Jusqu'à huit heures.

—T'es venu comment ?

—En taxi.

—Elle va se demander où t'es passé ?

—Ça la regarde pas et elle commence à le comprendre.

—T'aurais dû m'appeler pour que j'aille te prendre.

—Suis là et c'est ce qui compte, hein ?

—Tu viens ? Elle lui prit les mains.

—Où ?

—Mais dans la chambre, sur le lit.

—Si, si, si.

Là, elle lança, joyeuse:

—Déshabillons-nous vite j'ai hâte de me trouver nue, collée contre toi.

Ils ôtèrent leurs vêtements et se glissèrent sous le drap où ils s'enlacèrent.

Il rassembla ses idées.

—Y a le vin des retrouvailles, le repas romantique, la séparation qui a créé le désir, nos conversations d'avant son voyage qu'elle a dû réfléchir... elle va sûrement montrer à soir qu'elle peut et qu'elle veut évoluer. Je sais qu'elle va poser des gestes, qu'elle va donner des signes.

Ils firent l'amour. Comme à l'accoutumée! Il l'amena à l'orgasme sans qu'elle n'interrompe une seule fois le processus traditionnel. Elle le toucha sans conviction, du bout des doigts. Ensuite, il la pénétra, se masturba en elle et ce fut tout. Après, elle le serra plus fort que d'habitude et il dut rester plus longtemps couché sur elle

Elle chuchota avec force avant qu'il se dégage·

—Comme je suis heureuse de t'avoir retrouvé !

Mais elle vit ses yeux quand il se coucha à côté d'elle et lui demanda:

—T'es triste ?

—Paraît que les hommes ont tous l'air triste après l'amour. .

Ils ne parlèrent plus et somnolèrent un temps qu'il ne put déterminer car le bruit qui devait les sortir de leur alcôve ne s'y prêtait guère.

La sonnerie de la porte retentit à deux reprises.

—J'espère que c'est verrouillé; on n'est pas trop dans une tenue pour recevoir de la visite

Nouvelle sonnerie Puis une autre fois. Puis une autre

—Ça peut pas être un de mes frères, ils savent qu'ils doivent pas insister si je réponds pas.

La sonnerie se fit encore entendre.

—Je commence à avoir ma petite idée.

Des coups frappés succédèrent à la sonnerie.

—Suis sûr que c'est ma femme.

—Tu penses ? Elle oserait ?

—Cette fois-ci, je lui pardonnerai pas sa violence.

Il mit son pantalon et se rendit au salon où il s'embusqua derrière une toile Le personnage mystérieux donna d'autres coups secs à la porte, puis le silence se fit jusqu'au bruit d'un moteur qui se mit en marche Alain regarda passer sa voiture dans la rue, en bas

À Denise qui arrivait, il dit:

—Elle m'a offert son aide pour rebâtir la disco et a décidé de sortir de sa coquille en prenant un emploi à temps partiel, mais tout ça, encore une fois, était pour négocier, pour mesquiner sur ma liberté. Elle veut m'acheter. Elle veut pas se rentrer dans la tête qu'une liberté négociée est pas de la vraie liberté.

—Tu vas faire quoi ?

—Attends, fit-il en s'approchant du téléphone.

Lorsque par le temps écoulé, il sut que Nicole devait avoir regagné la maison, il appela chez lui. Sa femme répondit.

–T'avais affaire à moi ?

Elle ragea·

–T'es bel et bien avec ta sale putain ?

–Et j'ai pas pu te répondre: on était en train de faire l'amour. J'ai trouvé impolie ton insistance à sonner. Par la suite, je me suis dit qu'il devait se passer des choses graves à la maison, alors j'ai voulu savoir.

–Sûrement qu'il s'en passe des choses graves! Pendant que je travaille, tu laisses ton enfant toute seule à la maison et t'en profites, mon salaud, pour aller coucher avec ta maîtresse. Quand je reviens, elle m'attend, le visage défait d'avoir pleuré... pas mangé. Je veux croire que tu t'occupes pas de moi dans la vie, mais tu pourrais au moins te rendre responsable de ta fille quand je suis pas là.

–Fais venir Patricia au téléphone.

–Tu lui parleras pas.

–Elle est mon enfant, et j'ai le droit de lui parler au téléphone.

–Tu voudrais l'abîmer de bêtises en plus du reste ? Tu lui parleras pas. Si tu veux le faire, viens à la maison.

–Je vais quand même te laisser un message pour elle; je crois qu'elle comprendra mieux que toi. Dis-lui qu'une enfant de onze ans qui fait une crise de larmes de rester seule à la maison de six heures à neuf heures avec des voisins tout proches et un téléphone à portée de la main, on appelle ça du chantage Dis-lui qu'une enfant qui sait fort bien, quand je suis là, se servir d'un poêle et d'un réchaud micro-ondes pour se préparer à souper, mais qui profite de la jalousie de sa mère pour se plaindre d'avoir été abandonnée sans manger, j'appelle ça aussi du chantage. Et à toi, je dis: tu devrais donner une meilleure éducation à ta fille, car elle apprend vite à se servir de toi comme tu te gênes pas pour te servir d'elle. Quant à moi, je connais mes responsabilités dans la vie et ni par chantage, ni pour or, ni pour argent, jamais je négocierai ma liberté d'être humain adulte. Pour le reste, va au diable!

Il avait parlé sur un ton lent et ferme, et dès le dernier mot, avait raccroché, ne désirant entendre aucune réplique.

Il se tourna vers Denise pour déclarer.

–Si tu m'héberges, on l'aura enfin notre nuit complète, comme tu l'as si souvent désirée.

–C'est pas trop tôt, soupira-t-elle C'est pas trop tôt ..

Ils retournèrent s'asseoir à la table et mangèrent leur dessert

–Ça se peut pas tant de violence de sa part, fit Denise

–S'il te plaît, on n'en parle pas !

–Je comprends

Elle ne parla presque plus, le laissant réfléchir.

Il ajusta ses idées. Il fit son plan pour les heures à venir: il rentrerait chez lui, mais pas avant le lendemain matin. Aucune des deux femmes ne devrait sentir victoire. Il ne poserait aucun geste de collusion avec Denise, car si leurs relations n'étaient jamais entachées de violence, par contre, il les jugeait tout aussi insatisfaisantes. Au cours des six derniers mois, il avait senti entre lui et chacune des deux femmes le même bilan d'obstacles. Ni l'une ni l'autre ne comprenait les sens profonds des mots évolution et liberté. Il les trouvait toutes les deux jalouses, possessives, calculatrices, et négatives. Même leurs sourires lui semblaient de la manipulation. Bien sûr, sans la guerre entre elles, les défauts se seraient atténués, mais ils auraient toujours rôdé, indomptés, cherchant à gruger sa liberté. L'une d'elles pourrait-elle en arriver à se prendre en mains, non pas à refouler ou nier ses impulsions négatives, mais à les reconnaître et les utiliser pour construire ?

Les amants se parlèrent de banalités toute la soirée. Elle lui montra son poème: vibration sur une plage américaine. Il sourit vaguement et l'embrassa sans plus, car l'écrit sentait le négatif, contenait des "que toi", des "plus que tout", des "toujours", des "je suis triste".

À plusieurs reprises, elle s'inquiéta de ses inquiétudes La première fois, il lui dit de ne pas s'en faire pour si peu. La seconde, que c'était un signe d'évolution La troisième, qu'elle apaiserait son anxiété par la chaleur de son corps, sous les draps.

Ils se couchèrent tôt. Elle avait hâte de le sentir à côté d'elle, avec elle, là. Lui, désirait dormir au plus vite pour savoir ce que serait le lendemain

Avant de s'endormir, il lui dit:

—Prépare-moi un plan de toi que je puisse te comprendre. Un plan détaillé avec lequel je puisse te connaître assez pour te rendre heureuse, mais qui ne révèle pas tes mystères pour que tu gardes tes attraits Veux-tu ?

—J'y réfléchirai.

—C'est ce que je voudrais.

Quand il rentra chez lui, il ne dit pas un mot et se rendit à son bureau comme si de rien n'était. Nicole resta silencieuse aussi. Au moment de partir pour son travail, elle le lui signala, sans plus.

*

Nicole ne travaillait pas ce jour-là, elle était assise dans le bureau d'Alain. Depuis la nuit de la dispute, elle cherchait à le faire parler sur ses réactions et sur ce qu'il envisageait pour l'avenir. Mais il n'avait rien dit. Et cette nuit où elle avait dû réfléchir à fond, et le temps qui passait ajoutaient au message de chacune de leurs conversations: chacun devait vivre libre et les murs du mariage devaient rester par terre.

Elle avait fini par ne plus pouvoir se retenir et ce jour-là, lui posa une question directe:

—Comment se fait-il que tu sois revenu l'autre matin ?

—Parce que je demeure ici, dit-il en souriant.

—Bon, ben pourquoi as-tu passé la nuit ailleurs ?

—Parce que j'en avais envie et besoin. Et parce que je suis libre. Je vis ma vie. Je peux le faire à soir, demain, n'importe quand. Je ne veux pas avoir à me cacher derrière l'excuse d'un congrès ou d'un besoin professionnel ou d'un voyage sportif pour passer une nuit avec une autre femme. C'est la même chose pour les nuits que je passe avec toi. je choisis de le faire et ça m'est imposé ni par la vie, ni par de vieilles décisions, ni par toi, mais par un libre choix. Qu'un homme brasse des millions, fasse la guerre ou gouverne un pays toute une journée, si, le soir venu, il se sent pas libre de sa nuit, son agir du lendemain prendra couleur de sa frustration de la veille. Quelle illusion que la fidélité. Elle contredit plusieurs des plus grandes valeurs humaines: le goût inné pour la variété, car la routine tue le désir et le plaisir; le goût exploratoire de l'être humain; son esprit de conquête. Et c'est elle qui encourage chez l'autre la possessivité et son cortège de malheurs.

Il fit une pause, reprit·

—Oh! mais quelle sécurité que la fidélité! Elle fait se sentir à l'abri de la solitude et ainsi, encourage la paresse, permet tous les laisser-aller. On engraisse, disant que c'est la vie. On se vide de ses agressivités sur l'autre, soutenant que c'est normal. On perd sa jeunesse de cœur, accusant l'âge. Comme elle est facile et sécuritaire, la fidélité!...

—Un mariage peut pas tenir sans fidélité.

—Si chacun avait le contrôle de sa possessivité naturelle, le mariage n'en serait que plus solide. Et j'aurais aimé qu'on en fasse la preuve..

Le téléphone sonna, il répondit.

—Salut Alain, comment ça va ?

Il reconnut son ami, l'avocat.

—Pas trop fatigué d'attendre les assurances ?

—Si je pense aux vacances et au temps qu'il fallait à la brigade des incendies pour émettre son rapport, on peut pas trop s'alarmer encore

—Tant mieux que tu le prennes comme ça, parce que mon vieux, on n'est pas sortis du bois.

—Ce qui veut dire ?

—Qu'il va falloir leur donner des grands coups de poing sur la gueule.

—Comment ça ?

—Combien t'attendais-tu de recevoir ?

—Environ quarante mille dollars; on peut difficilement reconstruire à moins.

–C'est ben ce que je pensais.

–Qu'est-ce qui se passe donc ?

–Ils ont fait une première offre pis c'est pas fameux.

–Combien ?

–Trente.

–Combien ? s'écria Alain qui avait pourtant compris.

–Trente mille et quelques cents; je viens tout juste d'avoir la nouvelle.

–Mais ça n'a aucun sens, hurla Alain.

–Je sais.

–Ces gens-là sont des voleurs !

–À qui le dis-tu ?

–Jamais j'accepterai ça !

–C'est ce que je pensais, mais c'est toi le patron et c'est pourquoi je l'ai appelé. J'ai commencé par la mauvaise nouvelle, mais je vais maintenant te dire la bonne.

–La bonne ?

–Une bonne nouvelle, ça t'intéresse ?

–Après ce que je viens d'entendre.

–Voici: l'offre est à peu près ce que j'attendais. C'est normal. Mais je puis te dire que je peux aller chercher probablement le quarante que t'espérais et peut-être même davantage. Qu'est-ce que tu dirais de ça ?

–De quelle façon t'y prendras-tu ?

–Première étape: refus catégorique.

–S'il fallait six mois ?

–Jamais de la vie! On va leur brasser le canayen. Le plus long est fait. D'ici trois jours, je te donne de mes nouvelles.

–Je comprends mal: l'agent de réclamations m'avait parlé de trente mille, seulement pour la bâtisse; et mon rapport sur les autres pertes s'élevait à seize mille...

–Ils ont coupé sur la bâtisse et sur les équipements.

–J'en reviens pas.

–Comme ces grosses compagnies n'ont pas d'âme, il faut les frapper en plein front, avec la loi.

–Agis pour le mieux, Raynald.

–Dors tranquille, mon ami, je te laisserai pas tomber.

–Salut !

–À ces jours-ci, termina l'avocat.

Alain avait gardé son visage défait depuis le début de l'entretien téléphonique et il resta interdit un moment après avoir raccroché.

–Ils offrent que trente mille dollars ? questionna Nicole.

Il fit signe que oui:

–Y a quelque chose de curieux dans tout ça...

–Comme quoi ?

–Sais pas. Une impression! J'ai ben envie d'appeler l'agent de réclamations.

–Tu perdras rien à le faire.

Il trouva le numéro et appela. Et rejoignit celui qui s'était occupé du cas.

–Je vous appelle pour le montant alloué pour l'incendie... Y a-t-il toujours des coupures du genre par rapport aux évaluations ?

–Oui... fit l'autre en hésitant.

–Mais pourquoi ils vous font évaluer si c'est pour pas vous croire ?

–C'est toujours ce qui se produit; mais l'assuré peut toujours contester le paiement.

–C'est ce que je vais faire.

–Je voudrais pas trop m'avancer, mais je crois que ça serait pas avantageux pour vous, monsieur Martel. Vous retarderez le paiement et en subirez des frais inutiles pour récolter peut-être mille dollars de plus.

–C'est pourtant pas ce que soutient l'avocat Boisvert.

–À moins qu'il connaisse des façons spéciales de procéder ?.. De toute façon, je peux pas vous en dire plus long puisque vous avez un avocat pour traiter à votre place.

–Avocat, avocat, entendons-nous. Boisvert est un ami, mais il a aucun mandat officiel de ma part...

–Lui dit que oui pourtant. Il nous a rappelé l'éthique professionnelle et dit qu'on ne devait traiter qu'avec lui...

Alain sentit des plombs sauter dans sa tête. Il comprit soudain que l'amitié de l'avocat lui coûterait cher.

–Quel est donc le montant octroyé ?

–On peut pas en discuter avec vous....

–C'était juste pour préciser le pourcentage de la coupure. Mon avocat vient de me dire au téléphone: quarante mille et quelques cents. Je...

L'homme tomba dans le piège.

–Je jette un coup d'œil.

Alain commençait à sourire.

La voix dit, presque musicalement:

–Quarante-trois mille sept cent vingt-sept.

Alain répéta le chiffre en articulant chaque mot:

–Quarante-trois mille sept cent vingt-sept.

–Et l'évaluation totale était de quarante-six mille huit cents.

–Ce qui donne une coupure de... voyons, trois sur quarante-huit. . environ six pour cent, dit Alain.

–C'est tout de même pas excessif.

–Non, c'est pas excessif, reprit Alain le cœur léger Si je change aussi vite d'attitude, c'est qu'il y a malentendu quelque part Vous avez vu l'avocat récemment ?

–Non. Je lui ai parlé au téléphone ce matin pour lui transmettre le chiffre du montant accepté.

–Vous a-t-il fait voir que je pourrais contester ce montant ?

–Non... Il doit d'ailleurs nous rappeler demain.

–Pourrais-je vous rappeler un peu plus tard ? Pour le moment, j'aurais un coup de fil à donner à mon avocat.

–Comme vous voudrez, monsieur Martel, je serai ici.

Alain remercia et raccrocha.

–On était en train de se faire rouler dans la farine. Je vais appeler ce bon ami d'avocat.

Quand il eut Boisvert, il dit:

–Suite à tout à l'heure, Raynald, pourrais-tu me rappeler le montant offert ainsi que le surplus que tu penses qu'il soit possible d'obtenir, et dans combien de temps ?

–Ils offrent trente-deux mille trois cent vingt et je pense pouvoir aller chercher dix mille de plus. Évidemment, je te fais aucune promesse. Ils offrent trente, alors on va demander cinquante.

–Plutôt que de rester fermé trop longtemps, je vais peut-être accepter leur offre.

L'avocat l'interrompit et affirma avec force:

–D'ici à une semaine, j'aurai réglé toute cette affaire. Comme on dit, je vais y mettre toute la gomme.

–J'y pense, tes frais seront de combien ?

–Même pas le tarif régulier.

–Il est de quoi le tarif régulier ?

–Quinze pour cent. Mais entre amis, on va s'arranger à moins.

–Tu veux dire que si tu sors quarante, ça me coûterait six ?

–Ça, c'est le tarif normal.

–Et on s'arrangerait pour combien ?

–Douze pour cent ?

–T'es malade ou quoi ?

–Écoute, mon vieux, quinze pour cent, c'est le tarif officiel, établi par le barreau.

—Même quand l'avocat plaide pas et qu'il ne fait que deux ou trois appels téléphoniques ?

—Alain, je m'occupe de ton affaire depuis le début.

—En ami.

—En ami et en avocat.

—Les deux se valent en efficacité et en tarif. Mille dollars par appel téléphonique, je trouve ça élevé comme honoraires Mais le pire, c'est que t'es un petit cachottier. Les responsables de l'agence de réclamations viennent tout juste de me renseigner sur l'offre véritable des assureurs. Je présume que tu me préparais une joyeuse surprise de ton cru; onze mille de surplus grâce à tes bons offices. Et naturellement, cinq mille pour moi et six pour toi...

Expert en cabrioles, l'avocat ne perdit pas contenance et rétorqua aussi vite:

—Si ce montant est si haut, c'est que je me suis occupé de tes intérêts.

—Ma version est la suivante: t'as fait quelques appels pour te renseigner, juste pour bâillonner les gens de l'agence de réclamations et pour me faire paniquer au bon moment, et pour m'endormir quand il le fallait.

—Si j'avais pas agi, t'aurais eu du mal à te sortir de tout ça, et le seul fait de ton mandat justifie mes honoraires de quinze pour cent.

—Tu penses que tu vas me soutirer six mille de ces dollars que ma femme et moi, on a arrachés de peine et de misère à la vie ?

—Quand c'est le temps de demander, les gens sont là, mais quand vient le temps de payer, ils veulent plus rien savoir C'est pour ça que le Barreau nous protège.

—Inutile de discuter davantage, Raynald, je sais ce que je voulais savoir. T'as tes moyens d'agir pis j'ai les miens.

—Ha, ha! tu me fais parler et tu enregistres notre conversation, mais ça te servira à rien.

L'avocat prenait peur. Alain en profita.

—Espérons que t'as ben pesé ce que tu viens de me dire.

—T'avais prévu quoi comme honoraires ? fit l'autre plus doucement

—Cinq cents, huit cents au plus...

Écoute, mon vieux, pour pas faire de chicane, réglons à mille ? Tu diras pas que je suis pas bon prince ?

Alain ne répondit pas à la question et changea de sujet·

—D'ici là, j'ai besoin du papier que je t'avais laissé pour le renouvellement de mes permis

—Viens le chercher, et tu verras qu'on va s'entendre pour mes honoraires.

–D'accord, fit Alain qui raccrocha sans saluer.

–Tu vois comment un con de mon genre peut se faire posséder par un avocat. Je me méfiais des compagnies d'assurances comme de la peste et le voleur jouait dans mon jardin, sous mon nez, sans que je m'en aperçoive.

–Tu fais quoi ?

–Il aura pas un sou et je vais faire ce qu'il faut pour ça. Irais-tu chercher le papier pour les permis ?

–Oui

–Si tu veux pas, je vais m'arranger autrement.

–Je peux y aller aujourd'hui

–D'accord.

À son retour, il lui demanda:

–A-t-il rechigné pour te donner le papier ?

–Il m'a dit s'être souvenu qu'il l'avait envoyé à Montréal à l'organisme gouvernemental responsable de l'émission des permis.

–Bon, il nous arrange. Suis sûr qu'il a bel et bien ce papier mais qu'il a pas voulu te le donner.

–Il m'a dit aussi que j'étais pas celle qu'il voyait habituellement avec toi...

–T'as répondu quoi ?

–J'ai ri et je lui ai dit que j'étais bel et bien ta femme

–Belle façon de recruter des clientes pour des causes de divorce.

–Si on divorce, il sera sûrement pas mon avocat !

L'homme se leva et arpenta la pièce en se frottant les mains d'aise.

–Asteur que la question d'argent est réglée, je vais me cracher dans les mains et relever la bâtisse Les vacances sont finies

–Veux-tu que je t'aide ?

T'as déjà la maison à tenir et ton travail de vendeuse.

–Suis qu'à temps partiel là-bas et...

–Je refuserai l'aide de personne, c'est sûr. C'est rien que toi qui le feras.

Il savait qu'une telle parole stimulerait Nicole, mais pour protéger ses arrières, il s'empressa d'ajouter·

–J'espère que tu t'en serviras pas pour négocier sur mon comportement; autrement, je préférerais travailler seul

–J'essaie pas de te vendre mon soutien

–Tu m'as habitué à ça; la voisine le fait; la plupart des femmes le font. C'est culturel, c'est viscéral, c'est féminin...

–On fait ce qu'on peut ?

–Du travail de rénovation, ça te plaira ?

–Dans ce que je pourrai faire· oui.

–Les gros travaux, je m'en charge. Tu pourras t'occuper de rembourrage, du nettoyage de vaisselle, de disques, de verrerie .. Décoration intérieure. Faut que tu fasses tout ça pour toi-même, pas pour moi

–Je le fais parce que ça m'intéresse.

–C'est ce que je voulais t'entendre dire. Donc, en principe, nous allons rouvrir vers Noël avec une disco deux fois plus originale. À faire nous-mêmes les travaux, on économisera plusieurs milliers de dollars, ce qui va compenser pour les pertes d'opération et nous donnera le plaisir de créer de nos mains. Attends-toi à ce que je travaille sept jours sur sept. Toi, tu feras les heures que tu voudras.

–Suis prête à te suivre.

–Alors on va s'entendre.

*

Il avait gratté jusqu'au bois un plafond calciné. À son retour chez lui, il passa par chez Denise.

Il avait bien essayé de lui faire admettre que les deux mois seraient difficiles à traverser et que cette séparation ne serait qu'une mise en banque et les paierait de retour, mais elle avait mal réagi.

Il s'arrêta dans l'espoir de la faire rire de le voir en charbonnier. Aussi pour qu'elle sache qu'il ne se tournait pas les pouces

Mais elle ne rit pas.

–Comme t'es sale!

Le teint crayeux et les yeux las de la jeune femme créaient un vif contraste avec les yeux rougis et l'aspect aussi noir que réjoui de son amant.

–Je vais rester timidement au bord de la porte . Si tu veux m'apporter une chaise ?

Elle disposa des papiers essuie-tout sur le siège d'une chaise qu'elle approcha.

–Comment ça va ? demanda-t-il en s'asseyant

Elle répondit par une grimace.

–À ce que je vois: pas trop bien.

Il plissa la bouche en signe d'impuissance. Puis changea d'attitude et sourit.

–Comment me trouves-tu en ramoneur ?

Elle ne broncha pas. Il comprit que le moment n'était pas à rire.

–Dis-moi ce qui ne va pas.

Elle garda la tête basse, sans répondre, assise nonchalamment à l'autre bout de la table de la cuisine.

—On se voit pas assez ?

—Y a de ça, murmura-t-elle, lointaine.

—T'acceptes mal que je sois plongé dans mon travail ? Je sais que c'est pas facile à vivre pour toi, mais faut que tu le vives. C'est ta façon de me libérer.

—T'en parles souvent de ta chère liberté.

—La liberté d'un être humain est fondamentale, Denise. Si mon absence te rend négative, c'est que t'es possessive. Si, comme ben des femmes, tu prends mes absences pour des abandons et que tu vas rire jaune dans les bras d'un autre...

Elle l'interrompit:

—Ça te déplairait que je me retrouve dans les bras d'un autre ?

—Dans ces conditions-là, oui, parce que ça serait pas authentique de ta part; tu le ferais par réaction. Oui, je vais te condamner si tu vas dans les bras d'un autre par frustration. Mais si tu le fais pour ta joie, par goût, dans un esprit positif, alors je vais t'approuver. Oh! je te dis pas que je devrai pas me battre contre moi-même, contre le mauvais qu'il y a en moi, contre ma possessivité naturelle, contre mes vieux principes

—T'aurais la paix, hein, si je m'en allais dans les bras d'un autre ?

Il secoua la tête et sa voix devint agressive:

—T'es négative et tu vas finir par me rendre négatif moi aussi.

Elle s'appuya le bout des doigts sur le coin du front et dit tranquillement:

—Si tu vivais dans l'atmosphère de travail pourrie dans laquelle je vis cette année, ça déteindrait peut-être sur toi aussi.

Il haussa les épaules.

—Je sais ben que le climat est plus difficile que d'habitude dans le monde de l'enseignement, mais utilise-le donc comme un défi au lieu de ronger ton frein out le temps! Toi qui savais rire, tu fais quoi pour rire maintenant ?

—Si tu vivais avec nos directeurs. .

—J'ai vécu cinq ans avec ton directeur et je t'assure qu'il a de la souplesse; en tout cas beaucoup plus que d'autres..

—Tu peux pas te permettre de parler beaucoup, tu t'es révolté plus que moi et on t'a mis au bord de la porte.

—J'ai pas agi dans votre esprit de cette année. Vous cherchez à détruire à tout prix. J'ai lutté, mais j'ai pas cherché à briser et tu le sais bien.

—On va tout faire pour que le directeur sèche. Il veut nous mâter et n'y réussira pas.

—Depuis septembre que tu me parles de ça et je ne te comprends plus. T'es en train de tomber sous des influences négatives. Avant, tu rejetais cet esprit-là, et là, il te conduit. Tu te ligues pour écraser, tu te ranges derrière un esprit de clan. De votre côté, tout est blanc et de l'autre, tout est noir. Où est donc rendue ton ouverture aux autres ?

–L'ouverture à ces gens-là est pas possible; ils se servent des moindres fissures pour dominer pis exploiter.

–Toi exploitée ? Fais-moi rire. Tu vis, tu manges bien, tu t'habilles convenablement, tu possèdes une auto, un appart, tu te payes un voyage par année.

–Y a pas que la question monétaire.

–Question professionnelle, peut-être ? T'as d'excellentes conditions de travail et des outils en quantité. C'est pas l'augmentation des salaires et des gadgets qui changera quelque chose en éducation. Les enseignants doivent se battre oui, pas faire la guerre. Tu comprenais ça dans le temps.

–Je ne crois plus en ces théories-là, Alain. Des voeux pieux. Dans la vie de tous les jours, il faut lutter d'un côté ou de l'autre. Eux se liguent, vois ce qu'ils t'ont fait. Sachant que tu n'aurais pas de protection du côté syndical, ils se sont empressés de te guillotiner. Face à une armée qui agresse, faut que tu fasses la guerre; et c'est ce qu'on fait cette année.

–Pour combattre une forme de mal, vous en créez une autre. Le pire, c'est que vous vous détruisez vous-mêmes en faisant ça, parce que votre esprit de clan vous fait perdre votre identité personnelle. Vous vous crinquez les uns les autres et vous finissez par vivre de rage...

–On peut pas se battre tout seul.

–On le peut. Faut être fou, mais on le peut. Et ça irait peut-être mieux s'il y avait plus de fous en ce monde. Plus drôle en tout cas. Se vaincre soi-même, c'est la meilleure façon de convaincre l'ennemi.

Elle fit légèrement tournoyer son doigt sur la surface polie de la table et dit avec nargue:

–Chacun peut pas avoir la force morale de monsieur Martel! C'est malheureux que t'en aies pas autant devant tout le monde

–Tu crois que je suis faible devant Nicole ? À ma place, comment aurais-tu agi avec elle ?

–Jamais j'aurais enduré ce que t'as enduré !

–J'aurais dû la détruire ou quoi ?

–La patience et l'endurance doivent pas dépasser certaines limites. Elle a essayé de te détruire et essaiera encore.

–Comme n'importe qui, elle se débat avec la vie, avec sa vie, avec sa psychologie, avec sa culture.

–T'es naïf et tu fais confiance aux gens; tu vois comment l'avocat t'a traité.

–Si on revenait à toi...

422

Elle l'interrompit:

—Je sais, je dois changer. Je fais mal l'amour et je suis négative.

—Je cherche simplement à te faire évoluer.

—Tu voudrais que j'évolue et que je mette de côté l'esprit de famille et de clan et pourtant, tu me laisses me débrouiller toute seule.

—L'avenir va nous rapprocher.

—Ça fait quatre ans que tu me chantes ça.

—Pardon, Denise, pardon, je t'ai jamais fait aucune promesse et c'est toi qui m'as déjà dit que tu choisissais d'être avec moi.

—Je m'excuse, mes paroles ont dépassé ma pensée.

—Tu dis que tu dois te débrouiller seule et c'est exactement ça qu'il faut. Chacun, dans la vie, doit s'en sortir par lui-même, voler de ses propres ailes au lieu de toujours attendre qu'on lui tienne la main.

—J'ai toujours besoin de quelqu'un pour me conseiller, pour m'aider. Je ne suis qu'une femme...

—Ah, ah, ah, ce qu'il faut pas entendre!

—Bah ! n'en parlons plus !

Il serra les poings.

—Mais que voudrais-tu exactement ? Que je laisse tout tomber chez moi ? Sache que les choses que je fais actuellement, je les ai choisies librement...

—Sans moi, dit-elle d'une voix éteinte.

Il ferma les paupières, cherchant à réunir et à chasser vers les coins des yeux toute la poussière accumulée pendant la journée.

—Avec toi... si tu le veux. Retrouve ton esprit positif et tout ira.

Il se leva pour s'en aller, mais elle changea de sujet

—Tu dois avoir de beaux poumons à soir ?

—Comme du temps où je fumais comme une locomotive. Que veux-tu, tout peut pas toujours être rose !

*

Il mit dix jours avant de revoir Denise: cas exceptionnel. Il réfléchit. Il se remémora tous ces lieux où ils s'étaient aimés et se rappela toutes les émotions partagées.

Surtout, il s'inquiéta de l'avenir. Tous ses raisonnements l'amenèrent à la même conclusion qu'aucune nostalgie ne put atténuer: incapable d'être heureuse par elle-même dans le moment présent, Denise continuerait, inconsciemment ou non, à le rendre responsable de ses misères psychologiques Elle le culpabiliserait plutôt que d'en chercher les causes en elle-même d'abord tout comme elle l'avait toujours fait en sexualité. Quand ils vivraient ensemble, elle continuerait de l'accabler pour ses absences physiques; de là à lui reprocher ses rêves et ses projets, il n'y avait qu'un pas que sa possessivité lui ferait vite franchir Elle était

423

de ces femmes qui ont toujours d'excellentes raisons d'être malheureuses et négatives et qui posent sans cesse des conditions que les autres doivent remplir pour que leur attitude devienne positive, et qui ne sèment autour d'elles, toute leur vie, que des nuages et de la grisaille. Combien de temps se passerait-il avant qu'elle ne le blâme ouvertement de son sens du devoir envers Nicole et Patricia ? Elle le faisait déjà. Il passerait son temps à remplir des conditions à son bonheur et la vie deviendrait une perpétuelle négociation. S'il rejetait ce genre de relations avec Nicole, ce n'était pas pour s'y replonger avec une autre. Remplacer l'étouffement d'une femme par celui d'une autre ne lui disait rien qui vaille. Et il finit par statuer: "La solitude est le prix qu'un homme doit payer pour sa liberté."

*

Novembre était frais ce matin-là. Alain Martel grelotta quand il sortit de chez lui. La neige avait engrisé la ville: pelouses d'herbes mouillées lacérées de traces blanches, rues noires et humides, maisons poussives, autos sales, autos laides, autos fuyantes, autos mobiles.

Il fallait faire aiguiser des ciseaux chez un vieux près de chez Denise Avant d'aller chez l'aiguiseur, il visita sa maîtresse. Il entra sans bruit, sachant qu'elle le reconnaîtrait puisqu'il n'avait pas frappé. Il se rendit tout droit à la chambre et s'assit sur le bord du lit. Enfouie sous les draps, elle le regarda amoureusement.

–Je vais chez l'aiguiseur et j'en ai profité pour te saluer en passant

Elle tendit ses bras chauds et dit:

–Je suis heureuse.

Il s'approcha et se laissa envelopper par cette chaleur intense que le corps de la jeune femme dégageait toujours quand elle était sous les draps.

–J'arrête que trente secondes. L'aiguiseur m'attend. Il doit partir de chez lui aujourd'hui. D'un autre côté, j'espérais que tu sois encore ici que je puisse te voir...

Taquine et folichonne, elle dit:

–Je comprends. Ce matin, je comprends tout.

Il posa sur elle des yeux pleins, comme s'il y avait projeté toute son âme.

–J'ai envie de t'embrasser très fort, très fort, et je crois que je vais le faire.

–Qu'est-ce que tu attends ?

Il retint ses lèvres.

–Laisse-moi d'abord vibrer à mon désir. Il détailla chaque élément du visage qu'il avait si souvent embrassé depuis plus de trois ans, mais il n'arrivait pas à saisir l'ensemble ou à superposer les images; chacune effaçait la précédente, la bousculait, la chassait. Il courba un peu l'échine

424

et leurs lèvres, pour la millième fois, se rencontrèrent. En même temps que le baiser bref, il tira sur le drap pour voir la poitrine nue. Alors, lentement, il défit un à un les boutons de sa chemise et en écarta les pans, laissant son estomac à découvert Il se pencha à nouveau et les deux corps se frôlèrent, se touchèrent, s'écrasèrent. Il divinisa le contact par un second et violent baiser tout aussi bref cependant que le premier

—Comme t'es affectueux ce matin! s'exclama-t-elle avec un large sourire.

Il sourit aussi et se leva brusquement Il ferma les yeux et, à chaque bouton qu'il introduisit dans sa boutonnière, dit·

—Je t'aime, bonne journée.

Entre son dernier geste et le "Bonne journée, mon amour!" qu'elle lui cria, il avait quitté la chambre, traversé la cuisine et s'était engagé dans la sortie.

Le regard gris, il marcha lentement vers son auto, remonta son col pour éviter d'être trop transis.

—Quel crachin! proféra-t-il à l'égard du temps

Lorsqu'il revint chez lui après l'aiguisage, Nicole se rendit le retrouver dans son atelier de travaux manuels qu'il avait transformé en salle de rembourrage. Près d'un établi, le visage tourné vers un mur, Alain utilisait une agrafeuse électrique sur un siège de chaise.

—On travaille comme des nègres dans un projet commun et, à la première occasion, tu t'en vas retrouver ta maîtresse, dit-elle avec colère.

Il ne broncha pas. Il pensa qu'elle n'avait pas pu s'empêcher encore une fois d'utiliser ses lunettes d'approche pour suivre ses mouvements avec l'auto, de l'autre côté de la rivière.

—C'est écœurant d'être traitée de la sorte, Alain Martel.

Un sec mouvement agita les épaules de l'homme et il siffla entre ses dents:

—Dis pas une parole de plus !

—Quoi ? Tu profites de chacune de tes sorties pour courir chez ta maîtresse et je parlerais pas ?

Il se retourna brusquement et dévisagea Nicole, comme jamais de sa vie il n'avait regardé quelqu'un. Les larmes roulaient sur son visage et la brillance de ses yeux ajouta à la colère froide et à la douleur qui s'en dégageaient.

Elle le regarda un moment, hébétée. Elle pencha la tête, hésita une seconde, puis tourna les talons et retourna à l'étage

*

—J'ai vérifié mon échéancier et pour rouvrir la disco le vingt-six comme prévu, soit dans quatre jours, il me faudra travailler la veille et le jour de Noël Si tu veux prendre l'auto pour aller réveillonner chez toi avec Patricia, je m'arrangerai bien.

–Non, je travaillerai moi aussi je veux être là pour la touche finale

*

Vingt-cinq décembre, dix-sept heures, Alain venait de raccorder un dernier lustre et Nicole de nettoyer une dernière tuile de miroir

Ils s'assirent sur un des nombreux petits divans qu'ils avaient eux-mêmes fabriqués. Il avait choisi de prendre place en ce point central de la disco. Ils étaient prêts à boire aux joies de l'achèvement.

–Suis ben contente, dit simplement Nicole.

–Il manque juste un peu de musique.

Elle se rendit à la cabine de contrôle et mit en marche le système de son. Puis retourna s'asseoir près d'Alain.

–Entre nous deux, on peut ben se le dire: on a fait du bon boulot, dit-il

–J'ai appelé chez moi cet après-midi et paraît qu'on me plaint dans ma famille. S'ils savaient que j'ai passé le plus beau Noël de ma vie, dit-elle.

–Pourtant, faudrait pas que tu vives la même chose l'an prochain. L'intérêt serait diminué. Faut du neuf, du différent, une ouverture à d'énormes horizons, au monde entier...

–Si je suis ton raisonnement, tu vas tâcher de la vendre, la discothèque ?

–Exactement !... Que tu le déduises montre que tu commences à comprendre. Je veux désormais une vie d'évolution positive... Et peut-être pourras-tu la vivre avec moi... Bien entendu si elle te convient...

***

Chapitre 19

1976

Il gardait la lettre depuis deux jours sans l'ouvrir. Et il se sentait enfant de ne pas oser. Sa décision de ne plus revoir sa maîtresse manquait-elle de fermeté ?

Depuis le matin du dernier baiser, il n'avait plus donné le moindre signe de vie à Denise. Une explication claire n'aurait suffi qu'à faire naître en elle les mots susceptibles à retarder la rupture. Il en avait rejeté l'idée. Elle aurait affiché des attitudes positives pendant une quinzaine de jours et, peu à peu, sans trop qu'il s'en rende compte, les interférences auraient surgi à nouveau entre eux, aussi implacables qu'auparavant. Dans sa vie sexuelle, Denise refuserait d'évoluer et dans sa vie professionnelle, elle nourrirait constamment des pensées noires. Elle en avait maintes fois donné la preuve. Quant au milieu, il continuerait de la mouler trop.

Alain avait résumé ces trois choses dans les difficultés d'adaptation de sa maîtresse. Le violent affrontement auquel se livraient en elle la peur de l'inconnu et le besoin de changement l'acculaient à une solution intermédiaire: elle se repliait sur son passé, non pour en faire une autopsie utile à plonger dans le futur, mais pour en admirer des photos, larme à l'œil, et chercher à le faire revivre À l'instar de bien des couples, mariés surtout, elle ne parvenait pas à comprendre que les vibrations de la grande romance–espoir de conquête, goût du neuf, attrait du désir–se soient envolées. Elle ne percevait que la fugacité des choses et cela l'avait poussée vers un passé d'avant lui. Cependant, n'y trouvant pas satisfaction –le passé étant peu pourvoyeur d'espoir– chaque semaine, elle était devenue de plus en plus aigrie.

Il déposa sa lettre sur le bureau, devant lui. Il se rappela d'une de ces nombreuses soirées où il avait vainement essayé de susciter en sa maîtresse une philosophie de vie un peu plus rose. Une philosophie de vie, il le savait pourtant, ne s'injecte pas.

–Le pessimisme c'est hier et l'optimisme c'est demain ! lui avait-il dit.

–Pourtant la naissance c'était hier et la mort sera demain. Voilà le grand paradoxe de la vie. Mais c'est qu'un paradoxe apparent, tout simplement parce que l'être humain sait pas encore qu'il est plus difficile de naître que de mourir. Méfie-toi d'hier et des liens du sang, car s'il fallait vivre en foetus, la nature nous laisserait dans l'utérus. Respire par toi-même. Prends dans ton passé des matériaux pour bâtir ta maison, mais n'essaie pas de copier le modèle familial, si attirant puisse-t-il être, car il ne te conviendrait pas.

Toutes ces choses avaient trotté des jours entiers dans son cerveau. Il avait fait de multiples recomptages de gestes, des repiquages d'attitudes, des recoupages de paroles et l'inexorable conclusion revenait sans cesse: Denise aurait essayé de l'absorber dans une vie de repli, et lui voulait s'ouvrir à une vie de pluralité.

Il n'avait pourtant pas fermé la porte. Secrètement, envers et contre lui-même, il espérait un miracle, un signe d'espoir, une souffrance régénératrice, un choc moral qui mobilisât toutes ces forces positives qu'il avait aimées en elle en 1972-1973

Cette lettre était la réponse. La réponse totale, définitive, dernière. Serait-elle un cri d'espoir positif ou bien le contraire ? Il la prit dans ses mains pour la dixième fois et la tapota avec espoir et appréhension. Il ne trouva pas de coupe-papier dans son tiroir. Alors il déchira le bout de l'enveloppe et lut.

Le trois janvier 1976.

Alain,

J'ai compris que tu ne reviendrais pas. Pourquoi donc le destin est-il aussi cruel ? Où sont donc passés tous nos rêves d'avenir ? Toutes ces années que nous avons vécues sont-elles perdues à jamais ?

J'avais prévu de ne pas te voir beaucoup en décembre, mais Noël sans nouvelles m'a jeté la mort dans l'âme et j'ai souffert à n'en plus pouvoir pleurer pendant les vacances. Quand j'ai vu que le jour de l'an ne te ferait pas sortir de l'ombre non plus, alors j'ai tout compris.

J'avais pourtant mis des heures à préparer ce plan de moi que tu m'avais demandé. Avec tout mon cœur, je l'avais enregistré sur une cassette. Tu n'es pas venu la prendre. Ni ce cadeau que j'avais choisi avec tant d'amour. Jamais de toute ma vie, je n'ai autant préparé une fête que ce Noël de nous deux que nous aurions pu célébrer, comme les autres années, la veille ou bien le lendemain. J'ai passé le pire Noël de ma vie: je te sentais si loin, si désespérément loin

Qu'est-il donc arrivé ? Le but était là, tout proche, presque atteint Tu te libérais de plus en plus de ton ancienne vie et la grande année 1976, enfin, après tant de frustrations, nous aurait définitivement rapprochés. Mais que s'est-il donc passé en toi, Alain ? Dis-moi au moins quelque chose, que je ne devienne pas folle !

Je sais que j'ai souvent été négative, d'humeur maussade ces derniers mois, mais ne peux-tu comprendre à quel point le milieu du travail était noir ? Et toi, mon guide des années meilleures, tu n'étais plus là. Jusqu'à ma compagne de travail avec qui je formais équipe depuis six ans qui m'a fait de sérieuses misères! Et toi, tu vivais dans un autre monde, loin, si loin de moi.

Toi qui disais me comprendre et me connaître, toi qui avais vécu les mêmes choses que moi, pourquoi m'as-tu laissé tomber la main au moment où j'en avais le plus besoin ?

Oh! j'arriverai à oublier, comme tu disais si souvent qu'il faut savoir le faire dans la vie. J'ai de bonnes chances d'obtenir une place dans la région de Québec pour la prochaine année scolaire. Je continuerai à vivre. D'une autre manière. Cependant, je sais qu'à travers les autres, c'est toujours toi que je rechercherai.

Pourquoi donc tout s'effondre-t-il à quelques pas du but ? Quelles erreurs ai-je donc faites si c'est de t'avoir trop aimé, trop désiré et d'avoir trop souffert de tes absences ?

Je ne trouve plus les mots, Alain. Quoi ajouter, sinon te dire que j'accepte ta décision, même si je ne la comprends pas ? Quoi te dire, sinon que je t'aime ? Quoi te dire, sinon que je souffre atrocement ?

Pourrai-je au moins te revoir une heure avant que nous ne prenions définitivement chacun notre route ? Ou bien devrai-je continuer à vivre dans cette incertitude intolérable ?

Ton silence est pire que tout!

Denise.

Après sa lecture, Alain s'expliqua la peur qu'il avait eue de lire cette lettre. Il avait craint d'y trouver le type de message que justement elle contenait. Il avait eu peur de souffrir devant des mots scellant sa certitude quant à l'existence de barrières infranchissables entre lui et sa grande, comme il appelait souvent Denise dans ses élans de tendresse.

Et pourtant, au lieu de souffrir comme il aurait dû, il se sentait libéré, sécuritaire dans ses réflexions, prêt à du neuf.

Il prit un stylo et rédigea sa réponse.

Le sept janvier 1976.

Denise,

Tu te trompes lorsque tu dis que je suis parti. Je suis de plus en plus là, de plus en plus moi. Mon cœur vibre, mais c'est à une morte. La Denise Martel que j'aimais est disparue quelque part en 1974. Mon cœur est lamé de noir depuis qu'il sait sa mort.

429

Quand je travaille dans mon sous-sol, je passe des heures à me rappeler de celle qui riait à la pluie, qui pouvait faire des grimaces aux singes comme aux rois, mais aussi à sa propre image dans une flaque d'eau, qui jetait du soleil partout, qui rebâtissait mes forces, qui, du bout de ses doigts et de son sourire, expédiait au diable lui-même tous mes problèmes. Elle savait vivre pour elle-même; voilà pourquoi elle était capable de parsemer, avec tant d'art, ma vie de fleurs. Et moi, je lui proposais des projets, des défis, des folies, un futur original, d'assauts de nos mesquineries, d'insécurité complice, de liberté créatrice

Mais celle que j'aimais mourut quelque part en 1974, assassinée par l'air ambiant. Peut-être ne lui ai-je pas tenu la main assez longtemps et assez serrée, mais il faut bien qu'un jour chacun avance sans béquilles, libre. J'ai lâché ta main afin que tu sois plus attrayante parce que davantage toi-même, indépendante, forte de tes propres forces.

Je n'aime pas ceux qui pleurent; ils le font toujours sur eux-mêmes. L'on peut, comme un enfant, pleurer les insatisfactions, les contrariétés, mais il ne faut pas pleurer sa vie. Vois comme les vieillards savent rire aux petites choses. Pourquoi garder une âme d'enfant dans un corps d'adulte alors qu'en s'en donnant la peine, l'on peut se forger une âme bien mûre dans une enveloppe encore jeune. L'âme qui sait vieillir trouve équilibre et joie, mais le corps, lui, marche dans le sens inverse; pourquoi ne pas déjouer ce vilain tour de la nature en s'aidant à mûrir vite ?

L'autre Denise Martel, toi, celle qui a survécu, pleure sa vie. Elle l'a confirmé par sa lettre: ce long cri de désespoir. Ni joie, ni tendresse, ni rêves qu'il aurait pourtant fallu que tu m'écrives pour que je sache qu'elle n'était pas morte, ma grande. Oui, cette lettre me dit qu'elle est bien morte, cette femme au rire d'enfant né pourtant d'une pensée réfléchie.

À toi, à celle qui vit, je dis: fuis les gens destructeurs; ils te conduiront au drame. Tourne tes regards vers le neuf. Prends du recul, prends des distances face à ceux qui représentent ton passé; choisis librement tes amours, avec ton intelligence et que ton instinct naturel ne te les impose pas! Sois la maîtresse de ton destin! Qui, mieux que toi, peut savoir et sentir ce qui est bon pour toi ? Laisse donc tomber les pisse-en-l'air de la prêche, qu'ils soient d'une religion, d'un syndicat, d'un parti politique ou de quelque clan que ce soit. Ce que veulent de toi ces gens, c'est que tu t'identifies à leur image, donc que tu perdes la tienne. Ce sont des exploiteurs d'âmes pires que tous les autres exploiteurs contre lesquels tu rages. Sers-toi d'eux. Sois plus grande qu'eux. Ai-je l'air à mon tour de vouloir t'endoctriner ? Est-ce faire la prêche que de dire à quelqu'un: sois toi-même ? Quand tu le seras, peut-être que la morte renaîtra en toi; alors, dis-lui que je me souviens d'elle.

Tu sais, moi aussi, je pleure. Je pleure d'avoir perdu celle qui m'a tant aidé à trouver ma vie. Je me console cependant lorsque je sors sa photo de mon cœur, que je la regarde et que je ris à ses yeux rieurs.

Au lieu de haïr ta souffrance et d'en chercher des responsables, je

430

te souhaite d'apprendre à l'apprivoiser car elle porte sa fécondité, et mûrit, et nourrit l'âme humaine. C'est pas de souffrir qui est mal, c'est de haïr à cause de sa douleur.

Denise, dis à l'autre, dis à ma grande, si tu la revois un jour, que je l'aime.

Alain.

*

Plongeant à nouveau dans le travail, il trouva dans l'utilisation des choses matérielles un plaisir qu'il n'y soupçonnait pas auparavant. Particulièrement fasciné par la peluche acrylique, il en trouva un usage dans le recyclage des mobiliers de chambre.

Un soir, il en discuta avec Nicole.

—L'expérience est concluante, dit-il. J'ai calculé qu'on pourrait recouvrir un mobilier pour cent dollars tout compris: travail et tissu. Pour connaître la réponse du public, le mieux serait de tenir une petite exposition au centre d'achats. La demande nous indiquera si on doit lancer le commerce.

—C'est pas la beauté qui va manquer.

—J'ai résumé les avantages que cette idée d'habillage de meubles comporte et ça donne ceci: réponse au goût de renouveau des gens; aspect riche, futuriste, chaud et coloré donné aux mobiliers; entretien facile; tissu de haute qualité; prix de recyclage. Quoi de mieux ?

—Je sais trop si la combinaison de l'aspect somptueux et du prix abordable prendra auprès des gens. Ils ont tendance à douter de la qualité quand le prix est pas assez élevé...

—Tout de même, les gens sont pas fous! Il s'agit d'un recyclage. Ils seront conscients qu'ils fournissent la structure de base...

—Habituer le public à une nouvelle idée est pas chose facile, tu sais.

—J'ai envie d'essayer. Si on vend la disco, faudra ben autre chose. Quand l'affaire sera mise sur pied et qu'elle ira bon train, on la vendra.

—Des mobiliers en manteau de fourrure...

L'œil vif, il ajouta.

—Cachet sensuel; évolution sexuelle.

—J'aime ça. Je vais t'aider.

—On retourne à Montréal établir nos entrées chez les marchands de gros et trouver ce qu'il faut pour préparer l'exposition.

*

Retardés par la vente de la disco, il leur avait fallu plus de temps que prévu pour retourner en ville.

—Suis content: on va être plus libres pour en bâtir un autre .. un commerce.

—Et pour t'enchaîner à nouveau, taquina-t-elle.

431

–Suffit de vendre une chose pour qu'elle cesse de nous enchaîner!

Elle jeta un coup d'œil à la chambre.

–Combien coûte le motel ?

–Quinze dollars.

–Ils en donnent pas beaucoup pour ce prix-là !

–Les belles chambres sont ben plus chères... Vas-tu trouver dur de pas fumer jusqu'à demain ?

–On s'était promis en 1968 de jamais fumer dans la chambre à coucher et je casserai pas ma promesse ce soir parce qu'on est dans un motel de Montréal.

–On se venge en faisant l'amour, dit-il, malicieux.

–Bonne idée.

–Avant, faudrait discuter un peu. J'espère que la peur te prendra pas.

–Après tout ce que j'ai vécu, suis moins peureuse.

–Faisons tout de suite notre toilette et on discutera après.

Quand ils furent prêts, étendus nus sur le drap, il regarda intensément le corps de sa femme et dit·

–C'est du neuf, ça !

–Quoi ?

–Nus avant les préliminaires. D'habitude, on a toujours un vêtement.

–T'aimes pas ça ?

–Dans un sens, oui. Parce que c'est nouveau, mais ça enlève un peu à mon désir. La nudité doit se faire attendre.

–Tu veux que je mette quelque chose ?

–Je crois que oui.

Il réfléchit une seconde.

–Ah! et puis non! Fais comme tu voudras !

–J'aurais jamais prévu de nous voir comme ça il y a un an

–Curieux, la vie: normalement, on devrait être sur le point de se séparer et pourtant, on se rapproche de plus en plus. Par sauts périlleux, à travers nos larmes et nos violences, mais on se rapproche quand même

–Tu crois ?

–Moi oui, en tout cas.

–Si c'était pas de me mêler de tes affaires, je te poserais une question...

–Je la devine. Je l'attendais depuis plusieurs semaines Je vais y répondre. . Il y a, disons, toutes les chances que ce soit fini pour toujours entre Denise et moi. Me reste à fermer définitivement la porte.

–Tu la vois plus du tout ?

–Pas depuis novembre. Une lettre, pas plus.

Il se fit un court silence qu'il rompit:

–Tu le prendras pas comme une victoire; ce serait mauvais signe.

–J'ai pas essayé de lutter contre elle, mais a fallu que je lutte énormément contre moi-même, et c'est pour ça que j'ai été violente parfois.

–Sans tes agressions, mes relations avec Denise auraient pris fin avant, mais chaque fois que tu me chicanais, tu me poussais droit dans ses bras. J'ai commencé à me rapprocher de toi quand tu t'es mise à évoluer dans le bon sens.

–C'est-à-dire ?

–De faire moins les choses comme les voisines ou comme tes soeurs et plus parce qu'elles te conviennent à toi. De t'être émancipée de ta famille, ce qu'actuellement ils prennent pour du rejet, mais que plus tard ils comprendront. D'avoir moins couvé la maison et réchauffé tes petits problèmes; de t'être créé un petit monde à l'extérieur, car même si le salaire en valait pas le coup, t'allais y quérir de la richesse morale, de m'avoir davantage laissé vivre à ma convenance; et tu vois que les résultats sont pas si mauvais.

–Suis contente d'avoir fait des progrès à tes yeux.

–On n'est qu'au début de notre émancipation mutuelle; on devrait cheminer beaucoup plus loin vers notre libération psychologique. Chacun devra apprendre à contrôler sa possessivité, car, crois-le ou non, même si j'étais souvent sur le bord de m'en aller, j'ai, moi aussi, la mienne. Je me suis laissé dire que même les partenaires divorcés restent longtemps possessifs un de l'autre... Et je crois qu'un bon moyen d'arriver à nous émanciper sainement, c'est ce dont nous avons parlé il y a une quinzaine de jours.

–Tu veux dire une évolution sexuelle qui pourrait aller jusqu'à l'ouverture aux autres ?

–C'est ça. Le temps est venu d'en discuter un peu plus librement

–Tu m'as toujours dit qu'une sexualité saine vécue ailleurs n'éloignait pas du conjoint.

–Bien sûr à vingt ans, c'était pas possible. Mais au milieu de la trentaine, ça nous rapprocherait. Rien de destructeur dans un acte sexuel désiré, même si c'est pas avec le conjoint ? T'es pas mon objet, ma chose, et je veux pour toi des plaisirs neufs ?

–Une nouvelle étape de notre vie sexuelle ?

–Oui. Et qui viendra à point. À vingt ans, on a exploré nos corps et si quelqu'un nous avait alors parlé de caresses plus évoluées comme le sexe oral, on aurait traité de vieux pervertis ceux qui nous auraient dit s'y adonner. Et pourtant, ce fut une fleur de plus dans le bouquet. Par la suite, pas question de l'utilisation d'accessoires. On a essayé des choses, vêtements érotiques et tout et ce fut positif... À cette époque, l'idée d'échanger avec d'autres couples nous aurait traumatisés. Peur morbide de perdre l'autre et tout le bataclan de contraintes culturelles... Comment ça sera ? Au début, sans doute difficile. Voir partir l'autre vers une autre personne... Tu le sais déjà, toi. Moi, faudra ben que je le vive aussi. Mais au-delà de nos souffrances animales et mesquines, on en retirera sûrement des bienfaits, parce que l'acte, fondamentalement, est pas destructeur, si ce n'est qu'il nous force à mettre au pas notre possessivité.

–Sais pas si on trouvera des couples qui envisagent ça comme ça.

–Faudra qu'ils soient positifs, sinon pas question d'échanger!

–Te souviens-tu comme cette conversation nous avait excités l'autre jour?

–Prouesses ensuite...

–Ça te laisse pas indifférent à soir non plus.

–Si le diable existe, son plus formidable tour de force est de faire croire aux gens que leurs désirs secrets sont répugnants et que l'évolution sexuelle est dégradante.

Elle osa aller plus vite que lui:

–En fin de semaine, on devrait appeler ce couple de Québec, on a leur numéro.

–Pas si vite tout de même !

–Pas pour un échange, juste pour discuter.

–D'accord. D'abord, on fera jamais l'amour le premier soir avec les premiers venus. Faudra tout de même créer certains liens avant...

–On mourra pas de tenter l'expérience, et si les résultats sont mauvais, on mettra un point final.

–Malgré qu'il faudra plus d'une expérience pour voir les résultats. En somme, on avancera avec prudence et on n'aura ainsi rien à se reprocher.

–S'il fallait que ma mère m'entende !

–Le mal est-il dans l'hypocrisie d'une sexualité refoulée ou bien dans une vibration librement partagée par quatre personnes qui se veulent du bien ?

–Ce que pensent les gens ne me touche plus dans la conduite de ma vie privée. Il faudra quand même être discrets à cause du milieu.

–J'aime tes paroles.

*

–Que c'est donc beau !

Cent fois, mille fois, Nicole avait entendu cette réflexion spontanée à l'égard des mobiliers habillés. Pourtant, les commandes tardaient à entrer.

Alain voulut comprendre pourquoi. Un après-midi, il s'embusqua derrière la cloison du kiosque d'exposition pour surprendre les opinions sans être vu, pas même de Nicole.

Il remarqua la conversation d'un couple type.

—C'est magnifique! dit la femme. Qu'en penses-tu ?

—Ah oui ! répondit l'homme.

—Le prix de ce mobilier ? demanda la femme.

Nicole répondit:

—Il est pas à vendre; c'est un exhibit. Mais si vous avez chez vous un mobilier de chambre qui commence à se défraîchir, on pourrait vous l'habiller comme celui-ci ou bien avec un autre tissu du genre. Voyez: on a une soixantaine d'échantillons.

—Le nôtre est neuf, dit la femme. Par contre, celui de la chambre de notre fille serait parfait pour ça... Ça ferait changement de l'éternel bois brun. Combien ça coûte ?

—Environs de cent dollars. Sûrement pas plus de cent vingt-cinq.

—Original comme idée! Ça se fait ailleurs ?

—C'est une nouveauté.

—Et quelle sorte de tissu est-ce ?

—Fibres acryliques à cent pour cent. De la plus haute qualité.

—Résistant ? demanda l'homme.

—Voyez nos échantillons par vous-même. Et plus d'époussetage, mais un simple coup de balayeuse en même temps que vous faites la chambre.

—En cas de brûlure ?

—Un morceau de tissu et un peu de colle. Une greffe de peau quoi.

—Nettoyage ?

—Comme un divan de velours.

—Faudrait combien de temps si on se décide ?

—Deux jours si on a le tissu. Autrement: de deux à quatre semaines.

—On y pense et on rappellera.

—Je pourrais prendre votre commande tout de suite.

—On va en discuter.

Le couple vint se parler près de la cloison derrière laquelle Alain était. On se parla à mi-voix:

—Qu'en penses-tu ? On en fait faire?

L'homme hésita et leur échange conduisit à un non.

Quand ils furent partis, Alain réfléchit à cette conversation qui résumait toutes les réactions des visiteurs. Les deux blocages naissaient de la nouveauté de la technique et du prix curieusement bas.

Il fut interrompu abruptement dans sa réflexion par des mots qui n'avaient rien à voir avec les mobiliers de chambre. Une voix de femme, pas très familière mais connue, attira son attention et de façon brûlante.

—La maudite Denise Martel a un don pour mettre le diable dans les ménages des autres, dit-elle d'un ton de rage à peine retenue.

C'était la voix d'une amie de jeunesse de Nicole. Il n'avait nul besoin d'entendre cette phrase pour savoir que Denise rencontrait publiquement Claude Poulin qui avait travaillé comme hôte et placier à sa discothèque.

Plus flatté que choqué de l'apprendre, Alain s'était dit que Poulin avait simplement pris une place qu'il avait, lui, librement quittée. Par la suite, jugeant mesquine sa réaction à cette nouvelle, il avait cessé d'y penser.

En réalité, Denise et Claude couraient les discothèques de la ville en compagnie d'un autre couple de profs formé de Charles Goulet et d'une jeune fille, nouvelle venue dans le métier.

Les deux hommes étaient mariés et c'est la femme de Goulet qu'Alain avait reconnue à travers la mince cloison. Il se pardonna d'écouter aux portes et profita de l'occasion.

—Elle a aussi essayé de mettre la peste chez toi ?

—Cachons pas les mots, dit Nicole, elle a été la maîtresse de mon mari pendant près de quatre ans.

—On se comprend: je vis les mêmes problèmes.

—Denise Martel et Charles ?

—Non, Charles rencontre une fille de St-Camille. Mais c'est Denise Martel qui est derrière tout ça. Elle rencontre Claude Poulin. C'est elle qui mène le bal. Ils courent ensemble les bars de la ville ou s'en vont passer la soirée à l'appartement de mademoiselle. Tout ça a commencé autour des fêtes...

—Tu m'excuses un peu, je vais donner un feuillet publicitaire à la dame qui vient d'entrer.

Alain n'entendit plus que des murmures, puis à nouveau la voix aigrie de la femme trompée.

—Chez moi, ça s'est gâté en janvier. Des chicanes interminables. Il sortait trois soirs par semaine et rentrait tard. Il devenait de plus en plus agressif et dépressif. Je me suis dit que Denise Martel pouvait être derrière tout ça. Je savais qu'elle et Alain sortaient ensemble. Je sais pas ce qui m'a toujours retenue de t'en parler. On se voyait jamais. J'ai fait ma petite enquête et découvert qu'elle et Alain ne se voyaient plus. À force de questionner Charles, j'ai fini par savoir la vérité: deux intruses dans les ménages des autres...

—Maman, allons-nous en, dit une voix d'enfant.

—Va jouer dans la promenade, je parle avec la madame, dit Ginette.

—Et toi, tu savais pas ce qui se passait entre Denise Martel et ton mari ?

—Au fond de moi-même, je m'en doutais; mais je préférais n'en rien savoir. Finalement, je l'ai appris officiellement en février de l'an dernier.

—Pis t'as quand même continué de vivre avec Alain ?

—Tous les deux, on a fini pars en sortir et on est ben contents.

—Comment t'as fait ?

—A fallu que je change des choses en moi-même. Affronter la méchanceté et tout...

—Comment réagissais-tu quand il revenait de chez sa maîtresse ?

—Je me débrouillais. Vers onze heures, je prenais un grand verre de vin chaud et j'allais me coucher.

—Moi, je dors pas tant qu'il est pas rentré. Une nuit, il y a deux mois, la bagarre fut terrible. J'étais allée me stationner près de la clinique médicale au cours de la soirée et je les ai vus tous les quatre entrer dans l'appartement de la Denise Martel. La semaine d'avant, en pleine nuit, j'avais vu Charles descendre de l'auto de la fille de St-Camille, à deux coins de rue de la maison. Cette nuit-là, il m'avait tout dit ce qu'il est possible de se faire dire, qu'il m'avait jamais aimée, qu'il m'avait mariée seulement parce que j'étais enceinte, que je n'avais qu'à prendre mes guenilles et m'en aller. Pis moi, je lui ai répondu que si je devais partir, il reverrait jamais sa petite fille. Finalement, il a pleuré et menacé de se suicider. Mais rien a changé et son état dépressif a augmenté et il est devenu sexuellement impuissant. Je l'ai envoyé chez un psychiatre, mais les choses s'améliorent pas. Il a continué de rencontrer sa donzelle et moi, suis allée voir un avocat.

Alain se hérissa et siffla entre ses dents:

—Un psychiatre et un avocat: belle combinaison pour régler un problème conjugal !

—Quel avocat ?

—Raynald Boisvert.

—Tu devrais t'en méfier, de celui-là. Il va pas arranger les choses.

—Il savait ce qui se passait au sujet de Charles et de la fille de St-Camille. Il m'a renseignée sur tous mes droits. La loi va me protéger et je pourrai garder ma fille. Il m'a certifié qu'il serait facile de prouver qui est coupable...

—À ta place, j'agirais autrement. Au lieu d'agresser Charles quand il rentre, ignore-le ? Vos chicanes le poussent dans les bras de l'autre. Toi, fais ta vie. Fais-toi des amis et sors. Essaie. Ça vaut la peine d'essayer.

Nicole avait parlé très doucement et avec conviction.

—La vie est pas endurable depuis qu'il voit cette petite garce.

—Tâche de lui faire comprendre que t'as le même droit de disposer de ta vie que lui, de la sienne...

Ginette n'avait pas écouté. Elle dit:

—Je lui ai téléphoné à la fille à son école, mais elle m'a ri au nez avant de raccrocher. Je te jure qu'elle pis Denise Martel vont prendre ça chaud. Tu sais ce qu'ils ont fait en fin de semaine passée ? Les deux hommes se sont organisé un voyage à Québec. Denise Martel et l'autre fille ont laissé leur auto chacune chez ses parents. J'ai vérifié par téléphone et j'ai su qu'elles étaient, toutes les deux, parties pour Québec. Alors j'ai appelé la femme de Claude Poulin et je lui ai tout raconté

—Excuse-moi, je vais voir cette visiteuse.

Quelques minutes plus tard, la conversation se renoua:

—Les choses se sont arrangées avec Alain et, en dépit de tous mes rêves de vengeance de l'époque où il la rencontrait, je ne tiens plus à brasser dans tout ça. Suis sortie d'un long tunnel et je veux pas y retourner

—Maman, j'ai chaud, est-ce qu'on s'en va maintenant ? dit l'enfant

—Ôte ton manteau et retourne jouer: j'ai pas fini de parler avec la madame.

Et à Nicole:

—Elle est vache la Denise Martel. Te souviens-tu de l'épluchette de blé d'Inde, il y a trois ans ? Elle avait déjà commencé à te rire dans le dos.

—Je sais.

—On devrait s'organiser, la femme de Claude, toi pis moi pour lui prendre la tête quelque part dans un coin Elle s'en rappellerait longtemps, la salope.

—T'amuse pas à elle Tes problèmes avec Charles sont ben plus importants. Si tu veux un bon conseil, évite la violence. Charles est de ceux qui ont besoin de beaucoup de liberté et qui se sentent en prison dans le mariage traditionnel. Même si Denise Martel et son amie s'effaçaient du décor...

—Je les laisserai pas faire de moi la risée de la ville.

—C'est fréquent, ce qui nous est arrivé Même que c'était ben pire pour moi: entre Alain et Denise Martel, c'était le grand amour et ils se sont vus pendant quatre ans.

—Ma pauvre enfant, j'ai trouvé des capotes dans le portefeuille de Charles. Il couche avec elle, tu comprends, et avec moi, il est impuissant.

—Maman, on s'en va ? demanda l'enfant.

—Mets ton manteau Quelle heure as-tu, Nicole ?

—Cinq heures.

—Faut que je m'en aille. Tu viendras me voir...

La voix éraillée d'une femme vieillissante enterra l'autre:

—Comme c'est beau ce mobilier !

Alain sortit discrètement par la porte arrière et rentra par une autre donnant sur la promenade. Il flâna devant quelques vitrines avant de rejoindre Nicole.

Il ne lui dit rien de sa rencontre avec Ginette. Pendant l'heure calme de la période du souper, ils ne parlèrent que d'exposition. Il la fit parler; elle en arriva aux mêmes conclusions.

Il réfléchit longuement à cette conversation de Nicole avec son amie et décida de revoir une dernière fois son ex-maîtresse. Cette fois cependant, il voulut le faire avec l'accord et même l'appui de Nicole.

Il espérait chaque jour qu'elle lui parle de sa rencontre avec Ginette, mais une semaine devait s'écouler avant qu'elle ne le fasse à travers un échange à propos des meubles.

—Nicole, avant de vivre de ce commerce dans la région, on a le temps de crever plusieurs fois.

Elle secoua la tête.

—Rien que deux commandes cette semaine.

—Et t'as remarqué de qui ? De gens qui ont pas peur d'essayer du neuf· une immigrée française et une femme divorcée. Les autres. rien à faire.

—Que proposes-tu ?

—Levons les voiles. Direction: Montréal.

Nicole jeta un coup d'œil inquiet à ces draperies qu'elle avait elle-même fabriquées, à cet intérieur qu'elle avait décoré avec soin, petit à petit, au fil des jours et des revenus.

—Vendre la maison, ça me dérangera pas. Je veux dire que j'aurai ben un peu de peine, mais je me console en pensant qu'à Montréal y en a d'autres. Ce qui compte, c'est pas la maison, c'est de s'entendre dedans.

—J'aime tes paroles.

Elle hésita un peu pour dire :

—J'ai eu la visite de la femme à Charles Goulet la semaine dernière. Elle m'a parlé de Denise Martel. Je sais que t'aimes pas les racontars..

—Je t'écoute...

—C'est pas pour te jeter quelque chose à la figure.

—Si tu dis vrai, je le sentirai; si t'avances des choses par calcul, je le sentirai aussi, dit-il hypocritement.

Quand elle eut terminé son récit, il commenta:

–Qu'ils ont donc un mauvais jeu entre les mains! Charles reste un enfant qui a mal grandi, négatif, intolérant, qui voit pas les nuances et veut pas les voir. Et Ginette répond à ça par l'agressivité. Et ce cher avocat qui lui pousse dans le dos. Pour chacun, le coupable, c'est l'autre. Claude s'en sortira mieux, parce que même s'il est aussi radical sur bien des points, il est plus superficiel et ça lui permet de rire Charles sait pas rire et son problème empire d'année en année.

–C'est que Denise Martel fait avec eux autres ?

–Elle subissait de plus en plus leur influence: devenue terne, triste, à l'écoute de ses frustrations. Elle ne savait plus rire à l'avenir. Elle perdait son identité dans le moule étroit du clan... Mais je les laisserai pas finir de la détruire sans un dernier effort pour elle, sans une dernière conversation avec elle. Je lui dois ça, je pense.

Nicole devint livide:

–Je crois pas que tu changeras quelque chose en elle. Elle doit s'en sortir par elle-même comme je l'ai fait. Elle est pas si démunie que ça...

–J'aurai au moins le sentiment d'avoir fait ce que je devais. J'ai besoin de la voir et j'aimerais savoir que tu m'appuies dans ma démarche.

Elle réfléchit, puis releva la tête.

–En ce cas, tu dois y aller.

Il se leva de son fauteuil et s'approcha d'elle

–En dehors de notre vie sexuelle, je t'ai pas embrassée de moi-même depuis combien de temps ?

–Au moins dix ans !

Il la prit dans ses bras :

–J'espère que ça prendra pas un autre dix ans.

Il l'embrassa puis la regarda avec intensité.

–T'es en train de devenir une grande grande femme

–Quand iras-tu chez elle ?

–Je vais lui téléphoner demain, et j'irai samedi

*

–Denise, c'est Alain !

–Oui, dit faiblement la voix.

–Surprise de m'entendre aujourd'hui ?

–Oui et non. Avec tout ce qui s'est passé.

–Je voudrais te parler. Pas pour renouer des liens, mais une dernière discussion.

–Après ce qui s'est passé, je pourrai difficilement ces jours-ci Peut-être plus tard.

–Le plus tôt serait le mieux. Je retarde cette rencontre depuis plusieurs jours. Je voudrais te voir chez toi, demain après-midi... Si tu peux me recevoir.

—Suis vraiment pas d'humeur à discuter.

Il connaissait bien ces hésitations. Elles signifiaient toujours un refus catégorique. Il visa donc une corde sensible:

—Je le fais pas pour moi; j'ai des choses importantes à te dire... mais qui te concernent.

Elle jeta avec indifférence:

—Qu'est-ce qui est important, qu'est-ce qui l'est pas ?

Il se désola:

—T'es encore plus sombre qu'avant.

—Tu le serais pas à ma place ?

—Peut-être qu'une dernière discussion sur notre passé t'aiderait à être moins morose.

Elle hésita quelques secondes puis changea le ton qui devint curieux

—Alain, j'ai l'impression que... Est-ce que t'as su ce qui est arrivé ?

—Su quoi ?

—On t'a pas dit pour Charles ?

—Les nouvelles, je suis le dernier de la région à les apprendre Mais ça sent le drame...

—Il s'est tiré une balle dans la tête. Pas la nuit dernière, l'autre. Qui aurait pu imaginer une chose pareille ? Une heure auparavant, il était avec nous autres, tout un groupe, à la discothèque du centre. Il riait avec tout le monde... Tu m'écoutes ?

—Oui, oui, j'essaie seulement de me ressaisir Je savais qu'il se passerait quelque chose, mais pas d'aussi grave

—Il est pas mort, mais tout son visage est atteint. S'il s'en sort, il restera complètement défiguré.

—Il avait le tempérament pour le faire... Que je suis stupide! Évidemment, puisqu'il l'a fait.

—Il était dépressif depuis quelques mois Ça allait pas trop dans son ménage.

—C'est encore plus urgent de se voir.

Ils restèrent silencieux un moment, puis il ajouta:

—Ça cogne.

—Jeannine est complètement bouleversée; elle sait plus à quel saint se vouer

Il dit sur le ton de celui qui sait:

—Ils sortaient ensemble ?

—Ils se voyaient de temps en temps, surtout à l'école. Et toi, comment ça va ? Tu t'es lancé dans un nouveau commerce ?

–Pas pour longtemps !

–J'ai vu ta marchandise au centre d'achats; c'est beau.

–Mais ça prend pas! Je ferme tout ça et je m'en vais ailleurs.

–Québec ?

–Montréal... Je parle de ça, mais...

–À une heure, demain après-midi, ça te va ?

–Pas avant deux heures. Je vais probablement me coucher tard ce soir et...

–D'accord.

Ils raccrochèrent. Alain réfléchit un moment, puis monta à l'étage raconter à Nicole ce qui s'était passé. Il conclut:

–S'il avait fallu que tu parles à sa femme autrement que tu l'as fait, imagines-tu comment tu te sentirais à soir ?

–Iras-tu quand même la voir ?

–Faut. À ma place, t'en ferais autant.

–J'ai pas ton âme, Alain, moi.

–Tu as souffert davantage donc t'es meilleure.

Entendre la voix de Denise avait rempli son cœur de nostalgie Il retourna à son bureau et rédigea une lettre à lui donner le lendemain.

Denise,

Ce soir, j'ai noir! La mort est dans mon cœur; mon cœur est à la mort. Je prépare une dernière heure; je prépare une fin; je prépare demain. Je suis incapable de voir au-delà et c'est pourquoi je pleure. Je pleure parce que j'ai peur; peur de vivre jusqu'à demain, peur de demain qui me fera mourir.

Te souviens-tu de nous, Denise ? Te souviens-tu du grand sapin et de la grange grise ? Du feu de camp, de l'été bleu, de nos regards ?

Pourquoi donc as-tu cessé de rire ? Toi qui me l'avais si bien montré Pourquoi donc as-tu accepté d'être enchaînée ? Toi qui m'avais pourtant libéré.

Tu as été la femme de ma vie; tu ne l'es plus, mais tu le seras toujours. Je te retrouverai partout car tu vivras toujours en moi. Et moi, je serai toujours en toi, car si tu m'as tué, là, pour un temps, un jour, je renaîtrai bien au fond de ton âme.

Nous étions-nous perchés si haut que nous nous sommes fait si mal quand la vie nous a délogés de notre nid ? Comme elles sont affreuses, affreuses et dégoûtantes mes blessures, ce soir! Toutes ces chairs déchirées, tous ces os broyés, tous ces organes mutilés se rassembleront-ils pour aimer ou pour haïr ?

Demain, auras-tu pitié de ma douleur ? Pourras-tu me montrer, prisonnier au creux de ta main, un papillon, un de ces papillons invisibles comme tu m'en as si souvent fait voir ? Jamais le même L'un toujours plus coloré que l'autre, plus léger, plus libre. Pourquoi as-tu cessé de m'en montrer ? On ne se lasse pourtant jamais des papillons, surtout si on ne les voit pas, car ils sont à l'exacte mesure de nos rêves, car ils sont immortels. Pourquoi donc les as-tu écrasés avec ton poing fermé, levé au ciel ?

Tu n'auras qu'à desserrer le poing, qu'à ouvrir les bras, et je te reviendrai comme dans le temps; nos corps ne se rencontreront plus, mais nos âmes se parleront d'espoir et de complicité. Car mon âme s'offre à toi, car mes bras te sont ouverts pour te libérer, comme tu m'as libéré.

Me donneras-tu un brin d'espoir demain: un tout petit signe qui me fasse savoir qu'un jour, ton poing va se relâcher, permettant à quelques papillons de s'échapper, puis à plusieurs, puis à des millions d'envahir l'humanité et de répandre leur joie ? Verrai-je dans tes plaies un signe de vie ? Saurai-je que je pourrai, toute ma vie, puiser à toi, à nos souvenirs, à nos pensées, à nos découvertes, pour aller toujours plus loin ?

Ou bien demain sera-t-il mortel ? Ou bien demain devra-t-il être la fin de toi en moi ? Ou bien demain, devrai-je t'arracher de mon âme ?

J'ai peur. J'ai peur et je prie.

Je t'aimerai toujours, mais, Dieu m'en préserve, devrai-je t'extirper de mon âme ? Toutes ces graines que tu as semées en moi et qui sont devenues fleurs, devrai-je les détruire après la saison ? Ou quelque chose me fera-t-il comprendre qu'elles sont vivaces ?

Ce soir, je n'aime que toi, et c'est pourquoi je pleure, et c'est pourquoi j'ai peur, et c'est pourquoi je souffre. Mais, lorsqu'en plus, je pense à cette fin, à cette mort de demain, alors ma douleur devient atroce Je ne veux pas de cette mort; je veux que toujours tes fleurs s'épanouissent en mon âme pour que viennent s'y poser des milliers d'invisibles papillons aux nuances infinies.

À demain, ma grande! Et, de toute mon âme, à la vie!

Alain.

Il relut lentement sa lettre avant de la plier soigneusement pour l'insérer dans une enveloppe qu'il scella.

*

Il se surprit à attendre pour entrer, que Denise vienne ouvrir. Il ne lui jeta qu'un vif et discret coup d'œil, puis il attacha au geste de fermer les portes une importance qu'il n'aurait pas normalement. De la sorte, il put analyser ce regard global qu'il venait de porter sur elle

La jeune femme avait le visage couleur de cendre, ce que pourtant elle avait toujours combattu par un maquillage matinal fort discret, mais suffisant pour effacer cette pâleur inquiétante. Elle avait revêtu un gilet trop grand et de cette couleur vert feuille qu'il avait toujours détestée sur elle. Et cela aussi, il savait qu'elle le savait. Ses seins, trop lourds pour être libres,—elle-même l'avait souvent affirmé—tombaient néanmoins derrière le tissu lâche

—Viens t'asseoir au salon, dit-elle faiblement.

Il l'observa en la suivant. Sa tête portait gauchement ses longs cheveux muets et elle traînait laborieusement ses savates claquantes.

Il s'assit sur le divan face à un fauteuil-sac noir où la femme s'affala lourdement. L'appartement lui avait paru impeccable, comme six mois auparavant. Tout y était rigoureusement propre. Chaque chose avait sa même place. Rien n'avait changé. Sauf un immense calendrier rouge vertical aux 366 chiffres alignés comme des soldats, témoins de la guerre du temps et de la vie.

Alain passa la main au-dessus de sa tête, frôlant ses cheveux qu'il espérait bien en place, tels qu'ils avaient été précautionneusement peignés par Nicole une heure plus tôt. Mais ce geste machinal en avait été simplement un d'ajustement à cette scène étrange qui le rendait mal à l'aise.

La radio diffusait en sourdine. Derrière Denise, dans un coin, un bouquet de plantes pâles tendaient leurs longs bras secs.

Il se demanda quoi dire pour casser la glace. Comment ne pas parler de choses dramatiques ? Fallait-il plonger tout de suite dans le désarroi ? Ne pourrait-on retarder le mal ? Pourquoi ne pas parler de température, de choses neutres ? De choses qui ne font ni très chaud ni très froid comme le travail, la mort d'un citoyen éminent, l'état des routes ?

—Qui aurait pu croire une chose comme ça ? dit-elle au moment où il allait dire quelque chose.

—Toi et moi, on aurait pu le croire. Probablement plusieurs autres aussi On connaissait la puissance de ses forces négatives. S'il les avait acceptées telles qu'elles étaient, il aurait sûrement posé des bombes, mais sans doute les refusait-il puisqu'il a tenté de les détruire ? Qu'aurions-nous pu faire ?

—Les autorités scolaires locales et le gouvernement cette année, ça améliorait pas les choses.

Il pencha la tête et ne répondit pas. Il hésita pour dire:

—Pourquoi ?... Pourquoi ce qui nous est arrivé à nous deux ?

—Parce que chacun de nous, et surtout toi, s'est trop attaché à son passé.

—C'est pas parce qu'on retourne vers la même personne qu'on retourne vers les mêmes valeurs. C'est peut-être simplement le signe que la personne a évolué... Mais je te renvoie la balle: et toi, pourquoi avoir continué ton repli vers... un passé noir... et de vieilles valeurs trompeuses ?

444

–Tu m'as laissée, t'es parti sans jamais me donner de nouvelles, et t'as même évité que je puisse te rejoindre, ce que j'ai essayé de faire des dizaines de fois; alors je me suis débrouillée comme j'ai pu.

–T'étais devenue négative ben avant que je parte et c'est pour ça, principalement, que je l'ai fait.

Elle secoua tristement la tête.

–Tu serais parti de toute manière. T'es un homme et les hommes ne savent que prendre.

–On est en train de se déchirer et j'étais pas venu pour ça.

Elle se mit à pleurer doucement, ce qui étonna Alain. Et cet étonnement aussi l'étonna. Ne l'avait-il pas vue souvent ?.. "Justement, pensa-t-il, c'est la première fois que je la vois pleurer. Elle a dit souvent qu'elle l'avait fait, mais il n'avait jamais vu ses larmes. Sans doute avait-il confondu avec Nicole..."

Il chercha en son esprit une fleur pour lui essuyer les yeux.

–Parlons de ces lieux où on s'est... aimés.

–Tout ça est loin de moi.

–Même notre motel aux chips ?

Elle se leva sans répondre et se rendit chercher une boîte de papiers-mouchoirs qu'elle plaça sur la table des plantes sèches. Elle se jeta encore plus pesamment que la première fois dans son fauteuil-sac.

Alain avait l'impression de s'enliser chaque fois qu'il ouvrait la bouche.

Il se jeta le blâme de ne savoir que lui faire des reproches, de ne savoir que la détruire en cherchant à la bâtir. Pour réprimer ses propres larmes, il se rendit à la salle de toilettes. En revenant, il aperçut, dans une petite pièce à débarras, plusieurs caisses de bière, signe des réceptions de la jeune femme.

–Tu bois encore du vin parfois ? lui demanda-t-il à son retour au salon.

–Pas souvent!

Il y eut une pause qu'elle rompit:

–Veux-tu entendre le montage sur cassette que je t'avais préparé pour Noël ? Ce plan de moi-même que tu m'avais demandé et que j'aurais dû...

Elle ne termina pas sa phrase, cherchant à ravaler ses larmes. Sans attendre la réponse, elle quitta la pièce et revint quelques secondes plus tard avec son lecteur de cassettes et une tablette à écrire remplie de notes.

–Je veux pas l'entendre, dit Alain en lui regardant fixement le contenu des mains. Les circonstances ont tellement changé!

Il frotta ses mains avec une nervosité retenue.

–Si tu veux me donner la cassette, je l'écouterai plus tard... Pas aujourd'hui. D'ailleurs, j'ai moi aussi quelque chose pour toi.

–Je vais te résumer ce qu'elle contient...

–Si tu veux !

–Ce sont des paroles et des chansons qui alternent et par lesquelles je t'explique ma perception de moi-même, comme tu me l'avais demandé.

Les deux ex-amants pleurèrent tout au long de la lecture. Alain n'en retint que des bribes, que les clichés caractéristiques à Denise. Les "je me sens seule" avaient succédé aux "j'ai besoin de tes bras". Puis il y avait eu les "je ne suis heureuse qu'avec toi", les "j'aime que toi", les "viens m'aider", les "je souffre", les jamais et les toujours

Elle lui tendit la cassette qu'il empocha.

Puis la conversation porta sur des banalités, sur la tentative de suicide de Goulet et sur les projets de vengeance que nourrissait sa femme à l'égard de Denise une dizaine de jours auparavant.

Toutes leurs paroles furent anachroniques, désynchronisées, comme s'ils avaient été, tous les deux, des accidentés sur le bord d'une route sans issue le corps en charpie et qui auraient essayé d'échanger des idées sur le futur et sur la vie.

Quand six heures arrivèrent, Alain se leva et se dirigea vers la sortie, désireux de partir, bien qu'hésitant à le faire. Elle marcha à trois pieds derrière lui jusqu'à ce qu'il s'arrête à trois pieds de la porte. Il ne bougea pas, le temps d'une courte réflexion.

Il conclut qu'elle n'avait pas donné le signe d'espoir espéré. Dans sa tenue, dans ses gestes, dans ses paroles, elle n'avait pas montré autre chose qu'une noirceur totale. Aucune joie, aucun rire, pas le moindre papillon Elle avait été aussi noire que morte. Il sentit des larmes lui grimper aux yeux et ne fit rien pour leur barrer la route. Il fouilla péniblement dans une de ses poches, sortit sa lettre qu'il jeta sur la table

–Il ne reste plus qu'à reprendre la route, dit-il.

–C'est ça ! jeta-t-elle laconiquement.

D'un geste brusque, il se retourna et s'approcha d'elle. Il lui mit la main sur l'épaule, scruta le fond de son âme et lui dit, comme s'il voulait lui marquer le cœur au fer rouge :

–Vis avant de mourir et prépare ta mort au lieu de la vivre chaque jour !

Elle baissa la tête sans dire un mot.

D'un second geste brusque, il tourna les talons et sortit en silence, le cœur tordu...

Dehors, il prit une profonde inspiration pour tâcher de renaître à quelque chose. Mais la terre puait, dégageait de ces exhalaisons nidoreuses, signes d'une pourriture féconde.

Il pleuvait doucement. Alain sortit de chez lui, une pancarte sous le bras, un marteau dans la main. Il marcha posément dans l'herbe mouillée et s'arrêta au milieu de la pelouse, vis-à-vis la porte d'entrée. Il jeta un regard circulaire sur la petite ville à flanc de coteau, sur l'autre versant de la rivière. Il goûta le chatouillement de la pluie fine sur son visage et ses bras nus. Il mit le bâton pointu en position et, de son marteau, l'enfonça facilement dans cette terre molle de la mi-mai. Il redressa le corps et recula de deux pas; la pancarte était bien centrée et bien ancrée. Il dévisagea la pluie, la ville, puis sa pancarte et les mots 'à vendre' qu'elle contenait. Et il sourit.

Il fut envahi alors par un curieux besoin de faire le tour de cette ville qu'il connaissait trop maintenant pour pouvoir y vivre heureux Il ne s'agirait pas d'une tournée d'adieu nostalgique, mais bien plutôt d'une occasion de prendre, avec son cerveau, les plus belles photographies qu'il pourrait.

Il monta dans sa voiture et se mit à quadriller les rues.

Une heure plus tard, il retourna chez lui. Sous le porche, Nicole regardait s'allumer les lumières de la ville. Elle lui parut d'humeur maussade.

—C'est ma pancarte qui te donne cet air ?

—Y a un peu de ça, dit-elle calmement Mais y a surtout autre chose.

—Quoi donc ?

—T'as rencontré une personne que tu connais ?

—Plusieurs. Pourquoi ?

—On a eu de la visite.

—Et alors ?

—De ton ex-maîtresse.

—Denise Martel ? Ici ?

—Elle était au volant d'une auto et a tourné dans la montée, juste ici Elle s'est arrêtée pendant plusieurs minutes pour rire et me regarder Elle discutait la bouche fendue jusqu'aux oreilles, avec une autre fille et me montrait du doigt. Je l'aurais assommée... Elle a pas le droit de venir me narguer ici.

—T'es sûre que c'était elle ?

Et il se sentit bête de poser une pareille question

—Tu veux ajouter à ma mauvaise humeur ou quoi ?

Patricia, qui se balançait tout près, dit avec impatience

—Cette sacrée folle est venue rire de nous autres.

—Elle riait pas.

—Oui, oui, insista l'enfant, elle riait et nous montrait du doigt.

Il hocha doucement la tête et se dit à lui-même:

447

–Si vous saviez comme c'était pas du rire!

*

La maison fut vendue et une autre fut achetée quelques jours plus tard dans une banlieue de Montréal.

Une nuit de la fin juin, ils quittèrent définitivement la région. Nicole partit la première, en auto, accompagnée de l'enfant. Alain suivit une quinzaine de minutes plus tard dans une camionnette qu'il avait achetée quelque temps auparavant.

À quinze milles sur la route, il aperçut au loin des lumières tournoyantes indiquant un accident qui avait l'air d'être important, à en juger par le nombre des feux mobiles. C'est qu'une fois rendu sur les lieux de l'agitation qu'il comprit ce qui se passait. Il s'agissait pas d'un accident, mais bien d'un incendie, sans flammes extérieures. Il réduisit la vitesse, mais ne s'arrêta pas. Puis il accéléra à nouveau. Il regarda dans son rétroviseur le motel aux chips qui brûlait.

*

Il fut transporté par le grandiose. C'était la deuxième fois qu'il vibrait de cette manière, la première s'étant produite en 1960 dans une salle de cinéma à un dollar le billet, lorsque Juda Ben-Hur, Messala et les autres avaient commencé à défiler dans le grand stade de Jérusalem.

Cette fois-là, il avait monté aux côtés du viril prince dans son char honnête et craint les agressions du tribun tricheur, le noir étranger tyrannique et exploiteur. Lorsque la course s'était mise en branle, il avait quitté le char et attendu, misant tous ses espoirs sur les quatre coursiers blancs et surtout sur le sang pur du jeune prince. Il avait rejoint l'attelage pour la tournée du vainqueur, partagé la couronne de lauriers Et enfin, il lui avait bien fallu accepter sa vibration de triomphe au dernier souffle de Messala.

Le roulement du tambour, l'entrée rapide des athlètes et délégations, la réponse à une attente de plusieurs années, le désir de gagner, les regards de l'humanité, les couleurs nationales, tout cela avait servi de ferment à son émotion devant la cérémonie d'ouverture de la XXIe Olympiade, de la même façon que la première partie du film Ben-Hur avait disposé son âme à la grande compétition.

Alain détailla les sources de son plaisir comme il l'aurait fait d'une femme désirée depuis longtemps, qu'il n'eût jamais osé imaginer à sa portée, mais qui se serait trouvée bel et bien là, entrouverte, s'offrant.

À n'en pas douter, cette Olympiade était une déesse brillante, regorgeant de soleil et d'or, descendue sur terre, sur sa terre du Québec, venue pour son plaisir à lui, venue dire à toute l'humanité qu'elle pourrait et désirait baiser avec lui. Il se sentait un as d'avoir apprivoisé la déesse, de l'avoir fait se coucher à ses côtés, oubliant l'idée qu'elle lui laisserait indiscutablement une maladie d'amour.

Après s'être tant laissé désirer, elle arrivait, la géante, et commençait à se déshabiller, pleine de promesses.

Quand, sur l'écran de son téléviseur, il aperçut sur l'estrade d'honneur les principaux entremetteurs de la rencontre avec la divinité, il cessa un moment le mouvement masturbatoire que sa main avait inconsciemment entrepris dans la poche de son pantalon, et il applaudit au génie.

Il remit alors sa main dans sa poche Cette fois, il ne fit que tapoter sa monnaie. Il divisa le chiffre du coût des jeux par le nombre de ceux qui devraient les payer, soit un milliard et quart par six millions. Grosso modo, deux cents dollars par personne, pensa-t-il Et avec les intérêts, aux environs de quatre à cinq cents. Il calcula donc quinze cents dollars pour sa famille

—Trop cher comme spectacle, même d'une durée de deux semaines, j'aurais dû m'en tenir à du grand cinéma à trois dollars le billet

Et il tourna le bouton de l'appareil.

À la réflexion, il se ravisa. Réduire de si grandes valeurs à de vulgaires questions d'argent n'est pas très raisonnable, pensa-t-il, car il est impensable d'oser vouloir monnayer les plaisirs apportés par la formidable déesse. Après tout, n'est-elle pas adorée par l'humanité entière ? Qu'importe si le travail des entremetteurs fut aberrant !

—Pouah! se lança-t-il tout haut à lui-même

Et il ralluma le téléviseur

Et il remit lentement la main dans sa poche

*

—J'ai une incroyable envie de fumer à soir, dit Nicole.

Elle venait de se jeter sur le petit divan d'une chambre étroite qu'Alain avait transformée en bureau à leur arrivée dans cette maison.

—Trois semaines déjà! Ton pire est fait.

—Si ça continue à être aussi difficile, je recommence.

—Au point où t'en es, tu peux ben persévérer jusqu'à deux mois

—Le plus difficile, c'est quand je suis seule à la maison.

—Tu te souviens que j'ai vécu ça quand j'étais à la radio ? L'important maintenant pour toi est de bouger beaucoup.

—J'ai justement envie de me trouver un emploi.

Il sourit d'un coin de la bouche et leva une main en signe d'acquiescement.

—Libre à toi.

—Mon moral se porterait mieux et notre vie de ménage aussi

—Pour ma part, j'ai envie du contraire. Je veux dire que je voudrais prendre une année sabbatique et tenir la maison.

—On pourrait inverser les rôles un bout de temps

—Peut-être la meilleure façon pour chacun de comprendre ce que l'autre a vécu dans le passé ?

—On a un peu de foin dans nos bottes, si tu gagnais un salaire normal, on pourrait boucler l'année, je pense. Dans quelle ligne aimerais-tu
travailler ?

—J'y ai ben pensé et je voudrais être serveuse dans une salle à manger bien cotée.

—Mais t'as aucune expérience là-dedans !

—Un peu... D'une certaine façon..

—Ma pauvre fille, le genre d'endroit où tu voudrais travailler et notre gargote de l'année passée, c'est deux.

—Je pourrais commencer dans un restaurant ordinaire. J'apprendrai.

—Je vais t'appuyer dans tes démarches.

Il sourit vaguement et ajouta:

—Ou si tu veux rester à la maison pour élever un autre enfant.

Elle hocha la tête.

—J'ai déjà connu ces joies-là et j'en suis ben contente. Je préfère du
neuf. J'ai d'autre projets pour la quarantaine que les murs de la famille.
Je crois que des enfants, ça doit se faire pas trop tard dans la vingtaine...

Leur discussion se poursuivit jusque tard cette nuit-là. Ils arrêtèrent
leurs décisions. Elle travaillerait à l'extérieur. Il verrait à l'entretien de
la maison et en profiterait pour commencer la réalisation d'un autre
vieux rêve toujours remis à plus tard: l'étude des langues. Chacun serait
libre de sa personne. Quand le cœur leur en dirait, ensemble, ils explo-
reraient le milieu et ses nouveautés.

Transparut derrière toutes ces intentions l'idée qu'ils connaîtraient
enfin une année de bonheur ..

*

—Par chance qu'on n'a pas un jeune enfant! Je tiendrais jamais le
coup.

Ils étaient assis chacun au même endroit où, trois mois plus tôt, ils
avaient décidé d'inverser les rôles. Les murs du bureau n'étaient plus
les mêmes cependant; Alain les avait tapissés de régimes alimentaires,
de chartes de vitamines, de vinoscopes, de recettes diététiques et de
cartes de visite de solliciteurs aux portes

—C'est la première fois qu'on en discute, mais je sentais que t'aimais
pas trop ton rôle de ménagère.

—Je mourrai pas en faisant ce métier-là !

—Tu trouves ça dur ?

—Ça en finit pas! Passe la balayeuse. Fais cuire une dinde. Sors les
vidanges. Fais l'épicerie. Cours à la pharmacie. Cherche une recette.
Essaye une recette. Rate une recette Nettoie le four. Lave cette chère
vaisselle. Nettoie les tapis. Prépare les repas. Lave la toilette. Surveille

les spéciaux. Repasse le linge. Lave les vitres. Fais des emplettes. Réponds au téléphone. Un peu de bricolage pour avoir au moins l'impression de créer quelque chose.

–Mon pauvre gars, tu le fais que depuis quelques mois

–C'est ben ce qui me décourage. Par chance que t'es là! À vrai dire, si tu m'aidais pas, je pourrais même pas étudier les langues.

–Faut tout dire· t'es pas trop habitué, mais tu vas prendre le tour de ton ouvrage.

–Tu sais ce qui m'est arrivé aujourd'hui après ton départ pour le travail ? Un drôle, travaillant pour la ville, est passé pour le recensement municipal. Il m'a demandé ma profession et, quand je lui ai dit ménagère, il m'a regardé avec un curieux d'air. Je l'aurais frappé, l'animal. Monsieur le petit recenseur avait jamais vu un homme tenir maison et ça l'a fait sourire.

–J'ai fait ce métier pendant des années, moi.

–T'avais de la misère à vivre avec toi-même, aussi. Un être humain est pas fait pour s'emprisonner dans des routines pareilles. Ce métier là, c'est le sommet de la platitude, de l'ennuyance et du sentiment d'inutilité. Heureusement que je me raccroche à mes rêves d'avenir...

Il se fit un long silence au cours duquel il espérait qu'elle le plaigne davantage pour qu'il puisse lui faire part de ses intentions. Mais elle ne parla pas et il se sentit incompris.

–Ça se passera pas comme ça! J'ai pris plusieurs décisions, finit-il par déclarer sur un ton d'impatience.

–Comme quoi ?

–Un: Patricia va dîner à la cafétéria de l'école. Deux· fini le bricolage; j'aime mieux consacrer mon temps à l'étude des langues. Trois· plus de repas cuisinés; je passe mon temps dans la cuisine et regardemoi, j'ai encore vingt livres de trop. D'ailleurs, t'as aussi besoin d'une diète.

–Tu n'as pas à me le dire. Si ça continue, je recommence à fumer

–T'es folle ? Si t'as vaincu le tabac, tu dois être capable de vaincre tes. . tes... Combien déjà ?

–Dix livres, dit-elle sèchement. Et quelles sont tes autres décisions quant à la tenue de la maison ?

–Je vais espacer certains travaux de nettoyage. On va suivre la liste de priorités que j'ai établie.

Il lui tendit un papier qu'elle parcourut des yeux et lui remit.

Elle lui jeta un regard malicieux ·

–Je t'ai jamais critiqué sur ta façon de faire. Essaie comme tu l'entends et si la maison vient trop à l'envers, on verra.

–Pour en revenir à notre alimentation, que dirais-tu d'une diète à douze cents calories avec suppléments vitaminiques ? Comme celle que je t'ai montrée avant-hier ?

Elle réfléchit un court instant.

—D'accord. Mais il faudrait qu'on embarque tous les deux et qu'on se tienne.

—Ça va pour moi, dit-il avec assurance.

*

Nicole se maquillait sans enthousiasme, les yeux perdus. Alain le nota et s'en inquiéta.

—Tu sembles distraite ?

Elle haussa les épaules, gardant son air perplexe.

—Je suppose que tu te dis en toi-même qu'on va se river le nez encore une fois à soir ?

—C'est le cinquième ou sixième couple qu'on rencontre et c'est toujours la même chose.

—J'avais pas prévu ni toi non plus que, même chez les gens qui pratiquent l'échangisme, ce soit la loi de la possessivité la meilleure Tous ceux rencontrés à date avaient qu'une idée en tête: consommer du sexe pour fuir un problème. Personne pour un échange authentique, en vue d'un enrichissement mutuel ? Un cadeau à se faire entre partenaires.

—Les femmes embarquent dans l'échangisme traînées par leur mari, ou pour ne pas le perdre, ou pour contrôler ses sorties.

—Pure négociation.

—Heureusement que ma sœur sait pas ça, elle crierait au scandale. Et ma mère me traiterait de brebis galeuse.

—Ta sœur passe à côté des plaisirs sexuels et croit encore que l'orgasme est un idéal à atteindre alors qu'il est rien que le commencement d'une véritable sexualité.

—Tu sais, je me demande si avant de franchir le pas, chacun de nous deux devrait pas d'abord s'émanciper individuellement. Je veux dire.

Elle s'interrompit.

Il se produisit un long silence qu'Alain finit par rompre:

—Tu veux dire qu'il te faudrait une aventure solitaire avant qu'on fasse des échanges ? Libre à toi! C'est ta vie!

Il hésita une seconde puis ajouta, songeur:

—As-tu des projets... en tête ?

—Sait-on jamais ? dit-elle avec un sourire vague.

—De toute façon, espérons qu'on finira par rencontrer un couple qui sait rire sincèrement. Peut-être que celui d'à soir...

Ils entrèrent dans le restaurant-bar où ils avaient rendez-vous avec le couple prévu. Les musiciens grecs jouaient sans excès. La femme devait être habillée d'un manteau pâle avec fourrure au col. Alain la repéra.

Après les présentations, les nouveaux amis s'attablèrent dans un coin discret. Gauche, Alain ne retint pas leur nom, sachant toutefois les prénoms de Danielle et René par de brefs échanges téléphoniques.

—Votre nom, c'est Morin ?

—Moreau René Moreau, répondit l'homme.

—Nous autres, c'est Martel... Comme je vous l'avais dit sur ma lettre.

La femme dit:

—Vous savez, pour éviter les maniaques, on préfère le premier contact sous pseudonymes.

—Y a-t-il tant de maniaques chez les swingers ?

L'homme fronça les sourcils et dit avec autorité:

—On n'est pas des swingers, parce que ces gens-là ne se voient qu'un soir, font l'échange si ça leur convient, et ensuite disparaissent: ni vu ni connu.

—En ce cas-là, vous avez raison: on n'en est pas.

L'homme dit:

—On a décidé de tenter l'expérience du phénomène —nous appelons l'échange de partenaires *le phénomène* devant les enfants— parce qu'on ne croit pas en cette vieille culture reçue concernant le mariage traditionnel. On pense que cette façon de n'appartenir qu'à l'autre détruit un couple; aussi on a décidé d'élargir nos horizons. C'est pas en passant leur vie à se regarder dans les yeux que deux personnes mariées bâtissent l'amour, bien au contraire. On voulait pas de cette routine et de cet ennui qui s'installent dans la plupart des foyers un jour ou l'autre; voilà pourquoi j'avais si hâte de connaître l'auteur de la lettre que vous nous avez envoyée.

L'homme avait parlé vite, sans façons, avec assurance.

La serveuse approcha, nota la commande. Danielle demanda un highball; son mari, un double cognac. Les Martel optèrent pour un carafon de vin blanc, leur diète n'en admettant pas davantage.

Alain profita de ces quelques instants pour détailler le couple. Au début de la quarantaine, d'apparence soignée, d'allure professionnelle, l'homme retenait ses gestes. À prime abord, il semblait ne douter de rien Alain eut envie de croire qu'il était médecin. Au premier coup d'œil, la femme lui paraissait assortie· mince, couverte de bijoux, bien mise, d'âge correspondant. Son sourire cependant coulait plus facilement, et elle répondait à l'idée qu'Alain s'en était faite au téléphone: engageante et ouverte d'esprit. Abords charmeurs, tous deux fort galamment vêtus: en somme, un beau couple, conclut-il.

Après le départ de la serveuse, Martel renoua la conversation:

–Je vous ai écrit une assez longue lettre pour vous dire à quoi vous attendre de nous et ce que nous cherchions. On a rencontré plusieurs couples depuis un an, mais aucun dont les motivations ressemblent aux nôtres. Comme je vous l'ai mentionné, on cherche pas des miroirs de nous-mêmes. Mais, leurs raisons d'envisager les échanges doivent être positives. À date, on a rencontré personne qui ne cherche pas, par l'échangisme, à fuir un problème.

–Tu vois, Danielle, comme tout ça rejoint nos idées !

La femme sourit et dit:

–Il était tellement content quand il a reçu votre lettre qu'il l'a relue trois fois, me disant entre chaque lecture qu'il en revenait pas d'avoir enfin trouvé quelqu'un qui pense comme nous autres.

–Si j'ai ben compris ta lettre, t'as eu une maîtresse.

–Pendant quatre ans.

Les Moreau se jetèrent un bref coup d'œil. La femme sortit ses cigarettes et en offrit. L'homme en prit une qu'il alluma. La conversation roula naturellement pendant plusieurs minutes sur le tabagisme. L'homme semblait n'avoir jamais réfléchi aux méfaits du tabac puisqu'il ne prit nulle partie au débat. Par la suite, Danielle et Nicole trouvèrent un sujet à leur convenance et discutèrent entre elles.

L'homme dit à Martel:

–Pas facile, l'échangisme. Danielle a souvent trouvé la soupe chaude; elle a trouvé ça dur de se battre contre tout ce qui nous a été enseigné

–La possessivité est dans notre nature, mais c'est pas elle qui doit contrôler l'esprit, c'est à l'esprit de la contrôler.

La serveuse vint déposer les consommations et repartit.

–Vous travaillez dans quoi ?

L'homme hésita un moment, prit son verre, but une gorgée, noua ses épais sourcils, répondit:

–Médecin.

–C'est ça que j'avais pensé.

–Et comment ça ?

–Une intuition comme ça !

–Et toi-même ?

–Année sabbatique.

–Chanceux! J'en parle depuis des années et le temps me manque toujours. Tu faisais quoi ?

–Enseignement, hôtellerie, radio...

–À Montréal ?

–Non, en région.

Et il en fut question, chacun en profitant pour toiser l'autre. Alain pensa:

"Gestes sont trop brusques, impatients et il fume trop. Sans doute est-il déçu de nous, de nos manières."

–Vous faites des échanges depuis longtemps ?

–Le phénomène ? Un an.

–Plusieurs fois ?

–Quatre. C'est ça, Danielle ?

–Quoi ?

–Combien de rencontres de couples ?

–Quatre.

–Et... satisfaisantes ? demanda Alain.

–À vrai dire, un seul échange.

–Et encore, faut le dire vite, coupa Danielle. L'homme était pas prêt psychologiquement et ne pouvait faire quoi que ce soit.

Le médecin ne commenta pas et poursuivit:

–Faut dire qu'on élimine la plupart dès le premier contact téléphonique.

–Nous, on a rencontré tous ceux avec qui on a établi des contacts.

–Et sans aucun résultat ?

–Tous des couples à problèmes, répondit Alain. Chaque fois, la femme était traînée dans l'échange. Les premiers, c'étaient des gens sans enfants, un fonctionnaire de petite ville et sa femme, une ex-religieuse. À force de jaser, on a découvert que la femme n'avait pas d'orgasme et que le mari l'avait habilement amenée à l'échangisme pour régler son cas. C'était fort astucieux puisque les autres hommes héritaient ainsi du problème, tandis que lui en profitait pour se payer la traite. Ensuite, ce fut un couple dont la femme ne disait jamais un mot et qui suivait tête basse, comme un petit chien. Elle était la monnaie d'échange du mari. Tu te souviens, Nicole ?

–Oh oui! ce fut spécial que cette rencontre. On s'était entendus avec eux pour un simple souper. Pendant tout le repas, l'homme regardait l'heure nerveusement. On a fini par découvrir qu'il s'imaginait qu'on irait au motel tout de suite après. Il le voulait tellement qu'il prenait tous les moyens imaginables, allant jusqu'à s'identifier à nous sur toute la ligne à chaque parole qui se disait. Alain aurait prétendu que le blanc était noir qu'il aurait dit comme lui.

–Et après, on a rencontré un jeune couple dans la vingtaine et dont le mari avait eu une maîtresse. Elle l'avait découvert et il s'était justifié en mettant de l'avant des idées d'avant-garde. On a eu l'impression qu'elle acceptait l'échange de partenaires pour pas le perdre. Mais le couple était quand même vraiment sympathique. Nicole et moi en avons discuté, et si elle avait été plus dégagée, plus heureuse de cette philosophie de vie, probable qu'on aurait plongé. Ensuite... te souviens-tu de nos rencontres, Nicole ?

—Ce fut tout dans la région de Québec. On est venus vivre à Montréal et on a rencontré le fameux couple du dimanche après-midi.

—Quel souvenir! s'exclama Alain Si j'en parlais pas, c'est que je cherchais encore dans ma tête dans la région de Québec. Ils furent vraiment inoubliables. Des gens de banlieue. On devait les rencontrer le dimanche après-midi. On est allés chez eux. Il était établi qu'on devait jaser sans plus. Très agressive envers les hommes, la femme les traitait d'égoïstes en sexualité. Quant à lui, il a parlé de ses performances. Il a voulu passer aux actes et on a eu du mal à quitter les lieux À notre retour, on s'est promis de mettre en veilleuse ce projet de sexualité ouverte...

Nicole l'interrompit:

—T'oublies ce couple... le mari qui rendait les autres hommes jaloux...

—Ah oui! l'autre performer... Il pourra toujours s'inscrire aux olympiades du sexe ou devenir vedette de porno...

—En somme, vous êtes fort déçus, dit le médecin.

—À vrai dire, non, car chacune de ces rencontres nous a apporté beaucoup. Seulement le plaisir de se préparer pour aller rencontrer quelqu'un, le suspense de nous demander comment ils seront, les expériences que ces gens-là ont à nous raconter, les discussions qu'on a à leur sujet par la suite: tout ça vaut bien des fois la déception de voir que ça fonctionne pas. Reste qu'après un an de tentatives et plusieurs rencontres sans aboutissement, on a décidé, comme je vous le disais, de mettre le projet en veilleuse. Par la suite, on a vu votre annonce si positive. Et je vous ai écrit une si longue lettre, histoire d'annoncer clairement nos couleurs.

Le médecin se gratta le front.

—Le phénomène va cependant et doit aller au-delà des démarches de couple à couple. Je veux dire que chacun peut très bien faire ses propres rencontres individuelles, et que ça peut se dérouler en toute honnêteté, au su et au vu du partenaire, tu trouves pas ?

—Bien sûr! s'exclama Alain. On est parfaitement d'accord là-dessus.

Le médecin recula sur son siège. Il leva son verre en souriant.

—Disons que pour nous, c'est une réalité. J'ai une amie que je vois régulièrement et pourtant, notre ménage fonctionne très bien.

—La même chose ne s'est pas produite sans heurts chez nous. On a quand même fini par se retrouver l'un l'autre. La chose la plus merveilleuse qui nous soit arrivée, c'est d'avoir pris la décision de regarder davantage le côté reluisant des choses.

—C'est ce qu'on fait toujours, répliqua le médecin

L'homme ne s'adressait jamais à Nicole. Il ne la regardait pas Et

456

pourtant, la femme d'Alain ne laissait pas un homme indifférent de coutume. Il se demanda si René ne se servait pas d'eux pour cautionner ses relations avec sa maîtresse. Pour en savoir plus, il posa une question piège.

—On a commencé par des rencontres individuelles, c'est-à-dire que j'ai eu une maîtresse et c'était pas par ouverture aux autres, croyez-le bien, mais par recherche de liberté. Mais vous, vous avez bien commencé par votre libération en tant que couple avant de vous libérer individuellement ?

L'homme ne répondit pas et Alain dut plonger directement.

—Votre amie... c'est après le début du... phénomène ?

L'homme jeta un coup d'œil vers sa femme occupée avec Nicole.

—Mais oui, je sors avec elle depuis quelques mois, c'est tout

Et il changea de propos.

Moreau partit pour les toilettes.

Alain en profita pour se questionner sur l'intérêt réel de Nicole dans cette démarche. Était-elle vraiment positive dans ses intentions ou bien ne s'y engageait-elle pas par crainte d'une autre Denise Martel dans sa vie ? Ne serait-ce qu'inconsciemment ? Ses idées sur la question sont pourtant pures: elle sait que l'expérience sera pas facile à vivre et qu'elle devra encore se battre contre sa possessivité naturelle... Faudra-t-il qu'elle passe par l'étape de l'amant ? C'est peut-être ce qu'elle prépare, sans trop s'en rendre compte, avec son compagnon de travail, ce Grec dont elle parle de plus en plus souvent à la maison ? Et quand elle se maquillait, tout à l'heure, avant leur départ, n'a-t-elle pas dit certaines paroles annonciatrices ?

Il observa le médecin revenir et nota une fois de plus que son regard ignorait totalement Nicole. Trouvant l'homme trop intéressé à parler de sa maîtresse, Alain guetta, de l'autre oreille, le moment propice pour poser des questions à Danielle. Et quand elle prononça le nom de Gisèle, la maîtresse de son mari, il lui adressa une question:

—Pas trop de difficultés à vivre la situation du triangle ?

—Quand on vit le phénomène, faut en accepter toutes les dimensions et pas seulement ce qui fait son affaire à soi. Je dois être vraie, authentique, logique avec moi-même. Puisque j'ai accepté au départ de vivre tout ça après avoir mûrement réfléchi, je ne puis reculer parce que les circonstances d'après font que c'est René qui s'est trouvé une amie Dans six mois, il se peut bien que ce soit mon tour, et, à ce moment-là, il devra bien s'en accommoder.

Ces paroles donnèrent une douche froide aux doutes grandissants de Martel et il pensa, à travers la suite de la conversation, à toutes les souffrances que Nicole et lui se seraient évitées si leurs démarches d'ouverture aux autres s'étaient faites dans le cadre du couple d'abord.

Le reste du temps, on papota et la rencontre se termina sur des 'à bientôt'.

Sur le chemin du retour, les Martel échangèrent leurs commentaires.

–Qu'en penses-tu ?

–Cet homme-là a une maîtresse et qu'il est aucunement intéressé par une démarche de couple. Ça crève les yeux: il m'a pas adressé la parole une seule fois et m'a même pas regardée.

–J'ai pensé la même chose, mais j'ai rejeté l'idée considérant qu'il a pris sa maîtresse après le début de ce qu'ils appellent le phénomène

–Et t'as cru ça ?

–Ben quoi ? Il l'a connue à cause de leurs rencontres de couple

–Il la connaissait ben avant. C'est la secrétaire de sa clinique médicale.

–Qu'est-ce que tu dis ?

–C'est elle qui me l'a dit.

–Est bonne celle-là! Il a pris bien soin de me le cacher Je me suis fait avoir Un autre cas à problèmes pour nos registres· le gars avait une maîtresse cachée et il s'est servi du phénomène pour ne plus dissimuler C'est plus subtil que les autres. C'est. . professionnel. Mais il est venu pourquoi ce soir ?

–Mon pauvre Alain, mais il veut quelqu'un pour défendre sa cause et c'est pourquoi ta lettre a fait tant d'effet et qu'il s'en est tellement servi auprès d'elle. Et je serais pas surprise qu'il cherche à se débarrasser d'elle en quelque sorte; il lui cherche peut-être un amant. D'après notre conversation, elle lui donne des maux de tête. Il l'a entortillée avec ses idées, mais elle se rebiffe...

–Et il a essayé de nous entortiller nous aussi, et je n'y ai vu que du feu.

Alain se mit à rire et leva les mains du volant avant d'ajouter·

–Je vais vérifier nos conclusions. On est jeudi ? Je vais attendre jusqu'à mardi ou mercredi prochain et rappeler Danielle et je vais tâcher que le chat sorte du sac.

–Fais-le si tu veux, mais je sais d'avance ce qui va se passer.

*

Le mercredi suivant, Alain téléphona à Danielle et s'entretint plus d'une heure avec elle. Quand Nicole revint de son travail, il lui résuma l'appel.

–J'en ai appris de toutes les couleurs. Tout d'abord, je lui ai dit que son mari avait pas du tout l'air intéressé par les démarches de couple. Elle a soutenu le contraire. Alors je lui ai confié que tu avais des intérêts ailleurs, ajoutant qu'elle et moi, cependant, on aurait bien des choses à se dire. Elle a fini par se mettre à table. Elle m'a raconté qu'ils ont passé une terrible fin de semaine. Ils se sont querellés constamment à propos de la maîtresse, comme ils le font régulièrement depuis qu'elle sait. Si toi, tu m'avais soigneusement peigné la dernière fois que je suis allé voir Denise Martel, lui a réussi ben mieux: il a emmené sa maîtresse souper à la maison il les a fait magasiner ensemble et Danielle a même coiffé l'autre. J'ai rien contre tout ça, bien qu'il s'agisse d'une forme d'héroïsme assez poussée, mais Danielle a fini par ne pas le prendre. Et la guerre éclate souvent à la maison. À jaser avec elle, il lui a fait dire ses fantasmes et elle lui a confié qu'elle avait toujours désiré un prêtre de leurs amis qui les visitait régulièrement depuis l'époque de la base militaire. Tu sais ce qu'il a fait l'astucieux médecin: il a invité le prêtre chez lui et il a fiché le camp à Paris pour quinze jours au moment où il a su que le prêtre viendrait. Ce qui devait arriver arriva· le curé s'est ramassé dans le lit de Danielle Elle m'a raconté tout cela avec force détails très croustillants. Mais, comme le prêtre est curé à Québec et qu'il a déjà, à ce qu'elle dit, sa donzelle là-bas, le problème du médecin était donc pas résolu. Et il lui cherche maintenant un amant Elle n'y voit que du feu, mais je l'ai décelé à travers tout ce qu'elle m'a dit. Ma lettre aura fait sentir, au médecin, que je pourrais être un bon candidat et fin psychologue, il a décidé de nous rencontrer, de t'éliminer par ses manières, et d'user de son pouvoir de persuasion—très fort auprès d'elle en tout cas— pour me convaincre, moi, de la nécessité d'une libération individuelle. Alors voilà: ça ressemble à du Columbo, mais c'est la pure vérité.

–T'avais pas à me le dire; j'avais tout deviné à notre rencontre de la semaine dernière.

–Ça veut dire que nous allons mettre un X sur nos démarches d'ouverture aux autres couples. Qui, désormais, osera venir me parler de libération sexuelle en 1976 ?

*

Elle se jeta sur le divan en riant aux éclats.

–T'as le vin gai à soir!

–Joyeux Noël ! dit-elle.

–Joyeux Noël !

Ils s'embrassèrent.

–J'ai pris un verre de trop

–Ça arrive à tout le monde, surtout à Noël.

–J'ai un autre aveu à tc faire, mais j'ai peur, dit-elle gauchement

–Si t'as tué ou blessé personne, t'as rien à craindre.

–J'ai peur quand même.

–Patricia fête Noël chez sa grand-mère au loin et moi, je préparais notre réveillon en t'attendant. Tu arrives et tu te portes bien. Si t'as rien fait pour détruire quelqu'un, puisque tout le monde est heureux, t'as pas à avoir peur...

Elle tendit les bras et dit:

459

–Viens m'embrasser encore.

Il se coucha sur elle.

–Parle ou je t'embrasserai jamais plus...

–Donne-moi d'abord un baiser!

Il obéit.

–T'es pas le premier que j'embrasse à soir.

Il fronça les sourcils, puis se gratta le front :

–Je dois t'avouer que je m'attendais à ça d'une semaine à l'autre. Je présume que t'as connu un peu de la chaleur grecque ?

–Oui. Et elle est plus élevée que la chaleur québécoise.

–Merci ! dit-il sèchement. C'est très gentil de ta part.

–Je dis ça parce que je dois souvent quêter mon affection de toi...

–C'est vrai. Que veux-tu, je suis que le mari.

–Justement, et elle l'embrassa, –t'es le mari, et l'embrassa à nouveau, –t'es l'amant, nouveau baiser, –t'es le complice.

Elle lui mit un doigt sur le nez.

–Crains pas, suis pas sa maîtresse. J'avais pris quelques consommations. L'esprit des fêtes, ça me tourne toujours un peu la tête. Et puis, il m'a prise par surprise.

–T'as pas à chercher d'excuses. Même celle d'avoir été prise par surprise. Au fond de toi-même, t'en avais probablement le désir...

–T'es fâché ?

–Pas de ce que t'as fait! Juste un peu de ce que tu m'as dit

–Dit quoi ?

–Que la chaleur québécoise est plus froide que la chaleur grecque. Tu veux me mettre en compétition, et j'aime pas la compétition, surtout de cette sorte-là Mais je t'en veux pas Je te trouve honnête et authentique. Maintenant, je veux qu'on change de sujet. Mon réveillon nous attend.

Elle leva les bras et s'exclama.

–J'ai hâte de boire du vin, beaucoup de vin. Qu'est-ce que t'as choisi comme bouteille ?

–Faudra pas que t'en boives trop parce que demain, c'est là-dedans que t'auras mal.

Il lui pointa la tête.

–Et tu regretteras peut-être certaines choses.

–Quel vin as-tu choisi ?

–Un Echezeaux 1970 Un cru fameux, dit-on !

–Allons réveillonner et ensuite faisons l'amour ici, sur ce divan

–D'accord. Et en plus, à soir, faisons des péchés: pas de diète. Mangeons comme des cochons quitte à prendre deux livres!

Elle s'agrippa à lui pour se lever.

–Viens, dit-elle.

***

Chapitre 20

1977

"Laisser vivre: voilà ce qui doit régir ma pensée chaque jour, chaque heure, non seulement parce que je veux, moi aussi, qu'on me laisse vivre à ma mesure, mais parce que c'est sain et logique. Car empêcher l'autre de respirer c'est l'aimer comme un bien matériel et le vouloir à son entier service."

Alain se répéta cent fois ce postulat avec tous les mots qu'il put trouver. Il se procura des livres sur le mariage ouvert, les lut, les relut. Il entraînait son esprit à faire face à ce qu'il considérait maintenant comme une probabilité: une aventure de Nicole. Ce n'était plus qu'une question de temps: son intuition de ménagère le lui disait.

Il se demanda pourquoi il s'était adapté plus facilement à l'idée de l'échange de partenaires. Était-ce à cause de la faible implication émotive qu'elle supposait ? Était-ce le fait de pouvoir, en quelque sorte, y suivre de près la relation bien qu'ils aient prévu des échanges fermés ? Était-ce le fait de pouvoir connaître et, d'une certaine façon, choisir l'autre homme pour Nicole, s'assurant ainsi qu'il n'était pas un profiteur ou bien un super-mâle imbu de lui-même et de ses performances ? N'était-ce pas tout simplement, qu'à son tour, il s'était laissé prendre au piège de la possessivité ?

Quoi que c'était, il se disait qu'il aurait le meilleur sur lui-même et qu'un bon moyen d'y arriver était de se préparer mentalement aux événements.

–J'ai besoin de vivre une expérience, disait-elle souvent.

Mais elle ne précisait pas ses intentions, comme si elle cherchait une approbation sans rien de plus.

–Je te tiendrai la main et serai ton complice dans toute expérience positive conforme à ton épanouissement et à ta nature, lui répétait-il en substance. Si tu me disais que tu veux recommencer à fumer, que ça correspond à ton épanouissement, je ne pourrais pas tenir ta main, parce que je sais, hors de tout doute, que le tabac est nocif, contre nature et esclavagiste. Par contre, s'il s'agit d'une expérience sexuelle, je ne pourrai pas faire autrement que d'être le complice de tes joies, car, à l'opposé du tabac, la sexualité est saine, naturelle et libératrice

Cependant, plus il parlait à Nicole et plus il se parlait à lui-même pour se conditionner mentalement, plus il lui apparaissait qu'elle s'éloignait du foyer. Il ne décelait plus d'enthousiasme dans ses gestes qu'à la veille de son départ pour le travail. Elle en revenait fatiguée, désireuse de dormir au plus vite. Quand elle ne parlait pas de ses occupations extérieures, elle rêvait, ce qui lui parut fort inhabituel. Ses jours de congé semblaient l'ennuyer. Elle revenait plus tard qu'avant et surtout le jeudi où elle avait l'habitude auparavant de rentrer avant vingt-trois heures.

Depuis plus d'un mois, à tout venant, elle critiquait ses façons de s'y prendre dans la tenue de la maison. Elle n'avait plus posé aucune question sur son apprentissage des langues, non plus que sur ses autres occupations en dehors de cette tâche de ménagère qui le compressait moins maintenant qu'en 1976. À ce désintéressement de Nicole, à sa nervosité, s'ajouta une baisse de sa libido. Alors, il fut amené à conclure qu'elle vivait non seulement une aventure sexuelle mais aussi romantique, de la fameuse romance des fiancés qui attache, absorbe, submerge un être humain et l'empêche de voir que la terre tourne.

"Elle enlève à son foyer pour donner ailleurs: voilà le contraire de la philosophie de vie adoptée, se dit-il. Elle est incapable—est-ce parce qu'elle est une femme ?— de puiser ailleurs, de s'enrichir aux contacts extérieurs pour qu'ensuite son épanouissement rejaillisse sur ceux qui l'entourent. Se tourner vers quelqu'un signifie-t-il pour elle, une femme, se détourner des autres ? Est-elle sur le point de dire à quelqu'un d'autre cette monstrueuse parole: Je n'aime que toi ?"

Fallait qu'il sache Un jeudi soir, aux environs de minuit, il se rendit au restaurant où elle travaillait. L'auto de Nicole n'était plus là, et il ne l'avait pas rencontrée en chemin. Une demi-heure après, il retourna chez lui. Elle était rentrée.

Il ne put contenir un air sombre qui s'accentua devant les attitudes légères de sa femme. Elle l'accueillit en riant: cas rare.

–Salut, dit-elle.

Il ne répondit pas et marcha jusqu'à la cuisine où il brancha la bouilloire.

–Fais-moi un café, s'il te plaît, dit-elle Je vais au sous-sol mettre en marche la machine à laver. Je reviens dans cinq minutes.

Il prépara les cafés, commença à boire le sien qu'il préférait brûlant. Il resta debout, adossé au comptoir, les bras à demi-croisés, tasse à la main. Quand elle remonta, il calcula une lampée pour le moment où elle arriverait au haut de l'escalier.

Traversant la cuisine, elle dit:

—Je vais porter ce linge dans la chambre et je reviens te rejoindre

—Mots inutiles, pensa-t-il en relevant légèrement la tête.

Et pourtant, avant qu'elle ne disparaisse dans l'embrasure de la porte, il dit tout haut:

—Ton café refroidit.

—C'est comme je l'aime, dit-elle.

Quand il l'entendit revenir, il se tourna vers la fenêtre et leva la toile dans un geste qu'il voulait qu'elle prenne pour de la curiosité quant au temps dehors.

Elle s'approcha et, de ses bras, lui ceintura la taille et s'appuya la tête dans son dos.

Ce geste irrita l'homme, et si bien qu'il eut du mal à contenir sa réaction. D'un ton faussement badin, il dit:

—T'aimes me jouer dans le dos à soir ?

Elle recula.

—Qu'est-ce que tu veux dire ?

—Je dis ça comme ça !

—Je suppose que tu m'as rencontrée tout à l'heure et que tu t'es demandé pourquoi je venais pas du restaurant ?

—Que vas-tu chercher là ? Je t'ai même pas vue.

—Mais où es-tu allé ?

—Je te demande pas d'où tu viens, toi, ni où tu vas après ton travail quand tu rentres pas directement à la maison.

—Je veux savoir où t'es allé à soir, dit-elle avec autorité.

Elle lui tira le bras pour qu'il fasse demi-tour. Il raidit les muscles

—Suis allé faire un tour d'auto... Tout simplement. J'ai fini tard de la réparer et j'ai voulu savoir comment elle allait. Ma foi, on dirait que t'as des choses à te reprocher ?

Elle tira davantage sur son bras.

—Regarde-moi que je puisse te parler en face.

Il obéit.

Elle dit·

—J'ai rien à me reprocher.

—Alors pourquoi une attitude aussi mal contrôlée ?

Elle le dévisagea, cherchant, par son regard, à lui injecter au fond de l'âme sa conviction personnelle.

—Tant mieux! dit-il en obliquant la tête Parce que si t'as un amant, j'aurai rien à te reprocher effectivement; mais si tu me fais pas assez

464

confiance pour m'en parler et que tu me joues dans le dos en hypocrite, alors t'as beaucoup à te faire pardonner.

–J'ai pas d'amant.

–En ce cas, pourquoi ton attitude ? Et pourquoi pas rentrer directement à la maison ? Que tu sois allée prendre une consommation ou même faire l'amour avec un compagnon de travail m'offensera pas, mais si tu mens à pleine bouche, là, je vais m'énerver. Suis allé faire un tour du côté de ton restaurant; ton auto était plus là. Probable que t'as fini à huit heures comme c'était toujours le cas avant les fêtes. Donc tu mens, donc tu me trahis... Et je sais très bien que c'était pas la première fois ce soir, car ces choses-là se sentent par celui qui attend à la maison.

Nicole marcha jusqu'à la table de cuisine et s'assit. Elle s'appuya la main sous le menton et murmura d'un ton hésitant:

–J'ai pas d'amant, mais... j'ai... j'ai une petite aventure...

Il haussa les épaules.

–Tu veux dire que ton Grec—parce qu'il faudrait que je sois peu brillant pour pas déduire que c'est lui —est pas ton amant ?

–Je te jure qu'il s'est rien passé entre lui et moi...

–T'appelles ça rien ce qui se passe depuis plus d'un mois ?

–Si tu veux savoir: il s'est rien passé entre lui et moi.

Il secoua la tête.

–Et voilà l'éternel piège: s'il y a pas de sexe, y a rien; s'il y en a, la vie s'écroule. Mais qu'est-ce que ça sera donc quand t'auras couché avec lui ? Pourquoi faire de l'acte sexuel l'alpha et l'oméga, la différence entre rien et tout ? J'aimerais cent fois mieux savoir que t'as fait l'amour avec lui et que tu me reviennes à la maison heureuse pis plus épanouie que d'avoir subi tes airs maussades et tes agressions de ces dernières semaines.

–J'ai pas osé t'en parler...

–Pourquoi as-tu si vite jeté par terre les nouvelles bases de vie commune qu'on s'était données il y a un an ?

Elle répondit d'une voix basse mais intense:

–J'ai rien voulu détruire.

–Et pourtant, t'as menti. On a basé notre nouveau—et tacite— contrat de mariage sur d'autres assises comme la libération des partenaires, la confiance mutuelle, la complicité. T'es en train de les saper sérieusement par ton agir.

–J'avais peur de ta réaction.

–Justification!

Il prit une gorgée de café.

–Tout ça me monte au nez.

–J'en connais qui s'y connaissent mieux que moi dans le mensonge.

—Réponse facile! Tu sais ben que je mentais par obligation comme il faut parfois le faire à certains enfants ou certains malades. Je t'ai menti parce que t'étais pas en mesure d'absorber certaines idées sur la vie et au sujet desquelles j'étais moi-même hésitant à l'époque. Par contre, toi, t'avais pas à me mentir parce que tu connaissais mes idées sur les choses que t'as faites.

Elle s'impatienta:

—Mais je t'ai pas trompé!

—Oui tu l'as fait, pis ben plus que moi dans le temps. Et ça, même si j'ai fait l'amour deux cents fois avec Denise Martel. Tu me devais la vérité parce que tu pouvais me la dire. Et moi, je te la devais pas parce que je pouvais pas te la dire.

—Tu veux pas comprendre que j'ai pas fait l'amour avec le Grec.

—Faire l'amour, faire l'amour: ça n'a pas plus d'importance que cette tasse de café. La question est absolument pas là. Après toutes les misères qu'on a connues dans notre vie de ménage, on s'était assis et on avait fait des choix. Serait-ce que tu m'as tout simplement amené à parler et fait semblant d'acquiescer à ces idées neuves qui, au fond, te conviennent pas ?

—J'y avais bien réfléchi et j'étais d'accord. Et je le suis encore.

—On s'est dit qu'il pourrait y avoir des aventures dans la vie de chacun, mais qu'on les acceptait d'avance pis qu'elles se feraient dans la construction de notre couple. Trouvais-tu ça con ?

—Non. Et je les ai fait passer dans ma vie.

—Crois-tu vraiment que ces idées-là soient saines et logiques pour notre couple ou agis-tu comme ces femmes de couples échangistes qui subissaient, souffraient cette ouverture aux autres ?

—Je suis certaine que ça sera plus le fun que notre ancienne vie Se débarrasser de ses vieilles idées, contrôler ses vieilles peurs, c'est pas facile...

—Qui m'a dit, l'automne dernier, qu'il faudrait que chacun mette les cartes sur table en cas d'une aventure à l'extérieur du couple ?

—C'est moi, dit-elle faiblement.

—Pourquoi l'as-tu pas fait au lieu de m'imposer un mois d'agression, d'indifférence même de mépris ?

—T'es si exigeant: on sait jamais sur quel pied danser avec toi.

—Tout ce que je veux, c'est de la confiance réciproque.

—Toi-même, t'es venu m'espionner à soir, Alain.

—Résultat direct de ton agir de ces derniers temps. Le manque de confiance, c'est comme la guerre: ça dégénère vite en escalade. Suis pas allé à ta recherche par . jalousie, mais pour que tu te décides, une fois pour toutes, dans ta vie, à me faire confiance. Faut-il te le crier: CONFIANCE.

Elle secoua la tête.

–J'ai compris, j'ai compris. J'ai mal agi, mais j'ai fait ce que j'ai pu. Je crois vraiment, au fond, que la liberté dans un couple est une clef de la bonne entente, mais l'humanité pense pas comme ça, pis c'est comme si je me sentais pointée du doigt par le monde entier.

–L'avis des autres, on devait s'en crisser. L'humanité se trompe sur pas mal de choses; on est pas obligé de suivre. Tabac, drogue, alcool, mauvaise alimentation, exclusion, surconsommation, manichéisme, matérialisme... Pourquoi se tromper avec tout le monde, pour se sentir moins seuls?

–Je sais, je sais...

–Une grande partie de l'humanité à peur de la sexualité et c'est une valeur qui détruit pas et qui enlève rien aux autres... Nicole, c'est pas parce que l'humanité est malade que tu doives te sentir pointée du doigt d'être en santé. Le gâchis a beau être universel, faut-il s'en réclamer pour autant ?

–Je sais, je sais. Je te dis que je me suis trompée J'aurais dû t'en parler. Au fond, j'avais hâte que tu découvres tout. C'est probablement pour ça que j'ai agi de même. Mais faut aussi que tu acceptes mes erreurs. Notre mode de vie me rendra pas parfaite du jour au lendemain

Il perdit son air maussade et sourit un brin.

–Quant à ça, la vie serait drôlement plate si on vivait au paradis terrestre.

Il déposa sa tasse de café pour lever les bras au ciel et ajouter avec plus de bienveillance:

–Mais de grâce, à l'avenir, fais-moi plus confiance: ça nous rapprochera au lieu de nous éloigner.

*

–J'ai fait du progrès depuis quinze jours pour te dire tout ce qui se passe ?

–C'est ce que tu dois faire, répondit l'homme.

Il était allongé sur elle, pénétré en elle, ne bougeant pas. Ils s'étaient couchés fatigués et avaient décidé de faire l'amour sans préliminaires, lentement, confiant à leurs propos le soin d'augmenter le niveau de l'intensité érotique, laissant leurs corps devenir les jouets de l'âme dans la noirceur complice de leurs propos.

–L'adaptation se fait pas sans crises à l'intérieur d'un couple. C'est ce qui rend la vie intéressante. C'est ce qui nous ressemblait, Denise et moi, qui nous a éloignés. Je veux dire en dehors des choses importantes comme l'idée de la liberté et de la sexualité. Tandis que toi et moi, on s'entend sur les grandes lignes, mais on a de sérieuses frictions à faire passer tout ça dans la vie de tous les jours.

–Je peux te poser une question sur ton passé ?

–Asteur que le passé est loin...

–Denise, elle faisait bien l'amour ?

–C'était un sexe de masturbation et non de participation. Elle utilisait la sexualité pour m'absorber, me posséder.

–Pas d'orgasme ou quoi ?

–Quand je me tuais à travailler sur elle.

–Et toi ?

–Crois-moi, j'ai pas eu une maîtresse pour le sexe

–Frigide ?

–Elle freinait tout le temps. Elle... elle aimait pas le sexe. Elle savait pas jouir de son propre corps parce qu'elle voulait pas en jouir.

–Elle cherchait drôlement la compagnie des hommes, non ?

–Je lui disais qu'elle était une nymphomane psychique. De son côté, elle croyait que je comprenais mal l'amour. Un peu plus pis elle m'aurait traité de perverti d'aimer ça, faire l'amour avec toi.. Ah! arrêtons d'en parler, suis en train de perdre mon érection

Il entama un léger mouvement de va-et-vient.

–Je dis pas ça pour t'en empêcher, mais ce serait peut-être la même chose si tu faisais l'amour avec une autre. Nous deux, ça va bien parce qu'on est adaptés l'un à l'autre.

–C'est plaisant parfois de faire l'amour à l'ancienne: dans le noir et sous les couvertures.

Il donna quelques coups de reins un peu plus fermes, puis s'arrêta pour dire:

–Tu crois que la sexualité, pour être bonne, exige une longue adaptation ?

–J'ai dit peut-être.

–Suis pas d'accord. Suffirait que la femme aime le sexe, comme toi. D'ailleurs, toi-même avec un autre que moi, t'aurais une bonne expérience...

–À condition que l'homme aime le sexe.

Il se mit à rire.

–Y en a-t-il un seul qui aime pas ça? Pis je pense qu'un homme négocie pas avec son cul. J'irai plus loin en disant que la plupart des gars seraient pas si rapides si les filles participaient plus et faisaient porter sur elles-mêmes d'abord la responsabilité de leur propre plaisir

–On pourra en reparler quand j'aurai eu ma première expérience.

–J'ai hâte que tu la fasses...

Elle cambra les reins pour aller à sa rencontre.

–Je goûte chaque repli de ton sexe. Tu m'inondes et c'est bon Tu veux que j'accélère ?

–Oui.

–Je vais te chevaucher comme tu l'as jamais été. Tu veux ?

–Oui.

–Mais faut pourtant y aller doucement. Se retenir

–Non, avance, cours.

–Faut que je me retienne.

–Non.

–Oh oui! même si j'ai une envie folle de...

–Va plus vite.

–On vient à peine de commencer.

–Tu... me tortures.

–Tourne ta tête et donne-moi ta bouche.

–J'ai hâte de sentir ton sperme en moi.

–Pas tout de suite !

–Oui, va plus vite.

–Tu veux vraiment ?

–Comme c'est bon! Oh! oui, oui, plus vite, plus vite. .

–Laissons monter encore le désir..

–S'il monte trop, je meurs.

–Laisse-moi t'embrasser.

–Je t'en prie, Alain, je t'en prie, dit-elle dans un sublime sanglot

–Tout mon corps devient liquide et je vais m'écouler en toi... te submerger. Faut que je... cesse de me retenir... j'en peux plus de me retenir... J'accélère, oui, je vais plus vite, beau... beaucoup plus vite...

–Encore plus vite.

–Tu seras le complice de ma joie quand je te dirai que j'ai éjaculé dans le ventre d'une autre femme et je serai le complice de la tienne quand tu m'avoueras qu'un autre t'a pénétrée... Je vais maintenant trop vite, je ne peux plus me retenir   Nicole, je vais jaillir vers toi .

–Viens !

–Je deviens sperme.

–Viens !

–Je coule en toi...

–Viens !

–Oh! my God, je coule... oh! my God...

–C'est chaud !

–Je coule, je coule, je coule...

*

Quelques jours plus tard, elle lui annonça que sa première expé-

469

rience solo aurait lieu le jeudi suivant et qu'il devrait s'y préparer. Cette fois, son rendez-vous était fixé, sa décision prise.

Il eut peur pendant un temps, puis se ressaisit. Il tâcha toute la semaine de s'habituer à l'idée. Cette fois, plus d'échappatoires et il n'en chercherait pas. Il n'avait plus d'autre choix que celui d'avancer!

Il repassait régulièrement en son esprit tous les arguments aptes à le rassurer, repensait à toute l'évolution qui avait amené la venue de ce jeudi, et chaque jour, il se révoltait contre lui-même d'avoir aussi peur.

Le jeudi midi, il se rendit en ville chercher du pain, de la farine et des menus articles. Une grève, il ne savait de quel sous-groupe d'adjoints aux adjoints des transporteurs de farine, empêchait l'approvisionnement régulier des magasins ordinaires en cette denrée et en pain. Il rapporta donc un vingt kilos de farine de blé entier pour une belle-sœur, mais il garda le sac dans son auto pour se ménager une sortie après le départ de Nicole.

Quand il entra, elle achevait de prendre son bain. Il se rendit à la salle de bain et remarqua qu'elle avait utilisé plus de sels que d'ordinaire.

Il s'enferma ensuite dans son bureau afin d'étudier, mais ne put se concentrer. Quoi qu'il tente, rien n'y faisait.

Il trouva qu'elle y mettait le temps au maquillage cette journée-là. Mais il se ravisa, et se dit que le temps était relatif, qu'il remarquait plus parce que c'était le jeudi J.

Avant son départ, elle frappa à sa porte et entra, mais ne fit que dire en consultant sa montre:

–Voilà, je pars.

Il la suivit jusqu'à la sortie et la regarda enfiler ses bottes blanches et son manteau. Quand elle fut prête, il se pencha vers elle et l'embrassa, puis il lui serra très fort les mains dans les siennes.

–Complices ? dit-elle.

–Complices, reprit-il calmement.

Elle mit la main sur la poignée de la porte.

–Attends, je vais sortir moi aussi, et aller chez ta sœur lui porter sa farine.

Il s'habilla et ils sortirent tous les deux.

*

De temps à autre, au cours de la soirée, pour se vider de sa nervosité, il écrivit quelques lignes impétueuses et remplies de contradictions sur ce qu'il vivait. Juste avant de se mettre au lit, il relut son papier

"Tu te souviens quand on s'est quittés cet après-midi, chacun dans notre auto ? Je t'ai regardée aller et je me serais cogné la tête sur un mur de briques de te laisser partir vers une expérience aussi.. inquiétante et risquée.

T'aurais pas désiré que je te retienne ? Mais il le fallait. C'est un pas difficile, mais il devait être franchi. Je me suis repris et suis allé chez ta soeur.

Tu t'inquiétais de mon alimentation aujourd'hui. Devine ce que j'ai mangé ? Seulement du pain; rien d'autre que du pain ! Jamais j'en mange et pourtant... C'était du pain au maïs à recette indienne et j'en ai mangé tout un. Que mon estomac doit se sentir farineux! En tout cas, il est lourd. Pourquoi donc ce déséquilibre alimentaire aujourd'hui ? Parce qu'il y a pénurie de pain ? Ou bien parce que j'étais stressé ? Ou peut-être les deux ?

Devine quoi ? Je t'ai dit que je dormirais à cause de petits moyens personnels que je prendrais et t'as cru, hein, que je boirais ? T'as eu raison: je boirai. Je vais vider une demi-bouteille de vodka: ce sera comme si je prenais un médicament pour les nerfs. Une fois par deux ans, c'est tout de même pas excessif... Je vais me comporter en amoureux éconduit. C'est pas que je manque de courage, c'est tout simplement que... que... À vrai dire, je manque de courage. Tu buvais un verre de vin chaud pour t'endormir quand j'étais chez ma maîtresse et c'était une bonne idée. Mais il me faudra plus. Une demi-bouteille de vodka... Oui. Qu'en penses-tu ? Avec du jus de pamplemousse...

Il est onze heures et demie. Tu dois avoir quitté le travail depuis dix heures. Où es-tu maintenant ? Dans un restaurant à regarder le type dans les yeux ? Dans sa voiture à jaser et à l'embrasser ? Sur un lit quelque part ? Tu m'as laissé entendre qu'il se pourrait que rien ne se passe, selon les circonstances; mais je veux que ça se fasse enfin, pour me libérer de ce malaise qui ne me lâche pas, comme si j'étais millionnaire et que j'aie risqué toute ma fortune d'un coup. T'as mis de nouveaux sous-vêtements aujourd'hui. Tu m'as montré ton soutien-gorge neuf. Je t'ai pas répondu, mais c'est vrai qu'il est plus moulant et te va mieux...

J'ai peur...

Je viens de te préparer une cole slaw pour quand tu reviendras. Elle sera au réfrigérateur. Je te laisserai une note.

Comme ce sentiment de solitude est profond, total! Ni ton frère qui est venu réparer l'auto, ni Patricia à qui j'ai enseigné de l'italien ont pu me faire oublier ce terrible sentiment de solitude. Le monde n'existe plus. Tout a disparu... Je suis seul...

J'ai essayé sans succès de me plonger dans le russe et l'allemand Tiens, je viens d'entendre le bruit d'une portière d'auto. Se peut-il que tu sois déjà de retour ? Mon cœur s'accélère. Est-ce bien toi ? Ça voudrait dire que... Mais non, c'est le voisin qui revient de son travail

Tu m'as tenu très fort les mains avant de partir. Mais qu'as-tu donc enduré quand je quittais la maison comme un voleur, sans te dire le moindre petit mot ? Pourquoi ai-je toujours détruit du pied les châteaux de sable que tu préparais spécialement pour moi ? Pourquoi ai-je toujours regardé avec indifférence les fleurs que tu m'offrais ? Pourquoi avais-je toujours si peur de payer de ma liberté chaque chose que tu voulais m'offrir ? Aurais-tu vraiment essayé d'acheter ma fidélité par tes petites attentions ? Ou bien aurais-tu essayé d'imprégner mon âme de tes sentiments, peut-être authentiques pour toi, mais pas pour moi ? Tant d'hommes se font absorber de cette façon et perdent leur authenticité. Aurais-je dû ne pas laisser mon âme aussi fermée et l'entrouvrir au moins l'espace d'une lueur d'espoir pour toi ?

"Pourquoi ne croyais-je pas en la sincérité de tes sourires lorsqu'avec mille précautions, tu me préparais quelque chose qui ajoute à mon plaisir de vivre ? Toute la journée, dans ta cuisine, tu pensais à moi, tu travaillais pour moi, j'étais le centre de tes ambitions, et de ton monde, et de ta vie. Pourquoi t'ai-je causé tant de déceptions à cause de mon obsession d'être ta chose ? Jusqu'à mes désirs affectueux que j'ai cachés derrière un écran de froideur quand ça n'était pas d'agressivité! Pourquoi la recherche de mon identité a-t-elle coûté tant de larmes à tes yeux ? Comment pouvais-je être aussi insensible à tes yeux, à tes beaux yeux bleus, regorgeant de larmes ? Comme j'étais mufle en tout et pour tout envers toi!

J'ai beau me dire qu'il fallait que tu y passes, comme c'est mon tour ce soir, que tu connaisses la souffrance qui grandit, que ces immenses frustrations portaient en elles-mêmes leurs germes de joies futures, mais était-il nécessaire que j'en aie été, moi, la cause. D'autant que je le faisais pas pour toi, mais pour moi-même.

Comment ne m'as-tu pas quitté pour aller offrir à quelqu'un d'autre les nouvelles richesses de ton âme ? Avec un autre, tes frustrations auraient-elles fermenté et seraient-elles devenues richesses ? Tant de gens qui se sont laissés gardent pourtant un goût d'amertume et restent fielleux!

Et si j'avais refusé ton aventure, je crois bien que tu aurais abandonné...

Quelle heure est-il maintenant ? Je ne sais pas. Quel insupportable sentiment que d'attendre que tu sortes des bras d'un autre! Si au moins j'avais quelqu'un à qui parler... Comme toi dans le temps. Me vois-tu, moi, un homme, dire à quelqu'un: ma femme est avec son amant et je m'ennuie ?

Ah! je te déteste. Je me déteste. Je déteste la société qui m'a légué mon aberrante culture. Je déteste Dieu qui m'a créé une âme si tourmentée, si humaine... À vrai dire, je ne hais personne, car il faudrait pour ça que je me haïsse vraiment moi-même Tout mon problème vient du fait qu'aucun être humain est bâti pour passer sa vie entre les quatre murs d'une maison, à attendre, attendre, attendre Mais j'ai choisi de vivre ce que t'as vécu et je boirai la coupe mon année entière

Je viens de prendre une autre rasade de vodka et, cette fois, je me couche. Tiens, la vodka me donne une idée: je vais tâcher de m'endormir en concentrant mon esprit sur du foutu russe.

Je me suis couché plus d'une heure, mais j'ai même pas pu m'assoupir. L'heure qu'il est me dit que t'as franchi l'étape... Il fait froid dans cette chambre. Comme février nous agresse cette année! Tiens, j'entends le bruit d'un moteur d'auto devant la porte; se peut-il .

Il déposa sa feuille et son stylo de son côté de lit qui restait dans l'ombre, la veilleuse étant de l'autre, et il s'allongea sous le drap.

Nicole entra, prit quelques secondes pour se déshabiller et fila droit à la chambre à coucher. Elle s'assit sur le rebord du lit

–Allô !

–Allô ! dit-il faiblement.

Il se mit un bras sur les yeux.

–Tu dors pas ?

–Comme tu vois !

–Je veux dire: as-tu dormi ?

–Assez peu.

–Ça va ?

–Et toi ?

Elle sourit légèrement et répondit avec douceur·

–Maintenant on est à égalité.

Elle avait fait le grand saut et cette perception lui fit comprendre qu'il s'était rattaché au mince espoir qu'elle aurait pu changer d'idée.

Les mots de Nicole avaient fait éclater son cerveau. Un violent frisson courut tout le long de son corps, depuis les cheveux jusqu'à la plante des pieds. Il essayait de dire quelque chose, mais n'y parvenait pas. De longues et incessantes vagues de tremblements envahirent son corps tout entier. Comme un coursier emballé cherchant à rattraper des foulées, son cœur se mit à courir pour rattraper ses coups Il dut s'appuyer sur un coude pour parvenir à dire péniblement.

–Comment c'était ?

–Très bien.

Les frissons redoublèrent d'intensité. Ses dents se mirent à claquer dans une étrange, nouvelle et inquiétante sensation. Il perdait le contrôle de ses nerfs, comme s'il avait lutté en vain contre quelqu'un cherchant à l'enterrer vif.

Les questions virevoltèrent dans sa tête Pourquoi l'a-t-elle fait ? Lui revenait-elle plus grande ? Cette soirée l'a-t-elle attachée à l'autre ? L'aiderait-elle à traverser cette affreuse crise ? Pourquoi n'a-t-elle pas attendu une expérience de couple ? Pourquoi a-t-elle voulu choisir elle-même ?

L'instant d'après, les questions disparurent et son cerveau recomposé se vida net Il ne pensa plus qu'à son corps horriblement secoué de convulsions.

Anxieuse, elle dit:

—Viens avec moi, on va prendre un café, mon complice

—Pas là. Laisse-moi me retrouver un peu. Laisse-moi me réchauffer Tu me crieras quand les cafés seront prêts.

—Tu m'inquiètes, Alain. Pourquoi m'as-tu demandé de venir te parler en arrivant. J'ai peur de ta réaction. Suis pas morte, tu sais Suis ici, à côté de toi, plus épanouie, plus libérée qu'avant.

—Laisse-moi me vider de ma peur. C'est elle qui sort. La vie m'exorcise. Va préparer les cafés; j'arrive.

—Viens prendre un bon café chaud et ça va te réconforter.

—Laisse-moi seul quelques minutes. Les frissons finiront par partir

—Tu m'inquiètes! Mais je suis là, positive, sans stress autre que celui de te voir réagir ainsi. J'avais si hâte de te retrouver... Viens boire quelque chose.

Elle lui prit la main et tira. Il la suivit docilement, misérablement, comme un robot détraqué jusqu'à la cuisine.

—Pourquoi j'ai pas arrêté tout ça aujourd'hui?

—Fallait franchir l'étape. Tu l'as dit cent fois avec raison Et là, tu le prends pas.

Il s'assit à la table et elle prépara les breuvages. Il s'enveloppa les épaules de ses mains, cherchant vainement à chasser le froid sauvage

Il parla difficilement·

—T'es passée par là; tu dois savoir ce que je ressens. Le temps seul peut m'aider. Alors oublie ma réaction. Parle et t'inquiète pas.

—T'as bu ?

—Assez pour m'énerver, mais pas assez pour m'endormir.

Elle brancha la bouilloire.

—Rappelle-toi qu'on est ensemble. Ma première expérience est faite et ce fut un succès, dit-elle doucement.

—Comment ça s'est passé ? demanda-t-il malaisément

—Ben... on est allés dans un bar chic et on a pris quelques consommations.

Elle sortit deux tasses et le bocal de café.

—Ensuite on est allés dans une chambre très romantique, avec lumières tamisées, musique en sourdine...

Chaque mot le frappait comme un violent coup de masse heurtant l'intérieur de sa boîte crânienne. Il se sentit de plus en plus glacé.

—Ce fut très bien sur toute la ligne. T'aurais pas voulu que ça se passe dans un endroit minable, hein ? On sera maintenant plus près l'un de l'autre...

Elle continua de parler. Il cessa d'écouter. Il devint muet comme un livre dont, cependant, on aurait tourné les pages à une cadence vertigineuse. Elle parla, parla, parla. Il n'avait pas vu qu'elle avait fini de préparer les cafés et lui servit le sien. Il but par petites gorgées.

Quand il se rendit compte que la chaleur refusait de réintégrer ses membres, il se leva.

–Je vais me coucher, j'ai trop froid.

Et il retourna au lit. Elle se déshabilla, fit sa toilette et le rejoignit.

–Jamais j'aurais cru que ça t'affecterait autant. Je te pensais plus en contrôle de toi-même.

–Les batailles qu'il faut se livrer contre soi-même sont les plus dures. Ça passera. Prends-moi dans tes bras.

Elle s'approcha et l'embrassa.

–Faisons l'amour.

–J'aimerais mieux attendre à demain; on est fatigués tous les deux.

Cette réponse l'irrita au plus haut point:

–Tu me refuses ce que tu viens d'accepter ça fait deux heures avec un homme que tu connais depuis moins de six mois ?

–C'est que j'ai des douleurs vaginales. Tu comprends, il est très fortement membré et, au début, ça m'a donné des douleurs. D'autre part, il a un grand contrôle sur lui-même et ce fut très très long; suis complètement fourbue. Il a pas été violent, sois sans crainte. Au contraire... tendre et délicat. Il m'a même appris des choses que je t'enseignerai...

Le ciel et la terre s'écroulèrent ensemble dans le cerveau masculin. La cible était atteinte droit au cœur. Il se sentit battu, défait, brisé, démoli sur son propre terrain. Ses nombreuses lectures lui avaient appris que son membre n'avait rien d'impressionnant et que, sauf en pornographie, la taille d'un pénis n'avait rien à voir avec la jouissance féminine, à moins d'une petitesse excessive, ce qui n'était pas son cas. Pourtant, à cause des paroles de sa femme, son complexe le terrassa. Il s'était vengé de la nature en développant une sexualité d'adaptation au lieu d'une sexualité de performance. Il avait cherché la qualité et la variété plutôt que la quantité et la durée. Mais voilà que sa femme lui assénait, sans même s'en rendre compte, –ou peut-être pas– des coups capables d'annihiler la moindre parcelle de confiance en soi. La pire femme n'aurait pas pu avoir meilleure revanche sur l'homme qui l'avait tant fait souffrir. Et, ironiquement, comble de tout, elle le faisait en toute innocence. Il se sentit la pire sorte de victime qui soit: celle de ses propres enseignements. L'arroseur arrosé. Ou plutôt le baiseur baisé..

Il se retourna brusquement et essaya de fixer son esprit sur quelque chose de précis. Mais ne trouva rien et n'en eut pas le temps puisqu'elle tira fermement sur son bras, disant:

–Viens, pénètre-moi.

−Attendons à demain, dit-il, bourru.

Elle insista:

−Viens.

Il obéit et s'ajusta entre ses jambes. Il lui dit sur un ton de reproche à peine contenu:

−Ce sera court; moi aussi, je suis exténué.

Il tenta de la pénétrer, mais son érection était trop faible.

Elle lui prodigua une caresse qui ne ratait jamais et il durcit aussitôt.

Il s'enfonça en elle avec rage. Elle avait le ventre froid, très froid.

Sans hésitation ni ménagements, il passa tout de suite aux coups de boutoir de fin d'acte, n'ayant au cerveau qu'une seule pensée: jouir d'elle quoi qu'elle ressente, comme elle avait joui d'un autre quelques heures plus tôt.

Au plus violent de ce qu'il considérait maintenant comme un acte d'agression sexuelle, il cracha·

−J'espère qu'il te fera encore jouir ton viargini de Grec.

Ces mots provoquèrent chez elle une violente réaction, comme si son thermomètre sexuel, parti du point zéro, avait monté à dix mille degrés en moins de dix secondes. La rage de l'homme se transforma en désespoir et redevint rage, il ne savait plus quoi était quoi. En même temps qu'il projeta les premières giclées, il entendit les gémissements excessifs de sa compagne et sentit que tout son corps était secoué de frémissements orgasmiques d'une intensité nouvelle. Alors sa fureur décupla et il donna les derniers coups pour la briser, ce qui multiplia d'autant les délices de la femme.

Dès le dernier spasme, il se projeta sur le côté et ne bougea plus, cherchant à reprendre son souffle.

Nicole, comblée une autre fois par le même homme, car son esprit avait toujours été ailleurs qu'avec lui, se tourna un peu et s'endormit profondément.

Lui ne dormit pas. Pas avant une éternité.

*

Elle se leva tôt pour préparer le déjeuner de Patricia.

Il se leva aussi, l'œil poché, les pieds à la traîne. Il prit un bain puis se rendit à la cuisine.

Nicole rayonnait et il le nota. Dès le départ de l'enfant pour l'école, elle ramena la conversation sur son aventure de la veille.

−Il m'a demandé ce que tu représentes pour moi dans la vie Tu sais ce que je lui ai répondu ?

Il haussa les épaules.

−Comment je le pourrais ?

—Je lui ai dit que t'es mon ami, mon compagnon de route, mon confident, mon complice.

—J'espère qu'il aura compris chacun des mots et leur ensemble, fit Alain avant d'avaler une gorgée de café.

—Quand je lui ai dit ça, il a secoué la tête avec tristesse.

—Pourquoi il veut tant être en compétition avec moi ? Je te partage bien, moi ? Je compétitionne pas ?

—Tu te trompes. Il cherche pas la compétition. Si tu savais comme il n'a aucune agressivité...

Alain pensa:

—Voilà une chose que j'ai déjà dite au sujet de Denise.

Mais tout haut, il dit:

—Ce que tu m'as confié sur ses performances est plutôt inquiétant...

—Tu vois: ce fut la même chose pour lui. Il m'a dit après: ton mari est-il meilleur ? Je lui ai répondu qu'avec toi c'était toujours bon. Là, il a dit: très bon ? J'ai répondu: excellent. Et à nouveau il a penché la tête tristement.

—Pis tu dis qu'il cherche pas la compétition ? Mon œil! C'est une des pires formes de compétition... À ce petit jeu, un des compétiteurs est toujours cruellement blessé. Je vois ça venir: ce sera moi.

Elle marcha depuis la table jusqu'à une chaise berçante où elle s'assit·

—T'es malade, Alain! C'est du défaitisme.

—Écoute, le gars a un corps neuf pour toi, des techniques différentes des miennes, des expériences différentes à t'offrir; c'est donc tout à fait normal que, pour toi, ce soit meilleur avec lui, tout comme pour moi ça serait sans doute plus excitant avec une femme neuve. Pas une Denise, mais une qui aime la sexualité. Tu vois que je suis perdu d'avance au jeu de la compétition.

Il vida sa tasse d'un trait et ajouta:

—Et toi, la nuit dernière, t'es tombée dans le piège avec tes comparaisons blessantes. Tu m'as frappé au vif de l'homme et je dois t'avouer que tu m'as fait perdre ben des illusions.

—T'as mal compris tout ça. Avec lui, ça finissait pas de finir, mais justement, c'était pas si le fun que ça... à la longue. Finalement, j'ai même pas eu de second orgasme comme celui que j'ai toujours quand toi, tu viens en moi. Mais je serais pas honnête de dire que ça pas été plaisant. Tu devrais comprendre qu'il est beaucoup plus vulnérable que toi, étant donné qu'il a pas notre évolution dans la vie. Tiens, il peut absolument pas comprendre que tu sois à la maison pendant que ta femme se trouve avec quelqu'un d'autre que tu connais même pas. Il trouve ça original.

—Y'a de quoi, si j'en crois ce que tu m'as dit sur la mentalité grecque par rapport aux femmes.

Il se rendit au comptoir et se versa une autre tasse de café. Et retourna s'asseoir à la table.

–De toute façon, tu m'en as assez dit pour que je le connaisse.

–Mais lui ignore que tu sais que c'est lui !

–Quoi ? Tu veux me répéter ça ?

–Il accepterait pas que je lui dise que tu sais que c'est lui.

Alain serra les poings et, les yeux exorbités mordit dans ses mots:

–Est ben bonne celle-là! D'abord la compétition et là, l'hypocrisie ? Ça se passera pas comme ça !

–Écoute, il a pas ton évolution pour comprendre ces choses-là Il comprendrait pas...

–Dis qu'il aurait peur. Mais où est rendue notre complicité ? Aucune règle est respectée dans cette histoire. Tu vas lui dire la vérité pis ça presse.

–Alain Martel, je le blesserai pas en lui disant ça, il m'a fait promettre que tu saurais pas que c'est lui...

–Ha, ha, ha, ma pauvre fille. Tu t'es laissée embobiner! Les larmes grecques m'attendrissent pas au point de leur sacrifier notre complicité, même si toi, tu le fais. Ce que je redoutais depuis le début, tu le confirmes: tu sacrifies ton foyer aux valeurs de ton amant Tu trafiques nos valeurs. Regardez-moi ça: elle veut pas faire de peine à son petit poodle La farce! Pis moi, elle me frappe à coups de hache depuis la nuit dernière !

Nicole frémit, mais se contint.

–Je lui dirai pas parce que.. y a aucune raison pour ça, sauf ta hargne.

–Ce que je viens de te dire compte pas. Il doit me prendre pour un beau con de mari trompé. T'as dit que tu voulais l'aider à évoluer et tu lui parles même pas d'un des aspects les plus importants de notre évolution ? Pour quelle sorte d'imbécile tu me fais donc passer ? T'as pas défendu notre mode de vie, tu t'es donnée au sien

–De toute façon, t'as pas à te mêler de tout ça: c'est ma vie à moi

–Mais une vie que t'as engagée sur de nouvelles bases l'an dernier Pis à la première occasion, tu renies tout pour retourner au jeu du mensonge, de la mesquinerie, de la compétition, de la possessivité.

–T'as eu ta façon de vivre ton aventure et j'ai la mienne.

–L'argument matraque: mon passé qui justifie tout. Rappelle-toi que c'est grâce à mon passé si chacun a fini par trouver sa personnalité Mon aventure t'a aidée à te découvrir toi-même Mais toi, au contraire, dans ton aventure, tu cherches à me détruire. T'es en train de tout démolir.

Il se leva brusquement et se dirigea vers son bureau. Il ajouta avant d'en claquer la porte derrière lui:

—Et puis après, que le diable t'emporte et ton Grec avec. Vous êtes incapables de voir la vie autrement que de la façon traditionnelle ce qui fait votre affaire, à tous les deux.

Elle le suivit et lui cria à travers la porte·

—T'as été capable de jouer franc jeu, toi, dans le passé ?

—J'avais affaire à une emmerdeuse qui comprenait rien et pensait comme les voisins au lieu de penser pour elle-même.

—Dur de parler avec toi: tu t'enrages.

—Suis coupable, toujours coupable: coupable depuis le premier jour Le diable noir qui a tout pris et toi, l'ange blanc vivant dans mon enfer Demande à ta famille, demande au Québec, demande à l'humanité... Je suis l'homme donc le méchant...

Elle entra:

—T'en veux à tout le monde pour ce qui s'est passé hier.

—C'est une épreuve difficile à traverser, mais toi, tu m'aides pas. Si j'avais su que tu te conduirais comme ça, je t'aurais pas fait confiance Je t'aurais traitée comme les Grecs traitent leurs femmes: en objet possédé, utilisé.

—Tu le ferais pas longtemps avec moi

—Les femmes sont prêtes à n'importe quelle servitude pour posséder un homme. Ton Grec commence à te traiter en objet et tu t'en rends même pas compte.

—Suis moins écervelée que tu le penses; oublie pas, j'ai trente-quatre ans. Viens t'étendre un peu sur le lit, on va se parler calmement.

—J'ai pas envie. Tu vas en profiter pour me faire le tour de la tête

—Si tu veux me faire des reproches, autant me les dire sur le lit qu'ici.

Elle lui prit le bras.

—Viens, fit-elle d'une voix radoucie Viens, peut-être qu'on pourra trouver des solutions à nos problèmes

Il se leva·

—C'est bon, mais triche pas encore.

—C'est que tu vas chercher ?

Ils se rendirent au lit et s'allongèrent côte à côte, chacun de son côté, sans se toucher.

Elle répéta que son aventure était passagère, peu sérieuse, qu'il avait mal compris à propos de sa rencontre sexuelle avec l'autre homme.

—Y'avait rien là, tu sais, voyons....

Elle jouait sur son orgueil mâle, mais il la laissa dire et lui répéta à son tour, sur un ton ses pensées obsessives sur la sexualité de partage.

Ils firent l'amour sans passion. Puis allèrent manger. Et s'entretinrent de petites choses une partie de l'après-midi. Par la suite, il s'occupa à de menus travaux et Nicole se prépara à retourner au travail Il finit par sourire un peu avant qu'elle ne parte.

Pendant la soirée, il réfléchit aux événements et aux gestes de Nicole depuis Noël. Dès son retour, la discussion reprit, plus incisive que le matin.

—Pas l'air d'aller ?

Calé dans son divan, jambes allongées sur la table du salon, bras croisés, il paraissait absorbé par un grand problème devenu pour lui unique, absolu.

—Tout ce qui s'est passé depuis les fêtes me remonte au nez Va falloir faire le point là-dessus.

Elle se laissa tomber à l'autre bout du divan

—Comme quoi encore ?

—À toi de juger.

—Qu'est-ce qui te remonte au nez, comme ça ?

—T'es en amour ailleurs· amour au sens traditionnel du mot. J'ai pris pour des réalités mes rêves de te voir vivre libre. Tu t'es libérée de moi, mais pour mieux t'accrocher à un d'autre. T'es dominée par tes sentiments...

Elle soupira à quelques reprises:

—Le Grec, c'est passager dans ma vie.

—Tu le prétends. Mais moi, j'ai analysé tout et t'es prise au piège de l'amour mesquin.

—Pourquoi tant dramatiser ?

—Si c'est pas sérieux, mets un terme à ton aventure

—Non, parce que c'est ma vie, pis que ma vie m'appartient, pis que tu m'as montré à vivre autonome. Tu viens juste de le répéter.

—Vivre libre, mais pas écraser son compagnon.

—J'écrase personne.

—Si tu veux une vie libre, avec moi comme compagnon de route, quitte le restaurant où tu travailles et cherche-toi une place ailleurs

Elle bondit.

—T'es malade ou quoi ? Pis on va vivre de l'air du temps ?

—La question d'argent est pas un problème urgent Il nous en reste assez pour que tu prennes quelques mois de repos entre deux emplois, ce qui nous permettra de nous rebâtir une sexualité et une confiance mutuelle qui en ont pris des coups depuis quelques semaines.

—Tu fais erreur, je démissionnerai pas C'est pas le bon temps de l'année pour chercher du travail dans ce domaine.

–Tu prendras le temps qu'il faut.

–Jamais de la vie! J'ai une bonne place et je la garde.

Elle réfléchit et ajouta:

–Peut-être qu'à l'été...

–Tu y restes pour protéger ta liaison.

–Ma vie m'ap par tient.

–Oublie pas que la mienne m'appartient aussi. Tu veux vivre à ta façon ? Dans ce cas-là, on a plus rien à se dire...

Il se leva et se dirigea vers un petit bar dans le coin de la pièce. Il prit une bouteille de vermouth italien ainsi qu'un verre et revint s'asseoir.

–C'est pas à boire que tu vas régler les problèmes.

–Je le sais. J'ai pas l'intention de me saouler non plus. Je veux calmer mes nerfs. Et pis, t'as pas de conseils à me donner. Je vis ma vie.

Il se versa un demi-verre et l'avala d'un trait.

–Alain Martel, tu vas serrer cette bouteille-là.

–Non, ma chère! Suis un adulte libre qui, avec une femme libérée, forme un couple à esprit ouvert et dans lequel l'un fait pas opposition aux gestes de l'autre et où chacun sait que l'autre est assez grand pour se conduire tout seul.

Elle s'approcha de la petite table de salon et esquissa le geste d'empoigner la bouteille, mais il fut plus rapide. Vivement, il se leva, saisit le goulot et s'éloigna de quelques pas.

–Serre ça: ça te mènera nulle part.

–C'est mon Grec, fit-il avec dérision. Regarde: aussi ben bâtie qu'un Grec...

Elle fit deux pas vers lui et tenta d'attraper la bouteille. Il leva les bras le plus haut possible. Alors, sans hésitation, elle lui projeta sa main ouverte sur le côté de la figure. Il vacilla un peu, abasourdi par la gifle et la surprise. Brusquement, il fit un pas de côté, sauta par-dessus la table, se rendit à la cuisine qu'il traversa pour emprunter l'escalier du sous-sol.

–Tu vas enfin me laisser la paix, cria-t-il en descendant.

En bas, il prit conscience de la réalité. Ils en étaient venus aux coups pour la première fois de leur vie et que c'est elle qui l'avait frappé, lui, la femme de la maison. Il s'esclaffa et voulut qu'elle sache qu'il riait.

–Vivre et laisser vivre !

Il prit une rasade à même la bouteille.

–Vivre et laisser vivre ! répéta-t-il sur le même ton.

Comme il n'avait pas vraiment l'intention de boire beaucoup, il remonta bientôt à l'étage et retourna au salon. Nicole était allée se coucher. Il se trouva une couverture et s'affala sur le divan où il finit par s'endormir dans de multiples gestes nerveux.

*

Ils se levèrent tôt le lendemain et ne se dirent pas un mot de l'avant-midi. Nicole quitta la maison peu avant l'heure du dîner, visiblement pour aller à l'épicerie.

L'homme s'enferma dans son bureau et rédigea une lettre qu'il mit dans son portefeuille avant de quitter la maison à son tour. Il se rendit au restaurant, lieu de travail de sa femme, et s'assura que l'auto de l'amant était bien sur le stationnement. Avant d'entrer, il relut sa lettre dans laquelle il résumait la pensée et le mode de vie que Nicole et lui partageaient. Et il mettait l'autre en garde contre les dangers d'une liaison pour les deux familles impliquées. Mais surtout, et c'était là son but premier, il lui faisait savoir qu'il savait l'identité de l'amant de sa femme.

Sitôt entré, il prit un fauteuil à une table du bar-salon et se commanda une bière. Il demanda à la serveuse de lui envoyer le patron qu'il connaissait déjà depuis un party du personnel.

L'homme arriva. Environ quarante ans, il était l'oncle de l'amant de Nicole. Grand, mince, noir, sourire engageant, allure bourgeoise, fume-cigarette aux lèvres et bien mis. Il frémit quand il reconnut Alain. Sa poignée de mains montra son intention de mener la conversation.

—Je viens vous dire quelques mots au sujet de ma femme.

L'homme tira une chaise et s'assit en face de son interlocuteur. Alain ajouta:

—Et de votre neveu.

L'homme frémit à nouveau. Parant les coups, il dit:

—De bons amis... D'ailleurs Nicole n'a que des amis ici à son travail.

—C'est qu'avec lui, c'est plus que de la camaraderie...

L'homme l'interrompit:

—Mon cher ami, Kosta est mon neveu et je mets ma main à couper qu'il n'y a rien eu entre lui et ta femme. Il est marié avec ma nièce et heureux en ménage. Deux enfants qu'il adore... il vient tout juste d'arriver au Canada. Un type travailleur, sérieux. Jamais il ferait quoi que ce soit avec une employée.

—Je connais toutes ses qualités pour en avoir assez entendu parler par Nicole. Je viens pas ici le démolir, au contraire. J'entreprends une démarche auprès de vous et je voudrais vous en expliquer le sens.

L'homme s'exclama d'une voix qu'il voulait persuasive:

—Je peux répondre à cent pour cent de la moralité de mon neveu...

—Écoutez, Nicole et moi, on a une vie très libre...

L'homme l'interrompit:

–Ah! voilà le problème. Nous, Grecs, n'agissons pas de cette manière avec nos femmes. On leur dit de faire ça ou ça et elles obéissent au doigt et à l'œil. Une femme est incapable de sortir comme un homme parce qu'elle est pas faite comme un homme. Une femme doit être traitée... en femme. Il m'est arrivé de prendre la mienne par le cou, de lui ordonner de rentrer à la maison et de faire ce que je voulais sous peine de me mourir entre les mains. Et si on couche avec une autre, ça prête pas à conséquence et cette femme est pour nous... qu'une putain.

Il pencha la tête.

–Vous devez penser qu'on est durs envers elles, mais ça nous empêche pas de les aimer fermement et tendrement...

L'homme continua de parler. Alain cessa d'écouter, ce qu'il faisait généralement devant ceux en possession tranquille de la vérité. Il profita du long discours de l'autre pour associer ses premières paroles à ce qu'il savait de son neveu par la bouche de Nicole. Cette réflexion le conforta dans son intention de donner sa lettre à l'amant et de provoquer la démission de Nicole.

Quand l'homme lui parut à bout de paroles, il dit:

–Il est pas bon que Nicole continue de travailler ici

–Kosta est honnête, travailleur et surtout, il s'en va chez lui en fin d'après-midi, alors que ta femme travaille en soirée. Ils se croisent, c'est tout. Je peux t'assurer qu'il ne s'est rien passé entre eux. D'ailleurs, Nicole est notre meilleure serveuse...

Martel s'impatienta:

–Coupons court: je vous demande de congédier Nicole

L'homme retrouva son sourire. Soulagé d'une écharde, il tendit la main. Alain hésita puis la serra. Mais le regretta aussitôt. Il lui parut que l'homme signait là un pacte couillon.

–Et là, je voudrais voir votre neveu.

–Il est pas ici.

–Sa voiture est sur le stationnement. C'est rien, je veux juste lui donner une lettre.

–Je la lui remettrai moi-même.

–Je veux lui donner en mains propres.

–Il parle à peine français et comprend pas du tout le français écrit

–Je l'ai écrite en anglais.

–Il comprend pas mieux l'anglais. Il vient d'arriver au pays et il a le style gros bras. Ce que tu pourrais lui écrire est pas à sa portée.

–Il comprendra...

Alain se leva et se dirigea vers la section du restaurant où il aperçut l'amant de Nicole qu'il connaissait de vue depuis le party de Noël. Le patron le rejoignit et s'interposa d'un geste qui signifiait son intention de ne pas le laisser aller plus loin. Le regard d'Alain le fit s'écarter.

Derrière la caisse, l'amant se renfrogna le cou et recula d'un pas, comme s'il cherchait à se dissimuler derrière une serveuse se trouvant là.

Alain, néanmoins, passa le bras par-dessus le comptoir et tendit sa lettre que le Grec accepta sans dire un mot ni même lever les yeux Le mari frustré salua de la main pour montrer son détachement et tourna les talons. Du même geste, il salua l'homme au fume-cigarette et sortit en sifflotant.

Sur le chemin du retour, il se rappela de ce film américain dans lequel le viril amant de Natalie Wood avait perdu tous ses pouvoirs à l'arrivée du mari et n'avait plus été capable de faire autre chose que de serrer les fesses. Ce fut pour lui la seule pensée réconfortante de ces trois derniers jours.

*

À la maison, il se rassit au même bout du long divan de velours jaune que lors de son altercation de la veille avec Nicole, et dans la même position significative. Elle était rentrée et elle le rejoignit

–J'avais hâte que tu reviennes pour que nous puissions continuer la discussion d'hier soir, dit-elle.

–On a ben des choses à se dire.

–Je m'excuse de t'avoir frappé hier soir. Je voulais t'empêcher de faire des folies...

–J'aurais pas fait de folies...

–Je voulais pas que tu te saoules pour fuir un problème.

–Quel problème ?

–Celui de te contrôler mieux toi-même.

–C'est sans importance. Tous les problèmes sont réglés ce matin

–Ça veut dire quoi, ça ?

–J'ai pris des décisions à ta place.. D'abord que t'es aveuglée par l'amour.

–D'où tu viens, là ?

–Je suis allé clarifier certaines choses à ton restaurant. Ai donné une lettre à ton cher ami Kosta... Ai rencontré le patron et lui ai demandé de te congédier, ce qu'il a accepté de faire.

–Je te crois pas.

–Prends le téléphone et appelle

Elle blêmit:

–Tu peux pas avoir fait ça; intervenir dans ma vie, t'es complètement fou; ça se peut pas...

–Je l'ai fait. Et content de l'avoir fait. Tu seras libre d'avoir un amant. C'est pas lui qui va te choisir et en profiter...

–Sauvage ! T'avais pas le droit de faire ça. Salaud.

Elle se mit à sangloter à travers sa fureur.

–T'es possessif, ombrageux et jaloux. Jamais, je te le pardonnerai. J'avais une bonne place et tu me l'as fait perdre.. Espèce de maudit jaloux...

–C'est pas la place que t'aimais, c'est l'amant.

–Pas vrai, tu mens! C'est pas à cause de lui que j'aimais ma place

–En ce cas, pourquoi faire un drame ? Tu l'as dit cent fois que les filles de restaurant changent souvent d'endroit. T'auras qu'à te trouver une place ailleurs.

–Mon Dieu, qu'est-ce qui m'arrive, dit-elle entre deux sanglots. J'avais une bonne place et monsieur, parce qu'il se sent morose à la maison, vient tout briser avec ses gros pieds de salaud.

–Si t'es pas contente de moi, ben on se sépare. Choisis. Prends-toi un appartement et sois la maîtresse attitrée de ton Grec. On verra où ça te mènera.

–Tu veux faire de moi une putain et tu vas y arriver.

–Quel que soit ton métier, j'aurai du respect pour toi. Prostituée, professeure, psychologue. Pis je t'appuierai, à condition cependant que tu sois libérée, épanouie et HONNÊTE.

Il avait parlé calmement, mais hurlé le mot honnête.

–Pourquoi m'avoir poussée à vivre ma vie et, à la première occasion, venir brimer ma liberté dans le domaine le plus important et le plus personnel: ma vie professionnelle ?

–J'accepte pas une aventure sentimentale basée sur l'égoïsme à deux. Ton amant veut t'identifier à lui. T'as dit toi-même qu'après votre relation sexuelle, il t'a déclaré: *Maintenant, t'es grecque.* Parole raciste, parole de rejet. Denise cherchait à me faire vivre du semblable et je l'ai laissée à cause de ça.

–Suis pas en amour. Suis pas en amour. Comment te le fourrer dans la caboche ?

Elle s'essuya les yeux du revers des mains :

–T'essaies de me détruire depuis toujours.

Il sourit.

–Suis un sadique, un salaud, un sauvage, un ombrageux, un possessif, un morose et quoi encore. Toi, si sensible à l'opinion des gens, si tu veux passer pour intelligente, vis donc pas avec un tel homme !

Elle cessa de parler pendant plusieurs minutes et continua de pleurer doucement. Puis elle se renseigna sur tout ce qui s'était dit et passé au restaurant. Il lui raconta tout. Elle nia catégoriquement que son amant puisse la considérer comme une putain parce qu'elle avait couché avec lui.

–C'est le jugement du patron sur les femmes.

–Kosta et lui se ressemblent pas du tout.

La discussion se poursuivit jusqu'au soir. Les mêmes thèmes revinrent sans cesse d'une demi-heure à l'autre. Ils se couchèrent épuisés et s'endormirent sur leurs problèmes.

*

Tôt le dimanche, il s'enferma dans son bureau pour écrire à Nicole et lui dire exactement pourquoi il avait agi de la sorte la veille.

Nicole,

J'espère qu'on va sortir de cette terrible tempête sans trop de plaies inguérissables, ce qui nous permettra de mieux nous rapprocher par la suite.

Suis intervenu dans ta vie parce que je sais ce qu'est une implication émotive entre deux personnes, pour l'avoir vécue, tu le sais, trop longtemps. Je sais ce qui fait naître l'attachement, ce qui le fait grandir. Je sais ce qui le fait devenir si fort qu'un être en vienne à s'illusionner sur lui-même, à dorer la pilule à ceux qui l'entourent et à bouleverser sa vie d'une façon pas toujours valable. L'amour, c'est comme l'alcoolisme...

Ta liaison et celle que j'ai vécue se ressemblent. D'ailleurs, toutes les implications amoureuses à base de romance se ressemblent. En voici la description. À son travail, une personne en rencontre une autre de l'autre sexe qui lui paraît, à prime abord, tout à fait quelconque: pas d'attraits physiques particuliers, pas d'idées emballantes, une personnalité ordinaire.

Mais cette autre personne perçoit vite que vient d'entrer dans sa vie quelqu'un d'heureux parce que fort et équilibré. La proie est tentante, si tentante que la personne faible ne résiste pas et s'attelle à la tâche de posséder la personne forte nouvelle venue.

Voilà ce que furent dans nos vies, Kosta pour toi et Denise pour moi!

Ces personnes sont faibles parce que malheureuses et malheureuses parce que faibles. Elles vivent mal avec elles-mêmes; elles ne savent pas rire, mais cherchent à posséder les personnes qui le savent, comme si cette possession pouvait les guérir de leur mal. Elles recherchent la présence, le contact d'une personne heureuse, qu'elles vont côtoyer tous les jours et dont elles vont tout d'abord attiser la curiosité par leur sollicitude et leur assiduité.

Attentives au moindre détail, au moindre bruit, au plus petit changement dans la vie de la personne forte, elles ne visent qu'une seule chose· s'attacher à la mettre en valeur. De l'éclat sur son visage et elles tenteront de partager l'émotion qui le cause. Mais elles ne s'imposeront pas—pas encore—et resteront d'une discrétion absolue. Parfois, elles risquent un petit geste négatif pour observer la réaction. Un tout petit geste anodin. Une petite frayeur, un petit recul dans leur sollicitude, un

486

léger pincement au cœur. Si absence de réaction, elles retournent à leur poste d'observation; dans le cas contraire, elles franchiront une autre étape.

Toute dévotion, toute attention, elles montrent envers la personne forte du favoritisme si elles le peuvent, de l'exclusivisme qui flattera celle-ci. Que cette dernière montre qu'elle préfère la pluralité ne fera qu'augmenter leur obsession de la posséder. Elles s'en feront souvent le miroir, lui permettant ainsi de se mieux connaître. Et quoi de plus flatteur qu'un miroir qui parle et surtout qui veut flatter ?

Elles la provoqueront à parler et s'opposeront à ses idées, mais sans trop de fermeté. Puis elles écouteront et finiront, sans trop de mal, par se laisser convaincre. Mais parfois, subtilement, sur des questions mineures, elles garderont des points d'opposition, histoire de montrer un brin de personnalité. Une parole comme: "J'aime pas que tu te maquilles autant" provoquera une réaction. Elles s'empresseront alors d'ajouter· "T'es pourtant si jolie sans ça."

Le conjoint de la personne forte est un être qu'elles diront respecter et dont elles éviteront de parler. Du moins, dans les débuts... Plus tard, arrivera une petite question, une allusion vague, sans plus... Mais un doute sera semé. Elles vont souvent déplorer leur infériorité face au conjoint de l'autre, feront de petites comparaisons douloureuses pour attirer la sympathie. Et resteront à l'affût des réactions.

Plus tard, devant les tensions morales surgissant forcément chez le couple de la personne forte, tensions qu'elles auront appris à déceler, elles chercheront à connaître le motif précis de l'agressivité du partenaire pour ensuite habilement faire voir chez elles-mêmes une image contraire. Elles chercheront à connaître les faiblesses du conjoint et, si elles le peuvent, tenteront, toujours aussi subtilement, de montrer leur propre valeur à cet égard. Par exemple, si le conjoint a pas d'emploi officiel, elles insisteront sur la valeur du travail et sur la sécurité des revenus. (Kosta) Et si le conjoint est possessif, elles montreront leur grand amour de la liberté et de l'autonomie des partenaires dans un couple. (Denise)

Quand elles sentiront que le torchon brûle dans le ménage de la personne forte, elles se garderont de dire un mot, ce qui embellira leur image de grandeur d'âme. Elles se contenteront d'un travail indirect mais combien plus efficace: hochements de tête, soupirs mal contenus et pourront aller jusqu'à donner des exemples venus d'ailleurs pour appuyer les doléances de l'autre et ainsi donner tort au conjoint.

Un beau jour, quand elles se sentiront sûres d'elles-mêmes, voilà qu'elles en viendront à donner des coups violents pour que l'autre brise son union déjà chancelante. Elles miseront sur sa peur de la solitude, lui disant qu'elles ne peuvent plus attendre, lui fourniront des armes légales, lui conseilleront un bon avocat, tenteront toutes sortes d'assauts pour briser les derniers grands éléments de résistance.

Si la personne forte reste attachée à certaines valeurs de son union, elles lui proposeront des solutions de rechange, détourneront son attention. Elles chercheront à détruire l'image du conjoint dans son esprit et la justice se fera leur complice.

Au départ douces, gentilles, charmantes comme des enfants, elles ont démontré à l'autre qu'après vingt ou trente ans de vie plutôt terne, voici que grâce à elle, le bonheur frappe à la porte enfin. Puis elles ont montré leurs influences: habillement, cheveux, certaines idées... Guérilla sentimentale: sourires, douceur, complaisance, tristesse, doute, solidarité, chantage amoureux, violence. Elles finissent par exploiter toutes les faiblesses du conjoint et amènent la personne forte à s'engager dans le processus de destruction de sa vie de couple.

Et l'autre, forte parce qu'heureuse, peu à peu, deviendra malheureuse, chloroformée, exclusive. Elle finira par croire que le seul obstacle entre elle et le bonheur, c'est le conjoint. Une solution: le quitter. Là se referme sur elle le terrible piège de l'amour. En quittant son conjoint, elle avoue son incapacité d'être heureuse. À cela s'ajoutent les frictions légales. Et les pensées nostalgiques... Et l'idée de rejet de la part du conjoint. Alors elle faiblit. Elle devient brisée et malheureuse, à l'image même de celle qui a empoisonné, drogué sa vie. Quant à la personne empoisonneuse, homme ou femme, elle ne tardera pas à repartir à la conquête de quelqu'un qui n'est pas malheureux et qu'elles pourrait rendre malheureux.

Vampires de l'amour humain!

Un vampire cherche à rendre l'autre semblable à lui. Il veut posséder totalement le corps et l'âme d'une personne rayonnante. Au cours de son long processus de prise de possession, il donne à la personne forte l'image rêvée du conjoint idéal. On peut le reconnaître à sa façon subtile de faire ressortir ses points de ressemblance avec l'autre. Il parlera de leurs intérêts communs, de leurs goûts similaires, d'un trait physique ou caractériel se rapprochant. Et l'autre oubliera—peut-être n'y a-t-elle jamais pensé—que son bonheur lui vient d'abord de sa complémentarité avec son conjoint et s'éloignera des richesses de cette complémentarité à cause des frictions inévitables qu'elle suscite, pour se diriger vers la pauvreté et l'anémie d'une similitude. Et, au lieu de dire: "On est faits l'un pour l'autre parce que différents," elle en viendra à dire: "On est faits l'un pour l'autre parce qu'on se ressemble."

T'as dû comprendre à travers ces lignes ce que fut ma liaison avec Denise. Elle a cherché à m'absorber, à me rendre semblable à elle, donc à me faire perdre mon identité. Je ne lui en veux pas parce qu'elle n'a été qu'humaine. Vampires vs victimes; prédateurs vs proies ..

Ton Grec est de cette race que je décris. Il t'a dit qu'il était souvent triste avant de te connaître ? Il t'a dit cette parole monstrueuse· "je n'aime que toi", laquelle, en langage vampirique, devient: je veux t'absorber ? Il a souligné vos ressemblances ? Suscité des comparaisons entre lui et ton conjoint ? Bien sûr, il n'a pas passé aux assauts violents... donne-lui seulement le temps. C'est toi qui m'as donné les indices à son sujet Il a

488

dit qu'il te rejetterait si tu faisais l'amour avec quelqu'un d'autre que lui et, puisqu'il le faut bien, ton conjoint ? Il te veut à lui seul, façonnée à sa façon et selon ses désirs: amour vampirique.

Pendant des années, j'ai lutté pour nous libérer de cette façon d'aimer. Vient à peine d'éclore notre amour libéré. Crois-tu que je vais, sans réagir, laisser l'un de nous deux retomber sous la domination de quelqu'un d'autre ? Mais si c'est ce que tu veux, alors je n'en serai pas le complice. Il y a notre conception de l'amour et il y a la sienne; à toi d'en choisir l'une ou l'autre.

Prouve-moi que ta volonté d'être libre est plus forte que celle de ton amant de t'enchaîner, ce que tu n'as pas fait jusqu'à présent

Tu crois que c'est formidable une liaison ? Je te parlerai de la mienne les jours à venir et tu en verras les incroyables servitudes. Tu verras aussi comme la romance et la poésie des débuts se transforment vite en misère et en larmes. L'amour grandit un être pour mieux l'avilir ensuite.

Entre-temps, sache que j'ai fait pour le mieux hier, quelles que soient les souffrances que ça puisse te causer.

Je t'aime, Nicole. D'un amour libérateur. .

*

Dans les deux semaines qui suivirent, ils discutèrent chaque jour pendant plusieurs heures. Il lui raconta tout ce qu'il avait vécu depuis le jour de sa rencontre avec Denise et par la même occasion, ça lui permit d'ajouter à ses conclusions précédentes concernant son ex-maîtresse et l'amour.

–Elle était une femme qui voulait remplacer tes chaînes par les siennes.

Il écouta avec attention ce qu'elle lui raconta de sa propre aventure et fit le bilan de ses réactions.

Dès les premiers jours, il avait accepté qu'elle puisse revoir son amant encore une fois. Ce qui lui permettrait de fermer la porte, avait-elle soutenu.

Le matin du jour où elle devait le rencontrer, il déposa sur sa table de chevet une courte lettre.

Nicole,

Je n'aurai brimé ta liberté que pendant deux semaines. On s'est parlé et compris. On s'est retrouvés et on est ensemble, plus solidaires qu'auparavant car les grandes tempêtes, ça rapproche les marins dans une même peur et dans une même volonté de dompter la mer.

Tu t'es aperçue de ta romance et je crois que t'es retombée les deux pieds sur terre.

Toi qui ne comprenais que les grandeurs d'une liaison, tu en vois maintenant mieux les misères et les pièges qui ressemblent tant à ceux du mariage, mais en pire. Fallait que j'y passe pour devenir celui que je suis. Dois-tu y passer toi aussi, à ta manière ? Peut-être...

T'as dans tes mains toutes les pièces du jeu. T'as tous les éclairages que j'ai pu te donner avec le plus d'objectivité possible Tu sais mieux ce qu'on a été l'un pour l'autre dans le passé et ce qu'on est maintenant. Et j'ai senti que notre futur d'imprévu et d'insécurité t'intéresse vraiment.

Je ne te demande ni de rompre ta liaison ni de la continuer. Mais je voudrais qu'en femme libérée, confiante, forte, tu prennes la décision qui s'accorde le mieux avec ton épanouissement personnel.

Je te redonne mon entière confiance. J'ai retrouvé ma foi en toi.

Arrange les choses à ta manière ce soir. Je t'offre ma complicité. Quoi que tu fasses, ce sera pour bâtir, je le sais, je le sens.

Nos larmes ne sont pas finies, mais notre bonheur non plus.

Je t'embrasse. D'un baiser possessif, de ce baiser qui n'est qu'à nous deux. C'est péché de s'embrasser ainsi et vouloir garder égoïstement ce baiser sans le faire partager à quiconque. Mais le péché est parfois agréable ? C'est la répétition du péché qui est vice ?

Alors, je te donne notre baiser exclusif ..

Alain.

Quand elle eut terminé sa lecture, elle le retrouva pour l'embrasser.

*

Elle prit la décision de ne revoir son amant qu'une fois par quinzaine. Elle voulait, tout à la fois, quérir par ces rencontres de l'épanouissement personnel, évoluer selon un mode de vie ouvert, éviter les servitudes d'une liaison, casser la possessivité de son amant.

Alain approuva l'équilibre de son choix.

*

Au cours des quinze jours suivants, il s'inquiéta de sa santé. Il se rendit chez un médecin pour voir à certains malaises gênants traînés depuis longtemps: bourdonnements d'oreilles, maux de reins, rougeurs au visage.

On ne trouva rien. Remèdes : sortir, bouger, prendre l'air.

Alain trouva le professionnel incompétent et il en consulta un deuxième qui posa le même diagnostic. S'inclinant, il entreprit de se donner une meilleure discipline de vie.

*

Couché un drap sur la tête, Alain frissonnait ou suait

Sur le point de partir, Nicole vint s'asseoir sur le bord du lit.

—J'ai pas envie d'y aller.

Il ne répondit que par un lent mouvement de la tête.

490

–J'aime pas les sorties à dates fixes De plus, je me sens fatiguée. Je m'endors. Et toi, ça va ?

Il se dégagea la tête et dit à faible voix:

–Suis down en viargini. J'aurais besoin de bras chauds pour m'entourer comme si j'étais un foetus.

Elle fronça les sourcils.

–Tu dois faire une autre gastro.

–Mais je viens d'en faire une.

–T'as vu chez ma soeur ? Chacun a fait la sienne et la semaine dernière, le cycle recommençait. Tous ont dû prendre des antibiotiques L'eau est dangereuse, cette année...

–Je bois jamais d'eau pas bouillie.

–T'as pu prendre le microbe en te brossant les dents, ou de moi ou Patricia.

Elle se coucha à plat ventre, passa son bras autour de sa taille, serra

Ce geste affectueux le poussa à s'approcher la tête pour embrasser sa compagne, mais elle dit:

–Attention de pas me décoiffer ! Je pars dans dix minutes et j'aurais pas le temps de me replacer les cheveux

–Je m'excuse.

–J'espère que tu comprends ?

–Bien sûr.

Il y eut un moment de silence.

–Comme ça, t'es down.

–À mort!

–Tu veux une pilule ?

–Une pilule ?

–As-tu mal quelque part ?

–Nulle part en particulier: c'est tout le problème. Fatigué. Les muscles en plomb. J'ai qu'une envie être couché. Mais je m'endors pas.

Elle consulta sa montre:

–Je dois partir, il est huit heures.

Elle se releva à demi pour l'embrasser.

Il la prit par les deux épaules et la regarda intensément dans les yeux sans parler, pensant: "Je suis fou de te laisser partir à ce rendez-vous. Quelque chose tourne pas rond dans ma tête. Est-ce que je veux me prouver quelque chose à moi-même ou démontrer que je suis différent du reste de l'humanité. Ou, masochiste, je cherche à payer pour mes injustices passées envers elle ? Notre couple a-t-il vraiment besoin qu'elle aille chercher autre chose ailleurs?"

Ils se serrèrent fort les mains.

Salut, dit-elle en se levant.

–Reviens, dit-il, presque suppliant.

Elle s'arracha du lit et bientôt, ses pas se perdirent dans le passage. Il l'écouta s'habiller, sortir et partir.

Les pensées tourbillonnaient en son esprit. Il remit en question son argument final pour l'avoir laissée partir à ce deuxième rendez-vous avec son amant. En fait, c'était la troisième soirée à laquelle il consentait, mais la deuxième n'avait été qu'une rencontre très brève, dans un bar. Mais ce soir-là, il le savait, ce serait une vraie rencontre d'amant-maîtresse.

Il raisonna:

"Que vaut cet argument sur la richesse du couple ? Oui, la richesse est dans la pluralité. Oui, la pauvreté se trouve dans le repli sur soi et l'égoïsme à deux qui entraîne routine, platitude, agressivité, jalousie, divorce ou absorption. C'est logique tout ça et je me le dis pour la millième fois. Et d'autre part, ce sont des postulats vérifiés par l'histoire de l'humanité elle-même. Mais le bonheur, lui, se trouve-t-il dans la richesse ou dans la pauvreté ? Peut-on se débarrasser aussi facilement des composantes négatives de son âme ?... Comme s'il s'agissait de dents gâtées ? Accepter l'ouverture aux autres jusqu'à brimer à l'excès sa possessivité naturelle est-il souhaitable ? Contrôler veut pas dire fouler du pied!"

Il cessa de réfléchir un court moment puis se lança dans un creusage plus intense encore:

"Mais alors, comment savoir où se termine le contrôle de ma possessivité et où commence son enchaînement ? Quel sera le point de démarcation entre les deux ? Quoi d'autre que le sentiment du moment présent ? J'avais mal de la voir partir; alors j'aurais dû la retenir. Et si j'avais eu plus mal de la retenir, j'aurais toujours pu revenir sur ma décision; tandis que maintenant, il est trop tard..."

Il s'assoupit péniblement. Une pensée lourde comme du plomb revenait sans cesse hanter son esprit:

"Est-ce qu'il aurait pas été plus logique et normal qu'elle reste ici, auprès de moi, à m'aider physiquement et moralement plutôt que d'aller chercher seule, ailleurs, un épanouissement que je partagerai peut-être pas par la suite ?"

*

Elle revint à deux heures de la nuit. Il n'avait que somnolé et s'était porté de plus en plus mal. Elle ne se rendit point à la chambre et ça le contraria. Il la laissa rôder un peu dans la cuisine, puis la rejoignit.

Il entra, les yeux plissés, sans lever la tête. "Suis toujours down."

Il se laissa tomber sur sa chaise habituelle près de la table.

–Ça va pas ? demanda-t-elle évasivement.

–Le temps arrangera les choses... comme toujours...

–Tu devrais aller voir le médecin demain matin.

Il haussa les épaules. Nicole lui paraissait nerveuse et indisposée. La barrière psychologique ne tombait pas.

–Et toi, ça va ?

Leurs yeux se rencontrèrent et il vit tout de suite qu'elle avait fait l'amour, car elle avait les yeux d'une pulsion sexuelle libérée, ces yeux postorgasmiques qu'il connaissait si bien.

Il se dit à lui-même qu'il devrait essayer d'abattre la barrière, mais il se ravisa. Il pensa:

"Après tout, c'est elle qui a les batteries chargées, tandis que les miennes sont à plat. Elle s'est enrichie au contact d'un autre et je suis resté pauvre dans ma solitude; elle doit donc être donneuse et moi, receveur."

Nicole dit des banalités, mais pas un mot concernant sa soirée Très vite, elle voulut aller dormir.

Au moment de se coucher, il se demanda pourquoi elle n'avait aucune parole rassurante, aucun mot enveloppant, rien pour lui qui en avait pourtant grand besoin.

Il la toucha légèrement à trois reprises; mais, chaque fois, elle fit un geste de recul. Il se demanda s'il n'était pas Satan lui-même.

Elle se retourna sans dire un mot. Et, sans un geste, elle s'endormit rapidement.

–Si c'est ça de l'enrichissement!

Et il se remit à somnoler, la mort dans l'âme.

Après plusieurs heures d'angoisse, il prit une décision qui l'apaisa:

–Puisque l'expérience du mariage ouvert provoque des crises aussi profondes et apporte trop peu pour ce qu'elle coûte, alors elle devra se terminer. Je suis d'ailleurs trop bon prince de l'avoir tolérée jusqu'ici En fort mauvais investisseur que j'ai toujours été, je risque trop pour trop peu. Refusera-t-elle de mettre un terme à son aventure ? Non! Pas après quatorze années de mariage, de partage de tant de choses. Nos liens sont plus solides que ces quelques mois d'une aventure irréfléchie..."

Il se répéta dix fois la même chose puis s'endormit plus détendu

Le lendemain, il eut toute la journée une humeur de chien. Il s'affaiblit et se déshydrata par diarrhée.

En soirée, il s'affala sur son divan de salon et ne parla pas. Quand il vit que l'heure avançait, il coupa brutalement le silence de mort dont il s'était entouré:

–Tu vas mettre un point final à ton aventure.

–Qu'est-ce qui te prend encore ?

–Cette histoire est en train de détruire notre couple; c'est ça et pas plus qu'il y a.

–Tu vois les choses d'un autre œil parce que t'es malade.

–C'est vrai, mais je me porte cent fois plus mal mentalement. Ta maudite aventure nous apporte rien que des problèmes.

–Ça peut pas rapporter du jour au lendemain, tu me l'as souvent dit toi-même. Les fruits viendront à longue échéance. Tu m'as dit ben des fois que ton aventure avec Denise avait fait évoluer notre vie de couple Alors laisse-moi le temps de vivre un peu la mienne.

–Elle recommence à me faire le tour de la tête comme depuis un mois.

Elle se laissa tomber à l'autre bout du divan.

–Recommençons pas encore une fois...

Il haussa les épaules.

–Tu m'as parlé dans le sens qu'il fallait: tu m'as doré la pilule et c'est là une forme de mensonge. Tu m'as trompé. Et sur toute la ligne en plus, comme seule une femme est capable de le faire. La tricherie vient de tout ce que t'as mis en œuvre pour que je consente à la suite de ton aventure. Et la tricherie, pour un couple évolué est inacceptable Il te reste qu'à mettre un X sur ton amant...

Le silence indifférent de sa femme le força à continuer:

–Je le fais pour toi. Je peux te guider mieux que personne.

Elle répondit par une moue désenchantée et s'en alla à la salle de bain.

–Tu pourrais me dire au moins ce que t'as l'intention de faire, lui cria-t-il à travers la porte.

–Ce que tu me demandes.

–T'as compris au moins pourquoi je réagis ainsi.

–Non, mais c'est sans importance !

–Tu veux du concret ? Hier soir, tu m'as laissé complètement seul, dans un coin, comme un vieux meuble après avoir joui toute une soirée avec ton cher amant.

–J'ai jugé que c'était surtout pas le moment de te parler de ma soirée. Tu te souviens de l'autre fois: je t'en avais parlé et tu avais fort mal réagi.

Il fit quelques pas dans le couloir.

–Justement! dit-il avec impatience. Malade comme j'étais, t'aurais dû annuler ton rendez-vous et rester à la maison.

–On discutera demain. De toute façon, inutile de parler, je suis d'accord avec ce que tu demandes.

–Tu dis ça, mais au fond, t'es pas d'accord du tout. Je le sens ben

–Demain, tu veux ? Demain ..

–O.K! d'abord!

Il s'en alla se coucher.

*

Le dimanche matin, il se leva à la barre du jour et s'attabla dans la cuisine pour écrire une lettre.

Nicole,

Ce matin, je suis au neutre, dans un neutre désespérant. À vrai dire, non! Comment le neutre pourrait-il être désespérant ? Alors, disons au neutre tout court.

J'ai aucune vibration. Je ne souffre pas, je ne suis pas heureux non plus. Rien ne m'attire; rien ne me répugne. Et c'est la même chose en alimentation: hier, les choses goûtaient le sucre, mais aujourd'hui elles sont redevenues normales, neutres.

J'ai concentré mon esprit sur un projet qui aurait dû être emballant et qui nous permette enfin de partager un petit bout de bonheur, mais ça m'a laissé indifférent. J'ai pensé à notre rêve américain, notre projet de déménager en Californie, mais j'ai pas vibré non plus. J'ai regardé mes livres de langues, mais j'ai pas eu l'envie d'étudier. J'avais des papiers à remplir et je les ai mis de côté.

J'ai ni faim, ni soif, ni sommeil.

Ni émotions, ni vibrations, ni douleur, ni joie, ni désir, ni refoulement, ni anxiété, ni foi, ni doute, ni colère, ni peur.

Rien.

Je me sens juste un peu seul...

Qu'est-ce qui s'est donc brisé entre nous jeudi ? T'es partie chargée d'émotion pour moi, mais tu n'es jamais revenue. Quel pouvoir cet homme a-t-il donc sur toi ? Chaque fois que vous faites l'amour, il te transforme, et je dois ensuite aller te rechercher morceau par morceau Mais, cette fois, la tâche est au-dessus de mes forces. De mes forces ? J'ai plus aucune force et pourtant, je ne me sens pas faible

Le cœur est mort; il ne me reste plus que ma raison. C'est un peu ennuyant. Mais pas plus que ça.

Et toi tu vibres, mais c'est pour quelqu'un d'autre. Et si, par hasard, tu t'approches de moi, je me sens alors un mauvais fac-similé. Curieusement pourtant, j'ai pas envie de faire d'efforts pour te retrouver.

Je dois t'aimer, mais je ne le sens pas. Cette phrase n'a aucun sens, car on doit forcément le sentir, quand on aime quelqu'un.

Où sont-elles donc ces intensités qu'il y a trois jours à peine tu me donnais l'illusion de vivre grâce à moi ?

Oh! je sais bien que dans quelques heures, le goût de toi me reviendra car les effets de ma maladie s'atténueront, car ma chimie intérieure se modifiera, car la pression atmosphérique changera, car le sommeil reviendra, car la libido renaîtra. Je redeviendrai celui que j'étais mais en plus évolué. Oui, le goût de toi reviendra car je sais qu'il est indestructible en moi Il a commencé à zéro, au début de notre mariage, alors que j'avais l'illusion qu'il était très élevé. Et, avec une extrême lenteur, à travers les larmes, les reprises et la peur, il a grandi et grandi. Les souffrances de cette croissance ont produit, paradoxalement, l'effet contraire en toi: ton désir de moi s'est usé et s'est porté ailleurs. Tu as trouvé ta sécurité affective auprès de quelqu'un d'autre et tu dois la garder; tu l'as trop longtemps cherchée pour que moi, en égoïste, je vienne te l'enlever encore une fois. De mon côté, je chercherai.

Pour nous deux, il est trop tard.

Tiens, voilà qu'enfin me viennent des larmes. Comme c'est bon de pouvoir pleurer! Comme elles sont chaudes et abondantes ces larmes, ce matin! Il fallait que le balancier de mes émotions se remette en marche...

Il est inévitable que nous nous séparions et voici pourquoi. Tu es sociable, pratique, matérielle et moi, je suis solitaire, rêveur et bêtement intellectuel. Je crois en la pluralité source de richesse, et c'est justement notre complémentarité qui, finalement, m'a fait me tourner vers toi au lieu de ma maîtresse, car je suis plus attiré par les êtres qui ne me ressemblent pas, puisqu'ils ont ce qui me manque pour que je sois fort, plus fort. J'ai voulu appliquer cette théorie à notre couple mais en t'oubliant encore une fois. Pourtant, les gens comme toi se renforcent dans la similitude; ils vibrent à se retrouver entre eux et c'est leur identité de goûts et de culture qui fait leur bonheur.

C'est en dehors de moi que tu trouveras ton bonheur et c'est pourquoi nous devons prendre chacun notre route. Je dois te libérer pour de vrai et définitivement.

Quant à moi, je chercherai et trouverai d'autres complémentarités ailleurs, quelque part. Je m'en sortirai bien; on s'en sort toujours.

Soyons positifs et dirigeons-nous sans cris mais sans freiner vers notre séparation Pas de décisions précipitées, pas de chambre à part Soyons disponibles l'un à l'autre et le temps, goutte à goutte, nous rapprochera de notre destin. Nous passerons d'un duo heureux à une vie individualisée plus heureuse encore.

Nous serons le plus heureux couple de séparés du monde!

Je t'aime!

Alain.

Il laissa le papier sur la table et retourna au lit. Nicole le réveilla plusieurs heures plus tard, lui demandant ce qu'il voudrait manger.

—À ton choix, dit-il.

Il se rendit à son bureau. Elle y avait déposé sa lettre. Quand le dîner fut prêt, elle l'appela et, quand il fut attablé, lui dit.

—J'ai lu ta lettre et je voudrais en discuter.

–Qu'as-tu à dire ?

–Demain, on va prendre l'avant-midi pour en parler. On sera seuls à la maison: ce sera plus facile.

–Comme tu voudras.

Dans l'après-midi, il s'enferma dans son bureau pour réfléchir. . Mais sans succès. Il pensa au montage audio sur cassette que Denise Martel lui avait donné un an plus tôt et qu'il n'avait jamais voulu écouter, se disant toujours que le moment n'était pas encore venu. Denise en avait bien résumé le contenu à leur dernière rencontre, mais pour ce qu'avait été la communication ce jour-là... "Puisque le montage avait été fait pour Noël, il devait forcément être optimiste," pensa-t-il

Il chercha la cassette dans un petit coffret d'acier fermé à clef, que Nicole lui avait offert en cadeau après qu'il se soit plaint dans le temps, qu'elle l'espionnait en se mettant le nez dans ses affaires personnelles. Il mit la cassette en position sur son lecteur et appuya sur le bouton.

Denise (parle): Allô mon chéri. J'ai le goût de t'offrir un petit quelque chose de spécial à l'occasion de Noël. Tu me parlais d'un plan de moi-même que tu pourrais analyser à fond: j'ai cherché partout, surtout dans mes livres de patrons, mais j'ai rien trouvé qui corresponde fidèlement à moi. D'ailleurs, en faisant ma recherche, je changeais déjà. Il faudrait un plan à pièces mobiles, à couleurs différentes. Ça prend seulement des génies comme toi pour concevoir et surtout pour comprendre de tels casse-tête. Cependant, j'ai trouvé une façon bien personnelle de me décrire un peu à toi que j'aime plus que tout au monde, à toi qui es mon éternité. Voici, sans ordre, quelques facettes de mon moi. C'est juste pour toi ..

Nicole entendit la voix à travers la porte et frappa.

–Qu'est-ce que c'est ?

–Un enregistrement que m'avait préparé Denise et que j'avais jamais écouté. Si ça t'intéresse, tu peux t'asseoir, dit-il, calculateur

Elle se cala dans un petit divan et lui dans sa chaise à bascule

–Tu peux recommencer ?

Il fit reculer la bande et la voix reprit. Cela lui donna l'occasion de remarquer davantage le 'mon chéri', le 'toi que j'aime plus que tout au monde', le 'juste pour toi'. Était-elle possessive à ce point, se demanda-t-il ensuite en écoutant les souvenirs d'enfance dont elle parlait, et une chanson leur seyant ?

Denise (parle)· –Oui, c'est vrai, ces souvenirs sont si loin que j'ai oublié que j'avais pu vivre sans toi Il me semble que tu as toujours été là. Peut-être pas présent physiquement, mais il me semble que ta façon de penser et de t'interroger sur tout étaient déjà en moi. Comme si, même avant de te connaître, ton image était déjà imprégnée en moi.

La chanson qui suivit fit sourire Nicole.

Denise (chante):

–Je t'aime, je t'aime, oh! oui, oh! oui, je t'aime; je t'aimerai toute ma vie...

Denise (parle): –Il reste que cet amour-là est autrement des autres. Par bouts, je me sens comme emprisonnée par mes principes; on dirait que les gens me pointent du doigt, me jugent, me condamnent. Et ce qui me fait le plus mal, c'est quand je me rends compte que je suis un paquet de problèmes pour toi.

Denise (chante):

–Parle plus bas car on pourrait bien nous entendre...

–Elle chantait mal ta maîtresse, dit Nicole.

–Et ton amant lui, te fait chanter comme il veut.

Ils ne se parlèrent plus de toute la chanson.

Denise (parle): –Cette impression d'être mise à part, je la ressens pas seulement face aux gens du milieu mais aussi, face à toi. Je me sens comme quelqu'un qui dérange tes projets, qui ne fait plus que combler un vide...

Denise (chante):

–Fais-moi l'amour, pas la charité...

Vers la fin de la chanson, Nicole dit:

–Selon ce que tu m'as dit, c'était pourtant le cas.

Il haussa les épaules.

Denise (parle): –Ça, je ne veux pas y croire. Malgré toutes tes grandes théories, shhhhhhhh, dis pas un mot. Laisse-moi m'accrocher à l'idée que, quand on fait l'amour, y a beaucoup d'amour. Je sais que ça peut pas toujours être comme la première fois, mais, pour moi, c'est de plus en plus imprégné d'amour. C'est pas comme avant; je suis pas capable de te décrire la différence avec des mots, mais c'est comme ça et j'en suis fort heureuse. Et ça m'attache beaucoup à toi. Voilà pourquoi la prochaine chanson ne me laisse jamais indifférente.

Denise (chante):

–Reste, reste encore, reste, sur mon corps...

Denise (parle): –C'est beau, n'est-ce pas ? Les paroles, je veux dire! C'est pourtant vrai, tu écoutes rarement les paroles d'une chanson. Tant pis! Tu n'auras qu'à faire un petit effort. On appelle ça un consensus; mais puisque c'est un consensus, il faut que, de mon côté, je fasse quelque chose. De mon côté, je chanterai moins longtemps. Tu sais Alain, je fais bien des folies, mais à travers tout ça, je me rends compte d'une chose bien importante. Approche. Encore. Plus près. Je suis amoureuse. .

Elle chanta puis parla de ses crises d'adolescente où elle broyait du noir en attendant qu'on aille à son secours, espérant que les autres devinent ses états d'âme. Elle dit aussi qu'elle n'avait pas changé, si ce n'est qu'aujourd'hui, elle tentait d'oublier sa peine avec d'autres au lieu de rester dans son coin. Puis elle chanta:

–Je regarde les autres, et ne leur trouve rien...

Nicole dit:

–D'après ce que j'entends, j'étais pas la seule à faire preuve de ce que tu appelles de l'exclusivisme affectif.

Alain ne répondit pas. Il se mit à en vouloir à Denise de révéler, par cet enregistrement, que leur relation avait été de très loin plus possessive qu'il ne l'avait cru et perçu à l'époque

Denise (parle): –Puis la période noire s'en va. Elle laisse souvent des blessures. Mais, en vieillissant, je m'efforce de les guérir par moi-même en cherchant des choses positives autour de moi, soit une parole douce, un geste tendre. Et c'est la transformation. Le soleil revient Je reprends ce que j'avais laissé; une ardeur nouvelle me gagne.

Alain pensa: "Même en période qu'elle dit positive, elle se fie sur les autres pour son bonheur et oublie de chercher en elle-même."

Alors l'amertume s'empara de lui et il rejeta sur Denise et Nicole tous les torts. Tout au cours de la chanson, il se laissa aller à sa misogynie.

Denise (parle): –Pendant ce temps nuageux dont je te parlais tantôt, mon attitude influence ta façon d'être, d'agir, de penser avec moi. Bien sûr, je ne dois pas m'attendre à un flot de tendresse quand je sors mes épines; mais j'ai besoin, en ces moments-là, que tu me rassures, que tu m'entoures de soins. Traite-moi d'idiote s'il le faut, contredis tout ce que je dis pourvu que tu en arrives à me dire que tu m'aimes, que c'est moi que tu désires. Bien sûr, je dois considérer ta personnalité. Elle est tendre, mais exige la tendresse et ne sera douce que par la douceur. Tu rebrousses farouchement chemin devant une poussée .. en tout cas, quand c'est moi qui te la donne. Alors je me retrouve seule et triste et toi aussi, tu te retrouves seul et triste.

Denise (chante):

–Dans le jardin de l'homme au cœur blessé...

Alain pensa:

"Ma pauvre Denise, tu sais que j'étais heureux pas seulement avec toi mais aussi sans toi..."

–À la maison, tu critiquais plus souvent que tu pleurais, dit Nicole, sarcastique.

–C'est pas le moment d'être agressive.

Denise (parle): –Et on se perd de vue pour un autre petit bout de temps; il y a un fil de coupé. De ton côté, t'es amoureux, tu aimerais me le dire, tu voudrais être dans mes bras, mais tu juges que c'est pas le moment et tu t'engouffres dans le travail et tu laisses le temps passer. Moi, je suis amoureuse, j'aimerais te le dire, j'aimerais me jeter dans tes bras, mais je rage contre tout. Je dispute contre la stupidité de la vie. J'en veux à tout le monde, même à toi. Je fais un tour d'auto, te cherche et ne te trouve pas. Alors je reviens chez-moi et je pleure. Plus rien ne m'intéresse. Ça me choque de voir qu'on ne peut se rejoindre.

Nicole dit:

–Elle était aussi peu positive que toi ces jours-ci.

Alain haussa les épaules, écouta la chanson suivante.

Denise (parle): –Quand je dispute comme ça, j'ai envie de penser que c'est de la mesquinerie, parce que je me dis, dans ce temps-là: pour quelle raison, moi, je fais telle chose et lui, il ne la fait pas ? Par chance que je ne suis pas toujours comme ça. Parfois, je donne sans compter Par contre, d'autres fois, je compte ce que je reçois, je fais le bilan, j'analyse les détails à la loupe. J'oublie qu'en amour, ce qui compte, c'est justement ce qu'on ne compte pas.

Denise (chante):

–Pour vivre ensemble il faut savoir aimer, et ne rien prendre que l'on n'ait donné...

Denise (parle):

–Eh oui, il faut savoir aimer. C'est pas facile: être capables de synchroniser nos caractères. Pourtant, quand les événements tournent un peu de notre côté, c'est si merveilleux. Quand tu poses ta tête sur me seins, quand je te serre fort, quand tu me roules dans tes bras pour me protéger de tout, quand nous sommes allongés tous les deux, l'un cherchant dans le regard de l'autre des mots d'amour: toutes ces heures devraient s'arrêter.

Denise (chante):

–Lorsqu'on est heureux, on devrait mourir...

Denise (parle):

–Il me semble pourtant qu'il y a d'autres moyens que la mort pour prolonger le bonheur. Et, un moyen parmi d'autres, c'est la vie. Je m'écoute parler et je me trouve drôle. C'est incroyable d'être si positive des fois et si noire par bouts: une vraie toupie. C'est curieux .. Le bonheur n'est grand qu'avec toi et quand je n'ai pas de tes nouvelles depuis longtemps d'abord, je deviens songeuse, puis triste et ensuite indépendante. Je me pose des questions et formule des hypothèses Souvent ma pensée se résume à ceci:

Denise (chante):

–Dis, quand reviendras-tu ? Dis, au moins, sais-tu que le temps qui passe ne se rattrape pas...

Denise (parle): –J'ai essayé de t'oublier, de te remplacer par un autre Tu vas me dire: c'est possible, personne n'est irremplaçable. Je ne suis d'accord avec toi que jusqu'à un certain point. L'autre ne sera jamais toi. Je suis imprégnée de toi; c'est toi que je veux. Que tu meures et tu seras toujours en moi, car ce ne sont pas les gestes qui ont un goût d'éternité mais la pensée.

Nicole dit:

–Curieux, j'ai jamais eu de telles vibrations de toute ma vie Même quand on était fiancés. J'ai souvent remarqué ça de toi: tu sembles vibrer aux mêmes choses beaucoup plus que moi... Chanceux !

–Ça crée pourtant ben des problèmes.

–Surtout ces jours-ci.

–Peut-être !

Denise (parle): –Pour toutes ces raisons, je n'ai pas le goût de te remplacer par de l'accessoire. Si un jour la vie nous sépare, je prendrai mon chemin. Au début, ce sera difficile, mais je dominerai la situation à la longue. Mais pour l'instant, je veux croire à nous deux. Évidemment, nous connaîtrons des moments de solitude et, qui sait si nous n'en avons pas besoin.. Que de beaux souvenirs nous avons! Pour cette marguerite que tu as effeuillée sous mon nez, pour ces larmes que j'ai versées dans ton cou, pour ces randonnées au clair de lune, pour ces soupers où tu rigolais de mes gaucheries culinaires, pour m'avoir guidée sur le chemin de moi-même, pour les milliers de baisers juste à nous deux et pour tout ce qui fait que nous sommes bien ensemble, je te demande d'oublier mon côté noir.

Denise (chante):

–Ne me quitte pas...

Denise (parle): –Nous avons tant à faire, mon chéri. Je sais que je pourrai me glisser dans tes projets. Je suis active. Mais écoute bien ceci: j'entreprends quelque chose dans la mesure où d'autres personnes voient ou verront ce que je fais. À cela s'ajoute mon plaisir personnel; mais il ne fait que s'ajouter. Je travaille pour m'attirer une critique la plus positive possible et c'est pour ça que je ne compte pas mon temps. Cependant, je suis consciente de ne pas plaire à tous, et voilà ma faiblesse. Seule, je réagis mal à une critique négative. Je dis bien seule, car autant j'aime partager un succès avec quelqu'un d'autre, autant j'ai besoin des autres pour m'aider à accepter l'échec. Nous réaliserons des projets ensemble et, après le travail, nous prendrons le temps de relaxer. Je sais que jamais tu ne pourras t'étendre au soleil à ne rien faire et c'est pas moi qui vais te l'imposer non plus. En terminant, je tiens à te résumer plus clairement ce que j'ai voulu te dire qu'aujourd'hui. Comme moi, à la fois, c'est très simple et très compliqué· je t'aime.

Denise (chante):

–Quelle importance le temps qu'il nous reste, nous aurons la chance de vieillir ensemble... je nous imagine, ta main dans la mienne nos moindres sourires voudront dire je t'aime...

Alain laissa la bande se dérouler jusqu'au bout, puis il remit la cassette à sa place dans le coffret.

–Tu l'avais jamais écoutée ?

–Jamais! J'attendais d'avoir besoin de le faire et j'ai senti ce besoin aujourd'hui. Elle m'en avait résumé le contenu, mais j'avais mal écouté et j'étais pas disposé à le faire à ce moment-là.

–Et qu'est-ce que t'en penses ?

–On en reparlera demain, d'accord ? Disons en bref qu'elle fait naître en moi un grand espoir: c'est de ne pas être demain celui que j'ai été ces jours-ci.

*

Le lendemain matin, pendant que Nicole s'occupait de faire déjeuner l'enfant, Alain se rendit à son bureau quérir la lettre qu'il avait rédigée la veille et il retourna au lit pour la relire. Bientôt, Nicole le rejoignit.

–Comment va la santé ce matin ?

–La maladie physique: terminée.

–Et l'autre ?

–Passée aussi. T'as dû me trouver bête à manger du foin ?

–On parle de la cassette ?

–La lettre et la cassette se ressemblent beaucoup et, si je veux garder la cassette en souvenir, par contre, je vais déchirer ma lettre.

–Tu devrais la garder; y a des choses vraies dedans.

–Mais aussi des fausses et les vraies y sont au service des fausses.

–Garde-la comme un souvenir d'évolution.

–Je voudrais ben savoir si Denise a continué de se replier sur elle-même. Non, mais ce que le mal physique peut aigrir et aider la peur La même vie, si emballante en temps de santé, devient invivable en temps de maladie. La mesure des choses se modifie incroyablement. Tout se déforme dans l'excès. Les risques deviennent folie La peur devient cauchemar. Et le gris ne devient pas blanc mais noir, car les déformations sont négatives...

–Voilà pourquoi j'aurais peut-être dû ne pas aller à mon rendez-vous jeudi dernier, dit-elle, songeuse.

–Peut-être... Pour soigner l'enfant.

–Ce fut mon erreur. Après tout, j'aurais pu me reprendre cette semaine.

–Par contre, la crise fut très profitable. Un autre piège est écarté qui, en d'autres circonstances, nous aurait peut-être davantage blessés.

–À force de déjouer les pièges de la vie, on va devenir de vieux renards rusés.

Il sourit.

–Malheureusement, le renard a la queue un peu basse ce matin, sinon la renarde prendrait ça chaud.

Les bouchées de poulet grésillaient dans la cocotte à fondue.

Patricia sortit ses fourchettes dont elle dégagea le contenu, puis elle piqua des morceaux de viande rose et les plongea dans l'huile bouillante. De sa fourchette de table, elle piqua un morceau de poulet frit et, devant les sauces, hésita.

–Sont bonnes mes sauces, hein! fit Alain.

L'enfant haussa les épaules:

–T'as fini de te vanter, papa ?

–Faut ben que je le fasse, personne le fait.

Il sortit ses fourchettes de l'huile:

–Finalement, Patricia, t'as pas répondu à ma question d'avant souper. C'est quoi ta définition de l'amour ?

–Sais pas, dit l'enfant.

–Alors, c'est que tu n'aimes pas !

–Comment ça ?

–Le vrai amour devrait pouvoir se définir s'il touche tout l'être humain. Il doit venir du cœur mais aussi de la raison, tu trouves pas, toi ?

—Je suppose, dit-elle, sans intérêt pour la question.

—Le véritable amour devrait, pour l'être humain, constituer la chose la plus facilement définissable puisqu'il fait bouger à la fois le cœur et la tête et qu'on se base sur lui pour prendre des tas de décisions concrètes. Les gens doivent savoir ce qu'est l'amour dont dépend leur vie entière...

Il mastiqua une bouchée de poulet.

—Tu aimes Marc ?

—Bien... oui, hésita-t-elle.

—En ce cas, tu dois pouvoir définir l'amour.

—C'est quand on voit un gars et que ça cogne ici, dit-elle en se désignant la poitrine.

—Pour toi, c'est donc une vibration ?

—Allô mon chéri, ahhhhh, dit Nicole.

—Tiens, ta mère qui parodie mon ex-maîtresse, dit Alain. Passe-moi la sauce à l'estragon, Nicole, veux-tu ?

—Te souviens-tu de la définition de l'amour que papa t'a donnée tout à l'heure ? demanda Nicole.

—Non, c'est trop compliqué, s'impatienta l'enfant.

—C'est pas compliqué, dit Nicole. C'est la complémentarité... heureuse...

—De deux êtres...

—Laisse-moi le dire moi-même, ordonna joyeusement Nicole.

—D'accord, dit Alain.

—C'est la complémentarité heureuse de deux êtres différents habitant sous le même toit, partageant les mêmes choses de la vie.. dit-elle

—Pas nécessairement, interrompit Patricia qui chargeait une autre brassée de fourchettes.

—Hein ? dit Nicole.

—Pas besoin qu'ils soient mariés ou qu'ils vivent ensemble, dit l'enfant.

—Elle pense qu'à elle, dit Nicole.

—Je pense pas qu'à moi, voyons maman.

—Nous autres, on parle de l'amour vrai, dit Nicole.

Alain parla en mangeant

—La petite fille doit être sur le point de dire. mes chers parents, vivez vos amours de trente-cinq ans et laissez-moi vivre mes amours de douze ans.

Nicole commenta:

—Patricia aime à douze ans, elle aimera à quatorze, à vingt ans et ce sera différent chaque fois.

–Mais le plus grand amour...

Patricia interrompit Alain:

–C'est à vingt ans.

–Non.

–Quatorze.

–Non.

–Douze.

–Non.

–C'est l'amour que t'as pas encore vécu, dit Nicole.

–Non, dit Alain.

–Vingt-quatre ans, dit Patricia.

–Non. C'est l'amour que tu vis dans le moment présent.

–Celui que tu vis dans le moment présent est le plus beau, et celui que tu vivras dans dix ans, à ce moment-là, sera le plus grand puisqu'il sera présent, dit Nicole.

Le son de l'appareil de télé parvenait jusqu'à eux depuis le salon. C'était *La petite maison dans la prairie*. Y prêtant l'oreille un moment, Alain commenta:

–Toutes les petites filles charmantes sont maintenant à l'école. Que c'est beau! Que c'est édifiant de voir ces petits anges! Comme Mélissa a de beaux yeux bleu turquoise!...

–Te moque pas de ses yeux, papa, sont assez beaux.

–Elle a de petits yeux grecs, les préférés de ta mère, dit Alain.

–Les Grecs ont pas les yeux bleu turquoise, dit Nicole.

–Alors, ils doivent pas être beaux, dit Alain.

–La plupart ont les yeux comme toi et comme Patricia.

–Alors ils sont sûrement pas beaux, fit-il.

–Vous avez les yeux à la grecque, reprit Nicole.

Il fit un clin d'œil à l'enfant :

–Je pense plutôt que c'est les Grecs qui ont les yeux à la 'nous autres'.

–Papa! s'exclama l'enfant amusée

–Suis drôle, hein ? Y a une chose mon enfant, un souvenir que tu vas garder de ton père: tu pourras toujours te dire que c'était un beau drôle.

–Tu diras que ton père est un original, dit Nicole.

–Un excentrique, dit l'enfant.

–Un quoi ? demanda Nicole.

–Un excentrique, répéta l'enfant.

–Ça veut dire décentré, dit Alain entre deux bouchées. Et ta mère ?

—Qu'est-ce qu'elle a, ma mère ?

—N'est-elle pas excentrique ?

—Non, dit l'enfant.

—Elle est quoi à tes yeux ?

—Originale

—T'es ben organisée dans la vie, dit Nicole. Un père excentrique et une mère originale.

—Patricia, tu m'as pas encore donné la définition de l'amour que je t'ai dite avant le souper, dit Alain.

L'enfant s'impatienta:

—Je m'en souviens pas.

—Écoute ben, je vais la répéter. C'est la complémentarité heureuse de deux personnes individualisées, s'enrichissant l'une l'autre par le partage de leur épanouissement personnel qu'une libération mutuelle favorise.

—Ouf! c'est ben trop compliqué, grimaça l'enfant.

—C'est tout ça plus la petite ou grande vibration un peu diabolique dont tu nous parlais tantôt et qui s'appelle de la possessivité. En y pensant bien, tu peux t'en tenir à cette vibration pour un bon bout de temps. Je voudrais pas te priver des joies de t'en libérer toi-même un jour

—Changeons les sauces, proposa Patricia.

—D'accord, fit Nicole.

Elle fit l'échange des petits plats.

—Toutes mes sauces sont à base de ketchup... histoire de faire de la variété, dit Alain. Patricia, as-tu goûté à un toast melba avec du ketchup dessus ? Ça goûte la même chose qu'un hamburger ..

—Je te crois pas.

—Je te jure, dit-il en levant la main. Mais un hamburger sans viande et... dont le pain serait remplacé par un toast melba.

—Ahhhhh ! dit l'enfant en hochant la tête.

—Finalement, pendant qu'on était au cinéma hier, as-tu regardé ton film de monstres ?

—Non.

—Pis celui à John Wayne ?

—Non plus.

—As-tu lu ?

L'enfant fit signe que non.

—As-tu fouillé dans mon bureau ?

—Non.

—T'as fait quoi ?

—J'ai joué avec mes poupées.

—Voyons, ça parle d'amour et ça joue encore avec des poupées ?

—Elle fait faire l'amour à ses poupées, dit Nicole.

—Non, protesta l'enfant, j'ai fait une maison pour ma poupée.

—Oui, tu fais faire l'amour à tes poupées; tu les déshabilles et tu les couches ensemble dans des positions... dit Nicole.

—Elle a des poupées mâles ? s'enquit Alain.

—Elle en a deux, dit Nicole.

—Hey papa, tes fourchettes sont tombées sur les miennes.

—Est-ce qu'elles ont vraiment des attributs masculins ? demanda Alain.

—Non, dit l'enfant.

—Est-ce que tu sais ce que c'est que des attributs masculins, dit Alain.

—Ah ! ce que tu peux être con, papa.

—Es-tu vierge ? demanda Nicole.

—Ouais ! dit l'enfant.

—Qu'est-ce que c'est qu'être vierge ? demanda Nicole.

—C'est quand on n'a pas fait l'amour, dit l'enfant

—Qu'est-ce que faire l'amour ? demanda Alain.

—Ben... ehhhh.

—Tu le sais pas ? Qui va me le dire ? Qu'est-ce qu'il a fallu que je fasse pour que tu viennes au monde ? dit-il.

—Je te jure qu'il y a belle lurette qu'elle sait tout ça, dit Nicole. Elle est pas à un âge pour en parler librement.

—Les tabous naturels ? C'est merveilleux. Ça permet à l'exploration de s'étendre sur plusieurs années.

—Ton père à un pénis, ta mère à un vagin et ensemble... dit Nicole.

L'enfant interrompit:

—Ça donne un bébé! jeta-t-elle avec impatience.

—Non, faut parler à mots plus couverts, dit Nicole.

—Ton père a la saucisse et ta mère a le pain...

—Et ensemble ça a donné.. un hot dog, dit Alain.

—Vous êtes malades tous les deux, dit l'enfant

—Ta mère a un pain à la grecque, dit Alain.

—Ah ! non, pas encore ça! dit Nicole.

—Ha, ha, ha! fit l'homme.

Il se mit à chantonner en sortant ses fourchettes chargées:

—Y a du poulet frit Kentuck... Kentuck...

—Toutes les fourchettes sont mélangées, dit l'enfant avec un brin d'impatience en voix.

—J'ai la blanche, la rouge et la jaune, fit Nicole. Et toi, Alain ?

—Et moi, celle-là, celle-là et celle-là. Donc, celles qui restent sont les tiennes, Patricia.

—Ça pleure à la télévision, dit l'enfant.

—Oh! Mélissa qui pleure. Ahhhhhhhhh! comme c'est poignant! Sie ist krank.

—Papa, tu ridiculises tout.

—Un bon moyen d'apprendre à apprécier les choses, c'est d'en rire. Chacun veut se faire prendre au sérieux parce que chacun prêche pour lui-même. Parfois ce sont les prêtres, parfois les avocats, parfois ce sont les scientifiques qui veulent qu'on les prenne très au sérieux. Et de plus en plus, le monde ordinaire. Eh oui! Tu veux que je te dise une bonne chose: méfie-toi des gens qui veulent se faire prendre trop au sérieux, parce que leur vérité, quand on l'étudie, c'est toujours un brin sur rien.

—Faut se brancher un jour, dit Nicole.

—Erreur fondamentale: se brancher. Imiter, suivre la foule, faire le lemming.

—C'est quoi, un lemming ? demanda la fillette.

—Une petite bête qui suit les autres, même si les autres courent au suicide

—Savez-vous que notre conversation s'en vient pas mal sérieuse pour des gens qui disent qu'ils se prennent pas au sérieux, commenta Nicole.

—Ça, c'est vrai! Revenons à Mélissa, dit Alain.

—Et aux Grecs, dit Patricia.

—Ta mère aime pas qu'on parle en mal de ses chers Grecs.

—Oui, mon chéri, dit Nicole. Mon chéri voudrait-il venir poser sa petite grosse tête sur mes seins ?

*

À l'automne, Alain retourna aux études à l'université. Une fin d'après-midi, entre deux cours, dans un angle d'un couloir du pavillon, il s'arrêta net. Il porta sa main à sa poitrine, se demandant si son cœur ne sauterait pas. Ses yeux s'écarquillèrent, n'en finirent pas de détailler une jeune femme aux allures bourgeoises qui s'était également arrêtée au même moment.

—Alain, mais c'est que tu fais donc ici ? dit-elle de sa voix suave.

—C'est toi, Micheline! Mais bon Dieu, qu'est-ce que tu fais ici ?

—J'étudie. Et toi ?

—Moi aussi.

Il la regarda cent fois de la tête aux pieds Mais bon Dieu, t'es encore plus belle qu'il y a dix-sept ans !

–C'est que je suis heureuse...

–Ça se voit. T'as toujours ce sourire exquis, vivant, si plein d'espoir...

–Et toi, ça va ?

–Oui. Et toi ? Toujours mariée ?

–Oui. Et toi ?

–Oui. . Oh, bon Dieu, j'en crois pas mes yeux...

–T'as couru ? T'es essoufflé ou quoi ?

–Pas essoufflé! Ému! Abasourdi! Fou! Bon Dieu, on dirait que t'as rajeuni Te souviens-tu de l'aveugle marchant dans le cimetière ? T'as des enfants ? T'as repris tes études depuis longtemps ? Que je suis heureux de te voir! Bon Dieu, comme t'es belle! Te rappelles-tu...

*

–J'espère qu'on aura des nouvelles avant Noël au sujet de notre demande de visa, dit l'homme.

–J'en doute, il reste que huit jours, dit Nicole.

Ils venaient de rentrer, presque au même moment, juste après minuit, plus tôt d'une grosse heure qu'ils ne le faisaient d'habitude leur soir de sortie et cela, sans s'être donné le mot. Ils n'avaient pas trop su quoi se dire en se voyant et c'est pourquoi il avait parlé de visa Ils savaient, qu'en ces moments-là, parler de leur rêve américain abattait les barrières Mais ils n'avaient pas eu besoin d'en dire bien long ce soir-là pour se trouver une jetée

Et ils s'esclaffèrent.

–Veux-tu ben me dire par quel maudit hasard on s'est ramassés dans le même bar ? demanda Alain.

–On n'a pas vu ton auto devant.

–J'étais monté avec Micheline.

–Avec le nombre de bars qu'il y a en ville, c'est tout un hasard

–Ça, tu peux le dire !

–Mais j'en suis pas fâchée. Ça m'a permis de voir quel air elle a maintenant, ta chère Micheline.

Il questionna des yeux

Nicole poursuivit, l'air malicieux.

–Elle est pas mal conservée ..

–Je te l'avais dit.

–Sauf qu'elle a les tabous tenaces...

–Moins.

–Tu veux dire que ? ...

Il fit signe que oui.

—On revient du motel.

Nicole frémit légèrement, puis sourit.

—Comment ce fut ?

—Pas trop active, mais ça viendra.

—Mais agréable tout de même ?

—Ben... je le désirais depuis quatre mois.

—Quand je t'ai vu avec elle, a fallu que je me prenne en mains pour dompter ma jalousie. Sur le coup, j'ai réagi...

—Même chose pour moi et c'est pour ça que Micheline pis moi, on n'a pas moisi là-bas. Comment ton Grec a-t-il pris la chose ?

—Il a dit que... t'avais du goût pour choisir tes amies... et m'a reproché de partir trop tôt. Mais j'avais hâte de te retrouver et quelque chose m'a dit que tu rentrerais pas tard.

—Ce fut la même chose pour moi.

Il bâilla.

—On va se coucher ? demanda-t-elle.

***

Chapitre 21

1978

Elle rentra tard de son travail et s'affala sur le divan du petit bureau où Alain travaillait encore.

—Ça va ?

—Fourbue, fit-elle.

—Beaucoup de clients ?

—Pas mal. Et toi, pas couché encore ?

—J'ai pas de cours demain matin, je t'ai attendue.

—Tu étudiais ?

—J'ai un examen important cette semaine. Mais je t'ai attendue pour une autre raison. J'ai du neuf à t'annoncer. On a reçu des nouvelles concernant le visa. Après étude des papiers, je pense qu'il vaudra mieux que toi, tu fasses la demande. Moi, je t'accompagnerai comme conjoint. La raison est simple: grâce à ta sœur qui signera la requête pour toi, le temps requis pour obtenir ton visa à toi sera bien moindre qu'il m'en faudrait pour avoir le mien. Je réfléchissais à tout ça ce soir. Ça voudra dire que le rêve américain sera rendu possible grâce à toi finalement.

—Mais c'est kif-kif, dit-elle en souriant, puisque j'aurai besoin de ton aide là-bas, surtout à cause de la langue.

—Je pensais aussi que si notre vie se déroulait comme un roman, on partirait pour la Californie vers septembre, après de touchants adieux à Micheline et Kosta...

—Je peux voir les papiers que t'as reçus ?

—Attends, sont là, quelque part... Kif-kif, hein?...

***

511

Épilogue

Le rêve américain ne devait jamais se réaliser pour le couple qui se sépara deux ans plus tard.

Alain Martel devint romancier et publia sans arrêt durant vingt-cinq ans. Nicole poursuivit tout aussi longtemps sa carrière de serveuse d'apparat. Patricia suivit les traces de son père: elle devint enseignante et ergoteuse tout comme lui... et bien d'autres profs.

Aucun des trois ne se maria ou ne vécut en couple... Peut-être fut-ce là leur vrai rêve américain de liberté ?... Mais peut-être pas...

FIN

Le mot de la fin

Recette d'un livre et livre de recettes...

Au temps d'écrire *Demain tu verras*, j'étais 'ménagère' (homme de maison) comme Alain Martel dans le ROMAN.

Il m'est venu à l'idée d'écrire un livre de la même façon qu'on prépare un plat cuisiné: à partir d'une recette de base. Voici celle de *Demain tu verras* paru en 1978 chez Québec-Amérique. (Il faut mentionner que l'argument en couverture arrière fut écrit par l'éditeur d'alors.)

Ingrédients et méthode

Personnages dans la trentaine...

Un gars marié bien **grillé**.

Sa femme **blanchie** à volonté et à souhait.

Sa maîtresse qui **colle** au fond de la marmite.

Brassez le tout sans tout mélanger.

Isolez le gars antipathique et **ébouillantez**-le au bon endroit.

Ajoutez beaucoup de **sexe**, de **poivre** et autres épices.

Cuire sur le feu vif des **sentiments** durant 500 ou 600 pages.

Retirer du four et **servir**... froid ou chaud.

Ça donne un premier roman pour l'auteur en devenir que j'étais et pour un éditeur débutant... Et une indigestion pour plusieurs des cent mille lecteurs et plus du livre.

Et un auteur qui se fera tancer pendant vingt-cinq ans à se faire prendre pour son personnage principal qui, malheur! porte les mêmes initiales que lui et possède le même squelette psychologique

Vous n'avez pas été choqué par la lecture de ce livre: tant mieux! Ceux qui l'ont été doivent penser que l'auteur (début 2002) a produit 45 autres titres depuis *Demain tu verras*. On peut en consulter le catalogue sur son site web.

www.andremathieu.com

Du même auteur:

Pour un aperçu de ces ouvrages, leur prix et leur
disponibilité voir le site web:

www.andremathieu.com

CASSETTES (audio) D'HYPNOSE

texte et voix par André Mathieu
diplômé de l'EFPHQ
en hypnose scientifique et hypnothérapie

Autoroute du bien-vivre

1   Relaxation
2   Créativité
3   Concentration
4.   Mémoire
5   Confiance en soi
6   Intuition
7   Beauté intérieure
8   Sommeil
9   Chance au jeu
10   Sensualité
11   Action sur gènes
12   Autoguérison
13. Régénérescence

Voies d'évitement du mal-être

14   Stress
15   État dépressif
16   Tabagisme
17   Chagrin d'amour
18   Deuil
19   Peur de l'avion
20   Timidité
21   Trac
22   Jeu pathologique
23   Malaises
24   Cancer
25   Régression
26   Idées suicidaires

Général

27 Spiritualité
28 Voyage astral
29 Retracer ses vies antérieures (réincarnation)
30 Savoir chercher l'amour et le trouver

Ces pratiques ne comportent aucun danger Elles peuvent constituer un complément de traitement médical sans prétendre le remplacer

L'action de l'hypnose se situe au niveau de l'inconscient.

www.andremathieu.com